SÉTIMO

André Vianco

SÉTIMO

9ª reimpressão*

novo século

Direção Geral *Nilda Campos Vasconcelos*
Supervisão Editorial *Silvia Segóvia*
Editoração Eletrônica *Sergio Gzeschnik*
Capa *Christian Pinkovai*
Revisão *Luzia Bonifácio*
Luciana Salgado
Vera Lúcia Quintanilha
Foto do Autor *Rodrigo Pinkovai*

Dados Internacionais de Catalogação na Publicação (CIP)
(Câmara Brasileira do Livro, SP, Brasil)

Vianco, André
Sétimo / André Vianco. – Osasco, SP : Novo Século Editora, 2002.

1. Romance I. Título

02-1246 CDD-869.935

Índice para catálogo sistemático:

1. Romances: Século 20 : Literatura Brasileira 869.935
2. Século 20 : Literatura Brasileira 869.935

2007

Av. Aurora Soares Barbosa, 405 – 2º andar – Osasco – SP – CEP 06023-010
Fone (11) 3699-7107
www.novoseculo.com.br
editor@novoseculo.com.br

Para meus pais, Valdir e Sônia, que me criaram com amor paternal e fraternal, com toda liberdade, dignidade e confiança que eu pudesse desejar.

Sem eles, nada disso seria possível. Beijos.

Agradeço a todos os leitores que enviaram e-mail, telefonaram, contaram aos amigos sobre Os Sete, que leram o livro sem despregar os olhos, que tiveram pesadelos à noite, que chegaram atrasados a um compromisso porque não conseguiam parar de ler, e que, de uma forma ou de outra, tornaram este novo trabalho algo especial.

O special thanks vai para meu amigo Tom Mendonça... sem a habilidade desse rapaz, ninguém estaria lendo estas linhas... Benditos sejam os back-ups!

Muito obrigado.

CAPÍTULO 1

César freou o pequeno caminhão em frente ao velho Luxor Hotel, fazendo a borracha dos pneus derrapar sobre os pedriscos.

Helicópteros militares cruzavam o céu nervosamente. Haviam tido muita agitação naquela noite. Mas o moral estava alto. Apesar de tantas baixas, tinham derrotado um grupo maldito de vampiros. Agora, o que o Exército não sabia é que o caminhão parado em frente ao hotel tramava tirar de Amarração o pior dos monstros. Um vampiro chamado Sétimo.

César não concordava com aquilo. Pensara em pegar Eliana e fugir. Tiago estava ficando louco! Para que compactuar com aquele demônio? Para que salvar a pele de Sétimo? Ele que se virasse com os homens de verde. Era um monstro. Ainda sentia sua garganta doer e seu ferimento no tórax latejar. Provavelmente os efeitos analgésicos estavam passando. Não acreditava que estava prestes a salvar o couro de um vampiro. O pior dentre os sete. Pior que Afonso, o Lobo, que também escapulira e não sucumbira com os demais, na explosão nuclear, a bordo da caravela. Lobo jurara César de morte. Dissera que, mesmo que demorasse, ele estivesse preparado, pois viria em seu encalço. Pensando bem, lembrando da ameaça do vampiro Lobo, até que não lhe parecia má idéia estar com Sétimo por perto. Certamente Afonso haveria de temer Sétimo e se borrar nas calças só de ouvir o nome dele, como os demais faziam. Eliana, cansada, estava deitada e adormecida ao seu lado. Desceu do caminhão e entrou no hotel abandonado. A recepção empoeirada e o chão entulhado dificultavam a caminhada. Apesar do Sol já banhar o dia com luminosidade, a claridade dentro do Luxor ainda era precária.

— Tiago? — chamou.

Encontrou com o amigo nas escadas que iam para o salão inferior.

— O caminhão está aí? — quis saber o amigo.

— Sim. Vamos logo. O Exército tá por todo lado. Se encontram você e a Eliana, não sei não...

— É, eles acham que morremos lá na caravela, com os demais.

— ...ainda mais agora, com essa Cuca andando com a gente.

Tiago teve vontade de rir. Cuca? De onde ele tirou isso? Nem nas horas extremas César perdia o bom humor.

Um par de olhos chamejantes surgiu no escuro no fim das escadas. Um leve tremor percorreu o corpo de César e seu sorriso costumeiro desapareceu. O vampiro.

— Pai... — balbuciou a fera.

— Sétimo.

Os três subiram para a recepção. Os passos do monstro, semelhante a uma cruza de gorila com morcego gigante, eram pesados e arrastados. Raios de Sol invadiam o hotel. Tiago avançou para a rua, mas assim que ficou totalmente exposto, um desconforto descomunal tomou conta de seu corpo. Os olhos ardiam como nunca haviam ardido em sua vida mortal. A pele parecia recobrir-se de algum tipo de ácido invisível que corroía e queimava os poros. Dirigiu-se rapidamente para o compartimento traseiro do caminhão, que consistia num pequeno baú vedado, onde a luz do Sol não mais o perturbaria.

Assim que Sétimo atingiu a rua, inspirou prolongadamente. Tantos odores chegavam às narinas! César, o homem que lhe dera sangue para a ressurreição, conduziu-o ao baú do caminhão. Quando o monstro embarcou, a estrutura traseira rangeu e afundou sobre as molas do eixo. Será que conseguiriam transportá-lo? Que estranha carruagem era aquela?

Assim que a fera acomodou-se, acocorada ao lado de Tiago, César fechou as portas. Era hora de zarpar e rodar para longe de Amarração. Para um lugar onde pudessem esconder os rabos sem serem notados. Onde diabos poderia esconder um vampiro com a cara da Cuca sem ser notado?

César deu partida no caminhão, deixando o velho Luxor Hotel e a decrépita rua do Maestro para trás. Ainda na periferia de Amarração, cruzou com um jipe militar. Os soldados sequer perceberam o caminhão. Em dez minutos, chegaram à rodovia. Se tudo corresse bem, ao anoitecer estariam em São Paulo.

CAPÍTULO 2

Não se falava em outra coisa nos telejornais. Fontes confidenciais informavam que um dispositivo nuclear fora acionado em alto-mar, dentro dos limites brasileiros. Ao que se sabia, o Brasil não possuía armas nucleares. Besteira! Se não possuímos armas nucleares, como diabos as teríamos usado?! O Exército também tinha seus ossos no armário. E se usaram, usaram para quê? Os jornalistas estavam atônitos. Havia muita coisa estranha acontecendo nos últimos dias. Neve no verão. Neve onde jamais nevara. Tempestades repentinas e sem explicação. Como a neve, os meteorologistas não conseguiam explicar aquele fenômeno. Tempestades não surgem do nada, mas aquelas estavam surgindo. Neve aparecia num passe de mágica. E o monstro? A polícia negava. O Exército negava, mas um batalhão de gente testemunhava. Tinham visto um monstro percorrendo as ruas de Porto Alegre. Um monstro... descrito como um lobo gigante. Uma fera que destruíra um helicóptero do Exército. Destruíra carros civis. Fizera dezenas de vítimas. E os caras-de-pau tinham coragem de negar. Negariam até o fim, como negariam a utilização de uma arma nuclear. Para que fins? Em alto-mar... talvez um teste... um teste.

Esse quebra-cabeça desconexo não fazia o menor sentido. Nenhuma ligação. Um monstro em forma de lobo. Tempestades repentinas. O Exército, como nunca visto antes, zanzando armado dos pés à cabeça. Neve em Porto Alegre e Osasco. Uma bomba nuclear. Um trem descarrilado... nada se encaixava. Nenhum ser humano comum juntaria as pontas, se é que pontas existiam. Entretanto, as pontas uniram-se na cabeça de um homem... um homem incomum. Um homem com uma missão. Um homem adormecido que agora, assistindo ao telejornal, via-se desperto em suas raízes, pela advertência de seus ancestrais portugueses. Ouvindo aquelas coisas malucas, conseguia ordená-las, conseguia criar um esboço. Uma hipótese formava-se. Um instante, uma certeza...

— São eles... — murmurou o homem.

Tudo se encaixava. Tudo! Eram eles! Os sete demônios do rio D'Ouro! Sim! Eram eles! Finalmente...

— Meu pai não estava louco!

O homem correu ao quarto. Dentro de um espaçoso *closet*, arrastou de debaixo de uma prateleira um pesado baú. Um cadeado destravado, antiqüíssimo, selava a peça de madeira sólida, contornada por grossas cintas de couro e ferro. Retirou o cadeado com pressa e abriu a pesada tampa. Um livro com capa de couro estava por cima de tudo. Cheiro de mofo eterno. Era isso que procurava. Era isso que queria. O livro. Levou-o para o quarto. Abriu-o em cima da cama.

— Como eram os nomes?... — perguntou-se em voz alta.

Um podia gelar o ar, outro podia controlar as águas. Tinha a fera... sabia que tinha... um que lembrava um lobo...

Encontrou.

Sim. Inverno era o vampiro maldito que gelava o ar. Tempestade fazia chover. E Lobo era a fera maldita de que falavam em Porto Alegre. Havia os outros... sim. Espelho, que podia transmutar o corpo para a forma humana que bem entendesse. Podia ainda assumir a forma de alguns mamíferos. Acordador, Dom Manuel, esse era seu predileto. De acordo com os documentos deixados por seus antepassados, era capaz de acordar os mortos. Gentil... era uma incógnita, jamais descobriram o que o vampiro de feições amigas era capaz de fazer. Talvez fosse esse seu dom maldito... parecer amigo. E por último, o monstro mais malévolo, o vampiro mais perverso: Sétimo. O sétimo vampiro. Esse era o mal na terra, o perigo maior, um ser capaz de tornar-se um monstro alado, capaz de transportar-se durante as horas de Sol. Era o pior dentre os malditos do rio D'Ouro, diziam os ancestrais em relatos que mais pareciam invencionice misturada a puro folclore. Aliás, para ele, tudo aquilo não passava de folclore do mais grosso, um folclore particular, de sua família, pitoresco, passado de pai para filho. Passado de Tobia para Tobia, como um ritual, geração após geração.

Agora era a hora da verdade. Agora era hora de relembrar todo o ensinamento dado pelo pai. Era hora de assumir seu propósito, de obedecer ao destino ditado por sua alcunha. O propósito de sua vida. O propósito de não dar trégua àqueles malditos vampiros. O propósito de caçá-los eternamente.

Era hora de ser um Tobia.

CAPÍTULO 3

Sol poente. O astro-rei deita-se vagarosamente no horizonte. Sombras negras tomam a superfície do hemisfério. A noite avança preguiçosa, sem sinal do frio sobrenatural que abatera a região nos últimos dias com a presença funesta de Guilherme, o vampiro Inverno.

Em Amarração, a presença militar ainda é forte. Tinham exterminado naquela manhã a existência de cinco vampiros. Inverno, Espelho, Tempestade, Acordador e Gentil. Tinham certeza de que haviam eliminado quatro deles, pois o quinto, Gentil, que atendia pelo nome de Miguel, adentrara o perímetro acompanhado de Tiago, o humano. Por conta dessa incerteza, dessa presunção, ainda buscavam por três das criaturas. Um, já conhecido, era o vampiro que atendia pela alcunha de Lobo. Alvejado por uma bala de prata, estivera inconsciente por horas. Por fim, despertara e escapara do IML, de Amarração. Se Gentil não fosse o acompanhante de Tiago, também haveria de estar à solta; até o momento não tinham idéia de qual era o poder maldito daquele vampiro. O corpo de Sétimo permanecia desaparecido e era bem provável que, como os demais, estivesse vivo. Apesar de ainda estarem negando a existência de tais criaturas, seria fácil localizar Lobo, pois a população não ficaria calada ao ver o monstro de mais de dois metros de comprimento.

Não muito longe de Amarração, Afonso, o vampiro Lobo, abandonava seu esconderijo. O Sol já havia deitado no horizonte. Um resto de luminosidade persistia a enfeitar o céu, mas os raios solares não mais tocavam a superfície daquela parte do planeta.

Afonso saiu à rua. Havia passado o dia todo coberto por lonas velhas em uma borracharia abandonada. Vestia calça social cáqui e sapato preto de bico fino. Uma camisa amarela desbotada cobria o peito. Não gostava da cor, mas foi a que encontrou primeiro. Apesar de sua velocidade vampírica, detestava assaltos. Preferia comprar. Trocar favores. Porém, não estava em condições de barganhar. Ao menos a roupa era limpa e exalava uma fragrância adocicada. O tecido tinha uma textura jamais experimentada. Aquela terra era diferente em tudo de sua terra. Apesar do estranho português falado pelos aldeões, conseguia entendê-los cada vez mais. Sentia que estava muito longe de Portugal. Além do idioma, pouco pudera absorver daquele povo. Precisava mimetizar-se de maneira mais eficaz. Não podia saltar aos olhos. Esse, sim, era o melhor truque que qualquer vampiro deveria se empenhar em desenvolver. Que terra estranha era aquela? Tão cheia de bruxos! Homens que iam em carruagens que se moviam sem cavalos... luzes que surgiam de varas sem chamas, sem calor. Que gente estranha!

Para ele, que se transformava em lobo, era bom que a primeira noite de lua cheia já o houvesse assaltado, pois agora tinha controle total de seu dom maligno. Ele se transformaria apenas se desejasse. Perdia o controle sobre sua mutação apenas na primeira noite, quando a lua refletia com maior intensidade a luz do astro-rei, noite em que todos os vampiros eram mais fracos, em que a força da fera-lobo tornava-se mais intensa, mais ansiosa que a força vampírica. Era por essa razão que, quando em forma de lobo, refestelava-se de sangue humano para voltar à forma humana com força suficiente para dominar a fera, a fera estúpida que consumia seu desejo, que o tornava mais bruto que o vampiro Inverno. A fera que, em muitos casos, matava indistintamente. O lobo tomava sua cabeça, transformava amigos em inimigos, inimigos em caça. A fera involuntária. Era imprescindível dominá-la. Era fundamental dominá-la, poder evocá-la apenas se necessário. Era adorável aquele dom. De quantas emboscadas a fera não o salvara! Quantos perigos contornados! Era bom ser um monstro... mas apenas quando assim o quisesse. Odiava aquela primeira noite de lua cheia, quando a mente tornava-se vazia, descontrolada. Quando os músculos lutavam inconscientemente contra a transmutação. Era inevitável. A fera sempre vencia. Lobo era o dono da noite.

Afonso ouvia o mar. Estava a poucos quilômetros. Fechou os olhos. Podia até ver as ondas quebrando na praia. Teve vontade de ver o mar de fato. Pôs-se a caminhar pelas ruelas da vila.

Um cãozinho aproximou-se. Cheirou-o. Deu dois latidos curtos e nervosos e então partiu, correndo e ganindo.

Afonso levou o braço até as narinas. Meneou a cabeça, estranhando o cãozinho. Não havia traço da fera em sua pele.

Luzes no céu. Via algo movendo-se no horizonte. Não era uma estrela, mas algo bem parecido. Um grupo de luzinhas... todas enfileiradas, cruzando o ar. Eram lindas! Agora, tudo mais calmo, podia observar melhor aquele povo. Devia integrar-se.

Naquele lugar, o chão era coberto com material negro, tornando o caminho das carruagens mais suave. Seria piche? E elas, as carruagens, passavam encantadoras. Algumas vagarosas, deixando o vampiro ver a gente que ia dentro. Outras passavam assustadoramente velozes. Bruxos! Como faziam aquelas coisas moverem-se sem tração de animal algum? Eram engenhocas, não eram bichos! Adentrou uma ruazinha. Como tinha casas naquele vilarejo! Aliás, chamava de vilarejo porque não sabia do que chamar. Não chegava a ter ali o amontoado de gente que tinha em Lisboa, mas era algo parecido. Tinha gente andando à noite, sem medo dos perigos. Tinha luzes públicas que desciam do céu espetadas na ponta de hastes feitas daquela coisa cinza ou na ponta de postes de madeira. Seus olhos encontraram algo que, pela quantidade de carruagens e gente à porta, deveria ser uma estalagem. Leu em uma placa de madeira: Boteco do Alemão.

Entrou. Muitos homens sentados às mesas de ferro fino. Algumas damas acompanhavam uns poucos. Muitos falavam alto. Falavam de coisas que ele não entendia. Riam e bebiam. A maioria ingeria um líquido dourado, com espuma no topo dos copos. Não sentia necessidade de beber ou comer, mas ficou curioso a respeito daquele líquido tão peculiar. Aproximou-se do balcão.

— Dá-me o que beber, estalajadeiro.

O balconista notou o estranho sotaque do forasteiro. Estalajadeiro?! O boteco, em geral, servia pessoas conhecidas, fregueses habituais. Era difícil pintar um turista por ali, mas, a julgar pelo sotaque estranho, só podia tratar-se disso, um homem passeando por aquelas bandas. Os turistas costumavam buscar os bares do centro, nunca se aventuravam pela periferia. Mas, como para toda regra havia uma exceção, não demorou em atender.

— Tu queres uma Brahma ou Antarctica?

Afonso não entendeu.

O balconista continuou encarando-o.

— Então? Brahma, Antarctica...? O que vai ser?

— Ora pois, que diferença faz, gajo? Dá-me da melhor.

— Bá, tu é de fora mesmo. Cada um gosta de uma coisa. Faz o seguinte... te dou uma lata de cada, da próxima vez que tu estiveres por aqui, vai saber me dizer qual tu preferes. — resolveu o balconista, rindo após exibir as opções ao novo cliente.

Afonso meneou a cabeça concordando.

O atendente pôs duas latas em cima do balcão.

— Tá aqui, tchê. Uma Brahma e uma Antarctica. Toma das duas e depois decide qual tu queres beber daqui pra frente.

O cliente permaneceu imóvel, admirando as latas de cerveja.

— Tu não vais beber, não? Vais ficar olhando? Ela está esquentando.

— Esquentando?

— Sim, pra apreciar a cerveja, tchê... não sei como vocês bebem em Portugal... tu és português, não é? Pois bem... aqui no Brasil, a gente toma esse troço bem gelado.

Afonso estava achando engraçado o modo daquele homem falar. As palavras saíam cantadas, mais prolongadas do que costumava ouvir. Apanhou uma das latas. Estava gelada! Que diabos era aquilo? Não conseguia pressentir os irmãos desde o despertar, mas agora parecia que Inverno estava ali, tocando sua mão.

— Deixa que eu abro.

O balconista puxou o anel metálico no topo, fazendo a lata soltar um chiado, e virou uma dose do líquido dourado em um copo.

— Toma aí, tchê. É cerveja da boa.

Afonso apanhou o copo e levou à boca. O líquido gelado tocou sua língua. Apreciou o sabor levemente amargo. E a textura! Sim, a tal cerveja era boa! Ergueu o copo na altura dos olhos. Havia bolinhas andando pelo líquido! Bruxos! Terminou o copo virando-o de uma vez. Depois, imitando o balconista, puxou o anel de cima da lata. O chiado repetiu-se. Não se deu ao trabalho de colocar o líquido no copo. Tomou diretamente na lata. Tinha o mesmo sabor, a mesma impressão. Eram boas as duas. O estômago gelado estranhava o líquido nunca dantes provado. Raras eram as vezes que os vampiros se interessavam pelas bebidas ou pelos víveres mortais. Interessavam-se, sim, pelos mortais. O alimento. As frutas maduras que jorravam sangue pelo talho, que serviam-lhes energia para as aventuras, para as fugas, para as batalhas. Que serviam o líquido que lhe proporcionava controle sobre a fera... a fera que todos chamavam de Lobo. Um cheiro acre chegou às narinas do vampiro. Um odor forte, misturado ao cheiro das partes de uma fêmea. Afonso inspirou o ar, lentamente, fazendo o tórax crescer e diminuir compassado. Olhou para a esquerda. Lá estava ela. Uma das poucas mulheres. Afonso apertou os olhos. A mulher era linda! Se continuasse a olhá-la, provavelmente perderia o controle. A mulher estava nos dias e, apesar do sangue estagnado, de não ser o sangue vivo, o cheiro era ainda convidativo. Entornou a cerveja e, quando os olhos ergueram-se junto à lata, prestou atenção a uma caixa que soltava barulhos. Os sons eram tantos dentro do Boteco do Alemão que não se dera conta da caixa, presa à parede por peças de metal. Na frente da caixa, imagens em movimento contínuo eram exibidas. Bruxaria!

— Estalajadeiro... — chamou o vampiro, quase balbuciando.

O balconista, percebendo a cara assombrada do cliente de pele pálida, aproximou-se curioso.

— Que que há?

— Diz-me, o que é isso nesta caixa?

— Na televisão?! Que que tem a televisão? Cês chamam televisão de caixa em Portugal?

— Como sabes que venho de Portugal? — Afonso encarou-o.

— Seu sotaque, ô Manuel, seu sotaque não engana. Mas que coisa, não tem televisão de onde você vem, não?

O sotaque lusitano. Precisava aprender a falar como eles falavam. Precisava imitá-los, ser um deles.

— Não, não tem.

O balconista, percebendo que o cliente português continuava encantado com a caixa, continuou:

— Ao menos sabe o que eles estão fazendo?

Afonso observava os homens correndo. Pra lá, pra cá. Corriam junto a um objeto esférico, algo que o remetia à infância distante. Os homens brincavam!

— ...é impossível que você nunca tenha visto uma partida de futebol. Sabe, em Portugal tem muitos times bons. A seleção brasileira sempre ganha da portuguesa, mas que tem time bom lá, isso tem. Também, com tantos brasileiros jogando por lá, ah! ah! ah! — riu o balconista.

Afonso ensaiou um sorriso. Seleção brasileira? Futebol?

— Seleção brasileira?

— Santo Deus, homem?! Cê tá curtindo com minha cara! Tu queres dizer que nunca... mas nunquinha ouviu falar da seleção brasileira? É piada... ô português, tu tá de piada pra cima de mim.

— Pra cima de mim... — repetiu baixinho o vampiro.

— Aqui no Brasil, cerveja e futebol são sagrados!

— Aqui é o Brasil? Onde fica essa terra no Império Português?

— Bá, tu tá me sacaneando! Tu és artista, é? Tá dando uma de louco? Alugando minha cara! Vá-te à merda, não vou ficar paparicando cliente só porque é estrangeiro! Ainda mais português se fazendo de sonso! Se fosse norte-americano, vá lá, não entende picas de futebol...

mas tu, ô Manuel, tu não me engana! — esbravejou o balconista, afastando-se do estranho homem de pele pálida. — Cê tem é que tomar suco de beterraba, não é cerveja, não.

— Meu nome é Afonso! — corrigiu.

O vampiro entornou a lata de cerveja e passou a observar atentamente a partida de futebol. Queria entender como aquilo funcionava, por que os homens corriam atrás da bola, por que a disputavam tão bravamente com os pés. Ninguém a apanhava; notou logo que naquela brincadeira aquilo era proibido. Concentrava a audição vampírica ora na televisão, ora no balconista, que ainda fazia chacota às suas custas, fazendo algumas mesas rirem à beça. Sorte do balconista ele estar hoje com vontade apenas de misturar-se, de aprender, pois se estivesse com a menor predisposição a matar, o rapaz seria o primeiro de sua lista para aquela noite. Quanto ao jogo, notou que um dos humanos conseguiu atravessar todo o gramado desviando-se de outros homens, com camisas diferentes das de seus companheiros, e chutar a bola para dentro de uma rede. Feito aquilo, foi uma festa. A caixa exibia os companheiros se abraçando, como se houvessem vencido uma batalha. Um homem, que ele não conseguia ver, descrevia a partida de futebol. Dizia que o herói, o que realizara a proeza e despertara aquela festa, chamava-se Raí. O time estava vencendo. Logo, a partida recomeçou. Afonso sorriu. Era divertido assistir àquela disputa. Deveria ser algo como as lendárias pelejas romanas no Coliseu. Partidas de gladiadores. Ainda sorrindo, decidiu que um dia iria a uma arena para ver *in loco* uma partida de futebol com o tal herói Raí. Terminou a cerveja e afastou-se do balcão. A fêmea que exalava o odor sangüíneo continuava no recinto. Decidiu afastar-se antes que perdesse o disfarce. Já estava quase na rua quando a voz do atendente chegou forte ao ouvido apurado.

— O portuga! Volta aqui! Sabia! Tu tava dando uma de louco só para não pagar, né?!

Afonso virou-se. Não tinha moedas. Não tinha como pagar. Sim, pedira pela bebida e via-se agora em apuros. Teria deixado mole sua cabeça aquele sono prolongado?

— Desculpa-me, estalajadeiro. Não trago cá moedas. Vos trago outra hora, outro dia. Te prometo. — disse o vampiro, virando-se para seguir caminho.

Contudo, o balconista não aceitou a proposta. Certamente teria aceitado se pudesse ao menos imaginar o que sua petulância e ousadia em enfrentar o vampiro Lobo iria provocar.

— Promete o cacete! — esbravejou o homem, saltando de trás do balcão, com um porrete à mão.

Vários clientes puseram-se de pé. Só agora notavam que alguma confusão séria estava se formando.

Afonso permaneceu à porta do bar. Não era hora para contendas; devia permanecer incógnito. Entretanto, estralou os ossos da coluna, alongando o corpo, relaxando os músculos. Poderia acontecer tudo, mas não tomaria uma sova daquele sujeito presunçoso e grosseiro, isso não.

— Ou tu paga agora, ou tu não paga nunca mais.

— Não tenho moedas, ó pá. Te aviso agora que é melhor virar as costas e deixar-me seguir o caminho. Temos um trato. Sou honrado, hombre. Volto com duas vezes mais o que estas poucas cervejas valem.

— Tu não me engana, não! Se fez de tonto, mas não é. Agora vai ver. — ameaçou o balconista, brandindo o porrete e correndo na direção do estrangeiro.

Próximo a Afonso, o balconista ergueu o porrete e abaixou-o velozmente, tentando acertar a cabeça do oponente.

Afonso simplesmente colocou o braço entre a barra de madeira e sua cabeça. Um humano comum teria o osso quebrado, tamanho o vigor que o balconista baixinho, mas troncudo, aplicara à madeira.

— Pára agora que te deixo viver... — balbuciou o vampiro, de modo que só o adversário pudesse ouvir.

O balconista estava atônito. Golpeara o espertalhão, olhando-o nos olhos, e não vira aquele rosto expelir um único sinal de dor. Tinha de ter um braço de ferro. Rapidamente, desviou do braço, sem dar atenção à advertência do vampiro, dirigindo o porrete ao estômago do oponente.

Só porquê assim o quis, Afonso aceitou o golpe, demonstrando ao homem que não sentia dor perante ataques tão medíocres. Agarrou o agressor e enquanto o fitava, deixou seus olhos cintilarem, passando do negro absoluto para o vermelho vivo e, rapidamente, voltando aos olhos negros. Alimentou-se do pavor que cresceu dentro do homem. Riu alto, agarrando-o com as mãos e arremessando-o violentamente para dentro do bar, atingindo fregueses, derrubando mesas.

Protestos, gritos, ameaças. Afonso ria alto.

— Amanhã eu volto e pago tua cerveja.

— Parado. — gritou alguém do meio da confusão.

Lobo virou-se. Não o deixariam ir embora facilmente. Não se tornaria fera... não por causa de uma dúzia de mortais assustados e bêbados. Com eles, podia lidar daquele forma... e não sabia o que os deixava mais assustados: um homem que tudo podia ou a fera monstruosa que tomava conta de seu corpo.

Gritos dentro do bar pediam que alguém chamasse um médico. O balconista estava morrendo.

— Fica quietinho aí, português. O Silvinho contou pra gente qual é a tua. Acha que pode chegar aqui e fazer o que quiser?

Afonso viu o homem tirar um objeto que vinha preso à cintura parecido com aquele que o mortal utilizara para detê-lo quando estivera na forma de lobo pela última vez. Uma arma, com balas de prata.

Todos no bar estavam tensos. Poucos sabiam o que estava acontecendo. A confusão era geral. Os mais próximos do homem que tomara as dores do balconista gritaram quando ele sacou o revólver. Se saísse tiro, ninguém queria estar por perto. Gritaria e confusão. Alguns também haviam notado a forma sobrenatural com que o encrenqueiro arremessara o balconista para dentro do bar. Não era fácil fazer aquilo, impossível para um sujeito comum e franzino como ele. Ali tinha coisa e tinham medo de descobrir o quê.

— Fica quietinho. Tão chamando a polícia. Agora eu quero ver você explicar para os caras esse negócio de entrar, tomar e sair sem pagar nada. — disse o homem, aproximando alguns passos do forasteiro.

Vendo a arma empunhada e o modo arrogante com que o humano lhe falava, Afonso enfureceu-se. Acendeu os olhos, tornando-os escarlates e brilhantes. A face modificou-se; urrava ferozmente, exibindo ao humano os longos e vampirescos caninos.

O homem estacou. Os olhos arregalaram-se e as mãos foram tomadas por um tremor súbito e forte, deixando a arma cair.

Afonso fechou a boca e, como brasas que se extinguem, os olhos apagaram lentamente. Sorriu; não seria preciso matar naquela noite. Menos rastro, menos falatório. Era hora de retornar o caminho, descobrir que raio de lugar era aquele. Mas, antes de voltar ao seu castelo no D'Ouro, tinha contas a acertar. Era hora de encontrar o humano. Aquele que o derrotara na forma de lobo. Aquele que o detivera com uma bala de prata. Tirara sua vida. Gabara-se perante os demais. Prometera dar-lhe tempo para preparar-se para o novo confronto. Prometera matá-lo de forma sofrida. Sabia fazer sofrer. O ódio queimava seu peito. Tinha de buscá-lo agora. Mesmo sem os irmãos. Era estranho... não sentia mais os irmãos. Desde que acordara, depois de ter sido atingido pelo humano e derrotado em sua forma de lobo, não mais sentia os irmãos. Onde estariam? O que acontecera? Sétimo! Onde estava Sétimo? O irmão traído. Se aquele demônio fosse desperto... um calafrio percorreu o corpo do vampiro. Medo. Confronto. Sétimo se vingaria... seria inevitável. Ainda se lembrava de seus gritos de ódio enquanto era carregado pelo próprio demônio para as profundezas do inferno onde fora feito escravo por cento e cinqüenta anos. Certamente se vingaria... da maneira mais cruel que pudesse conceber. Apertou o passo. O barulho da estalagem ficara para trás. O vozerio estava lá. Bradavam, confusos, mas ninguém se atrevera a ir em seu encalço. Estavam lá para trás.

Afonso adentrou uma rua escura onde havia várias casas. Um som conhecido chegou aos ouvidos. O mesmo que ouvira no Boteco do Alemão. A mesma voz escapava de uma caixa, descrevendo as proezas que os humanos faziam, correndo atrás da bola. Saltou um muro alto. Dentro do terreno bem divisado, ao centro, estava a morada. Uma casa escura, de onde provinha o som solitário da caixa que falava do futebol. Afonso acocorou-se. O terreno escuro lhe proporcionava segurança. Ninguém o incomodaria ali. Havia umas poucas árvores e mato alto nos cantos. Estava exatamente naquele mato. Se os humanos quisessem vê-lo, teriam de buscar luz. Teria tempo mais que suficiente, com sua velocidade vampírica, para sair dali se fosse seu desejo. Encostou-se ao muro. Estava confuso. Estava intrigado. Não conseguia perceber os irmãos. No entanto, um vampiro novo existia. Um novo irmão. Um novo maldito. Sentir um vampiro desconhecido só seria possível se um dos irmãos houvesse criado um filho. Por que teriam feito aquilo? Por que um novo irmão? Seria possível? Sim, era a única explicação. Havia poucas maneiras de se localizar um vampiro pela sensação: se fossem os vampiros seus irmãos, ou seja, se por ventura houvessem se tornado vampiros no mesmo dia, tendo suas almas roubadas pelo mesmo demônio; ou se o vampiro tomasse do sangue do outro que quisesse rastrear. Sétimo, apesar de ser seu irmão, feito no mesmo dia, pelo mesmo demônio, tinha um encantamento, presente do próprio Satã: nenhum vampiro conseguia percebê-lo, desde sua libertação. Outra forma de se localizar um maldito vampiro era aquela que o assaltava no momento. O filho de um irmão. Quando tentara localizar Miguel, não recebera sinal algum do velho irmão, no entanto aquela nova sensação surgira. Miguel, o fraco, criara um filho. E se existia alguém para responder às suas perguntas, era essa nova criatura quem o faria. O ousado mortal que aguardasse a vingança; mais cedo ou mais tarde, encontraria o desgraçado. Era hora de descobrir o novo irmão e saber o que acontecera aos demais.

CAPÍTULO 4

O Comodoro entrou lentamente na rua paralela ao cemitério do Santo Antônio. Nuvens carregadas cobriam o céu de Osasco. Dimitri estava concentrado. Tinha um trabalho encomendado. Não possuía o sexto dedo, mas sabia usar como ninguém os cinco de cada mão. Não havia nenhum anão espreitando no banco de trás do possante Comodoro, no entanto, se Motilah ali estivesse para tentar qualquer gracinha, não teria a menor chance. Dimitri divertira-se muito com a história do homônimo. Não sabia de onde o Jô tinha tirado aquele sexto dedo, mas que era engraçado, isso era. Como o aventureiro do romance, Dimitri, o de carne e osso, também era um matador... um que não ficava na intenção... um matador eficaz, um artista. Adorava o que fazia e fazia direito para continuar vivendo e fazendo o que adorava. A despeito da constante sensação de monotonia que o assaltava nos últimos tempos, adorava o coração batendo mais forte durante a preparação e depois sentir toda aquela tensão indo embora juntamente com as balas cuspidas por sua pistola automática. Sentir o coração calmo na hora de puxar o gatilho. Sentir a cabeça leve, sem medir conseqüências, sem pensar por que ou quando. Adorava receber uma missão. Estudar o caso. Verificar as possibilidades. Sentia a alma quente perante a adversidade. Alegria ao ser ferido, mas saber que valera a pena, pois o corte profundo seria bem mais fácil de curar do que as duas balas que enfiara no peito do oponente. Era um assassino. Um assassino dos melhores. Era uma lenda. Trabalhava apenas para o Sofia. Ouvia apenas o Sofia. Ele, sim, lhe dava desafios à altura. Nada era simples com o número um de Osasco. Sofia sempre lhe passava histórias, nunca um cara comum que fez uma bobeirinha. Liquidava histórias. Como agora. Encostou o Comodoro em frente ao velho galpão da fábrica. Tudo escuro. Aqueles idiotas! Não precisava sequer esconder o carro. Não precisava sequer chegar na surdina. Aqueles caras eram incompetentes demais para merecer algum zelo. Quantas vezes não foram avisados para não se meter com o Sofia? Quantas? Inúmeras! Nunca ouviram da boca de Dimitri uma palavra. Talvez nem acreditassem que Dimitri existisse. Talvez por isso tivessem sido tão estúpidos. Seqüestrar gente do Sofia para arrancar informações! Que baixeza! Matador escalou o muro lateral do galpão, que ficava junto a um terreno baldio. A roupa negra, mais o sobretudo escuro, tornava-o quase uma sombra, ajudando-o a espreitar com maior facilidade, a esconder-se rapidamente. Por isso, preferia trabalhar à noite. Entrar e sair sem ser notado, sem ser visto. Entrar, todos vivos, e sair, todos mortos, sem que ninguém sequer desconfiasse. Com silenciadores. Com o vizinho assistindo à novela das oito, pensando em emprestar uns trocados com um amigo para pagar a conta de telefone no dia seguinte. Com a vizinha tomando banho, lembrando o beijo escondido dado aquela tarde no homem, agora morto, da casa ao lado. Ser uma sombra. Uma lenda. Um Matador. Saltou para dentro da área da velha fábrica. Estacionado, ali no pátio, estava o carro dos trabalhadores seqüestrados. Uma Caravan preta de vidros filmados, emblemas de funerária. A dica fora quente. Os paspalhos nem imaginavam que seriam pegos naquele mesmo dia. Dimitri sacou do colete o cano silenciador e o conectou à pistola. A porta do galpão estava aberta, livre de qualquer vigia. Excesso de confiança era um veneno poderoso naquele ramo. Dimitri encostou-se à porta; seus olhos treinados varreram o interior do local. Vazio. Ao fundo, alguns cômodos, onde provavelmente os dois caras a serviço de Sofia estavam aprisionados. Movimentava-se lentamente, buscando as sombras, olhando todos os cantos, verificando por onde fugiria mais rápida e seguramente. No interior do galpão, no alto, havia três mezaninos, ótimos para vigiar e matar invasores incautos. Contudo, Dimitri logo viu que estavam igualmente desprovidos de vigia. Vazio. Ao contrário de alegrar-se, a apreensão aumentou. Fácil demais. As coisas não eram assim naquele mundo. Por mais amadores que fossem os concorrentes, sempre tinham armas e gente idiota o suficiente para tentar entrar em seu caminho. Um duelo. Cruzou o galpão, atento. Ouvidos, olhos, tudo. Chegou aos cômodos do fundo. Pequenos ex-escritórios. Uma TV ligada. Vozes, risos. Estão relaxados. Vasculhou o primeiro cômodo. Nada. Nem sinal dos caras. Atravessou, silenciosa e rapidamente, o segundo cômodo. Duas portas. O barulho vinha da esquerda; à direita, tudo quieto. Foi até a porta silenciosa. Um fedor terrível escapou ao abri-la. Fred e Ed estão lá dentro. Levou o dedo indicador para a frente da boca. Fred sacudiu a mão algemada para Ed a fim de acordá-lo. Dimitri olhou de volta para a porta. Ninguém. Apenas os risos dos vagabundos. Os dois seqüestrados estavam algemados a um cano de ferro naquele banheiro imundo. O punho de Ed estava sangrando um pouco. Haviam tentado sair dali. Até aqueles dois tinham percebido que lidavam com gente estúpida, gente que se torna instável ao menor susto e que puxa o gatilho por medo, não para cumprir objetivos. Aproximou-se. Apontou a pistola, disparou duas vezes. A corrente da algema cedeu. Matador voltou à porta do corredor. Os idiotas ainda estavam na sala. Fez um sinal para que Ed e Fred viessem para fora. Conduziu-os através do galpão. Seus olhos profissionais continuaram a vasculhar o mezanino e os pontos onde haveria possíveis surpresas. Atravessaram a porta metalizada que guardava a porta do galpão. Dimitri voltou a disparar, desta vez contra o pequeno cadeado que deveria selar a fortaleza inimiga. Rapidamente, empurrou o pesado portão de ferro. Virou e se assustou. Ed e Fred já haviam entrado na Caravan. Correu para o carro a tempo de deter a mão de Ed que ia ao contato.

— Sem ligar. — disse Matador.

Fred desceu e ajudou Dimitri a empurrar a barca para fora do estacionamento. O carro atingiu o asfalto com o barulho dos pneus rodando sobre a areia, crescendo à medida que ganhava velocidade.

Dimitri olhou para seu Comodoro negro estacionado ali. Voltou para fechar o pesado portão, mas permaneceu do lado de dentro. Ainda não era hora de voltar ao carro. Fora mandado para, se possível, salvar os homens do Sofia, mas sua missão principal era outra... era dar um recado, um recado com uma assinatura inconfundível. Popó Freitas teria sua audiência reduzida naquela noite. Apesar de já tê-lo feito dezenas de vezes durante as duas travessias, os olhos voltaram a procurar inimigos no galpão. Ninguém. Amadores... amadores esforçados. Dimitri ficou com raiva deles. Se eram tão ruins, por que arriscavam-se naquele meio? O som da televisão parecia ter aumentado. Mas não era isso. Matador sabia que aquilo vinha dele mesmo, os instintos aflorando. Era ele interessando-se pela caça. Premeditando a briga. Quantos seriam? Três? Quatro? Podia ser um pouco mais difícil para exercitar-se melhor. Uns seis ou sete homens, cada um com duas pistolas e sede de briga da boa. Chegou aos cômodos do fundo. Gritos e vivas. Torcida. Dimitri acelerou a respiração. Adrenalina? Levou a mão enluvada ao silenciador e desprendeu-o da pistola. Barulho era o que interessava agora. O susto e pavor nos olhos! Surpresa a favor. Fator importante. De dentro do sobretudo de couro preto, preso ao colete de igual cor, sacou uma segunda pistola. Recostado à parede, seguiu caminhando lateralmente. Ficou ao fundo da porta, com a visão completa da sala apertada. Contou cinco. Ninguém vigiando a porta. Se por ventura houvesse alguém, já teria tomado bala. A inaptidão das vítimas permitiu que Dimitri os observasse um instante. Crianças. Só podia. Soldados do tráfico. Meninos com dezessete, dezenove no máximo. Ergueu as armas, apontando para a cabeça de um ao fundo e de outro mais próximo. A respiração rápida. Crianças... ao menos fazia-lhes um favor, abreviando uma existência estúpida a serviço das drogas e antecipando o fim certo, violento. Puxou os gatilhos. As explosões simultâneas ecoaram pelo galpão. Tiros precisos. Na segunda puxada, já derrubava os dois alvos seguintes. Preciso. Mais dois tiros, agora no último alvo. Adentrou a sala. Voltou a atirar nos corpos caídos, mirando as cabeças. Ninguém vivo. Essa era a assinatura. Ninguém vivo. Os olhos arregalados do último moleque pareciam implorar pela vida. Matador levou o cano da pistola até o meio dos olhos falantes e puxou o gatilho pela última vez. Voltou rapidamente ao corredor. Dali, lançou mais uma olhada para a sala. Todos mortos. Desligou a TV, vendo Popó carregado nos ombros. Acendeu um cigarro e voltou a cruzar o galpão. Nenhum som além de suas botas batendo contra o chão de cimento. Arremessou o palito de fósforo a um canto. Fim do trabalho. Hora de voltar ao Comodoro e aguardar o próximo chamado.

CAPÍTULO 5

O delegado recostou-se na cadeira. O plantão não fora dos melhores. Tinha um caso pendente, com a população no pé. Todo mundo queria saber quem era o sujeito que vinha atirando tijolos nas vidraças envoltos em páginas arrancadas de revistas pornográficas da pior qualidade. Moleques provavelmente. Coisa mais besta. Ao menos, não tinha os problemas que o pessoal de Amarração e Barraquinha vinham enfrentando. Ambas as cidades não estavam longe da sua, mas, graças a Deus, os problemas estavam. Nada de mortos sumindo do necrotério. Nada de neve sobrenatural despencando do céu. Um pouco frio nos últimos dias, isso sim, mas nada anormal. As coisas andavam atrapalhadas em volta, e parecia que estavam ficando sérias. O Exército enviara tropas, centenas de homens, para Amarração. Volta e meia, helicópteros militares passavam em rasantes pela região. Os homens do Exército haviam feito um pedido às delegacias. Deixaram um número de fax para onde deveriam destinar as páginas de ocorrências estranhas. Ocorrências cujas anormalidades fossem o ponto forte. Chamou o escrivão.

— Fala, doutor. Posso ajudar? — perguntou Bira, que era novo e ainda chamava o delegado de doutor.

— Bira, houve alguma novidade no último plantão? Algum caso diferente?

— É por causa dos militares, né?

O delegado consentiu.

— Olha, nada muito interessante. Teve mais uma queixa daquele troço dos tijolos. Bá, esses meninos não dão mole. Quebraram a janela do Samuel. Aquele fanfarrão que já tem passagem. O doutor deve conhecer. Parece que não têm medo de encrenca, não...

— Mais do que já arranjaram? Fica difícil. Quando botarmos a mão no espertinho...

— Tem duas brigas de família. Uma de marido e mulher. Coisa de cachaça. Outra de dois irmãos que se pegaram, e a própria mãe deu parte.

— A mãe? Isso vai dar encheção de saco.

— Vai. Mas só se ela levar pra frente. Acho que só queria assustar os dois. Só prometia, prometia. De noite, ligou para o 190. Deu no que deu. Depois, ligou aqui chorando pra gente não prender os guris.

— Tá.

— Teve uma confusão de botequim. Coisa de sempre. Foi no bar do Alemão. Tu conheces, doutor?

O delegado anuiu. Conhecia.

— Esteve um estrangeiro lá. Não queria pagar a conta. O balconista partiu pra ignorância, mas tomou a pior. Levou um cacete, disse um monte de bobagens aqui na hora de dar queixa. Veio com uma testemunha mais bêbada que gambá. — Bira revirou os papéis que trouxera e continuou. — Teve também um furto de veículo. Até agora nem sinal...

— Que bobagens?

Bira olhou para o delegado com cara de perdido.

— Que bobagens, Bira? Cê disse que o balconista disse um monte de bobagens...

— Ah! É, tipo... que o tal estrangeiro... deixa ver... — murmurou, revirando os papéis de novo. — Um homem com sotaque português... que não sabia o que era jogo de futebol, bebeu duas cervejas e quis sair sem pagar. Que quando tentou detê-lo amigavelmente, foi agarrado e arremessado para dentro do bar. Que o homem tinha a força de um touro apesar de parecer um frangote. Era pálido, mediano...

— A testemunha falou o quê? — perguntou o delegado, arrumando-se na mesa, interessado pela pequena confusão.

— Esse não falava nada com nada. Fui obrigado a tocá-lo daqui. Ele queria que a gente fosse até o bar, que ficássemos lá. Procurássemos o diabo. Disse que o homem era o capeta. Quem tava aqui riu à beça. Disse que o homem tinha dentes de leão e queria morder todo mundo. Até me arrependi de anotar essas bobagens. Coisa de pinguço.

— Deixa esse boletim aqui. Quero ver melhor.

Bira, sem entender muito o interesse do delegado, passou-lhe os papéis.

Ele passou os olhos pelo boletim de ocorrências e tomou sua decisão. Acionou o aparelho de fax e discou os números presentes no comunicado do Exército. O sinal de fax foi recebido automaticamente, e o delegado iniciou o processo de transmissão. Provavelmente, aquilo não era nada. No entanto, não caberia a ele julgar, e sim aos caras de verde, que estavam procurando algo diferente nas redondezas.

O tenente Brites estava cansado. O rosto maduro e sulcado parecia ter envelhecido muitos anos naquelas últimas e exaustivas horas. Tudo que queria agora era encostar o corpo numa cama e dormir horas a fio. Sabia que seria impossível. Tinha medo de que os fantasmas dos soldados mortos no maldito *iceberg* concebido pelo vampiro Inverno tomassem sua mente e gritassem acusações, pedindo para que ele tirasse de algum lugar uma máquina do tempo que recuperasse suas vidas perdidas. Eram soldados! Tinham morrido no cumprimento do dever. Quisera ele estar lá e ter morrido com tal honra, em vez de morrer de infarto no banheiro, com medo de vampiros que não existiam mais. Sabia que os temeria para o resto da vida. Sabia que os veria em toda sombra. Que seria agora um menino de cinco anos morrendo de medo do escuro. Ele. O tenente Brites. O tenente que explodira os malditos com uma bomba nuclear. O tenente que tentava rascunhar naquele papel amassado em sua frente alguma coisa para o departamento de comunicação divulgar naquela manhã. Os países do Primeiro Mundo cairiam em cima do Brasil. Um país que nunca tivera uma bomba nuclear havia explodido uma naquela noite. À merda todos eles. A maioria já havia gasto sua cota de dispositivos nucleares para essa encarnação do planeta. Não fora ele quem tomara a decisão. Dera a sugestão. Quem era ele para decidir? Ninguém. Era o homem que tinha matado dezenas e dezenas de soldados. Havia sido vencido em todos os outros planos e emboscadas que traçara para capturar e destruir as criaturas demoníacas. Um martelar sinistro dentro da cabeça o fazia duvidar se havia realmente conseguido. Tantas vidas por aqueles cinco vampiros! Cinco, sim. O quinto unira-se ao final, vindo a bordo da lancha com o civil, Tiago, que também fora destruído pelo fogo implacável da reação atômica. Tantas vidas. Vidas demais mesmo para ele, um veterano do Exército, acostumado a ver mortes. Que servira em missões da ONU, que fora ferido em Moçambique. Que estivera em meio a explosões de granadas... que eram granadas comparadas àquela arma poderosa? Que eram granadas? O pior era a preocupação que o afligia, que a cada segundo aumentava, virando raiva, desejo. Desejo de vingança misturado a temor. Dois deles ainda estavam soltos. Dois! Dois malditos vampiros. Dois monstros imprevisíveis, que quisera o céu fossem mais mansos que os extintos. Um deles, duvidava que fosse. Um deles tinha identidade. Um deles era o Lobo. O vampiro-fera que abatera um helicóptero. O vampiro que devorava homens. Que ceifava vidas mais veloz que o anjo da morte.

Matava com uma abocanhada só. Espalhava o pavor como o vento espalha os odores. Rápido e poderoso. Agora ele precisava trabalhar. Descobrir para onde fora o vampiro Lobo, que estivera no IML, morto, debaixo de suas barbas. Se tivesse sorte, a bendita sorte que desaparecera naqueles últimos dias, encontraria os dois. Encontraria Lobo e Sétimo. O sétimo vampiro.

— Senhor? — chamou um recruta, aproximando-se sem saber se o tenente estava acordado.

Brites ergueu o rosto cansado para o rapaz.

— Desculpe acordá-lo, senhor...

— Não estava dormindo soldado; prossiga.

— Chegaram alguns boletins de ocorrência, senhor. Algumas delegacias da região enviaram por fax as situações que envolveram anormalidades. Estas...

— Quem pediu isso?

— Não sei, senhor. Vieram de cidades diferentes, de departamentos diferentes... só pode ter sido um informativo oficial.

— O que você tem aí?

— Recebemos seis boletins. Dois chamam a atenção. Um em Barraquinha, onde um homem atacou um casal de namorados na praça da igreja. Atacou a mordidas. — disse o recruta, dando ênfase à palavra mordida. — Chegou a ferir a mulher a ponto dela sangrar. Outro foi em Roda Velha, mas não tão pitoresco quanto o primeiro...

— O que aconteceu?

— Uma briga de bar. Um homem com sotaque português quis sair sem pagar e brigou com o proprietário. O homem que apanhou disse que o agressor era forte como um touro.

Os olhos do tenente brilharam. O cansaço parecia sumir e a esperança rejuvenescer sua face.

— Sotaque português?

— Sim, tenente.

— O que aconteceu?

— Nada... o homem fugiu antes que a polícia chegasse. Desapareceu.

— E com o primeiro? O que atacou os namorados?

— Um guarda municipal passava pela praça e conseguiu colocá-lo no xadrez. Se nos apressarmos, conseguimos pegá-lo ainda atrás das grades.

— Esqueça esse idiota. O lugar dele é num manicômio. Eu conheci essas criaturas. Elas não se deixariam capturar por um guarda municipal. Vamos atrás da outra história. Um homem com sotaque português e com a força de um touro. Vamos para Roda Velha.

O recruta, calado, viu o tenente Brites rejuvenescer dez anos diante de seus olhos. O homem cansado e pronto para cair numa cama, convalescendo de uma doença qualquer da terceira idade, cresceu e ganhou volume ao colocar-se de pé. Não tinha mais o aspecto combalido, exaurido. Era novamente o tenente Brites, o bravo guerreiro do Exército brasileiro. Qualquer um naquele acampamento estaria disposto a segui-lo. Qualquer homem acompanharia Brites atrás daqueles malditos que haviam levado dezenas de guerreiros no fogo da bomba. Eles pagariam. Seriam caçados, localizados, destruídos sem descanso, sem piedade.

Brites foi ao meio do galpão, munido por toda sorte de equipamentos, desde armamento a sofisticados aparelhos meteorológicos.

— Atenção, pelotão! — gritou.

Todos puseram-se de pé em posição de sentido.

— Quero vinte homens para seguirmos em diligência até Roda Velha. Temos uma pista. Estamos de novo no encalço dessas malditas criaturas. Aprendemos muito nos últimos dias. Que os erros nos sirvam de lição! Vinte homens e armas pesadas!

Um grupo maior do que o solicitado apresentou-se ao tenente. Um sargento à frente foi chamado.

— Sargento Soares! Escolha seus dezenove melhores soldados.

Brites dirigiu-se ao homem do rádio.

— Chame um helicóptero! Acelerado!

CAPÍTULO 6

Era noite. O caminhão rodava monotonamente pela BR-116. De acordo com César, faltava pouco para chegar a São Paulo. Nenhum bloqueio do Exército fora encontrado na estrada. A polícia rodoviária tampouco se interessara pelo pequeno caminhão solitário. Eliana ia na frente, cochilando, quase confortável no banco velho. César dirigia incessante. Haviam feito apenas duas paradas para o banheiro, mas aproveitaram para comer, embora quase não tivessem fome. Precisavam ser rápidos. O monstro no compartimento traseiro era desconhecido. Sua aparência anunciava uma fera que poderia tornar-se incontrolável a qualquer instante. Quem seria capaz de deter um pupilo do diabo?

Tiago viajava atrás. Da quarta hora em diante, o monstro emudeceu. Antes, porém, perguntara o ano. Com a resposta, seus olhos vampirescos cintilaram e encheram o baú com uma claridade escarlate. Tiago assustou-se. O monstro roncou e então se calou. Sétimo. O temido e legendário Sétimo acocorado à sua frente. Tinham diálogos curtos. Tiago evitava falar. Temia dizer algo que atormentasse ainda mais a fera. O monstro assemelhava-se a um morcego gigante. Em muitas partes, o corpo era recoberto por escamas úmidas; em outras, por um couro de aparência áspera, de onde escapavam pêlos grossos que, em vez de brotar da fera, pareciam espetados. A voz do monstro soava grave e em alto volume; mesmo quando murmurava, metia medo.

— Que te pareceram meus irmãos? — perguntou a fera antes de emudecer.

— Malditos.

Sétimo riu da resposta do quase-vampiro.

— Tu logo o serás também. Não resististe à sede e cravaste as presas no meu irmão. Ah! Ah! Ah! Logo serás tão maldito quanto Guilherme.

Tiago encarou Sétimo. Seria possível? É verdade que tomara do sangue de Guilherme, mas não fora a sede, fora o instinto de sobrevivência.

Aprisionado no gelo pelo maldito vampiro Inverno, estava prestes a perecer em suas garras. Defendeu-se como podia. Abocanhou-o para afastá-lo. O sangue penetrara em sua boca e, sem relutar, engolira o líquido vermelho. Sangue. Maldito sangue.

— Estou livre da caixa. Agora hei de voltar ao D'Ouro. Hei de voltar à minha terra e reestabelecer meus domínios. A morada dos vampiros. Nenhum rei jamais ousará contra mim. Nenhum Tobia virá a meu encalço. Tomarei sangue. Tornar-me-ei poderoso como antes.

Tiago ouvia Sétimo sem nada dizer. Que o monstro fosse embora. Que seguisse para Portugal e os deixasse em paz. Já tinha desgraça demais em seu próprio corpo; melhor sem aquele demônio por perto. Sua promessa fora cumprida. Miguel havia pedido para libertar o irmão. Isso estava feito.

— Reinarei. Com meu pai em meu castelo. E contigo como general de meu exército.

— Exército?

— Sim. Não vou correr mais riscos. Quero paz em minha terra. E para isso preciso de uma legião ao meu redor.

— Não basta ser uma réplica do demônio para afugentar os que te caçam?

— Ninguém me caça! Ninguém ousará! Digo que todo senhor deve ter seu exército! E te dou a honra de ser meu general. Que dizes?

— Não sabe nada de mim, vampiro. Como chama um desconhecido para ser seu general?

— Me insultas?! — bradou a fera, fazendo menção de levantar-se, mas desistindo quando as orelhas pontudas, junto da dobra das asas, tocaram o teto do diminuto compartimento. — Pensas que não sei escolher os que me cercam? — reforçou o monstro, terminando num grunhido e inclinando o corpo na direção de Tiago.

— Não tenho experiência militar. Não sei se sou um vampiro, se sou um humano. Não conheço a noite escura que tu trilhas há centenas de anos.

— Tu aprendes! Aprendes rápido. Se tudo que me disseste for verdade... certamente haverás de ser um bom general. Venceste Guilherme mais de uma vez em confrontos homem a homem... ou vampiro a vampiro, se assim preferires.

— Não sou guerreiro, vampiro. Sou um homem que queria sua mulher de volta. Agora, nem isso tenho mais. Eliana está no mundo dos vivos enquanto meu corpo claudica lentamente para a terra dos mortos. Como poderei ter o amor de uma humana?

— Terás outros amores, eu garanto. — grunhiu a fera, acocorando-se novamente e se aquietando.

Tiago, que estava recostado no baú, deitou-se.

— O ódio intenso que consumia minha mente quando deitei naquela maldita caixa de prata parece ter amainado, menino. Não sou mais, nem de perto, a fera que tua mente concebeu. Sou produto do ódio, isso ainda sou. Fui o vampiro mais odiado, mais temido, mais violento de minha terra. Agora que meus irmãos estão mortos, queimados pelo fogo da bomba que descreveste, o ódio que residia em meu peito morto está ainda mais distante. Resta um deles. Dom Afonso caminha nesta terra. Está com os olhos abertos neste exato momento. Ele se pergunta quanto tempo demorará até que eu o encontre. Sabe que não há de tardar. Preciso apenas me adaptar à nova terra. Caçar. Abastecer meu ventre de sangue novo. Fartar-me e deleitar-me com o medo, que também me alimenta. Então, sim, estarei pronto para a grande caça que será abater o Lobo. O causador do meu sofrimento. O voto que me mandou ao inferno como escravo de Satã. Há de provar de meu veneno. Caminharei nas sombras ou na luz, se assim desejar. Sou o vampiro perfeito. Como prêmio por minha escravidão, recebi o dom de andar exposto ao Sol. O astro-rei não mais me aflige. Sou perfeito... mortalmente perfeito. E tu, vampiro novo, tu hás de ser meu general, tu conheces este novo mundo. Tu me guiarás por esta terra. Me ensina tudo dos mortais deste tempo que te ensino a ser um vampiro, dos melhores.

Tiago continuou calado. Apesar de Sétimo considerá-lo peça importante, ainda temia o monstro disforme. As palavras do vampiro entraram em sua cabeça, e uma imagem sinistra formou-se. Tiago viu-se à frente de um sem-número de vampiros que cresciam e reverenciavam a fera. Demônios prontos para invadir a noite, um exército da escuridão, com presas afiadas e poderes vampíricos. Não queria ser o general de algo tão horrível. Não queria.

✠ ✠ ✠ ✠ ✠ ✠

O caminhão parou.

Silêncio.

Um barulho na trava do baú.

Tiago levantou-se. Precisava estar atento. Havia cochilado.

Era César.

— Estamos chegando. Precisamos decidir para onde vamos.

— Onde estamos? — perguntou Tiago.

— Perto de Itapecerica da Serra. Dá uns vinte minutos, meia hora no máximo até chegarmos a São Paulo.

— Vamos para Osasco.

— Osasco?

— É. Lá o meu cunhado ajuda a alugar uma casa. Quando saímos, já estava tudo certo para alugarmos uma. Agora que a família aumentou... acho que precisamos de uma maior.

Ambos olharam para Sétimo.

César assustou-se. A fera estava amontoada no canto. Tiago não havia notado. Como fizera aquilo?

Sétimo estava recoberto por uma espécie de casulo. Um material semelhante a uma espessa teia de aranha, indo do chão até o teto do baú metálico, tomando todo o canto oposto àquele em que Tiago dormira. Que seria isso agora?

César subiu no baú. Queria examinar de perto. Tiago afastou-se. O amigo passou a mão sobre o estranho material, que, imediatamente, aderiu à sua mão, tendo de usar muita força para libertar-se. Era pegajoso. César adquiriu feições de asco, passando a mão repetidas vezes na camisa. Olhou para Tiago. Seu sangue gelou. Mais essa agora. Uma viatura da polícia rodoviária encostava atrás do caminhão com o giroflex ligado.

O som dos pneus velozes invadindo o acostamento fez Tiago voltar-se. Essa não!

O policial acionou o farol alto, iluminando em cheio o baú.

César notou o monstro remexer-se dentro do casulo. A luz repentina parecia incomodar. Se o policial quisesse investigar o baú do caminhão, como iria explicar aquilo? Não esquenta, guarda, é só um vampiro-monstro num casulo, logo ele vira borboleta e tá tudo bem.

O guarda rodoviário desceu da viatura.

Tiago saltou para o acostamento, mantendo a mão na frente dos olhos, protegendo-os da luz potente.

— Boa noite. — disse o policial.

— Boa noite.

— Que temos aí?

— Tu não precisas te preocupar, não, policial. O motor esquentou um pouco. Estamos esperando esfriar para seguir viagem, chegar num posto...

— Vocês são do sul?

— Somos.

— Sai da frente da placa pra eu ver.

Tiago deu um passo de lado, virando-se para a placa do veículo. Barraquinha, Rio Grande do Sul.

O policial anotou num dos papéis fixos à prancheta que trazia. Chegou junto de Tiago, olhando-o fixamente.

César permanecia atrapalhadamente dentro do baú. Não sabia se descia, se ficava lá. Se ficasse, o policial provavelmente acharia suspeito. Se descesse, era certo que notaria o estranho casulo ali no fundo.

— Cê tá doente? — perguntou o policial.

Tiago, vacilante, tirou a mão da frente dos olhos e abaixou-a. Meneou a cabeça negativamente.

O policial ergueu a cabeça. Olhou para o lado do caminhão junto à pista. Olhou para César, ainda indeciso, parecendo mexer numa caixa de ferramentas no assoalho do baú. Deixou transparecer uma expressão indagativa quando enxergou o casulo ao fundo. Voltou a olhar para Tiago.

— Cê tá muito pálido, gaúcho. Tá precisando tomar suco de beterraba.

Tiago sorriu.

— Vou tentar uma hora dessas.

O policial andou para olhar o outro lado do caminhão, junto ao acostamento.

— Vocês estão sozinhos? Tem mais alguém na cabine?

— Tem minha namorada. Lá na frente.

— Que ela tá fazendo?

— Não sei. Está dormindo.

— Passa-me a habilitação e documentos do caminhão, por favor.

O policial voltou para perto de Tiago. Andava devagar, olhando-o fixamente. O estalar do solado das botas contra os pedriscos à beira da estrada era suprimido quando o ronco dos carros velozes passava junto deles. Tiago estava apreensivo. Precisavam manter-se incógnitos. Não era hora de confusão. Não era hora de interrogatórios. Juntos com um vampiro?! Confusão. Os problemas recomeçariam.

O policial ficou à frente de Tiago, que agora tampava parcialmente César e o fundo do caminhão. Queria aqueles dois sujeitos onde pudesse ver. Ia repetir a ordem quando notou algo diferente. Que diabos seria aquilo no fundo do baú? Por que o outro ainda estava abaixado?

— Você aí. Desce do baú. Vire-se devagar, por favor.

César obedeceu. O policial estava com a mão pousada na coronha do revólver. Eram suspeitos. Também, pudera! Que diabos estavam fazendo com um vampiro-monstro?

— Virem-se de costas. Ponham as mãos no assoalho do baú e separem as pernas.

Tiago e César entreolharam-se enquanto colocavam as mãos no caminhão.

O policial, com o revólver na mão, passou a procurar armas com os suspeitos. Estavam limpos.

César torceu para que o idiota do policial rodoviário não desse uma geral na boléia, pois seu trinta-e-oito, com balas de prata, estava lá, junto com Eliana.

— Que porra é essa aí no baú?

Os homens ficaram sem resposta.

— Cês tão encrencados. É melhor colaborar. Tão escondendo o quê ali? Drogas? Contrabando? Desembucha que tudo acaba mais rápido.

— São morcegos. Estamos levando pro Butantã. — respondeu César.

— Morcegos? Cê tá com graça comigo, gaúcho?! Morcegos! Vão para a minha viatura. Coloquem a mão no capô e separem as pernas. Se mexerem um músculo, juro por Deus que atiro no meio dos olhos.

Os dois caminharam devagar até o carro sob a mira do policial. Ao se colocarem na posição exigida, o guarda apoiou-se no pára-choque do caminhão e subiu no baú. Olhava para trás a todo instante. Lentamente, aproximou-se do casulo. O corpo fazia sombra, atrapalhando a investigação. Colocou-se de lado para que a luz alcançasse o estranho amontoado, uma espécie de teia de aranha. Aquilo mais parecia um corpo envolto do que morcegos. Aqueles dois sulistas estavam com coisa. Pousou a mão enluvada no casulo e apalpou tentando descobrir o que se escondia no seu interior. Um movimento brusco vindo de dentro do estranho saco o assustou. O policial tentou tirar a mão do casulo, mas ela estava presa à teia sinistra e pegajosa. Caiu sentado, deixando o braço aderir-se ao material. Um desespero crescente tomou conta do policial. Não eram morcegos. Era algo maior. Um monstro!

César não conteve o sorriso, olhando para Tiago.

— Vai lá e acorda a Eliana. Eu vou ajudar o policial.

César não discutiu.

O policial deu mais um puxão, sem sucesso. A criatura moveu-se nervosamente. Assustado, disparou contra o casulo.

Tiago saltou para dentro do baú. Seus olhos, instintivamente, cintilaram. Aquele homem estava armado, armado e matando um vampiro.

Sétimo grunhiu.

O policial disparou uma vez mais. Olhou para fora. Havia esquecido os gaúchos. Agora, um deles estava entrando. Onde estaria o segundo? Fora buscar uma arma para matá-lo! Céus!

— Parado aí, filho da puta. Parado!

— Calma, policial. Só quero ajudar. O senhor está preso, precisa de ajuda.

— Fica quieto! Que porra é essa? Que tem aqui dentro? Não é morcego. Vou denunciá-los. Cês tão encrencados.

Mais uma vez, a fera revirou-se.

Desesperado e gritando, o policial disparou três tiros seguidos.

Tiago deixou suas presas brotarem e atirou-se para cima do agressor.

Atacado agora pelo homem, o guarda rodoviário disparou contra o gaúcho.

Tiago recuou dois passos.

— Tiago! — gritou Eliana.

Ele ouviu os passos da mulher e do amigo do lado de fora do baú, aproximando-se da porta traseira. Tinha tomado uma decisão e tinha de agir rápido.

O policial puxava desesperadamente o gatilho da arma, mas não restavam mais balas.

Tiago agarrou o pescoço e destruiu os ossos da garganta do policial, apertando-os brutalmente entre os dedos e a palma da mão. Os gritos desesperados cessaram. Tiago arrancou o braço do homem do casulo, conseqüentemente abrindo uma fenda no material semelhante à teia de aranha. Sétimo remexeu-se uma vez mais.

Eliana e César estavam na porta do baú e podiam ver o guarda de costas. Perceberam que o policial perdera os sentidos, mas não notaram que os olhos de Tiago cintilaram mais uma vez e os dentes caninos retomaram o tamanho normal. O ferimento à bala pulsava doloridamente. Tiago colocou o policial no colo e caminhou para fora do baú.

— Que aconteceu, Tiago? — perguntou a mulher, aturdida.

— Abre a porta da viatura, César. Ele desmaiou quando botou os olhos no Sétimo.

O amigo não discutiu e correu para o carro.

Tiago colocou o corpo do policial no banco do motorista. Seus dentes despontaram novamente. Estava ferido. Precisava do antídoto para aliviar a dor. Cravou os caninos na jugular do policial rodoviário. Sorveu do líquido que brotou timidamente, pois o coração daquele homem já não batia. Tiago sugou o sangue duas vezes, enchendo a boca e engolindo.

Afastou-se da vítima, fitando os olhos abertos do cadáver, que pendeu e tombou para o banco do passageiro. Limpou o sangue com as costas da mão. A luz do giroflex da viatura batia contra seu corpo, tingindo-o alternadamente de vermelho e azul. Voltou silencioso ao caminhão. César fechava o compartimento traseiro. Tiago adiantou-se.

— Espera. Deixa eu ver. — disse, subindo no baú.

César teve a impressão de ver uma mancha de sangue na mão do amigo enquanto se apoiava na porta já fechada. Aquela sensação ruim fez com que se lembrasse de algo pela manhã. Estava com dor, apagara de tanta dor após Sétimo agarrá-lo e quase matá-lo... lembrava-se de ter visto os olhos de Tiago acender-se como os dos vampiros. Teria sido impressão? Teria sido alucinação? Balançou a cabeça negativamente, como se afastasse a possibilidade. O amigo não poderia ter virado um deles.

Tiago verificou o casulo. Com alguma sorte, o monstro teria morrido. Limpou a mão suja de sangue no avesso da camiseta. Na barriga, havia um pequeno furo produzido pelo disparo certeiro do guarda rodoviário. Não sangrava. Enfiou a camisa para dentro da calça, escondendo a falha. Os amigos ainda não sabiam o que ele se tornara ou estava prestes a se tornar. Um vampiro maldito. Sétimo remexeu-se dentro do casulo. Tiago suspirou. Sabia que aquelas criaturas não pereciam assim, fácil demais. Saiu do baú, juntando-se a César, que o aguardava, olhando fixamente para a viatura.

— Vamos embora, Titi. Daqui a pouco, junta mais viatura dessas aí.

— É, vamos.

— O que aconteceu com o guarda?

— Desmaiou... — murmurou o amigo.

César fechou a porta restante, travando o baú.

Tiago subiu na cabine, acomodando-se ao lado de Eliana.

A mulher abriu um sorriso e abraçou o companheiro. Haviam ficado pouco tempo juntos após o desfecho do último confronto com os vampiros na caravela. Eliana ainda se sentia debilitada. Aqueles que a chamavam de mãe haviam se servido de seu sangue até o limite. Estava fraca e com hematomas no corpo todo. A cabeça doía.

— Durma, Li. Durma. — pediu Tiago, aconchegando a moça em seu corpo.

César subiu e deu partida no caminhão. Acelerou, deixando a viatura para trás. Se tivessem sorte, não seriam importunados até chegar à cidade.

— Osasco?

— É. Osasco. — confirmou, Tiago.

Ficaram em silêncio por um minuto, até que César questionou:

— Por que não abandonamos este caminhão quando chegarmos? Por que não deixamos este demônio para trás e prosseguimos sozinhos?

Tiago ficou pensativo. Era uma boa idéia. Já havia cumprido sua promessa. Só tinha que acordar a fera e ela estava acordada. Não havia prometido acompanhá-lo, ciceroneá-lo pelo novo mundo. Fora pedido apenas que acordasse o irmão de Miguel. O vampiro Sétimo. Estava feito. Entretanto, seu ânimo foi se reduzindo. Não podia deixar o vampiro. Não podia. Sétimo, o pupilo do demônio, era o único vampiro que conhecia. Sabia que seu corpo já trilhava um caminho sem volta. Naquela manhã, ao deixar o Luxor Hotel, o Sol queimara sua pele e os olhos quase cegaram. Resistiria a mais um minuto sob a luz do Sol? Que armadilhas lhe reservava a vida escura? Ele, sim, precisava de um cicerone. E tinha, debaixo de seu nariz, o melhor deles. Temia a violência anunciada e o terror estampado nos olhos dos vampiros que traíram Sétimo. Temia. Que barbaridades teria aprontado o vampiro para encravar igual assombro nos irmãos? Haviam vendido o irmão ao demônio. Sabiam que a vingança não tardaria assim que a fera abrisse os olhos. Mas ele, ele acordara o vampiro. E César fornecera o elixir da vida às entranhas de Sétimo. Eram os dois igualmente importantes. O monstro haveria de considerar.

— Não. — respondeu finalmente ao amigo. — Precisamos de um cão de guarda. E temos, aqui atrás, o melhor deles.

— Cão de guarda?

— Sim. Se o Exército descobrir que estou vivo... virá atrás de mim. Por que tentaram me matar enquanto ajudava-os a capturar aquelas criaturas?

— Não sei.

— E quanto a Lobo? Tu disses que a fera escapou do IML, viva e jurando vingança.

— Verdade. Mas esse bicho, essa Cuca... como a gente pode confiar nele? Ele é um monstro. Um animal... pode querer, além de nosso sangue, engolir-nos inteiros. Como poderemos dormir em paz? Um vampiro!

— Ele te chama de pai!

— Bá, isso me arrepia! Não agüento ouvi-lo me chamando de pai! Onde enfiei meu pau pra ter um filho desse, tchê? Tô fora!

Tiago riu.

— Temos de arriscar... temos de arriscar. Se aquele lobisomem vier atrás de você, é melhor termos alguma proteção. Sétimo saberá que ele está vindo. Ele pode sentir os irmãos, mas os outros vampiros não podem sentir Sétimo. Ruim com ele... pior sem ele.

César concordou com o amigo, meneando a cabeça.

— Vamos para Osasco. São quase dez da noite. Pisa fundo no acelerador; não quero tirar ninguém da cama. Minha irmã deve estar puta da vida comigo. Deixamos a casa dela quando Inverno fez nevar na cidade. Saímos sem dar explicações. Ela deve estar doida comigo.

— Não quer ligar antes? Amanhã de manhã, quando o Sol estiver alto, a gente chega na casa dela.

— Não. — respondeu secamente. — Temos de ir agora. Precisamos de um lugar para esconder esse bicho aí atrás.

César não respondeu. Acelerou o caminhão. Estava cansado de tanto dirigir e dormir seria bom. Para tanto, tinham de chegar rápido em Osasco.

CAPÍTULO 7

O telefone tocou.

O homem, debruçado sobre uma grande peça metálica, levantou o tórax nu. Esfregava o pano, limpando a peça com tanto vigor que precisou interromper para ter certeza de que ouvira o aparelho.

A campainha soou de novo.

Tobia levantou-se e atendeu.

Era Durval, gerente-geral de sua rede de escolas de informática.

— Fala, Durval.

— Onde você está?

— Em casa.

— O Euclides está aqui. Tínhamos uma reunião.

— Não vou.

A linha muda.

— Como, assim?

— Estou de férias.

— Férias?! Você não disse nada...

— Desde quando te devo explicações?

Durval não respondeu.

— Você é competente o suficiente para não deixar meus negócios afundarem até eu voltar. Saio, não sei quando volto. Peça desculpas por minha ausência ao senhor Euclides. Resolva o que quiser com ele. Não me liguem, não me procurem. Telefono quando achar conveniente. Nunca saí de férias. Não me liguem.

— Poxa, Tobia... você...

O homem desligou sem aguardar a argumentação do funcionário. Tinha coisas mais importantes para resolver. Tinha ensinamentos para relembrar. Tinha vampiros para caçar. A razão primeira de sua existência.

Voltou para o meio da sala e, ajoelhando, debruçou-se sobre a peça metálica, voltando a esfregar com vigor a superfície reluzente. Essa era a última.

Tirou a calça jeans e passou a vestir as peças. Serviam. Tudo se encaixava. Eram pesadas, mas com algum treinamento logo não atrapalhariam sua agilidade e habilidade com a espada. A armadura de prata o protegeria das garras vampirescas que investissem contra seu corpo. Uma malha prateada cobria a cabeça e cercava completamente o pescoço, caindo sobre os ombros. Havia ainda o capacete português, igualmente de prata, que o fazia um legítimo guerreiro do exército lusitano. Calçou as botas recobertas pelo metal e prendeu à cintura a espada embainhada, presente de Dom Afonso IV, o Bravo. Era feita de prata, forjada com fé e bravura, passada de pai para filho, por inúmeras gerações. De Tobia a Tobia. Até chegar a ele. O último descendente. O guerreiro da vez. O incumbido de destruir os vampiros, como seus antecessores.

Tobia caminhou até a janela. A armadura produzia um barulho a que seus ouvidos haveriam de se acostumar. Chegara a esquecer de sua missão. Afinal, recebera os ensinamentos paternos desde a infância, sob a recriminação da mãe. Seu adorado pai lhe contava as aventuras dos antepassados, que livraram Portugal do mal dos sanguessugas. Batalharam bravamente contra os malditos. Jamais um Tobia pereceu na mão de uma daquelas criaturas, pois tanto armadura quanto espada foram ungidas na sagrada Igreja Católica pelo próprio Papa. Abençoada era sua missão. Criaturas feitas por demônios. Assim eram os vampiros originais. Seus filhos eram feitos do sangue envenenado, mas os vampiros originais... esses foram feitos pelos demônios invisíveis que habitavam nossas terras. Tiveram as almas tomadas para que delas fossem feitos novos demônios. Seus corpos sem alma pereciam e faziam deles aquilo que eram. Criaturas amaldiçoadas. Dependentes do nosso sangue, sangue de gente do bem. Assassinos cruéis... sem alma. Corpos que não morriam como corpos humanos. Precisavam de rituais. Uma estaca no peito. A cabeça decepada e o corpo cremado. Arrastá-los para fora de suas tocas e deixá-los arder ao Sol. Envenená-los com alho... Criaturas vis. Doentes. Era chegada a hora de Tobia fazer o que um Tobia fazia de melhor. Caçar vampiros! Contudo, Tobia sabia que os tempos eram outros. Não sairia a cavalo com uma dúzia de estacas presas às costas em cima de um andaluz. Agora havia mais recursos. Existiam transportes mais velozes. Armas mais eficazes. Iria rastreá-los. Encontrá-los. Com feitos tão incomuns, não se manteriam incógnitos. Ainda mais estes... Os Sete, como eram descritos no velho livro de família. Os Sete do Rio D'Ouro. Eram fanfarrões. Gostavam de demonstrar seus poderes satânicos. Bufões. Logo estariam em suas mãos, implorando por sua existência. Todos, do primeiro ao último.

E tinha de agir rápido, antes que a maldição se alastrasse, antes que começassem a germinar filhos das trevas em todos os cantos. Não havia tempo a perder. Deveria munir-se de armas e partir ao encalço das criaturas. Iria primeiro para Osasco, pois lá nevara havia poucos dias. Se nenhuma pista encontrasse, rumaria para o sul, onde a fera em forma de lobo fora vista. Onde o Exército movimentava-se freneticamente e até utilizara um artefato nuclear. Vasculharia na Internet. Os aficionados por criaturas tão aberrantes haveriam de alardear todas as pistas de sua existência. Mais rápido do que aqueles malditos pudessem prever, estaria em seu encalço.

CAPÍTULO 8

Na madrugada em que Afonso, o vampiro Lobo, arranjara aquela confusão no Boteco do Alemão, a viatura só apareceu bem depois do fim da bagunça, quando não havia nem sinal do turista português. O carro dos policiais vagou por mais de uma hora nas curtas ruas do pequeno bairro. Casais passeavam de mãos dadas, homens solitários caminhavam admirando o céu, mas nenhum que se encaixasse nas descrições oferecidas pelos espectadores do confuso episódio. Um homem de estatura mediana, com camisa amarela e calça cáqui. Magro, cabelos cheios e ondulados, quase chegando aos ombros, negros como o céu da noite. Os policiais zanzavam, e a cada quilômetro avançado o interesse pelo ladrão de chope diminuía. Ora, bolas! Tinham coisas mais importantes com que se preocupar. Tinha gente arremessando tijolos com bilhetes indecentes contra as vidraças dos moradores mais ilustres de Roda Velha. Uma gangue, certamente. Uma gorda recompensa estava correndo por fora. Todos os homens de plantão torciam para topar com o engraçadinho e encher os bolsos com a gratificação. Mais uns quilômetros e nenhum dos patrulheiros estava dando a mínima para o português.

Afonso ainda permanecia no amplo quintal gramado da casa onde se refugiara. O terreno escuro era o melhor esconderijo. Não queria atenção sobre si por ora, apenas encontrar o novo irmão. Esse novo irmão falaria dos outros. Por que não podia senti-los? Onde e como estariam? Enfeitiçados? Mortos? Talvez... se Sétimo estivesse liberto. Afonso abraçou os joelhos, sentado ao chão, arqueando as costas. Sétimo liberto... Será? Poderia estar a espreitá-lo. Não havia pensado nisso ainda. O ódio. Sétimo deveria ser ódio puro. E quereria matá-lo também, pois ele, Afonso, fora voto certo para enviá-lo às profundezas do inferno para servir ao Cão. Só poderia ter acontecido isso. Os humanos, apesar de agora serem possuidores de armas muito mais poderosas do que as usadas pelo exército de Tobia, não conseguiriam ludibriar seus irmãos vampiros, isso não.

Ele mesmo, em forma de lobo, vencera vários soldados e destruíra a máquina voadora. Fora vítima de uma bala de prata, sim. O lobo perecera temporariamente, mas ele, quando vampiro, novamente fora hábil para livrar-se do cárcere. Estava liberto de novo, escravo apenas do medo que tomava sua mente ao imaginar Sétimo desperto e sedento para extinguir sua sofrida existência. Tinha que encontrar o novo irmão. Só ele poderia dizer o que fora feito dos demais. Talvez até tivesse uma pista sobre Sétimo, o vampiro-monstro.

Levantou-se. Da casa, vinha o som da televisão, mais nada. O quintal escuro era seu cúmplice. Andava silenciosamente. Uma janela aberta. Esgueirou-se por ela. Uma cama e um grande guarda-roupa. As luzes apagadas não impediam que sua visão examinasse detalhadamente o aposento. Duas portas. Uma dava para um corredor, outra para um cômodo pequeno. Um banheiro. Voltou ao quarto e abriu o armário. Roupas estranhas! Coloridas. Livrou-se da camisa amarela e vestiu uma peça branca que ajustou-se ao tórax magro. Por cima, colocou uma blusa preta de tecido grosso com capuz. Estava melhor assim, sem aquela camisa chamativa. Um som de tosse chegou aos ouvidos. Ficou alerta. A casa voltou ao silêncio. Abaixou-se. Ali mesmo, no guarda-roupa, encontrou um calçado. Diferente de todas as botas que já vira em sua vida, este parecia acolchoado e disparatado. Um bufão. Mas se era isso que os moradores da vila usavam, era isso que iria usar. Retirou os sapatos e calçou o novo par. Um pouco grande, mas bastante confortável. Apertou os cordões que vinham às pontas e improvisou um laço em cada um. Levantou-se. Caminhou pelo corredor contíguo ao quarto que dava em um cômodo maior. As luzes apagadas. A claridade provinha da caixa. Ainda podia ver os guerreiros atrás da pelota. Um esporte! Era isso! Futebol era um esporte, só podia ser uma competição. Nenhum deles levava arma e poucas vezes se atracavam. Estavam sempre atrás daquela bendita bola. De costas, deitado em um sofá, um homem. Aproximou-se sorrateiro. Era hora de abastecer o corpo com sangue humano. Se Sétimo viesse a seu encalço, haveria de encontrá-lo com forças. Lutar de monstro para monstro. Lobo contra demônio. Sorveria até a última gota. O prazer da caça. O homem estava absorvido pelo jogo. Acompanhava incessantemente o ir e vir dos competidores. Lobo suspendeu a respiração. Não queria que o ar expelido despertasse a presa. Apoiou a mão no sofá. Os olhos cintilaram. Os caninos brotaram, ainda maiores e pontiagudos. Dirigia a boca à jugular pulsant...

— Goool! — O humano emitiu um grito explosivo.

Afonso caiu para trás. Com sua velocidade vampírica, afastou-se até ficar protegido pela escuridão do corredor, sem perder a presa de vista. Se seu coração morto e maldito ainda pulsasse, estaria disparado naquele momento, escapando pela boca. Há séculos um humano não lhe proporcionava aquela sensação. Susto.

O homem saltava no sofá, festejando. Gritava, urrava como se estivesse possuído pelo capeta. Parecia um louco.

— Raí! Raí! De calcanhar! São Paulo! São Paulo! Eô, eô, tricolor, tricolor!

Afonso sentiu vontade de rir. O homem parecia possuído. Mas o que despertou aquela vontade fora o susto cômico que o ser desprezível conseguira lhe pregar. Assustado por um humano! Tobia... O sorriso desapareceu. A caça aquietou-se. Lobo examinou-o melhor. Era um rapazote, não um homem. Não conseguiria oferecer resistência. Poderia matá-lo aplicando um único golpe. Poderia abraçá-lo com sua força vampírica, deleitando-se com o debater da vítima, sorvendo lentamente o líquido de suas artérias. Poderia agarrá-lo pelo pescoço com uma única mão, erguê-lo do chão, deixar o corpo suspenso e sufocando, olhando-o nos olhos, sorrindo-lhe. Desprezível. Era isso que era um ser humano. Sempre correndo, com medo. Era isso que dava força aos vampiros. O medo dos humanos. Ia se divertir com aquele menino sozinho em casa. Deixou o fundo do corredor, avançando lentamente.

— Ó, gajo! — bradou o vampiro.

O rapaz tomou um susto tão grande que caiu do sofá. Virou-se atrapalhadamente, protegendo-se no encosto do móvel, erguendo-se devagar. Um homem, ali no corredor. Um homem pálido e magro. Assombração? O coração disparado.

— Estás a te perguntar quem sou eu, não estás?

O rapaz manteve-se em silêncio. De que manicômio havia escapado aquela figura? Deixou a mão deslizar para baixo da almofada.

— Sou um vampiro! — gritou Afonso. — Um faminto...

Os olhos da criatura emitiram um brilho vermelho.

Leonardo assustou-se. Ergueu a mão na direção do homem que avançava pelo corredor. O coração fazia a mão tremer; precisava se controlar, firmar a pistola. Seria esse o maluco que todo mundo procurava? O doido que arremessava tijolos nas janelas? Não ia perguntar. Se deixasse o louco de olhos vermelhos dar mais dois passos, estaria em apuros. Puxou o gatilho, como o pai ensinara. Estava sozinho. Os pais viajando. Escondido da mãe, o pai entregara-lhe a arma e dissera para sentar chumbo em quem entrasse na casa sem permissão. Não se lembrava de ter convidado aquele filho da puta a entrar nem encorajá-lo a gritar ameaças.

Lobo viu a arma. Invocava a velocidade vampírica; sabia como aquelas coisas funcionavam, eram bem diferentes das armas portuguesas, mas não fora hábil o suficiente. O primeiro disparo explodiu contra seu peito, retardando a ação. Um impacto poderoso fê-lo parar, estático: os olhos apagaram. O menino, mais assustado que ele, tremia na sua frente. O vampiro levou a mão ao peito. Levaria apenas um instante até aquela dor pavorosa abandonar seu corpo. Arqueou e cambaleou. Precisava de sangue mais do que nunca.

Leonardo passou a respirar rapidamente. A adrenalina fora injetada em sua corrente sangüínea. Os olhos brilhavam! Como? Assombração?! Tinha dezesseis anos. Novo demais para morrer. Viu a vítima cambalear. Nunca tinha atirado em ninguém. Nem em passarinho. Lágrimas brotaram nos olhos, a boca tremia, a mão tremia. Concentração! Era isso que o pai ensinara. E também que um homem cairia assim que o balaço explodisse no peito. Mas aquele homem... aquele homem cambaleou até a parede. Encostou-se. Os olhos vermelhos voltaram ao normal, mas não estava caindo. Estava recostado à parede. Pálido. Não saía sangue do ferimento. Hemorragia interna? Ouvira numa conversa dos tios... hemorragia interna. O homem firmou-se de pé, sorriu e voltou a caminhar. Não era um homem! Não era! Voltou a mão direita à coronha para firmar a mira.

Afonso sorriu. O menino estava apavorado. Deveria estar se perguntando por que ele não estava morto.

— Sou um vampiro, gajo! Vampiros não morrem com tiros...

Lobo não teve chance de terminar sua explicação. Ignorando a advertência, o rapazote voltou a atirar. Três, quatro vezes. A dor tomou conta de seu corpo mais uma vez. O peito, a barriga, o ombro atingidos. Caiu.

Leonardo calculou rapidamente. O homem caído. Cinco disparos. E se fosse um vampiro? O homem caído. Pulou o sofá e foi ao corredor. Acendeu a luz. O homem estava vestindo seu moletom! Seu tênis! Um ladrão. Que vampiro, que nada! Um ladrão muito pálido. Morto. Morto? Percebeu que a mão do homem tremia. Estava vivo! Vivo? Quinze mais um, dezesseis. Dezesseis menos cinco, onze. Apontou para a cabeça do moribundo e puxou o gatilho. Arma automática. Cuspiu as onze balas restantes. Morto. Ô Deus! Que ele estivesse morto agora!... O coração batia rápido, mas a mão não tremia mais. Sentia-se bem. Fora valente. Vencera o intruso. O estranho intruso. Tinha que ligar para a polícia. Invasão de domicílio. Legítima defesa. Tiros. Dezesseis, contra um homem de aparência doente e desarmado, que havia roubado uma blusa. O crânio desfigurado, nenhum traço definido, uma massa destruída. Violência excessiva. Não caracterizaria legítima defesa. Responderia processo. Ouvira os tios dizerem. Legítima defesa é cessar o ataque. O homem dissera que era um vampiro. Vira seus olhos brilharem, vermelhos, assustadores. Ele dissera que era um vampiro, que vampiros não morriam com tiros. Descarregara a trezentos e oitenta, com prolongador, na sua cabeça. Estava morto. Mentira. Não era um vampiro. Não acreditariam nele. Não acreditariam nos olhos vermelhos. Abriu a porta da sala, que dava para uma varanda. Olhou para o terreno. Escuro. Acendeu as luzes externas. Rodeou a casa. Mais ninguém. Segurava a arma. Estava descarregada. Voltou rápido para dentro. O intruso poderia estar acompanhado. Alguém esperando lá fora. Remuniciou a arma, substituindo o equipamento vazio por um completo. O pai adorava armas. Munição era o que não faltava. Saiu do quarto e deu uma olhada na sala. Tudo quieto. Teriam os vizinhos ouvido os disparos? Teriam chamado a polícia? O coração ainda estava acelerado. O corpo sem vida jazia, imóvel. A prova. Correu até a mesinha da sala, onde ficava o telefone. Embaixo do aparelho havia um pequeno papel com o telefone do hotel onde os pais estavam hospedados. Discou o número. A recepcionista norte-americana atendeu. Desligou, nervoso. Não ia falar ao pai. Não ainda. Ia ficar mais nervoso. A mãe podia morrer antes de voltar ao Brasil. Para ela, Leonardo ainda era um bebê. Se tivessem chamado a polícia, estaria encrencado. Pegou o controle remoto do portão frontal da casa e a chave da Parati. Foi ao carro e manobrou até deixar o porta-malas encostado na varanda. O pai havia deixado estrategicamente um hiato nos balaústres num dos cantos da varanda justamente para que pudessem colocar coisas pesadas dentro do carro sem precisar de muito esforço. Voltou para a sala. O corpo imóvel. Leonardo aproximou-se. Um arrepio cruzou seu corpo. Tinha a impressão de que havia deixado o rosto daquele infeliz muito mais estragado. Tinha desfigurado completamente. Balançou a cabeça negativamente. Estava impressionado, era isso. O nervosismo estava tomando conta de sua cabeça. Estava lhe pregando peças. Os buracos de bala estavam lá. Não havia tanto sangue esparramado como mostravam na televisão. Havia uma mancha discreta, que parecera maior instantes atrás, mas isso ele sabia, era sua própria imaginação que tirava conclusões, aproveitando-se do seu nervosismo. Rolou o cadáver para cima de um extenso tapete trançado, usado no corredor. Era uma peça comprida e estreita, mas serviria muito bem ao propósito do rapaz. Leonardo agradeceu pelo fato da empregada ter encerado a casa naquela manhã. Puxando o tapete, conseguiu arrastar sem muita dificuldade o cadáver até a varanda. Colocou a ponta do tapete dentro do porta-malas, saltou por cima dos balaústres e entrou no carro. Destravou o banco traseiro e o deitou, criando mais espaço. Agarrou a ponta do tapete e puxou o corpo para dentro do carro, acomodando-o de modo que a cabeça não atrapalhasse na hora de fechar o compartimento. Foi para o banco do motorista e afastou o carro do muro da varanda. Deixou-o ligado, esquentando, enquanto voltou para dentro da casa. Apanhou mais um municiador para a pistola, colocando-o no bolso. Enfiou a arma na cintura, presa à calça jeans. Voltou para a Parati. Tinha que deixar a casa antes que a polícia chegasse. Sentou e colocou o cinto de segurança. Olhou para trás. Os pés do morto estavam próximos ao banco do lado. Seus tênis. Arrancou-os e os arremessou pela janela.

— São novinhos, seu babaca. — disse o menino, soltando o freio de mão.

Enquanto manobrava, Leonardo apontou o controle para o portão de madeira, que, instantaneamente, começou a abrir. Cruzou o portão lentamente e acionou o controle mais uma vez. Ganhou a rua e partiu em alta velocidade. Já tinha um endereço em mente. A velha granja Cazuza. Tinha falido e estava às moscas, sem vigia. Ficava a uns quinze quilômetros e, pelo menos à noite, só com azar encontraria algum casal de namorados utilizando as velhas instalações como alcova. Em geral, as meninas não se deixavam levar para lá. O lugar era feio e malcheiroso. Animais mortos, excrementos, tudo contribuía. Diziam que a velha granja era assombrada pelo espírito do seu Cazuza. O velho se enforcara bem no meio de uma das incubadoras quando recebera a notificação de despejo. Um duro golpe. Pagar impostos é nossa sina. Leonardo estava disposto agora a transformar a velha granja em cemitério. Tinha que se livrar do corpo, de um jeito ou de outro. Não havia opção. Não queria uma acusação de assassinato nas costas. Era novo demais para carregar esse fardo. Não iria preso, isso nunca. Era menor de idade. Mas temia as complicações. Seria rotulado. Criaria problema para o pai, político. Certamente, o pai teria de responder pelo crime. Ouvira dos tios. Não deixaria sobrar culpa para ninguém. A arma era do pai. Não era registrada. Dissera que comprara de um amigo policial, direto na boca. Arma de assassino. Que besteira! Olhava para o retrovisor de cinco em cinco segundos. Tudo parecia suspeito. Qualquer luzinha no espelho era a polícia em seu encalço. Acelerou. Bateu a mão nervoso no volante. Uma pá! Tinha esquecido! Precisaria de uma pá! Merda! Ah! Fosse como fosse. Ia deixar aquele vagabundo lá.

Ninguém teria como identificá-lo. Estava com o rosto destruído. Estava morto. Reviraria seu bolso e jogaria a carteira na beira da estrada. Limparia a arma e colocaria no bolso do cara. Não seria mais de seu pai. Seria de um assassino, de um ladrão. Pronto e ponto. Seu plano perfeito, passado e repassado em sua cabeça, não tinha falhas. Precisava tomar cuidado para que ninguém o visse. Só. Sem corpo, sem arma, sem provas, sem crime. Em casa, limparia o pouco de sangue que ficara no chão, recolheria as balas e as cápsulas. O chão de madeira da sala! Não olhara! Não olhara! Estaria danificado? As balas poderiam ter atravessado o maldito e terem feito buracos suspeitos na madeira... mudaria a mobília de lugar! Isso! O sofá... colocaria o sofá em cima da madeira. Isso. Chegou até a porteira que dava acesso à velha granja. Junto à cerca, uma placa pensa avisava: Vai a leilão. Desligou o carro e os faróis. Caminhou até a entrada, sorrateiro, encurvado. Cadeados! Mais essa agora! A fechadura da porteira estava enrolada por duas correntes grossas. Caminhou rente à cerca, procurando alguma falha. Nada. Voltava lentamente, pensando no que fazer. Se tivesse chamado o João, poderiam carregar o corpo lá para dentro. Mas sozinho... ia raiar o dia até chegar lá. A droga do galpão, perfeito para esconder o corpo ficava a mais de seiscentos metros da estrada. Era chão pra danar com aquele peso nas costas.

Dentro do carro, sem que o meticuloso garoto pudesse notar, o corpo do vampiro tremelicou. Afonso estava voltando à consciência. Seus poderes vampíricos, rapidamente, estavam reconstituindo seu cérebro danificado, curando os ferimentos, devolvendo-lhe à vida escura. À vida sem alma. Logo o mal estaria desperto. Pronto para vingar-se do contratempo burlesco que o mortal providenciara. Pronto para finalmente se abastecer de sangue e aí, sim, voltar ao plano inicial: procurar o novo irmão. Antes, terminaria sua diversão, extinguindo da existência aquele rapazote que criara problemas. Deixa-se enganar por sua aparência juvenil. Esquecera-se do próprio Sétimo, que, como aquele menino, tinha as feições de um pobre inocente. Um perigo... um perigo.

Um vento frio cortou a estrada. Leonardo, trajando camiseta de mangas longas, de tecido bem fino, passou as mãos nos antebraços tentando se aquecer. O vento fez o mato alto chiar. Estava escuro. A lua encobriu-se de uma hora para outra, tornando a noite ainda mais sombria. Mesmo com a escuridão, ele divisou a sombra de algo que poderia ser a salvação. Saltou a cerca de arame farpado e confirmou. Um carrinho de mão. Ainda estava ferrado, mas, ao menos, a caminhada seria menos sofrida. Voltou à Parati e abriu o porta-malas. Abraçou o cadáver e arrastou-o para fora. Por sorte, o homem não era gordo. Carregou-o até a cerca de arame farpado e empurrou-o para dentro do terreno. Suor brotou na testa. Voltou ao carro e o retirou da estrada, engatando a primeira marcha, forçando o veículo a subir um barranco à margem do caminho. Deixou a Parati e providenciou para que o mato ao redor a escondesse o máximo possível. Poderia demorar lá dentro. Voltando ao terreno da granja, pegou o carrinho de mão e trouxe até o cadáver. Acomodou o morto na ferramenta, com os pés para frente e a cabeça junto das alças. Mesmo com a ajuda do carrinho de mão, a caminhada seria dura. O terreno não favorecia, e o peso do corpo gradativamente aumentaria com a chegada do cansaço.

Leonardo caminhou por meia hora. Os bíceps ardiam. O galpão distava muito mais de seiscentos metros. Droga! O peito subia e descia descompassado, agitado. Gotas grossas de suor brotavam do alto da cabeça, desprendiam-se da franja, escorrendo da testa ao queixo. Se tivesse um pouco de luz, provavelmente já estaria bem mais perto do galpão. O caminho tortuoso atrapalhava. O carrinho já tinha tombado, derrubando três vezes o defunto. Dera o que fazer para recolocá-lo em cima da ferramenta, cada vez com os braços mais cansados. Entretanto, a necessidade de livrar-se daquele corpo com urgência supria o rapaz com energia extra.

Leonardo estava impressionado. Era nisso que pensava. A pouca luz não ajudava, mas tinha quase certeza de que o rosto do morto estava limpo, sem ferimentos. Deus! Apressou o passo. Precisava se livrar daquela coisa estranha. E se o homem tivesse falado a verdade? E se fosse um vampiro? Caminhou mais vinte minutos e alcançou o galpão. Agradeceu pelo fato da porta frontal não estar acorrentada. Arrastou a porta pesada até criar espaço suficiente para passar com o carrinho. Um odor desagradável invadiu as narinas. Mau cheiro. Carniça. Era isso. Pelo menos, o fedor do corpo putrefato não chamaria a atenção. Chegou a um canto do galpão, completamente fechado, sem janelas. Talvez fosse por isso que as coisas fediam tanto lá dentro. Aquela construção enorme, sem ventilação, com as portas imensas trancadas, tornava-o um forno gigante. Leonardo tombou o carrinho, despejando o morto e caindo de cansaço ao seu lado. Recostou-se a um amontoado de pneus, tentando recuperar o controle da respiração. Deixaria o lugar o mais rápido possível. As fases do plano tinham que se concluir com perfeição. Entrara e agora tinha de sair sem que ninguém o visse. Um barulho próximo. O sangue gelou nas veias. Rato? O barulho seco novamente. O pé! A perna do morto estava se movendo! Leonardo levantou-se e disparou correndo. Voltou ao caminho. A escuridão atrapalhava. O mato à margem da trilha de terra lhe dizia onde se manter. A merda do homem não estava morto! Não estava! Como?! Quinze, dezesseis tiros na cabeça. Estava morto! E agora não estava! Tirou a pistola da cintura. Se aquele merda voltasse, mataria de novo. Se ele...

Um soco.

Leonardo caiu, atordoado. Batera numa árvore? Algo sólido, al...

— Ah! Ah! Ah! — ecoou uma gargalhada na escuridão.

O rapaz começou a tremer. Seria o morto?

— Tu, mortal, tu és rápido, mas não o bastante. Quase conseguiste. Sim, quase. Ah! Ah! Ah!

Leonardo levantou-se, com a arma apontada para frente, sem nada enxergar.

— É boa essa arma. Tua vontade é me liquidar, não é?

Um golpe forte acertou a mão do rapaz, arremessando a pistola para o meio do mato.

— Quem é você? Quem é? — gritou Leonardo, desesperado, virando o corpo para todos os lados, tentando localizar o oponente.

Um par de brasas surgiu na escuridão.

— Já disse, ó gajo, já disse. Sou um vampiro. Não morro com disparos de arma de fogo. Vampiros... nunca ouviu falar?

O único som que chegava aos ouvidos da criatura era a respiração descompassada do humano. Lobo deleitou-se com o medo estampado no rosto do garoto magro, tão pálido quanto um vampiro.

Leonardo pôs-se a correr mais uma vez.

A mão poderosa de Afonso agarrou o humano pela camiseta e arremessou-o para o meio do matagal que margeava o caminho.

Leonardo assustou-se, cruzando o ar como se fosse feito de pano, e bateu forte contra uma árvore. Agarrou-se ao galho, tentando evitar a queda. Impossível. Estava rápido demais. O galho não suportou e foi ao chão junto com o rapaz. Uma pedra feriu suas costas, e ele gemeu doloridamente, pois havia também batido a cabeça. O som da gargalhada do vampiro aproximando-se o manteve alerta. Precisava lutar se não quisesse acabar morto. Estava com medo, sim, estava. Mas aquele filho da puta não o mataria de graça; teria de brigar.

— Não amoles, menino. Preciso de sangue. Achas que é fácil voltar da morte? Achas que é fácil me recuperar do estrago que fizeste com tua arma? Não corras mais. Estou exaurido. Preciso me alimentar. Se fores condescendente faço tua morte ser rápida. Foste um bravo até aqui. Agora entrega-te.

Afonso avançou. Enxergava sem dificuldade, mas o que atrapalhava era o mato alto, que tinha de desbravar com as mãos.

— Vamos, rapaz! Va...

O vampiro caiu de costas, assustado. O maldito rapazote não se entregaria fácil. A maioria dos humanos perecia com os primeiros golpes, apavorados com os dentes sobrenaturais e os olhos cintilantes. Era hora de acabar com a valentia daquele ser desprezível. Era hora de invocar a fera. Estava exaurido. Estava fraco, mal se mantendo de pé. Conseguiria evocar o lobo? Quando tentava se levantar, o humano surpreendeu-o mais uma vez, acertando outro golpe, um golpe fatal.

Leonardo havia se levantado. As costas doíam. Ouvia o vampiro. Não se entregaria. Agarrou o galho que caíra da árvore. Era um vampiro? Assistira a muitos filmes de vampiros. Para matar um, era preciso cravar uma estaca no seu coração. O galho, com a ponta lascada e aguda, seria sua arma, seria sua estaca. Sentiu o monstro atordoado. Sorriu. O filho da puta estava surpreso. Um garoto revidando seu ataque. Leonardo não tremia mais. Leonardo não o temia mais. Queria acabar com a raça daquele homem com sotaque português. Empunhou a estaca, agarrando-a firmemente, e partiu para cima do vampiro, com a ponta aguda mirando o peito. A arma perfurou a pele e aprofundou-se. O monstro caiu, os olhos se apagaram. Leonardo tombou por cima dele, aproveitando o peso do próprio corpo para afundar ainda mais a peça de madeira. Os movimentos cessaram. Agora, sim, de acordo com a lenda, o vampiro estaria morto. Ficou sentado ao lado do corpo imóvel. Recuperava o controle da respiração. Olhava-o fixamente: um vampiro. Um demônio. Levantou-se. Cuspiu sobre o cadáver. Ainda tinha um plano a cumprir. Voltou ao galpão e apanhou o carrinho de mão. Vampiro ou não, continuava sendo um corpo, um corpo à vista dos curiosos. Tinha de escondê-lo. Retornou ao cadáver e refez o caminho. Seria a última vez em sua vida que entrava naquele galpão fedorento. Colocou o cadáver em um canto, tomando o cuidado de não remover a estaca. Estava cansado de ser perseguido por aquele morto. Estava cansado de matá-lo. Não sabia se teria a mesma sorte outra vez. Sua cabeça zunia. Muita emoção para um garoto na mesma noite. Ainda tinha de voltar para casa. Não encontrou nada que ajudasse a cavar o chão de terra firme. Sem pá, iria demorar a noite toda. Não podia. Apanhou um monte de caixas de madeira e papelão abandonadas e cobriu o máximo que pôde o cadáver. Se o encontrassem, teria passado muito tempo. Só queria estar em paz pela manhã. Estar em paz para explicar a história quando o pai chegasse. Ficaria orgulhoso dele, certamente ficaria.

Leonardo voltou ao carro. Descobriu a Parati e, vencendo o terreno íngreme, colocou-se no banco do motorista. Deu ré. O carro parecia ter-se enroscado. Mesmo descendo, precisou forçar o motor para colocá-lo de volta à estrada.

Continuava olhando no retrovisor a todo instante. Temia agora encontrar, em vez das luzes da polícia, os olhos vermelhos do vampiro. Acelerou. Tinha dificuldade de manter o carro na estrada de terra. O caminho estava ruim, mas era o mesmo que fizera algumas vezes. Abriu o vidro e ouviu um barulho estranho. Parou. O pneu dianteiro esquerdo estava murcho. Um rasgo visível fora feito na borracha, o que dificultava a condução do veículo. Olhou para os lados. Escuridão. Considerou a hipótese de continuar assim mesmo, mas se topasse com a polícia, se chegasse em casa daquele jeito e ela tivesse sido acionada pela vizinhança, iriam certamente estranhar a condição do pneu. Fazia um barulho danado, e todo mundo sabia que estragava a roda. Não estava preocupado em ser pego sem carteira de habilitação, mas em tornar sua ausência suspeita. Precisava trocar o maldito pneu. Abriu o capô. O parafuso que prendia o estepe estava duro. Nunca vira o pai precisar dele! Desenroscou e removeu a peça. Retirou o estepe e deitou-o no chão. Foi ao porta-malas e apanhou o macaco. Sua respiração voltou a acelerar. Girou a manivela rapidamente. Estava com pressa. Estava com frio. Suspendeu o carro. Voltou à parte traseira do veículo e apanhou a chave de roda. Encaixou-a no primeiro parafuso. Estava duro e recusava-se a ceder. O carro balançava, como se fosse cair. Lembrou-se: tinha de descer o macaco. Os parafusos são retirados com o pneu no chão. Assim ele não gira e facilita o trabalho. Irritado, Leonardo desceu o carro. Voltou à chave de roda e finalmente venceu o primeiro parafuso. Um trovão. A noite começara fresca, sem impressão de frio. Agora via relâmpagos explodindo no horizonte. Chuva. Apressou-se. Concluiu a substituição, certificando-se de que os parafusos tinham sido bem apertados, subindo na chave de roda e deixando o peso do corpo atarraxar os parafusos. Um frio cruzou a estrada. Passou as mãos nos antebraços e entrou no carro. Sumiria dali o mais rápido possível. Não queria cruzar de novo com o vampiro. Não queria que a polícia o visse na rua a uma hora daquelas. Tinha de voltar depressa para casa. Bateu a porta do motorista e deu partida. Seu plano daria certo. Daria certo.

CAPÍTULO 9

Dimitri estava no bar, uma espécie de taberna, a arqueria Rock'n Wood. Gostava de ir lá tarde da noite e sentar-se ao fundo. As pessoas não o perturbavam. Riam alto. Atiravam flechas. Faziam festa. Alguns arqueiros contavam vantagens. Descreviam batalhas contra alvos de palha para os olhos e ouvidos atentos de garotas adolescentes. Tomou mais um gole de cerveja Skol, de ouvidos ligados na conversa da mesa ao lado. Discutiam a respeito de uma notícia que ganhara os telejornais naquela tarde. Havia suspeita do Brasil ter detonado uma arma nuclear em alto-mar. Um teste. Um dizia que era impossível, que o Exército brasileiro não possuía armas nucleares, que o Brasil participava de um acordo internacional contra tal aberração. Outro dizia que se o Brasil quisesse ter e não contasse pra ninguém, ele teria. A discussão prosseguia animada quando o celular tocou.

— Dimitri...

— Fala.

— Tenho um caso.

— Semana cheia, chefe.

— Quatro caras. Contrabando de armas. São bons. Eles têm a mercadoria que eu quero. Limpa o lugar que depois eu mando alguém buscar as armas. Apaga todo mundo.

— Onde?

— Tão no Bela Vista.

— Malaquias?

— Rum-rum. Quer mais gente?

Dimitri irritou-se com a pergunta de Sofia.

— Não, cara. Não quero mais ninguém. Deixa o Malaquias comigo.

— O pessoal do carregamento vai estar de prontidão; é só ligar no fim do trabalho. Tem que ser tudo rápido. O Bela Vista não é periferia; a polícia chega rápido.

— Sou rápido. Continuo rápido. Acende um charuto; te ligo antes da última tragada.

Dimitri desligou. Sim, precisaria de reforços. Levantou-se e foi ao caixa. Seu carro estava no estacionamento do bar. Estrategicamente ao fundo. Olhou para trás. Pessoas riam na entrada, não davam atenção àquele homem alto, de pele morena, coberto por um sobretudo preto. Dimitri abriu o porta-malas. Ali estavam os reforços. Colocou mais uma pistola no colete. Abriu a porta traseira esquerda do Comodoro. Do porta-malas, retirou uma metralhadora. Atarraxou um silenciador ao cano da arma, municiou e destravou. Passou-a para o banco de trás. Voltou, olhando para o estacionamento. O único barulho próximo era o das botas contra as britas no chão. Nenhum curioso. Prendeu ao colete duas granadas. Trancou o compartimento. Havia deixado lá dentro armamento suficiente para abastecer uma pequena milícia revolucionária. Bateu a porta traseira e entrou pela do motorista. O motor possante roncou, e o carro deixou o estacionamento de marcha a ré, fazendo pedriscos voarem. Manobrou em frente ao hospital do centro da cidade, desviou de um Voyage branco e subiu a rua Pedro Fioretti. Sabia onde o bando do Malaquias enfiava o rabo. Ia ser bem diferente do trabalho do dia anterior, quando tinha apagado amadores. Crianças metidas a marginais. Aquele era dia de trabalhar. Malaquias começara com contrabando de eletrodomésticos, cargas roubadas nas estradas. Ganancioso, entrara para o ramo da pesada. Contrabando internacional de armas. Tinha uma toca em Osasco, no bairro do Bela Vista, vizinhança estritamente residencial, casas de famílias pacatas, numa praça, sem suspeitas. Malaquias sabia trabalhar. Levava os compradores sem estardalhaço. Em carros populares, nada de carros importados, sem a ostentação dos traficantes. Sem barulho nem confusão no seu pedaço. Sabia respeitar e se fazer respeitado. Fazia churrasco na varanda superior do sobrado e parecia boa-praça para os vizinhos. Só tinha aquela mania insalubre de se estranhar com o Sofia, e agora era a hora do acerto. Era a hora de toda a casa cair. Acabou o boa-praça. Acabou a independência. Com Sofia era assim. Escreveu não leu, o Dimitri comeu.

Estacionou o carro na praça. O motor trabalhava junto com o cérebro do motorista. O sobrado do contrabandista estava com as luzes da frente apagadas. Melhor para ele, vestido de preto. As sombras amigas. Se Sofia estivesse certo, e quase sempre estava, haveria três homens com Malaquias. Se a possante moto estacionada na frente da casa fosse a do cliente, e se ele fosse levar a mercadoria, a compra seria pequena. Nada pesado demais. Um homem vigiando, mais três negociando, esses eram os quatro da casa. O comprador poderia dar problema. Viera sozinho? Só se fosse conhecido do Malaquias ou um novato no ramo. Comprar armas sozinho? Burrice. Tinha que saber de quem e como comprar. Nesse mundo, a confiança se perdia e se modificava a cada batida do coração. No seu ramo, o ramo dos matadores, a confiança ficava nas peças metálicas que se aqueciam entre os dedos, apertadas nas luvas de couro. Pousou a mão na chave do Comodoro e cortou a corrente, desligando o motor. Estendeu o braço e apanhou a metralhadora com silenciador no banco de trás. Abriu a porta e arremessou o cigarro ao asfalto. Hora de trabalhar.

CAPÍTULO 10

— De quem eu posso comprar?

— Tem um cara em Osasco. Um cara bom, tem de tudo. Pistolas, metralhadoras, explosivos. — respondeu a voz metálica através do celular.

— Porra, o cara é contrabandista?!

— Cê queria o quê, Tobia? Você tá me pedindo o que não tenho. Pra conseguir isso, tem que ir atrás de nego da pesada. Tem que ir, porra. E arma israelense, arma dos Focas, é arma de exército, bicho.

— É foda! Comprar arma é foda!

— Tá com medo, Tobia? Aí eu não posso fazer nada...

— Medo! Se você soubesse o que eu tenho que fazer com essa arma, você não ia dizer isso...

— Não quero saber. Não quero nem saber! Já tenho fantasmas demais dentro do meu armário. Para todos os efeitos, você está indo comprar armas pra caçar codornas.

— Codornas grandes. Passa o endereço.

— Quem diria? O poderoso empresário do mundo das escolas de informática indo comprar armas de contrabandista.

— Não amola, cara. Não amola.

O homem passou o endereço para Tobia.

— Vou dar uma ligada antes. Se você chegar todo mauricinho lá, o cara vai achar que você é cana. Te passa bala.

— Osasco?!

— É, tem contrabandista em todo canto. Morumbi, Higienópolis, Alphaville, Osasco, é normal.

— Nunca fui pra esses cantos.

— Compra um guia, seu merda! Tchau!

Tobia desligou o telefone. Estava com a armadura. Os ensinamentos, passados de Tobia para Tobia, rezavam que, para cada saída atrás dos vampiros, fosse com a armadura de prata. Não ia aos vampiros indo naquele contrabandista, mas ia pelos vampiros. Era uma missão. Tinha de se acostumar com aquelas vestes antes de se encontrar com tais criaturas. Só não podia aparecer na rua com a armadura reluzente. Foi ao *closet* e apanhou o sobretudo de couro marrom escuro. Amarrou o cinto preso à vestimenta. Pronto. Estava coberto. As botas altas tapavam o brilho da prata que descia até as canelas. Não queria chamar a atenção na rua. Queria encontrar os vampiros. Deveria rastreá-los. Observar, escutar minuciosamente as notícias que chegavam. Coisas estranhas poderiam trazer mensagens incógnitas. Neve em Porto Alegre, em cidades litorâneas onde nunca acontecera. Pistas. Um trem descarrilado num trecho que nunca experimentara acidentes. O Exército testando armas num vilarejo... em Amarração. Centenas de soldados mortos. Soldados que não foram hábeis o suficiente para confrontar os vampiros. Tobia estava ciente de que necessitaria de um pouco mais que simples estacas e doses de alho. Precisaria contar com amuletos e armas mais poderosas que o Sol. Iria se armar. Desceu à garagem. Puxou uma capa de náilon de cima de um objeto. Para acossar um vampiro, todos os soldados do rei devem seguir em cavalos perfeitos. Era isso que rezava a bíblia da família dos caçadores de vampiros. Era disso que precisava. Debaixo da capa surgiu uma reluzente motocicleta Honda, esportiva, pneus largos, perfeita para perseguição veloz e fuga rápida. Se aqueles vampiros haviam de alguma forma ressuscitado e escapado da legendária caixa de prata, se estavam acostumados com cavalos e floretes para inibir suas atitudes maléficas, agora iriam experimentar as maravilhas do mundo novo. Motos de mil e cem cilindradas, pistolas munidas de balas de prata. Encontrariam metralhadoras israelenses, explosivos de guerra e, principalmente, um descendente legítimo de Tobia, um Tobia, cada segundo mais pronto para o confronto. Um Tobia que conhecia o maior segredo dentre os existentes para combater vampiros. Não ter medo. Não ter medo dos olhos cintilantes e das presas afiadas. Não ter medo do mal enclausurado naqueles corpos semelhantes aos humanos. Não temer, nunca, um vampiro. Isso os tornava caça comum. Animais falíveis que sucumbiriam ao combate homem a vampiro. Que se imobilizariam com uma estaca no peito, que arderiam sob o Sol, que virariam cinzas ao ter o corpo arremessado à fogueira.

Tobia montou na Honda e deu partida. A mão enluvada girou a manopla seguidas vezes, fazendo uma seqüência de roncos crescer na garagem. Tirou o pé de apoio e saiu lentamente. Com um sinal de luz, alertou o porteiro, que acionou o portão automático. Tobia acendeu o farol e ganhou a rua. Direção: Osasco.

Quarenta minutos depois, chegava ao endereço indicado. Encostou a moto em frente da casa, junto a uma praça. O céu estava coberto de nuvens, mergulhando ainda mais a noite numa sombria escuridão. Um vento frio e cortante espantava as pessoas da rua. Conferiu o número anotado num pedaço de papel. A casa estava escura e pouco convidativa. Também, o que ele queria? Atendentes estilo *fast-food* perguntando, irritantemente educados e treinados: Quer a promoção número um? Submetralhadora, mira laser... bazuca de sobremesa? Quer? Sem chance. Pelo menos, o lugar era bem melhor do que esperava. Quando ouvia falar de Osasco, não imaginava que lá existissem bairros tão bonitos e arborizados, de aparência tão civilizada e ordinária. Imaginava apenas um amontoado de favelas e botequins em cada esquina. Surpreendera-se. Era o que seu contato dizia. O contrabando agia assim. Insuspeito. Em bairros tão bem localizados quanto o Morumbi, o Brooklin Novo e o escambau. Nada daquele clichê de bandido de periferia. Periferia era coisa de peixe pequeno. Tobia desmontou da moto e foi tocar a campainha do sobrado. Tinha de manter a calma. Falar pouco. Ser rápido. Não se sentia nem um pouco à vontade fazendo aquilo. Nunca chegara tão perto do submundo. O máximo que fizera fora parar na delegacia por causa de uma confusão arranjada com um flanelinha do Olímpia. Comprar drogas, armas... nunca. Fazia aquilo em nome da família. A linhagem dos Tobias. Tinha de munir-se contra o mal prestes a combater. Ser um Tobia.

Um homem vinha descendo as escadas. As duas mãos para trás. Um nó formou-se na barriga de Tobia. As mãos para trás daquele homem indicava que ele vinha trazendo armas escondidas.

— Qual é o teu nome?

— Tobia.

O homem ficou parado um instante, deixando a cabeça balançar, como tomado por um tique nervoso.

— O Sapo que te mandou?

— Sapo? O Everaldo...

— É. O Everaldo, o Sapo. Tanto faz, é o mesmo cara. Entra logo, não queremos nenhum abelhudo de olho na gente.

O homem destrancou três fechaduras tetra do portão menor, deixando Tobia entrar e fazendo-o subir na frente.

No final das escadas, Tobia encontrou um corredor e uma porta imediatamente à sua esquerda.

— Entra aí.

Tobia girou a maçaneta, vacilante. Ninguém o vira entrar. Talvez nunca mais o vissem sair. Hesitou.

— Vai, cara. Entra logo. Tá com medo do quê? — bronqueou o desconhecido, trazendo uma pistola em cada mão.

Tobia entrou. Dois homens estavam na sala, olhando para a porta. O mais alto, com um gorro da Gaviões na cabeça, apontou-lhe um revólver cromado, de cano longo. Notou que o mesmo tinha outra arma na cintura, enquanto o segundo empunhava um fuzil longo, provavelmente um AR-15.

— Abre esse casaco, devagar, e põe as mãos na cabeça.

Tobia soltou o cinto de couro que fechava o sobretudo. Abriu a vestimenta, deixando à mostra a reluzente armadura de prata.

— Mas que porra é essa, grã-fino? Cê tá de sacanagem? Veio mais alguém com ele, Miltão? — perguntou nervosamente o cara de gorro para o homem que recebeu Tobia na entrada.

— Tem ninguém não.

O segundo homem, o do fuzil, de jaqueta preta, olhava para uma mesa à direita de Tobia.

— Não tem ninguém lá fora. Se pintar um engraçadinho, a gente vê ali. — disse ele, apontando para três monitores de TV em circuito fechado.

Tobia notou que os ângulos vigiados pelas câmeras alternavam-se constantemente. O sobrado tomava em sua mente as proporções de uma fortaleza. Ninguém, sem autorização, conseguiria entrar ou sair daquele lugar. Um suor frio brotou em sua testa. Teria feito besteira?

— Vim só. — declarou o comprador. — Essa armadura faz parte da minha missão.

— Armadura? Cê tá de sacanagem. O Sapo é foda, só manda pirado. Isso aí não é colete à prova de bala, não? Até a canela, caralho! — espantou-se o contrabandista, vendo as peças reluzentes recobrindo a perna de Tobia. — Quer vender?

Miltão ergueu o sobretudo: o cara estava limpo, desarmado.

— É uma armadura. Uma armadura para caça.

— Foda-se. Fala logo o que tu quer. Passa a grana e rapa fora. Maluco dando güelo só dá azar.

— Quero armas. Coisa leve, fácil de usar, letal.

— Tá bom, madama. Vamo dá uma olhada no nosso acervo.

O homem de gorro conduziu Tobia por um corredor. O comprador era novato. Se não fosse indicação do Sapo, que sempre levantava serviço com grana boa, esse mauricinho ia voltar pelado pra bocada. Sairia rapelado. Mas era indicação do Sapo.

Tobia espantou-se com o cômodo. Era uma desorganização completa, mas o lugar estava abarrotado de revólveres, pistolas, armas de toda a sorte.

— Cê qué coisa da pesada, mas compacta... — começou o vendedor. — ...tenho um fuzil do exército norte-americano que é coisa fina. A munição é salgada, mas vale a pena. Derruba elefante, parede, abre carro-forte... neguinho caga nas calças quando tu mostra o berro. Pega essa doze, cano duplo, serrado... coisa fina também. — exibiu o contrabandista, arremessando a arma para Tobia. — última palavra em calibre doze.

A espingarda bateu no peito metalizado do caçador de vampiros. Tobia achou a arma pesada, empunhou-a, trazendo-a para a posição de tiro, apontando para a parede. Sentiu o corpo encher-se de coragem para enfrentar as criaturas. Não sabia o efeito que aquele calibre exerceria contra as vítimas, mas era disso que precisava, dessa sensação, tinha de se sentir seguro, superior às criaturas. Livrar a mente do medo do combate.

— Ela é boa? — quis saber.

— Boa? Cê já traçou duas minas ao mesmo tempo? Já? Vô te dizer, compadre, atirar com essa coisa é ainda melhor.

Tobia sorriu. Nunca tinha traçado duas minas ao mesmo tempo mas já tinha ouvido falar tanto no estrago que a doze faz como no estrago que duas minas ao mesmo tempo proporcionavam.

— Levo o fuzil compacto e essa espingarda.

O homem de gorro riu.

— Não é da minha conta, chefe, mas tu tá com raiva de quem?

— Ninguém importante, pode ficar sossegado. Mostra-me mais. — pediu Tobia, amarrando o cinto, fechando o sobretudo.

Lá fora, Dimitri descia do Comodoro negro. Colocou um gorro de lã grossa na cabeça. Hora de trabalhar. Embaixo do sobretudo, presa a uma cinta de náilon, trazia a metralhadora com silenciador. Também equipada com esse recurso era a pistola que trazia no bolso, pronta para disparar. Atravessou calmamente a rua. Os olhos experimentados viram duas câmeras de circuito fechado. Uma grande, nada profissional, e outra menor, mais escondida. Os caras, há anos no ramo, deveriam estar mais atualizados, não com câmeras do tamanho de uma manga-rosa. Já existiam instrumentos potentes menores que uma caixa de fósforo. Dimitri sacou do colete uma granada de fumaça e arremessou à distância, acertando a garagem do sobrado. Saberiam que alguém queria entrar, mas nunca quantos, nem como. Um tiro rápido com a pistola silenciosa destruiu a câmera no andar de cima do sobrado. Um olhar rápido em volta. A praça vazia. As casas vizinhas silenciosas. Nenhum curioso. Ia trabalhar do jeito que mais gostava, do jeito que mais assustava os que ficavam no mundo dos vivos: entrar e sair como uma sombra. O assassino mais temido era aquele que executava em silêncio, sem alarde, sem propaganda. Um assassino patológico. Um operário do submundo. Encostou no muro da casa. Na parte de cima, dando para a rua, havia uma aconchegante varanda, onde Malaquias e seus homens costumavam fazer churrascos insuspeitos. Tirou do colete outra granada de fumaça e arremessou para o alpendre. Uma nuvem branca e compacta já tomava toda a frente da casa, e o providencial fenômeno repetiu-se lá em cima. Dimitri agachou-se brevemente e retirou da bota uma corda fina, em cuja ponta havia uma peça metálica reluzente. Girou a corda e fez a peça prender-se ao beiral da varanda. Iria entrar por cima.

Dentro do sobrado, Tobia continuava recebendo instruções e valores do equipamento que estava prestes a adquirir para um completo arsenal que começava a se formar em seu carrinho de supermercado. Provavelmente, teria de voltar outro dia para buscar tudo o que seus olhos estavam vendo e aprovando. Até mesmo facas eram apresentadas e pareciam extremamente indispensáveis para o confronto que se avizinhava, mediante a lábia impressionante do vendedor.

Na sala, Milton conversava com Adalto, o comparsa. Cochichavam a respeito do estranho comprador que adentrara o escritório. Que coisa era aquela de armadura? Estavam entretidos, quando, subitamente, Milton levantou-se e deu um tapa num dos monitores.

— Que porra é essa? Que aconteceu?

Adalto juntou-se. As telas não registravam nada. A imagem estava enfumaçada.

— Sei lá. Chama o Dito. Chama o Dito, cara. Ele que entende dessa...

— Dito! Dito! — Miltão saiu gritando pelo corredor.

O contrabandista não estava preocupado com Tobia, mas assustado com os gritos urgentes do comparsa, antes de deixar o quarto, disse:

— Não mexe em nada, cabaço, não mexe senão eu te sento chumbo.

Tobia ficou estático. O sangue gelou. Ouvia atentamente, sem coragem de dar um passo em direção à porta do quarto. Talvez, quando o fizesse, o tal do Dito poderia estar voltando e interpretar sua atitude de forma errada, encerrando sua missão antes mesmo de começar. Tinha algo errado naquilo. Era cagão demais para ser um descendente dos Tobias, ancestrais que lutavam sem tantos recursos contra as feras malditas, e lá estava ele, com uma doze, cano serrado nas mãos e cagando de medo de três seres humanos. Teria de aprender rápido a ser um Tobia ou não duraria uma noite quando chegasse a hora, quando descobrisse onde os malditos vampiros escondiam o rabo. Estava perdido nesses pensamentos, mergulhado no mundo dos vampiros descritos por seus ancestrais quando um baque surdo o trouxe de volta ao mundo dos vivos. Dito estava demorando. Qual seria a urgência? Alguém na porta? Teve a impressão de uma névoa tênue tomar conta do corredor e invadir a porta do quarto. A impressão tornou-se certeza quando a névoa fina intensificou-se e cobriu suas botas. Olhava para o chão, admirado com a fumaça, tentando deduzir de onde diabos ela vinha, e nem notou aquele homem de sobretudo e gorro na cabeça parado na porta. Tobia ergueu lentamente os olhos. O sangue gelou em suas veias. A boca ficou entreaberta. Um assassino! O homem, de feições duras e olhos inexpressivos o encarava, com o braço estendido, apontando uma pistola prolongada por um silenciador. Onde estava todo mundo? Rezou para que os bandidos aparecessem e dessem um fim naquele cara. Aquele cara que estava prestes a disparar. Os bandidos tornaram-se heróis. E aquele bandido...

Dimitri puxou o gatilho duas vezes.

O corpo de Tobia voou para trás, batendo contra a mesa repleta de revólveres e tombando no chão, coberto pelas armas.

Dimitri virou-se e abandonou a casa. Fim do serviço.

O peito queimava. Desgraçado! Desgraçado! Tobia revirou-se debaixo das armas. Livrou o corpo e levantou-se. Era aquela sua prova de fogo. Um sinal. Uma provação enviada pelos ancestrais. Se sobrevivesse àquilo, sobreviveria a tudo. O coração batia rápido e livre do medo. Abriu o sobretudo: a armadura estava levemente afundada no peito em dois pontos. Bendito era o manual de caçadas! A bíblia dos Tobias. Bendito era onde rezava que sempre que se ausentar da morada em missão contra os vampiros, fosse usada a armadura abençoada. Apanhou o fuzil e uma caixa grande de munição. Pegou a doze de cano serrado e encheu o bolso do casaco com cápsulas carregadas. Aquele desgraçado não fugiria tão facilmente. Saiu para o corredor. A fumaça estava naquele estágio em que se dissipava rapidamente, valsando entre as pernas do caçador a cada passo. Miltão e Ditão estavam mortos no chão da sala, com os corpos atravessados por dezenas de disparos, olhos e bocas abertos. Tobia parou perto do Ditão e cuspiu dentro da boca escancarada do defunto.

— Deus lhe pague.

Atingiu o térreo da casa a tempo de ver o assassino entrar no Comodoro negro. Recostou-se ao portão para esconder-se, ouviu o ronco possante do motor, que fez o carro descer rapidamente a rua. Bateu o portão e apressou-se; atravessou o asfalto até chegar à moto, prendeu a caixa de munição na parte traseira, montou e deu partida. Se cruzasse com uma viatura da Polícia Militar, certamente se meteria em encrenca. Afinal de contas, um motoqueiro com espingarda pendurada de um lado e rifle estrangeiro pendendo do outro jamais passaria despercebido.

Desceu a rua em alta velocidade. Os olhos ardiam em ódio. O coração batia disparado. O sangue circulava quente. Avistou o Comodoro saindo de um farol. O filho da puta dirigia lentamente, calmo, como se nada tivesse feito! Tobia era movido pelo impulso. Só queria alcançar o assassino e acabar com a raça dele.

Dimitri soltou o freio de mão e pegou a avenida Santo Antônio. Iria voltar ao bar. Beber, pensar. Adorava seu trabalho. Sabia exatamente o que fazer em cada situação, e era justamente isso que o estava entediando. Era perfeito, sem surpresas. Entrar, atirar no meio do peito, cessar o coração, sair... sair. Sempre igual. Sempre com sucesso. Poucas vezes algo de diferente aconteceu. Voltar para terminar o que ficara inacabado... não, isso não era com ele. Era preciso. O problema estava nos oponentes. Peças fáceis. Carne, sangue, burros. Talvez se houvesse uma guerra, um lugar onde pudesse exibir todo seu potencial assassino... mas os oponentes eram aqueles, sujeitos do submundo, com corpos e mentes corrompidas pela droga. Burros... não liam, não viam. Eram patéticos. Agiam sem estratégia, sem organização. Não entravam em sintonia. Morriam... temiam... toda vez era isso... morriam. Dimitri acelerou e entrou na rua Salem Bechara. Voltaria à taverna Rock'n Wood. Fumaria mais cigarros. Observaria as pessoas comuns, que não suspeitavam do que ele fazia para defender o pão sagrado de cada dia. Atiraria com arco e flecha, passaria o tempo. Cada dia mais acreditava que estava na hora de encerrar a conta com o chefe Sofia. Ir para outro país. Tornar-se um outro tipo de profissional. Pescar... O sinal vermelho acendeu antes que pudesse atravessar a avenida dos Autonomistas. Freou. Um casal de crianças esmolava, provavelmente a mando da mulher que tomava cachaça encostada em uma banca de jornal. A garotinha aproximou-se da janela do carro negro. Dimitri encarou-a, pensando se deveria abrir o vidro. Não costumava dar dinheiro, pois sabia que na maioria das vezes a grana terminava nas mãos de gente como a mulher embriagada do outro lado da rua. Temendo os olhos frios do condutor, a menina afastou-se rapidamente. Dimitri bateu os olhos no retrovisor. Uma moto.

Tobia acelerou. O Comodoro estava parado no farol vermelho. Pessoas cruzavam a faixa de pedestres, alheias ao motoqueiro desvairado que trazia duas armas penduradas no pescoço.

Tobia freou seis metros antes de chegar ao alvo. A menina, que esperava ao lado do carro do assassino, espremida entre os veículos que se amontoavam no semáforo, correu ao vê-lo se aproximando. Melhor. Queria apenas o motorista. Faria aquele maldito se arrepender de ter puxado o gatilho minutos atrás. Empunhou o fuzil compacto. Dito tinha lhe dado uma lição expressa; destravou, segurou firme e disparou. A arma chacoalhou arredia. O tranco forte fizera a mira desviar. O coração batia mais rápido. Os olhos ardiam. Endireitou o punho, firmou ainda mais a máquina de cuspir tiros, prendendo a parte posterior ao ombro, encaixada na axila. Queria liquidar o oponente sem dar chance de reação. Teria que ser assim com os vampiros, rápido e letal. A arma continuou gritando, e faíscas escaparam do Comodoro. Os tiros acertaram a lataria em pontos diversos. Tinha certeza de que havia atingido os vidros laterais, por onde podia ver a cabeça do assassino pego de surpresa.

Dimitri deitou-se, protegendo a cabeça, escondendo-a atrás do banco de passageiro. Apanhou a metralhadora ainda com o silenciador acoplado. Quem era aquele filho da puta?! Estaria na casa do Dito? Parecia o estranho... o estranho de sobretudo marrom! O estúpido atirara pelas costas! Dimitri levantou-se mais calmo. O abobalhado ainda não tinha percebido que o Comodoro era blindado. Mais um amador para aporrinhá-lo. Trocou o pente da metralhadora. Hora de trabalhar.

Os carros aceleraram. Alguns chegaram a bater as laterais, sem que os motoristas saíssem para se estapear no cruzamento. Todos sabiam que precisavam escapar dali. Os mais observadores notaram que o maluco da moto não atirava com um simples revólver. Era um fuzil. Uma metralhadora... uma coisa grande... não era uma arminha qualquer... Melhor se esfolar no carro do lado do que terminar no cemitério do Santo Antônio com uma bala na nuca.

Tobia segurou a arma até o cão estalar sem mais disparos. As balas tinham acabado. Sua fúria inexplicável parecia ter ido embora com os últimos projéteis. Uma coisa quente percorria suas veias... algo que trazia uma sensação boa... contentamento... tinha tido a coragem de puxar o gatillho. Deitou o fuzil e tentou tirar o municiador descarregado... Não conseguiu. O coração ainda batia disparado. Um calafrio percorreu a espinha. O carro parecia inteiro. O homem lá dentro se mexia. Não estava caído com a cara no volante fazendo a buzina disparar como visualizara em sua mente perturbada um instante atrás. O assassino estava vivo e erguendo uma arma. Tobia largou o fuzil. Engoliu seco. Não lembrava como trocar a munição... o cursinho expresso de como matar uma dúzia de pessoas enquanto prepara seu miojo parecia ter pulado uma lição. Tobia empunhou a doze.

A respiração ficou pesada, o peito demorava uma eternidade para encher e esvaziar. Sentiu as pernas amolecerem. O assassino estava vivo!

Dimitri ia descer e acabar com o maldito sobrevivente. Poucas vezes aquilo acontecia... ao menos, teria a rotina quebrada, a monotonia ligeiramente alterada. Entrar, atirar, matar, sair. Não abriu a porta. Aquele imbecil estava erguendo uma espingarda calibre doze. Um perigo na mão de um idiota. Tinha que agir logo: em pouco tempo, a avenida dos Autonomistas estaria tomada por barcas da Polícia Militar. Tinha de ser rápido, mas não podia deixar barato. Uma doze?! Dimitri pisou fundo no acelerador e deu um cavalo-de-pau no meio do cruzamento. Iria acertá-lo de frente.

Tobia disparou com a doze. O tiro passou longe do Comodoro, acertando e destruindo um carrinho de cachorro-quente estacionado próximo à esquina. Tobia perdeu o equilíbrio depois de tomar um coice da arma. A moto caiu sobre sua perna. Graças à proteção metalizada da armadura, não se feriu. Levantou-se com dificuldade, as armas penduradas no pescoço, chacoalhando. Ouviu o som de sirenes e o pneu do carro negro cantando logo à frente. O Comodoro estava voltado para ele agora, parado no meio do cruzamento. Apenas um carro ou outro aventurava-se a cruzar aquele trecho, mesmo com o sinal aberto para os que vinham pela larga avenida. Os veículos esperavam pelo desfecho daquela cena de guerra, não ousando entrar na linha de tiro, com gente correndo e gritando. Tobia levantou-se; o ombro doía pela batida da coronha. A porta do carro abria-se lentamente. Se deixasse o assassino sair, seria seu fim. A imagem de Dito veio à cabeça. Essa é uma doze punheteira... Cê faz assim pra atirar de novo. Tobia reengatilhou a arma como o contrabandista ensinara, fazendo a espingarda cuspir os cartuchos deflagrados. Apoiou firme no ombro e disparou mirando a porta do carro.

Dimitri estava calmo. Tinha acabado de virar o Comodoro. Os vidros estavam todos trincados. O maldito do bobalhão até que tinha feito um bom estrago, mas era um novato... vira quando ele caiu desequilibrado depois do disparo com a doze. Que diabos ele queria? Vingança? Essa lição era demorada, e ele não estava nem um pouco interessado em dar tempo para o homem de sobretudo aprender. Abriu a porta e pôs o pé pra fora. A porta blindada serviria de escudo. Inclinava o corpo para sair quando... Bummm!... O disparo da espingarda atingiu o vidro em cheio, deixando-o deformado, levando a porta para trás com violência e acertando seu joelho. Matador gemeu de dor. Filho da puta! Sorte de principiante.

Tobia subiu na moto, com a doze pendendo, presa pela cinta de náilon ao pescoço. O som de sirenes o trouxe de volta à realidade. Tinha que sumir.

Preso não poderia lutar contra os vampiros. Não havia tempo a perder; o cretino que se preocupasse em reformar o carro. Deu partida e disparou, descendo a rua, enquanto o assassino parecia se recuperar do susto. O carro preto atrapalhava a curva. Passou rápido, pois o homem estava querendo sair novamente. Viu o grande viaduto metálico: o caminho era aquele. Ao ver viaturas circulando rápido pela avenida, decidiu cruzar reto. Seria melhor até para despistar o carro do assassino, embora temesse por não conhecer o caminho. Continuou reto, descendo a rua Primitiva Vianco, sem imaginar que poucos dias antes ali estiveram os vampiros que tanto queria encontrar. A rua tinha pouco movimento, apenas alguns ônibus encostados recolhendo e deixando passageiros. Tobia escapava rapidamente.

Dimitri viu o principiante passar sem ter tempo de atingi-lo. A moto era possante e, se soubesse usá-la, teria êxito. Matador queria aquele cara. Ninguém fazia aquilo com seu carro. Dava um trabalho danado cuidar do Comodoro para deixar-se destruir por um banana qualquer, que sumia ao primeiro sinal da polícia. Dimitri engatou a ré e deu um novo cavalo-de-pau, seguindo a moto pela rua Primitiva Vianco. Acelerou. Tobia estava longe, logo alcançaria o largo. Não podia perdê-lo. Pisou fundo. As pessoas nas calçadas paravam para olhar o carro negro passando como uma bala.

Tobia chegou ao largo. Parecia um ponto final de coletivos. Parou um instante. Uma placa indicava o shopping, outra indicava a avenida dos Autonomistas. Era para onde queria ir. Precisava da avenida ou das marginais. Olhou para trás. Um carro, com os faróis acesos, aproximava-se em alta velocidade. O Comodoro vinha como louco. Tobia disparou com a moto para a direita, e o ronco estridente do motor encheu o largo de Osasco. Uma criança atravessando a rua. Tobia freou, a moto derrapou, perdendo o controle. Acelerou novamente, mas a máquina, involuntariamente, foi para a esquerda. O coração disparou. O pneu dianteiro bateu na guia, jogando o caçador na calçada. Tobia sentiu o corpo doer. Agora sabia por que o manual da família Tobia apregoava o uso daquele equipamento. Quedas de cavalo não deveriam ser muito piores. Um estrondo fenomenal chamou a atenção do caçador, que ainda se levantava arquejante. Virou-se. Um ônibus arrastava a moto. Não perdeu tempo procurando entender o motorista desatento, que provavelmente fora surpreendido com o objeto deslizando no meio da rua. Olhou para os lados. Estava preocupado com o assassino. Não dava tempo de ir atrás da moto, que certamente estaria imprestável agora, mas queria ao menos salvar a munição do pequeno fuzil. Não a encontraria facilmente por aí. O ronco forte do Comodoro chegando ao largo fê-lo lembrar que tinha que salvar o rabo antes de tudo. Se aquele maluco o encontrasse, estaria liquidado. A armadura era resistente, mas não estava disposto a descobrir o quanto. Faria o teste outra hora. Estava ao lado de um banheiro público. Não era um bom esconderijo. Os ônibus no outro lado talvez demorassem para sair. Chamaria a atenção e seria descoberto antes de sumir de Osasco. Perto dali, viu pessoas descendo uma escada. Atravessou a rua estreita, tomando cuidado com os carros dos curiosos que queriam entender o acidente com a moto. Tobia percebeu que era um túnel. Desceu os degraus apressado. A perna doía, e as armas pesavam cada vez mais no pescoço. Parou para olhar o joelho. Um filete de sangue vazava pela armadura de prata reluzente.

— Ei! — alguém gritou.

Tobia virou-se arfante. Um barulho, instantaneamente seguido por um impacto contra o peito. Tobia caiu de costas, e a armadura estalou contra o piso metálico da ponte. O som do rio fedorento correndo logo abaixo. Estava zonzo. Uma sensação de cansaço. Como se o velho e conhecido Tobia, o empresário das escolas de informática, estivesse voltando ao seu corpo. Que fizera nas últimas horas? Estivera fora para comprar armas de um contrabandista? Seria possível? Comprara armas. Fora alvejado por um assassino profissional que acabara com o bando de vendedores de armas ilegais. Perseguira o assassino e disparara no meio da rua. Agora estava ali, atingido novamente, com o peito doendo e ouvindo o estalar dos passos do assassino aproximando-se. Estava tonto. Soltou a cinta da espingarda, tirando-a do pescoço. Ergueu-a. Um chute no braço fez a arma deslizar pelo chão. Gritos de gente correndo apavorada. Sirenes. A voz.

Dimitri aproximara-se lentamente, com a arma apontada para a cabeça do intruso. Que era aquilo? Uma armadura! Cara estranho. Chegou calado e chutou a arma quando o engraçadinho tentou erguê-la. Por isso o desgraçado saíra vivo do sobrado do Dito! Estava usando uma armadura, uma espécie de colete à prova de balas. Os balaços haviam deformado o peito metálico, mas não o atravessaram. A coisa era boa. Já tinha visto estranheza no seu trabalho, mas aquilo... Dimitri olhou para a boca do túnel. Ouvia as sirenes das viaturas entrando no largo. Não demorariam para procurar ali, naquela passagem que levava ao bairro Presidente Altino.

— Foi divertido, amigo, mas custa caro arrumar aquele carro... Não fosse a sua palhaçada... atirar no meio da rua.

— Você tentou me matar.

Dimitri sacou um cigarro do bolso do sobretudo preto e colocou-o na boca.

— Que diacho cê tá fazendo com essa armadura?

Nunca antes, pelo menos que se lembrasse, Dimitri se interessara pela vítima segundos antes de puxar o gatilho. Mas aquele cara era diferente de tudo o que já havia apagado para o Sofia. Não era um dos contrabandistas... deveria ser um daqueles colecionadores birutas... pelo modo que atirava, não era um profissional. Um maluco...

— Sou caçador.

Dimitri riu com o canto da boca enquanto acendia o cigarro e dava uma tragada longa.

— Um caçador.

— Estou precisando de um instrutor... Você entrou naquela casa, sozinho, e matou aqueles caras. Preciso aprender a fazer isso. O que vou caçar... você nunca viu, preciso de toda a ajuda que conseguir.

Um justiceiro. Era isso que aquele esquisito era. Ou melhor, era isso que ele queria ser.

— Cê tá procurando encrenca, *playboy*. Cê não tem a menor pinta de justiceiro. Precisa aprender muito antes de sair matando gente. — O som das sirenes estava próximo demais. — Chega de papo. Vou terminar meu serviço.

Dimitri aproximou a pistola da cabeça de Tobia.

— Não sou justiceiro. Sou caçador de vampiros. Gente que nem você consegue matar. — murmurou o homem, com a voz perdida, respirando prolongadamente.

Tobia encostou a cabeça no chão, afastando-se da arma empunhada pelo grandalhão assassino. Sentia-se cansado, vencido. Relaxou os músculos, deixando o corpo desfalecer.

Dimitri vacilou. Reafirmou a mão, pronto para atirar. Era um assassino. Tinha que atirar e atravessar o túnel. Abandonar o Comodoro de placa fria. Comprar outro no dia seguinte. Tinha de deixar o túnel antes da polícia chegar.

O soldado saltou da Blazer da Rota. Adiantou-se e recostou-se ao lado da entrada do túnel. Pelo rádio, receberam a informação de que testemunhas tinham visto o motoqueiro entrando. O soldado empunhava o revólver, descendo rapidamente. O casaco cinza de tecido grosso balançava quando corria. Ouvia os passos rápidos dos companheiros juntando-se a ele, mas quando chegou no final da escadaria, seus olhos nada encontraram. O túnel estava deserto. Correu para atravessá-lo rapidamente. Um transeunte desavisado, que descia a escadaria da outra extremidade, chegou a cair sentado quando cruzou com o soldado esbaforido. O policial militar saiu pelo túnel já em Presidente Altino. O sinal de pedestres estava no vermelho piscante. Pessoas comuns indo e vindo. Poucas. Nenhum homem de sobretudo marrom. Nuvens de vapor escapavam de sua boca, acompanhando a respiração agitada. Os companheiros de viatura chegaram. Um atravessou a rua em direção ao terreno da frente. Frio. Outro dirigiu-se a uma viatura que se aproximava. Para o experiente policial, parecia que o trabalho estava perdido. Os dois protagonistas da violenta cena ao lado do Bingo Estoril tinham desaparecido.

Dimitri meneou a cabeça negativamente. A arma apontada para a nuca do taxista garantia a condução do Santana para fora da área confusa. Sentado à frente, ao lado do motorista, ia o estranho dentro da armadura prateada. Não sabia o que estava fazendo. Por que não havia matado aquele idiota? Caçador de vampiros... talvez fosse por causa da sentença: gente que nem você pode matar. Um desafio. Um desafio, finalmente. Se houvesse aquele tipo de gente, se houvesse vampiros... se pudesse caçá-los... descobriria logo. Levaria aquele imbecil para casa. Se estivesse pedindo ajuda, ajuda mesmo, não iria recusar. Se recusasse, morreria. Se fosse mentira, morreria. Não tinha chance. Era bom que tratasse de convencê-lo. A bala estava na agulha. Não tinha desistido de matar aquele que o apanhara de surpresa... também, pudera! Com uma armadura daquelas! Aquela porra segurara as balas da metralhadora, a bala da pistola. Era coisa fina! Mas muito espalhafatosa. Tinha seu colete protetor, importado do mercado negro britânico. Caro e discreto, como as coisas de um bom assassino deveriam ser. Passara o destino para o taxista. Deixara claro que aquilo não era um assalto. Era uma corrida como outra qualquer. Uma corrida normal. Levá-los até o largo da Batata, em Pinheiros. Deu o dinheiro para o cara. Pediu que esquecesse as armas. Só não deveria chamar a atenção da polícia. Só que era difícil para o motorista tratar aquilo como uma corrida comum. Era difícil esquecer um cano frio na nuca, com uma promessa de assassinato imediato se as coisas dessem errado. O motorista não dizia uma palavra, não se importava com a doze de cano serrado que vira muito bem na mão daquele cara do banco de trás. Não estava nem aí para a roupa estranha do passageiro, aparentemente desmaiado no banco ao lado. Só queria chegar logo ao fim da ponte onde conseguiria entrar na marginal do rio Pinheiros, acelerar na pista expressa e avistar o mais rápido possível o prédio do Unibanco. Estaria chegando ao destino. Poderia sair vivo daquela. Não queria chamar a atenção de polícia nenhuma. Só voltar para casa e abraçar o filho com quem discutira à tarde por causa do volume alto da televisão. Queria comprar o CD do Tomb Rider pelo qual ele tanto enchia o saco. Queria viver para isso... queria.

CAPÍTULO 11

César freou o caminhão. Eliana despertou mais uma vez. Tiago, que vinha na cabine, apressou-se em descer. Estavam em frente à casa de sua irmã. Tocou a campainha. Eram quase onze horas. Não tinha idéia de como Sabrina o receberia. Havia deixado a casa dela abruptamente, fugindo dos vampiros que vinham ao encalço de Eliana. Naquele dia, a neve forrava o asfalto das ruas de Osasco, neve maldita, trazida pelo vampiro Inverno. O vampiro que ele próprio havia derrotado. Tiago havia tomado o sangue daquela criatura durante um embate feroz. Havia sucumbido à última barreira, como se um instinto natural, um chamado antigo estivesse arraigado em seu ser. Os caninos tinham crescido a seu desejo, cravara os dentes no adversário, tornara-se um vampiro. Agora estava ali, no portão da irmã, sabendo que não tinha como explicar o sumiço repentino. Sem poder revelar que ela tinha agora um irmão vampiro. Sem poder revelar que ela estava próxima do perigo, próxima de criaturas que matavam para saciar a sede. Criaturas, por enquanto, incógnitas.

A porta da casa abriu-se.

— Tiago!?

— Oi.

— Onde você foi? Que aconteceu naquele dia?

— Estou passando por uma crise, uns problemas. Não quero falar agora...

— Problemas?! Precisa sumir assim? Sem me dar um telefonema? Sumir! Tudo bem que a gente não se via há um tempão, não se falava... mas você aparece do nada e some pra lugar nenhum!

— O Paulo tá acordado?

— Tá... espera que eu vou abrir esse portão... a menina, sua namorada, está com você?

— No caminhão.

Sabrina sumiu dentro da casa e logo voltou trazendo um molho de chaves.

Tiago olhou para a garagem. O Fiesta do cunhado Paulo continuava com a porta amassada, vítima de um motorista que derrapara na neve que cobrira o asfalto poucas noites atrás. Um sorriso brotou em seu rosto. Neve sobrenatural. Era inacreditável ter vivido aquilo. Coisa de figurar em roteiro de ficção hollywoodiana. Nenhum produtor conseguiria conceber personagens tão singulares. O sorriso distraído desapareceu quando a irmã chegou ao portão e destrancou. Tiago hesitou na entrada da casa.

— Vocês vão ficar aqui esta noite?

— Não. É por isso que eu quero falar com o Paulo.

— A Eliana não vai entrar?

— Não, Sabrina. Tenho coisas pra resolver. Não quero te incomodar nem trazer preocupações pra sua cabeça...

— Entra. — ordenou a irmã, pondo a mão no ombro de Tiago. Você não incomoda, Titi; é que eu fico preocupada.

Foram para a sala. O cunhado entrou, vindo pelo corredor, acendeu a luz.

Sabrina encarou o irmão.

— Nossa, Tiago, como você está pálido! Está doente?

Tiago não deu atenção. Estava ansioso para falar com Paulo.

— Fala, fujão! Pra onde cê foi naquele dia, tão preocupado? Sua irmã queria pôr a polícia atrás de você.

Tiago esboçou um sorriso para despistar e despreocupar o cunhado.

— Você disse que tinha uma casa pronta para nos alugar...

— No Jardim das Flores, é verdade, mas você sumiu, rapaz. Devolvi para a imobiliária.

Tiago suspirou, desanimado. Problemas. Estava na rua, com um demônio no porta-malas, e não poderia pedir pousada à irmã desta vez. Não poderia colocar o que sobrara de sua família em perigo. Os sobrinhos... a irmã...

— Mas eu estou com uma chave aqui; uma casa muito boa, de bacana, bairro bom, e o aluguel tá um achado por se tratar de imóvel mobiliado. Se você tem dinheiro para pagar um mês antecipado, como garantia, tudo em ordem. Eu dou um jeito com a papelada amanhã.

Tiago levantou-se e vasculhou o bolso da calça jeans. O dinheiro recebido da USPA estava com ele. Do maço, tirou algumas notas de cem reais.

— Tá na mão. Onde é a casa?

Fazia quinze minutos que tinham deixado a casa de Sabrina. Encostaram à porta de um sobrado de frente ampla. Passava um pouco das onze horas da noite. A rua inclinada estava deserta. O frio. Nuvens baixas lambiam o céu, passando ligeiras, ao sabor do vento forte. Tiago apresentou César ao cunhado. Pegou as chaves e combinaram de conversar pela manhã. Paulo entrou apenas para anotar o número do telefone instalado no imóvel. Mostrou rapidamente os cômodos. Estava com um sono danado. O trio sulista estava impaciente, mal prestando atenção no que o gentil corretor dizia, torcendo para que ele fosse embora. Não tinham idéia de quanto tempo Sétimo permaneceria naquele estado, incógnito, imóvel no baú do caminhão. Praticamente falavam e empurravam o homem para o portão, para fora do terreno espaçoso. Paulo despediu-se, não resistindo à atitude do cunhado e seus amigos, pois ele também estava morrendo de sono. Além disso, os três deveriam estar bem cansados, pois César comentara que viajaram do Rio Grande do Sul para Osasco num tiro só, sem paradas demoradas. Ficaram no portão enquanto Paulo manobrava o Fiesta, desaparecendo no fim da rua e devolvendo a escuridão para aquele trecho. Ao mesmo tempo, os três olharam para o caminhão. Um frio na barriga cresceu em Eliana. Por que estavam fazendo aquilo? Por que Tiago queria proteger a fera? Teriam de escondê-la até quando? Sofrera nas mãos daquelas criaturas nos últimos dias. Estava coberta de hematomas, feridas abertas por dentes pontiagudos. Um calafrio percorreu seu corpo. Sim, havia sofrido. E agora estava ali, providenciando guarida a um vampiro, guardando-o em uma casa, protegendo-o a pedido de Tiago. César olhou para o portão duplo. Era largo o suficiente para o pequeno caminhão passar, mas não tinha certeza se era alto o bastante para o baú não entalar. Subiu na cabine e ligou o motor. Eliana entrou. Tiago ficou junto ao portão, talvez César precisasse de ajuda para manobrar o veículo. Olhando para o céu, percebeu que seus olhos nunca mais seriam os mesmos. A noite era diferente. O ar trazia odores atraentes e o desejo de se afastar dos amigos. De andar. De espreitar. Meneou a cabeça, negando os pensamentos. O que estava se tornando? Tomara do sangue de Inverno. Matara o policial num piscar de olhos, com precisão assustadora. Não resistira e tomara do sangue humano... e aquilo o fizera se sentir melhor! Como se o enchesse de energia, energia que poderia ser quintuplicada! Ainda não estava farto! Podia sentir-se muito mais poderoso, sabia disso. Ter um poder que nenhum humano jamais experimentou. Sua cabeça lutava contra aquela sensação de bem-estar, mas o corpo o traía, impulsionando-o àqueles desejos, àquela satisfação nova que sentia. Matara o policial para garantir a fuga. Fora preciso. Era isso que repetia internamente, querendo se convencer de que fizera o certo, mas o calor no estômago dizia o contrário. O calor dizia que fizera aquilo para aplacar a sede. A sede de vampiro. Estava cada vez mais certo de que trilhava um caminho sem volta. Ergueu os olhos e, quando deu por si, César já estava estacionando o caminhão no quintal. Havia conseguido. Tiago encostou o portão enquanto o som do motor cessava. O quintal era descoberto; só assim para poderem guardar um trambolho daquele dentro de casa. Casa... a palavra despertou um sentimento. Saudade... deixara a casa naquela manhã sem a certeza de um dia voltar. O velho Tiago, isso era certo, nunca mais estaria na casa simples em Amarração. Saudades do povoado, da gente de pele curtida pelo Sol. E havia deixado tudo aquilo naquela manhã. Teria paz novamente? Talvez, se o Exército jamais suspeitasse de que escapara da bomba lançada pelo Tucano da FAB. Voltaria a ver sua casa. Talvez não. Agora, aquele imóvel estranho era sua casa. Era o lugar que receberia o novo vampiro. Seria ali que teria um novo pai. Aquele monstro horrível, o vampiro que restara. Havia Dom Afonso... sim, havia. O Lobo. Outro monstro diabólico. Um rival. Um rival que jurara seu amigo de morte. Que viria em seu encalço. Teriam Sétimo. Um escudo. Isso lembrava uma das razões pelas quais não poderiam se separar do monstro. O cão de guarda. Se o Lobo quisesse cumprir sua promessa, se rastreasse César como os vampiros rastrearam Eliana, teriam o ex-pupilo do diabo como defesa. Tiago interrompeu os pensamentos e fez o sinal-da-cruz. Um calafrio percorreu o corpo, que a cada instante tornava-se mais frio, com o sangue cada vez mais morto em suas veias. Por que fazia o sinal-da-cruz? Era agora um demônio. Um desgraçado, no sentido próprio da palavra. Abominado por Deus Todo-Poderoso. Um pseudovivo. Baixou a cabeça. Ouviu passos. César deveria juntar-se a ele para ajudar a trancar o portão. Teria de contar ao amigo. Estava certo de que César já desconfiava. Eram amigos desde a adolescência. Era quase impossível não notar que o amigo do peito se tornava, cada vez mais, um vampiro. Pele pálida... olhos frios.

— Pensas no que lhe foi proposto, irmão?

Tiago arrepiou-se. A voz desconhecida, com sotaque carregado, chegou repentina aos ouvidos. Não era César. Virou a cabeça rapidamente. Um rapaz. Um rapaz nu. Com sotaque português, cabelos castanhos claros, lisos e cheios. Lançou um olhar para o caminhão. Nem sinal de César ou Eliana. Instintivamente, os olhos se acenderam, surgindo, sutil, uma luminosidade vermelha. Os olhos do desconhecido brilharam em resposta. Um vampiro. Outro arrepio percorreu o corpo.

— Pronto para a luta, ó gajo?

Tiago fez os dentes brotarem. Outro demônio português? Que raça era aquela? Sentiu-se zonzo por um momento. Quantos demônios existiriam? Estaria a Terra tomada por aqueles malditos vampiros? Sem pensar, franziu o cenho, exibindo os dentes pontiagudos, liberando um curto rosnar ferino.

— Muito bem, ó pá. Aprendes rápido. Com quem aprendeste a fazer essa cara feia?

Tiago usou sua audição vampiresca. As vozes de Eliana e César conversando no interior da casa o acalmaram. Sétimo permanecia em silêncio no baú do caminhão.

— Vais atacar? Não me reconheces mais?

Tiago estava perdido. Nunca vira aquele menino antes. Ainda mais nu.

— Não te conheço... — murmurou.

— Vês? És perfeito para ser meu general. Não sabes quem sou, mas não ficaste tímido. Mostraste-me os dentes! Queres ofensa maior de um vampiro para outro? Não, não há! Ah! Ah! Ah! — gargalhou.

Tiago recolheu os caninos.

— Pensas que não vi o que fizeste ao homem que me tirava do sono? Que tipo de soldado é aquele? É soldado do rei?

— Era um patrulheiro...

— Mataste... mataste e tomaste do sangue quente. És um vampiro. Não negues. Não negues que gostaste. Foi preciso, meu soldado fiel.

— Sétimo?!!

O menino consentiu.

Tiago balançou a cabeça, negando o que via. O monstro assumira a forma de um rapaz... um disfarce daquele com couro escamoso e aparência de morcego gigante. Um disfarce perigosíssimo. Forma humana, um exemplar comum e de aparência jovem. Um perigo com rosto inocente, bonito.

— Não sou um demônio perfeito? — perguntou o vampiro, dando uma volta, exibindo-se para o pupilo.

— O que quer de mim?

— Além de roupas dignas? Quero que sejas meu general. Com licença... agora é hora de dar as boas novas ao meu pai.

Tiago ficou estático. Ainda assimilava a novidade. Sorriu, mas logo a expressão sumiu. Sim, Sétimo estava certo, ele era um demônio perfeito.

César não se alarmou com os passos. Na certa era o amigo entrando para conhecer melhor a casa. Subitamente, uma voz juvenil encheu a sala, sobressaltando tanto César quanto Eliana.

— Pai.

César virou-se. Eliana gritou ao ver o rapaz sem roupa.

Um calafrio percorreu o corpo do homem. Que era isso agora?

— Não me conheces, pai?

Eliana recostou-se na parede.

Tiago surgiu atrás do rapazote, que não deveria ter mais de dezesseis anos.

— Sétimo?... — balbuciou César, vacilante.

— Sim, pai. Este também sou eu.

Silêncio.

Tiago aproximou-se da amada. Abraçou-a. Eliana correspondeu, apertando Tiago entre os braços e afundando a cabeça em seu peito.

— Não é um despiste perfeito, pai? Posso caminhar na aldeia ao teu lado, ninguém repara.

César, ainda surpreso, aquiesceu. Sim, o monstro poderia passar despercebido na multidão. Apenas a palidez destoante chamava a atenção, talvez mais agora por causa da nudez do vampiro. Vestido, era provável que a palidez abrandasse, que os olhos humanos o tomassem por normal. Um perigo.

— Preciso cobrir meu corpo.

— Claro... claro, vampiro. Vem. Tira essa coisa da frente da minha amiga. Vamos arrumar uns panos pra cobrir esse corpo magrelo.

César chamou Sétimo para outro cômodo. Vasculhou um guarda- roupa. Vazio. A cama trazia um colchão descoberto. Havia um banheiro contíguo ao quarto. Na pia, num suporte preso à parede, uma toalha pendurada.

— Toma. Enrola na tua cintura, tchê. Pode ser comum zanzar pelado de onde tu vens, mas aqui, com mulher na casa, é melhor se comportar.

Sétimo obedeceu. Não fosse a idade díspar, qualquer um que observasse a cena poderia tomar como um diálogo entre pai e filho.

— Preciso de roupas, pai. Tenho fome. Não posso caçar enrolado neste trapo velho.

— Caçar? Caçar o quê?

— Sangue humano. Não me apetece o que temos em casa. — retrucou a criatura, com sotaque lusitano.

— Em casa temos amigos! Escuta, esse negócio de me chamar de pai... isso me dá arrepios!

Sétimo gargalhou. A voz juvenil pareceu misturar-se com a do monstro.

— Tens medo de mim.

— Bá... tu és um vampiro! Claro que tenho medo. Tô cagando nas calças. Um vampiro que me chama de papai...

— Pai. Não temas, pai. Deste a mim o sangue que trouxe a vida. Vampiros são monstros... sim, mas são criaturas dotadas de justiça.

A quem nos dá vida, a vida. A quem nos quer trazer a morte, a morte. Morro por ti se for preciso. Ajudo os que me ajudam, nas mais simples coisas — disse o garoto, pousando a mão fria no ombro do brasileiro.

— É isso que me dá medo. É isso. Um vampiro servindo de cão de guarda. Olha, acho melhor cada um de nós seguir seu caminho. Nós somos humanos. Tu és qualquer coisa. Um cara que muda o corpo... — César passou a mão pelo cabelo. — Como pode ser? Tu tem parte com o demo. Não quero terminar assim. Quero seguir meu caminho.

— Seguirás, pai. Estou certo de que seguirás. Agora preciso de proteção. Vês como terminaram meus irmãos. Não buscaram proteção. Um vampiro precisa se integrar. Precisa mergulhar nos costumes da aldeia. Não pode ser uma atração... um espetáculo. Temos de ser o negro no negro, o azul no azul, uma garça dentre as garças. Como vou fazer isso, pai? Vês, até meu sotaque está a mudar. Cada palavra que sai da tua boca eu absorvo. Precisas me ensinar a ser um brasileiro.

— Isso é difícil, tchê... quer que te ensine algo para tornar-se um assassino. Escondê-lo?!

— Escuta. Posso dar-te uma vida diferente de tudo, tchê. — replicou o vampiro. — Humanos são palermas. Se me descobrem, pronto, querem me matar. Meu ódio ficou na caixa de prata. Se me temes assim, manso, tomara que nunca sonhes com o que já fiz. Crueldades. Assassínios.

César arrepiou-se e por um instante teve a impressão de ver os olhos do rapaz brilharem de maneira perigosa.

— Agora não. O único que quero matar por prazer é Dom Afonso. E se ele disse que virá te buscar, acredita que ele virá. Queres ficar só? Diz. Queres enfrentá-lo sozinho? Desculpe, não posso crer que o que dizes é de fé.

César tinha esquecido por algumas horas a jura do vampiro lobisomem. Sétimo seria o cão de guarda, o protetor. Refletiu. Estava diante de um impasse. Apesar do repúdio à fera com cara de morcego, ela parecia ser a solução para combater Lobo de igual para igual. Poderia acabar com o vampiro como fizera da última vez. Balas de prata. Teria a mesma sorte? Faria vigília, dia e noite? Ele era um mortal, que envelhecia dia após dia. O outro era um vampiro, eterno, que teria paciência infinitamente maior para esperar e atacá-lo de surpresa. César balançou a cabeça em sinal positivo.

— Está bem, vampiro. Está bem. Te ensino a ser um brasileiro, fico com você até sentir-se seguro. Em troca, tu acaba com a raça do vampiro Lobo.

— Um trato?

— Um trato.

Sétimo estendeu a mão branca para selar o acordo. César retribuiu. Tinham um trato.

Na sala, repentinamente, Eliana desvencilhou-se do abraço de Tiago. Algo estranho estava acontecendo. O rapaz assustou-se.

— Que foi, Li? Está se sentindo mal?

— Você, Titi... você está tão gelado...

Tiago engoliu seco. Seria a hora de contar?

— Deus me livre, Titi, desculpe. Estou tão assustada, tive a impressão de estar atracada com um daqueles malditos. — choramingou, dando as costas para o namorado.

Tiago entristeceu-se. Era um maldito. Era um deles agora e não tinha coragem de dizer à amada. Tinha de se afastar. Tinha de se afastar de Eliana, de César. Até quando eles estariam seguros ao seu lado? Quando tivesse sede novamente... iria atacá-los? Não sabia. E era justamente isso que temia. Atacar quem amava. Atacar a mulher linda que sentia calafrios em sua presença. Atacar o parceiro fiel de muitas aventuras. Matá-los, cravando dentes afiados em suas jugulares. Um risco que corriam sem saber. Tinha de contar.

— Preciso dormir, Titi. Ainda me sinto exausta. A viagem, os acontecimentos. Tenho feridas que doem. Acho que preciso de um médico... estou exausta.

Tiago amparou Eliana e conduziu-a escada acima.

— Deite aqui e descanse. Amanhã vamos comprar coisas para a casa. Lençóis, copos... tudo que a gente precisa.

Tiago deitou Eliana e beijou-lhe a testa. Afagou os cabelos encaracolados da amada por uns instantes e beijou levemente sua boca. Ela adormeceu.

CAPÍTULO 12

O soldado freou o jipe em frente à pequena delegacia de Roda Velha. O tenente saltou, enquanto outros veículos militares enfileiravam-se logo atrás. Brites dirigiu-se para a casa que servia de delegacia e cadeia. O coturno estalava contra o chão de tacos a cada passo firme e rápido do tenente. A primeira sala estava vazia, mas o retinir de teclas de uma máquina de escrever lhe dava a certeza de que o local não estava abandonado às moscas. Numa sala dos fundos, um jovem magro e compenetrado datilografava rapidamente.

— Escrivão...

— Sim? Posso ajudar? — perguntou o homem, arrumando os óculos e se espantando com a presença de um tenente na delegacia.

Brites sacou um papel do bolso no peito do uniforme. Desdobrou, dando uma sacudida.

— Cadê o delegado... Edson Neves?

— Foi atender uma ocorrência. Ontem nos ligaram denunciando tiros numa residência. Ele foi verificar.

— Ontem...

O rapaz voltou a datilografar.

— É. Ontem. O delegado é meio estranho. Tem faro. Sabia que não era nada... não me pergunte, não pergunte. Eu não tenho a bagagem daquele coroa. O cara é fogo. Hoje, ele tá lá na casa do vereador...

— A respeito do evento no bar do Alemão... foi você quem redigiu este B.O.? — perguntou o tenente, aproximando-se da mesa do escrivão.

— Foi, mas isso aí não é o B.O., B.O. mesmo. Tinha tanta coisa esquisita... eu dei uma resumida, peguei o importante e mandei pro número que o Exército deixou aqui.

— Resumida?

— É.

— Posso ver o original?

O escrivão parou abruptamente. Parecia incomodado com a interrupção. Bufou.

— Agüenta aí, tenente. Eu pego o papel pro senhor.

O rapaz se levantou e foi ao arquivo que estava logo às suas costas. Vasculhou a gaveta, tirou uma folha fina de papel ofício e entregou ao militar.

— Olha, tenente, eu não me incomodo em parar de escrever meu romance. Não ligo nem um pouco do senhor vir aqui e pedir coisas, mas, ao menos, quebra um galho, me diz o que o Exército está procurando.

O tenente deu uma olhada rápida no B.O., virou para o rapaz e disse:

— Vampiros. Estamos procurando vampiros.

O rapaz sorriu. Meneou a cabeça e passou a mão no cabelo.

— Dá um tempo... Vampiros?!

Brites não deu atenção ao escrivão. Lia compenetrado o B.O., tinha que cavar nas entrelinhas pistas que o orientassem se estava na trilha do que procurava ou não. Cada palavra poderia esconder um dado sutil. Quase no final, no trecho que transcrevia as palavras de uma testemunha, encontrou dados contundentes, bem longe da sutileza. Na verdade, estava claro. A testemunha deveria estar desnorteada. Dizia que o agressor era o capeta, que tinha dentes de leão. Brites apertou a folha como se apertasse a garganta do caçado. Dentes de leão... dentes de vampiro.

— ...não dá pra acreditar, tenente, não dá... — continuava a balbuciar, monotonamente, o escrivão.

— Não é pra você acreditar, escrivão. É apenas para comunicar. Muito obrigado por omitir dados importantes.

— Dados importantes? Que dados?

— Uma das testemunhas que depôs não foi inclusa no resumo que você nos enviou. A que cita dentes de leão.

Bira caiu na gargalhada.

— Ah... pára com isso, tenente. O cara tava bêbado. Pau-d'água. Não queria passar por ridículo com o seu pessoal.

Brites não respondeu. Levou o B.O. até o aparelho de fax e tirou uma cópia.

— O delegado investigou isso?

— Bá, nem a pau. Briga de bar acontece todo fim de semana em Roda Velha.

— Aqui tem o endereço. Mas, para poupar meu tempo, para que lado fica esse bar?

Bira indicou.

O militar deu as costas e saiu.

Bira correu até a porta e perguntou:

— Agora, fala sério, tenente. O que o senhor está procurando?

Brites subiu no jipe e mandou tocar.

— Mantenha-nos informados das novidades! — gritou antes de zarpar. — Qualquer coisa, qualquer coisa!

O escrivão passou a mão na cabeça mais uma vez. Os militares eram uns folgados. Nem tinham pedido permissão para copiar o boletim de ocorrência. Pensavam que ele era o quê? Garoto de recados? Que fossem atrás dos pinguços. Uns idiotas. Vampiros! Tem cabimento um negócio desses? Voltou e apanhou o original do B.O. deixado na máquina de fax. Virou a folha e, por coincidência talvez, seus olhos bateram primeiro nas seguintes palavras: ...tinha dentes de leão...

O telefone tocou. Era Reginaldo, um dos policiais do distrito, falando do celular.

— Bira?

— É.

— O Neves taí?

— Não... tá na casa do verea...

— Puta, cara. Cê não vai acreditar. Tava indo pro distrito quando me chamaram no celular. Sabe onde eu tô?

— Sei lá, Reginaldo! — respondeu o escrivão irritado.

— Tô no galinheiro.

— No Cazuza?

— É.

— Que tá fazendo aí na granja?

— Acharam um cadáver aqui. Assassinato. Cê acredita? Mataram um homem... essa semana parece que vai ser agitada no nosso pacato distrito.

— Quem é?

— É forasteiro. Não é do pedaço, não.

— Achou o quê com ele?

— Nada. Roupa furada, mas não foi tiro. Parece tiro, mas não foi, não tem buraco de bala na pele...

— Morreu do quê?

— Estaca no peito. Dá pra acreditar? Ah! Ah! Ah! Tá parecendo aqueles filmes de terror. Uma estaca no peito...

A voz do amigo sumiu. Bira caiu sentado em frente à máquina de escrever. Estaca no peito! Um vampiro! Deus! Um vampiro! Bira benzeu-se.

Naquele mesmo dia, por volta das onze horas da manhã, Leonardo acordou sobressaltado. Batiam na porta. Tinha deixado o portão trancado. Com certeza, haviam saltado o muro, como fizera o monstro invasor. O coração estava disparado. Pulava no peito, descompassado. Quando adormecera? Não se lembrava. Levantou-se num pulo. De cima do cobertor, foi ao chão meia dúzia de facas pontiagudas e enormes, dos tipos mais variados. Caíram também dois revólveres calibre trinta e oito. Apanhou um e, com as costas arqueadas, caminhou pelo corredor. Foi até a sala e ergueu uma pontinha da cortina. Bateram novamente, fazendo-o sobressaltar mais uma vez. Leonardo respirou fundo, retomando o controle da respiração e do subir e descer do peito. Olhou. O novo invasor deu um passo para trás. Conhecia aquela camisa do São Paulo com uma mancha amarela do lado direito. Era João, seu chapa, amigão do peito, companheiro de inúmeras viagens a São Paulo para ver o Tricolor jogar. Amigo de infância. Graças a Deus tinha atendido ao seu telefonema.

— Leonardo! Acorda, porra!

O rapaz foi até a porta. Tirou o molho de chaves do bolso e destrancou a fechadura. Puxou João para dentro e voltou a trancar rapidamente.

João encarou o amigo. Estava com uma aparência péssima. Eram quase duas horas da tarde e Leonardo parecia ter acabado de acordar, com o cabelo desarrumado e olheiras profundas.

— Cara, eu liguei de volta a manhã inteira. Essa merda tá quebrada, é?

Leonardo negou, balançando a cabeça. Sem olhar para o amigo, foi em cada janela da sala, e eram muitas, olhar através das cortinas cerradas.

— Por que tá tudo fechado? Tá escuro aqui.

— Eu já explico.

Correu até a cozinha e certificou-se de que a porta estava trancada e calçada com uma cadeira que colocara na madrugada passada.

— Tá com medo do quê, ô florzinha?

Leonardo olhou sério para João.

— Chamei-te pra me ajudar, não pra tirar sarro.

— Desculpa, cara, mas é que tá estranho o negócio aqui. Tudo escuro... tá com medo do Sol?

O rapaz arrastou João pelo braço até o corredor. Apontou para o assoalho.

João não entendeu. O chão de madeira estava lascado, com vários buracos, uns perto dos outros.

— Eu atirei naquele desgraçado aqui. — revelou o amigo.

João arrepiou-se. Do que ele estava falando?

Leonardo puxou o amigo para o fim do corredor e mostrou, na parede, duas marcas com o reboco arrancado.

— Eu atirei nele aqui também. E acertei. Juro.

— Do que cê tá falando?

— Tô falando que um desgraçado entrou aqui em casa ontem à noite. Bem depois do gol do Raí. Eu tava gritando, nem ouvi o filho da puta entrar. Meu pai vai me matar, cara. Isso vai dar um bochicho... Cê não sabe da pior.

João coçou a cabeça. Seria verdade? O duro é que estava acreditando no amigo. A gente sabe quando é mentira. O cara estava desnorteado, assustado, nunca vira Leonardo daquele jeito.

— Cadê o defunto?

Leonardo soltou o corpo de costas para a parede e deslizou até cair sentado no assoalho, bem próximo às marcas dos tiros no chão. Enfiou a mão no bolso do moletom e soltou, fazendo tilintar na madeira as cápsulas deflagradas no combate.

— Bá, me fala. Onde tá o corpo?

— Lá na granja falida.

— Do seu Cazuza... mas...

— Se estiver...

— Ao menos, o lugar é deserto...

— Aquele filho da puta, cê não vai acreditar.

— Alguém te viu?

— Sei lá. Acho que não... era tão tarde... tava frio, ninguém fica pra fora no frio.

— A granja do Cazuza é assombrada.

— Assombrada? Assombrada! — gritou Leonardo, levantando-se. — Assombrado era aquele corno que entrou aqui ontem de noite.

João chegou a assustar-se com a reação repentina do amigo. O que ele estava querendo dizer?

— Eu dei, sei lá, uns dez tiros na cara dele aqui no chão. Peraí... antes, antes, quando ele estava de pé eu acertei o desgraçado bem no peito. No peito. E o desgraçado ficou de pé. Pensei que ele ia morrer, porque ele cambaleou, ameaçou ajoelhar, mas ficou de pé! Tiro de pistola trezentos e oitenta, não errei nenhum... nenhum. O cara não era desse mundo...

— Calma, Nardo. Calma. Ele tá morto. Morto. Cê enterrou o cara lá na granja...

— Não sei! Não sei se está morto!

— Como...

— O cara... João, pelo amor de Deus, acredita em mim. O cara é um vampiro. Um vampiro!

João esboçou um sorriso...

— Não ri, caralho, não ri. Eu acabo com a tua raça. — ameaçou Leonardo, apontando o revólver para o amigo.

João empalideceu. O estado emocional do amigo não inspirava confiança.

— Eu descarreguei a arma no desgraçado... e ele, ele levantou de novo. Eu tava enterrando ele na granja e ele levantou de novo e quase acabou comigo. Quase. Cara, eu tive muita sorte, puta merda, que sorte!

— Um vampiro? É duro de acreditar...

— É, mas tu só tá me vendo aqui porque eu acreditei. Eu acreditei. E sabe como eu me livrei do maldito? Sabe?

João, sem fazer a mínima idéia, balançou a cabeça negativamente.

— Já tinha visto uma penca de filmes de vampiro. O desgraçado disse que era vampiro, eu achei que era lorota, mentira. O maldito levantou de novo, me atacou, tava quase enfiando aqueles dentes filhos da puta no meu pescoço... — Leonardo falava com a voz embargada e com lágrimas rolando pela face. Sentou-se de novo e quando falava dos dentes gesticulava, com os dedos encostando-os no pescoço. — ...eu dei sorte, derrubei ele... enfiei uma estaca no peito dele. Uma estaca... é assim que se mata vampiro, não é? Não é?

João bufou. O amigo precisava de ajuda.

— É, Nardo. No cinema, é assim que se mata vampiro.

Mais uma vez o rapaz levantou-se descontrolado.

— Tá vendo, tu não acreditou numa palavra do que eu disse!

— Não é isso...

— Por que disse "no cinema"? Não tem ninguém filmando o que eu tô fazendo agora. Cê trouxe uma câmera aí? Acha que isso é pegadinha? Se é pegadinha, não tem graça nenhuma. Não tem graça nenhuma! — gritou, com lágrimas nos olhos.

— É que você matou o cara, enterrou na granja. Pode ter acontecido um monte de coisas. Não é fácil, eu sei. Mas foi muita coisa pra tua cabeça. Tu voltou e dormiu. Sonhou... sei lá.

— Cê não tá entendendo, João. O desgraçado tomou os tiros na cabeça e depois levantou. Roubou meu moletom, meu tênis. Tomou tiros na cabeça lá na granja, levantou e veio pra cima de mim. Não dá pra sonhar com isso, cara. Não dá. Nem tomando pinga eu fico com a imaginação tão fértil. Minhas redações fazem a dona Noemi dormir.

— Tu pode ter acertado o cara de raspão...

— Bá! Desisto! Não quer acreditar, pode ir embora. Preciso de ajuda, não de um encrenqueiro! — esbravejou Leonardo, dirigindo-se para a porta da sala e abrindo-a para o amigo.

— Pode, sim, pode ter acertado o cara de raspão. É uma explicação lógica para ele ter levantado. Cê ficou apavorado quando ele apareceu. Descarregou a pistola, mas não acertou. Tem gente experiente que faz isso. Matar gente não é fácil. Seu inconsciente pode ter desviado a arma.

— A casa iria estar toda arregaçada. Eu atirei num lugar só, na cabeça dele... meu inconsciente tava se borrando na hora.

— Cadê o sangue, Nardo?! Cadê o sangue?!

Nardo ficou sem fala. Emudeceu por um instante. Lembrava-se de uma mancha discreta. Tão pouco que usara papel-toalha para removê-la.

— Eu limpei... — balbuciou.

— Limpou? Tudinho?

— É. Diga-se de passagem, bem dinho...

— Como, assim?

— Era pouco sangue.

— Pouco sangue! Cê atirou na cabeça do cara e era pouco sangue?! Atirou na cabeça de um homem adulto ou na cabeça de um pardal?

— ... homem... — Leonardo levou a mão fechada até a boca, pensando.

João voltou até o assoalho lascado para examinar a marca das balas. Podia ver um ou outro projétil encravado na madeira.

— Se o delegado vem aqui... a gente tem que dar um jeito nesse chão.

— O cara pode ter tido uma hemorragia interna, sei lá. Já ouvi falar disso: quando a hemorragia é interna, o sangue não aparece.

— Mas com tiro na cabeça não é assim, não. Deixa isso pra lá, Nardo. A gente é *brother*. Se o Neves vem pra cá, cê tá lascado. Vamos arrumar um jeito de limpar a barra e agradecer por não existir esse maldito sangue.

Apesar de um pouco contrariado pela desconfiança do amigo, Leonardo ficou mais aliviado em poder contar com a colaboração dele para resolver aquela parada.

Naquele instante, como que adivinhando a preocupação da dupla, a campainha retiniu, fazendo ambos congelar e olhar um para o outro.

— E se for o delegado? — perguntou João.

— Dou um jeito. Vou ver se não abro.

— Fica suspeito.

— Converso com ele no portão; meu pai não tá em casa. Ele vai precisar de um mandado.

Leonardo puxou uma mesa decorativa pesada em formato de margarida que a mãe mantinha no centro da sala. Ela não saiu do lugar. Era um pedaço maciço de madeira. Só quando João o ajudou é que conseguiram erguê-la e assentá-la no corredor, em cima da discreta mancha de sangue e das marcas dos disparos.

— Fica aqui escondido. Vou ver quem é. Se for o delegado, não sai, não. Não precisa se complicar nessa história também.

João concordou.

Leonardo saiu para a varanda. A campainha tocou mais uma vez. E se não atendesse? Se fosse o delegado, ele não iria invadir a casa. O delegado respeitava seu pai, não iria querer encrenca. Também poderia ser um daqueles vendedores do *A Sentinela* enchendo o saco, poderia não ser o delegado. Atravessou o quintal gramado e aproximou-se do portão menor de madeira. O sangue gelou. Era a voz do Neves. Estava perdido! Estava perdido! Passou a mão pela cabeça. Via-se enjaulado... o pai e a mãe encontrando sua foto no jornal. Desmaios da mãe. Como explicar?... um filho assassino! Ninguém iria acreditar na história de vampiro. Ninguém. Sorte que estava limpo na noite anterior, caso contrário, nem ele acreditaria. Esperou. A campainha tocou mais uma vez. Não ia abrir. Que o delegado fosse à merda. Se invadisse, seria crime. Ele não pode... a maçaneta girou. O delegado estava tentando abrir o portão. Bateu forte na madeira, fazendo Leonardo sobressaltar. Girou novamente a maçaneta com violência. Leonardo arremessou-se e destrancou o portão.

Neves viu o portão abrir-se repentinamente. Teria sido sua pancada? Não. Ali estava o filho do vereador. Com a cara lívida, os olhos arregalados, parecia que ia ter um ataque. Neves coçou lentamente o bigode. Sabia que isso irritava os investigados. O menino não era propriamente um investigado, mas o culpado por ele estar ali. O garoto não dizia nada, apenas o olhava daquele jeito culpado, aquele jeito que o delegado reconhecia na primeira encarada.

— Ligaram-me dizendo que ouviram tiros aqui ontem à noite. Seu pai tá fora, logo acreditamos que o senhorzinho andou brincando com as armas. O que você aprontou, hem, piá?

— Foi um acidente. Estava mexendo na pistola do pai e disparou. Tentei parar, mas não deu. — respondeu Leonardo, com a voz carregada, nervoso, passando a mão na nuca.

— Vários tiros, então? Mais de um...

— É. — concordou o rapaz, sem jeito, pensando que devia ter dito que dera um tiro apenas.

O menino não saiu da frente do portão, impedindo que o delegado observasse a parte interna. Podia ver parte do quintal, mas queria dar uma olhada lá dentro.

— Mais de um tiro... estranho. Por que demorou para atender?

— Demorei? Desculpe. Não ouvi a campainha, deve tá com defeito. Só ouvi quando o senhor bateu... estava fazendo um lanche na cozinha, é ruim de ouvir... o quintal é grande.

Muitas explicações. O delegado passou a mão no bigode mais uma vez. Para ele, o moleque tinha brincado com a arma e deixado um tiro escapar. Acontece. Mais de um tiro já deixa a coisa diferente. Conhecia o filho do vereador. Não era nenhum abobalhado. Garoto inteligente. Sabia que era bom aluno porque sua filha estudava com Leonardo. Não ia sair dando tiro com pistola a troco de nada.

— O que aconteceu ontem, Leonardo? Pode falar, filho. Sei que não quer confusão.

O jovem, apesar de impossível, empalideceu ainda mais. A boca secou.

— Não aconteceu nada, delegado Neves. E eu só me, me atrapalhei. Só isso.

— Posso entrar?

— Tem um mandado?

A cara do delegado endureceu ainda mais. Aquela resposta, de chofre. Leonardo borrou de medo. Se o delegado queria assustá-lo, tinha conseguido.

— Escuta, filho. Eu vim aqui porque pensei que você estava precisando de ajuda, agora começo a desconfiar que tem gente precisando da minha ajuda pra ter proteção contra você. Tá com medo do quê, Leonardo?

— Nada... é que conheço meus direitos... sei que em casa ninguém entra sem autorização, se eu não quiser...

Neves deu um empurrão no rapaz, avançando para dentro do quintal gramado.

— Tu não vem com essa história de direito, moleque! Volto em vinte minutos com um mandado do juiz. Ligaram porque ouviram tiros aqui ontem à noite. Deixo um policial aqui na porta pra tu não esconder o rabo em outro lugar. Volto e acho alguma coisa pra trancar sua cara assustada no xadrez por quanto tempo eu quiser. Assassinato tem pena comprida, cê não vai gostar.

— Pô, Neves, tu é amigo do meu pai...

— Mas vou entrar nessa casa. Que história é essa de tiro?

— Bá, se tu quer entrar, entra, tchê. Mas vai ficar com cara de tacho. É que meu pai não tá em casa. Não gosta que ninguém entre quando ele não tá em casa. Se faz questão, vai lá e vê, não tô escondendo nada, não.

O delegado não perdeu tempo. Assim que o menino concordou, cruzou o gramado e subiu para a varanda. Olhava tudo. Até aquele instante, nada. Entrou na sala ampla da casa do vereador. Vereador ganhava bem. A decoração era bem diferente da local. Era cosmopolita. Nada daquelas coisas interioranas. Televisor vinte e nove polegadas, sofás mais caros que seu carro. Coisa de rico ou de pobre safado. Tapetes grossos. No meio da sala, um sulco profundo, com contornos semelhantes aos de uma flor. Neves olhou para o corredor. Andou até uma mesinha em forma de flor. Pesada, madeira maciça.

— Tá mudando a decoração, guri?

Leonardo respondeu com um sorriso amarelo.

O delegado foi ao fim do corredor. Marcas de bala na parede.

— Quantos tiros foram, filho? — quis saber, falando em tom amigável.

Leonardo titubeou. Atirara no peito do homem, depois atirara quando ele se levantou. Vários tiros. Quantos teriam acertado a parede? Tinha visto, estava nervoso, não se lembrava.

O delegado o encarou.

— Quantos tiros?

— Não lembro... três, quatro...

— Isso a gente não esquece de um dia pro outro, filho. Quantos tiros tu deste?

— Três... três tiros.

— Aqui tem dois, só. Estranho, né? Onde foi parar o outro? Quer me contar, Leonardo?

— Estava ner... fiquei nervoso quando disparou. Não esperava, pô. De repente, bum! Um tiro, outro. Não contei.

— Nem teve a curiosidade de ver o estrago? Não contou as cápsulas...

O sangue de Leonardo gelou. As cápsulas! Tinha soltado no chão quando falava com João. Olhou para o corredor de modo ligeiro. Não estavam lá. João as tinha apanhado. Graças!

— Traga-me a arma, Leonardo. Traga-me a arma que a gente descobre quantos tiros tu deste agora mesmo.

A arma. Leonardo sorriu amarelo, engoliu seco. Nem se lembrava onde havia deixado a pistola. Onde a vira pela última vez? No carro? No quarto? Onde estava João?

O delegado olhou pela porta aberta à sua frente. Era o quarto do rapaz. Janela fechada. A arma não estava à vista. Voltou ao corredor e abriu a porta oposta. Era o quarto do casal. A janela aberta deixava a cortina esvoaçar ao sabor do vento. No meio do corredor, o menino com a cara mais pálida que nunca.

— Cadê a arma, Leonardo?

Antes que o menino respondesse, a campainha.

Leonardo estremeceu. Raciocinou rápido: aquilo era sua deixa. Precisava sumir dos olhos do delegado por pelo menos cinco segundos e se recompor. Onde estava a arma? Os passos do delegado batiam atrás dos seus.

Neves coçou o bigode. O moleque estava mentindo. Escondendo o quê? Não tinha sangue na casa. Não tinha cheiro de morto no pedaço. Precisava verificar embaixo do móvel assim que voltassem, mas agora não podia perder o investigado de vista. Chegou ao veredicto assim que a campainha tocou. Não tinha ouvido o cacete! Ela estava funcionando e muito bem. Na cozinha, não tinha um farelo. Então, não estivera lá fazendo sanduíche porcaria nenhuma. Estava era analisando os prós e os contras de abrir a porcaria da porta para a polícia. Iria descobrir o que estava acontecendo.

Leonardo abriu o portãozinho. Um homem que nunca vira estava parado na calçada e parecia ansioso.

— O Neves taí?

Leonardo saiu da frente do portão, fazendo menção para o homem entrar. O delegado vinha pelo gramado.

— Bira? Que foi, Bira? Por que deixou a delegacia sozinha?

— Uma emergência, delegado. Uma emergência.

— Por que não ligou no celular?

— Só deu caixa postal, e isso não podia esperar. Assassinato, delegado. Assassinato aqui em Roda Velha.

O delegado lançou um olhar para o menino empalidecido antes de prosseguir, armando um sorriso vitorioso. O mistério estava para acabar. O filho do vereador teria muito o que explicar agora.

— Quem morreu?

— O Reginaldo disse que é gente de fora, não é daqui, não.

— Quantos tiros? — quis saber animado.

— Nenhum.

Leonardo, tenso que só faltava explodir, aliviou-se. Não poderiam estar falando do seu cadáver.

Neves consternou-se. Sem tiros?! Isso afastava um pouco a hipótese de ser o cadáver que Leonardo escondia.

— O Reginaldo foi chamado por telefone. Foi até a granja do Cazuza...

Nessa hora, Leonardo estremeceu. Era o seu.

— ... encontraram um cara com um pedaço de madeira no peito. Foi morto assim. Uma estaca no coração.

Vontade de vomitar. Leonardo cambaleou, nervoso. Sorte o delegado estar vidrado no escrivão. Firmou-se. Interpretou como nunca, puxando força não sabia de onde. Assassino.

— Vamos agora pra lá. — disse o delegado. Antes de cruzar o portão, virou-se e apontou um dedo para Leonardo. — E tu, não some daqui. Mais tarde eu volto pra tirar essa história a limpo.

O delegado deixou a casa do vereador e entrou na viatura. Bira o acompanhou. Tinha vindo a pé, correndo. Queria informar Neves o mais rápido possível. Ainda mais agora, com aquela história do Exército. Se o tenente que passara pela delegacia não estivesse tirando uma com a sua cara, eles realmente procuravam vampiros. Era muita coincidência terem encontrado um defunto com estaca no peito.

Leonardo fechou o portão e encostou-se na madeira, dando um suspiro aliviado. Chegou a pensar que o levariam naquela mesma hora para o xadrez. Um espasmo estomacal. Tinha que ligar para seu pai. A coisa estava fugindo do controle. Por pior que fosse a bronca, os ataques da mãe, tinha que pedir ajuda. Um advogado...

Caminhou até a varanda e sentou-se, apoiando o corpo com as mãos atrás do tronco. Um barulho chamou sua atenção. Alguém estava pulando o muro. Era João. O danado tinha saído da casa quando percebeu que era o delegado. Tinha sido esperto. Um enroscado era o suficiente para uma cidade daquele tamanho. João trazia a colcha da cama de Leonardo enrolada em forma de trouxa. João aproximou-se ressabiado.

— Vi os dois saindo. Não ficou ninguém, né? Acho que só veio o Bira mesmo.

— Não tem ninguém, João. — disse Leo, desanimado.

— E agora?

— Agora? Agora eu tô fodido. Bá, acharam o corpo do vampiro... o delegado vai voltar com um monte de suposições...

— Ué? Mas ele não tem como ligar o corpo a você! Tem?

— Não... fiquei até aliviado. O tal de Bira mesmo falou que não tinha buraco de bala no corpo... pelo menos, deu a entender. Falou que não tinha nenhum tiro. Só a estaca.

— Isso te livra a cara.

— Vou ligar pro pai. Falo com ele, ele me dá uma orientação. Tô ficando maluco... vai acabar. A gente fica nervoso, fala o que não era para falar. Ninguém vai acreditar que o cara era um vampiro. Pelo menos, matei aquele desgraçado. Uma estaca no peito.

— Sei lá, cara. Se tu liga pro seu pai... sua mãe tem um troço. Vamo lá pra casa. A gente fala com o Moisés. Ele sabe muito de direito, essas coisas, trabalha no fórum.

— A gente pode confiar no teu padrasto? Se isso cai no fórum, tem um monte de leva-e-trás... aí é que entorta de vez.

— Poder a gente pode. O cara é gente fina. Já quebrou cada galhão pra eu não tomar surra da mãe... cê sabe.

— Tô fodido. Isso é diferente. Tô ferrado e mal pago. Vou pro xadrez. — lamentou-se.

— Não tem nada lá que te denuncie, tem?

— O cara tá usando um blusão que me roubou. Um de moletom... mas até aí... Roupa não é pista de nada. Qualquer um compra uma daquelas em qualquer bazar da região.

— Então cê tá limpo, relaxa.

— Tenho que achar a arma. O delegado quer ver a arma. Ver quantos tiros dei.

João estendeu a trouxa para Leonardo. Tinha colocado ali dentro os revólveres, as cápsulas e facas que decoravam o quarto de Leonardo. O rapaz revirou os objetos.

— Não está aqui. Não lembro onde deixei. Se perdi. Foi tudo tão corrido.

— Então procura a bendita arma. Espera até de noite. Às vezes, a encrenca com o corpo vai ser tão grande e, como não tem nada a ver com você, o delegado te esquece por uns dias. Daqui a pouco, teu pai taí mesmo.

Leonardo deitou-se no chão de lajotas da varanda, relaxando o corpo.

— Pode crer, cara. Quem sabe esse delegado não me esquece...

CAPÍTULO 13

Neves contornou a curva em alta velocidade, fazendo os pneus deslizarem sobre pedriscos. Bira agarrou-se ao puta-que-o-pariu sentindo um frio na barriga. O delegado ligou a sirene. Fez questão. Eram raras as vezes que podia acioná-la. Sentia-se mais delegado. Pisou fundo, sem reduzir, mesmo quando deixou as ruas asfaltadas e alcançou a estrada de terra.

— O cara já morreu, delegado. Vai na manha.

Neves olhou de soslaio para o escrivão.

— Quero chegar logo. Isso cheira estranho. Um cara morto com uma madeira no peito. Que tipo de gente louca faria isso? Ainda mais com esse negócio do Exército pedindo informações...

— Merda, doutor! Corri até lá pra te falar disso...

— O quê?

— Do Exército. Teve um tenente lá na delegacia. Por causa daquele fax que o senhor passou a respeito da ocorrência no bar do Alemão.

— Que é que tem?

— Ele se interessou, deve estar no bar agora, mas o mais estranho aconteceu quando eu perguntei que raios eles estavam procurando... sabe o que eles me disseram? — perguntou o escrivão, olhando para o delegado, deixando a questão valorizar-se.

Neves desviou de um buraco. De relance, viu um objeto largado na estrada. Olhou no retrovisor. Irritou-se com o silêncio do Bira.

— Desembucha, homem! Não sou adivinho, fala logo.

— Eles disseram que estavam atrás de vampiros... vampiros... tu acredita?!

Neves riu.

— Tu é besta mesmo, hem, Bira! Vampiros! Ainda fala com essa solenidade toda. Até parece... — Repentinamente, o delegado se calou.

— Sou besta? Besta! Pra onde a gente tá indo agora, delegado? Pra onde?

— Pra granja... atender uma ocorrência, um homem...

— Um homem morto... assassinado com uma estaca no peito.

— Uma estaca no peito... — balbuciou o delegado, absorto em pensamentos.

— Será?

— O quê?

— Será que o morto era um vampiro?

— Deixa de besteira, Bira. — retrucou o delegado, mas agora com uma entonação de voz diferente, vacilante. — Não existe essa coisa de vampiro. Mas que é estranho, é. — Um instante em silêncio. — Deve ter algum biruta solto por aí. Ai, que saudade do atirador de tijolos!

Chegaram à granja do Cazuza. A porteira estava aberta. Percorreram lentamente a estradinha com mato alto nas margens. Bira indicou conforme havia conversado com Reginaldo. O corpo estava dentro de um dos galpões da granja. Logo viram o carro do policial encostado à porta. Neves parou a viatura. Desceram do veículo e caminharam sobre o chão úmido e um tanto lamacento por causa da chuva rápida que despencara durante a noite. Bira olhou para cima. Nuvens carregadas começavam a se ajuntar, tampando cada vez mais o céu azul que cobria Roda Velha. Olhou para o relógio. Passava um pouco do meio-dia. O almoço ia ficar para mais tarde. O delegado, carregando uma polaróide, entrou primeiro. Bira seguiu-o e, assim que entrou, levou a mão ao nariz. Um cheiro de carniça invadiu as narinas, provocando ânsias. Reginaldo estava sentado numa pilha de pneus a um canto, batendo papo com um velho gordo que fumava um charuto. Conhecia aquele senhor. Era o Valadão. Vivia pelos botecos de Roda Velha, mas não era sujeito de confusão.

Neves espantou-se com o tamanho do galpão. Era longo e largo. Imaginou aquilo cheio de galinhas. Como um lugar tão grande poderia ir à falência? Junto a um amontoado de caixas de papelão feitas para acondicionar ovos, viu os pés estendidos de um homem. O morto. Caminhou devagar. O pé deslizou uma vez na lama. Quando chegou ao cadáver, o chão estava seco e firme. Um fedor danado, mas não vinha do defunto. Sinal de que o homicídio fora recente. O corpo estava pálido, como de costume. As feições do morto eram estranhas. Nunca tinha visto o sujeito antes. Estavam certos... o cara era de fora, só podia. Que diacho estava fazendo morto na sua cidade? Ainda mais daquele jeito mórbido, um galho de árvore enfiado no peito. Neves foi cumprimentar Reginaldo.

— Quem te chamou?

— O Valadão aqui. Ligou pra mim. Tava indo pra delegacia. Dei meia-volta e vim espiar. Troço estranho...

— Bá, põe estranho nisso. — Neves coçou a barba, passando a mão repetidas vezes do bigode ao queixo. — Como que tu achou este defunto, ô Valadão? Virou papa-figo? Que tava fazendo aqui?

Valadão chegou a arregalar os olhos antes de responder. Tantas perguntas... seria suspeito?

— Barbaridade, delegado! Respondo-te tudo, calma. Não quero me enrolar nessa história.

— Ué, mas quem disse que tu tá enrolado, homem? Está enrolado?

— Não, delegado! É que o senhor me deixa nervoso.

— Deixa de besteira, tchê. Fala logo o que sabe. O que tava fazendo aqui?

— Tão me pagando para arrumar o lugar. Deixar tudo limpo. Não sei se o senhor sabe, mas esse complexo vai a leilão. Vão vender tudinho. Pobre Cazuza... — remoeu o velho, olhando para o chão e meneando a cabeça. — Cheguei de manhã e empilhei todo esse bando de pneu. Encostei um por um. Dei uma varrida nesse canto. Depois, atravessei até onde tá o corpo e comecei a arrumar essas coisas de papelão. Homem, mas que susto! Tava dando um jeito na bagunça e encontro esse negócio. Deu-me até um nó nas tripa. Credo em cruz, delegado! Parece coisa do cão.

— Isso a gente descobre, Valadão. Pode deixar.

— Fiquei com um medo danado. — continuou o homem. — Não mexi em mais nada. Corri até o meu trator, onde deixei meu celular — falou dando ênfase ao celular, orgulhoso — liguei pro Reginaldo, que é meu vizinho. Sorte que ele veio.

— Então, não acharam mais nada estranho?

— Não. — respondeu Reginaldo. — Na verdade, tava esperando o senhor. Nem sei o que vamos fazer. Nunca vi isso, delegado. Não é coisa daqui.

— Tem o Exército. — lembrou Bira. — Eles tão atrás de vampiro...

Valadão benzeu-se.

Reginaldo começou a rir:

— Vampiro? Ah! Ah! Cê tá de brincadeira?

Neves foi ao defunto e tirou algumas fotografias. Fazia questão de trazer sua polaróide. Perícia em cidadezinhas como Roda Velha praticamente não existiam. Se requisitasse um perito, o merda só iria chegar quando o corpo estivesse decomposto. Tinha que levar o cadáver para autópsia, sem demora; os legistas ajudavam bastante nas investigações.

Por sorte, apesar da pequeneza da cidade, tinham um legista. Era o que tinham. Trazia a polaróide porque não podia se dar ao luxo de arriscar uma revelação. Vai que fizesse alguma coisa errada e não captasse nada... trabalho perdido. Com a bendita polaróide, fotografava e verificava na hora se tinha pego o que queria. Apanhou o cartão plástico expelido pela câmera. Esperou um pouco. Lá estava o corpo. A cara pálida. O galho enfiado no peito. Morte instantânea? Provável. O corpo não tinha hematomas. Nada. Neves tirou uma caneta do bolso da camisa. Agachou-se ao lado do defunto. O homem vestia camiseta branca, perfurada, e uma blusa de moletom por cima, com capuz embolado na nuca. Neves concentrou atenção nos buracos no tecido. Eram furos feitos por projéteis de arma de fogo. Animou-se. Com a ponta da caneta, ergueu a camiseta através das perfurações. Nada. Massageou a barba no queixo. A pele estava intacta. Como podia? Poderia ter feito aqueles buracos para enfeitar a camiseta. Os marginais eram cada vez mais estranhos. Seria traficante? Bem provável. No mundo do tráfico, era onde as mortes mais perversas aconteciam.

— Olha o dente dele... — murmurou a voz de Bira, aproximando-se do delegado.

Neves encarou o assistente.

— Não custa nada, doutor... olha o dente dele. Se o Exército tá procurando vampiro... a gente achou um cara com estaca no peito... olha o dente dele.

Neves meneou a cabeça, achando o escrivão impertinente, contudo, encarando o cadáver de face plácida e boca cerrada, resolveu atender. Enfiou a caneta entre os lábios do defunto, erguendo o superior próximo ao canino.

Bira debruçou-se sobre Neves, também querendo ver.

Sem saber por quê, Neves sentiu o coração disparar. Tinha a impressão do canino ser maior que o normal, protuberante, pontiagudo... presas. Um calor fugaz tomou suas veias. Puxou a caneta até o lado oposto, para examinar o outro canino. Afastou o corpo e virou a cabeça para Bira, fazendo um sinal para que ele também examinasse.

O escrivão abaixou-se mais, arrumou os óculos, e olhou demoradamente para o lábio erguido pela caneta, que ia de lá pra cá, exibindo ora o canino direito, ora o esquerdo. Deu com os ombros.

— Normais, delegado.

Neves balançou a cabeça concordando. Quem diria? Deixara-se impressionar pelas galhofas do escrivão. Certamente, o Exército estava de brincadeira com o Bira; sabia como eram as coisas. O Exército não gosta de dar satisfações. Falaram uma coisa absurda por falar. Vampiros!

— E a gente achando que o moço era um vampiro, bá! — disse o escrivão, levantando-se e olhando para os homens recostados na pilha de pneus.

Neves preparava-se para levantar quando uma coisa branca junto à nuca do corpo, entre os cabelos, chamou a atenção. Parecia um papel. Uma pista. Levou a caneta até lá. Não era papel. Era uma etiqueta. Uma etiqueta comprida, que não parecia ser própria da blusa, pois não trazia logomarcas nem indicação de modo de lavagem... era uma daquelas que as mães pregam às roupas de filhos adolescentes para que as peças não desapareçam na escola, em passeios com turmas. Uma etiqueta de identificação. Um choque percorreu o corpo do delegado. Uma pista. Alguém teria de dar respostas.

Neves levantou-se. Ficou calado. Os homens olhavam para ele. Sabiam que quando o delegado ficava parado, quieto daquele jeito, era porque tinha alguma coisa.

— Fala Neves.

— Essa blusa...

— Que tem?

— Ela é do filho do vereador, Reginaldo. É do Leonardo Santana. Santana, nessa cidade, só tem ele. Não tem erro. Vou voltar lá. Cê fica aqui e chama o IML agora. Quero esse corpo examinado de cabo a rabo. A coisa vai feder... Bira, tu volta para a delegacia. Quero você lá quando eu chegar com o moleque.

Neves saiu apressado do galpão. Bira olhou para Valadão e Reginaldo, com cara de perdido, depois correu, pois teria de pegar uma carona com o delegado. Sabia que teria trabalho... nada de escrever novelas na Olivetti, nem de perto queria estar na pele do filho do vereador. Não ia ser nada fácil explicar o que sua blusa estava fazendo num cara morto, cheia de buracos de bala, sendo que tinham ouvido disparos em sua casa na noite passada... O fato do corpo não ter nenhum buraco ficaria, por conta do legista, não do delegado. Outra coisa: querendo o delegado ou não, ele ia avisar o Exército. O tenente com quem falara de manhã não parecia estar para brincadeira.

CAPÍTULO 14

Caminhavam a passos lentos. Tinha esfriado um bocado. Tiago fazia nuvens ralas escaparem timidamente da boca a cada respiração. Atravessavam o asfalto; mais alguns passos alcançariam a rotatória no meio da avenida. Um alambrado extenso descia a rua e estava agora às suas costas. Tiago leu a placa: Parque Chico Mendes. Sétimo acompanhava-o de perto. O monstro precisava de sangue. O sulista resolveu tirá-lo da casa antes que a vida dos amigos estivesse em risco maior. Sétimo vestia roupas emprestadas por César. Eram grandes para o corpo pequeno do menino. Tiago parou e observou melhor a nova forma do vampiro. Um rapazote. Um rapazote comum.

— Bá, nem dá pra acreditar que tu parecias um morcego hoje de manhã!

— Bá, por que tanto espanto?

Tiago continuou parado enquanto o vampiro recomeçava a caminhar. Ele tinha dito bá?!

— Tu podes ficar mudando de forma assim, quando bem quer?

— Posso mudar... mas não é fácil não, gajo. Preciso de forças. Para ter força, preciso de muito sangue. Deixo essa forma fraca e torno-me monstro num instante. Agora, o inverso é mais difícil. Preciso de tempo para me recuperar. Preciso de tempo para esconder o monstro. Preciso descansar até poder atuar como humano; acordo fraco, precisando de sangue. Por que achas que não destruí o patrulheiro com minhas próprias unhas? Não podia... estava inerte... é a pior parte deste dom. Quando tu mostraste os dentes lá na casa, podias me dar trabalho. Estou fraco, por isso estou sedento. Odeio ser presa fácil. Não é a minha natureza. Adoro o poder vampírico.

Sétimo parou em cima da grama e ergueu o rosto.

— Sentes? Cheiro de sangue humano. Estas casas... estas coisas são casas, não são? — perguntou o vampiro, apontando para as residências, lado a lado, na outra calçada da rua.

— Sim, Sétimo. São casas. Vai fazer o quê? Entrar e matar todo mundo que vive aqui?

— Não, pá. Aprende. Já sofri muito por conta dos vizinhos. Vizinhos prestam para emprestar montaria, não para matar a sede. Tu crias um traço. Um mapa para os caçadores. Tem de saciar a sede ao longe. Apanha o cavalo e corre. Vai ao vilarejo mais longínquo. É lá que deves beber, matar. Não deixes rastro onde moras. Fica mais difícil te encontrar. Tobia... é um soldado fiel ao rei. É um caçador excelente. O melhor. Digo-te porque vi. É o melhor.

Tiago alcançou o vampiro e indicou logo à frente.

— Vamos por essa rua. Acho que tem ônibus lá em cima. Se não tiver, encontraremos um táxi. Torça para isso, assim a gente não deixa traços.

Saíram da rotatória. Tiago caminhava novamente, com as mãos enfiadas no bolso da blusa. Uma dor fê-lo parar repentinamente. Uma pontada mais forte. Tiago levou a mão ao peito. Parecia perder as forças. Um joelho tocou o asfalto.

Sétimo ouviu o gemido do acompanhante e encarou-o, sem se espantar.

— Dói-te o peito. — murmurou, depois meneando a cabeça, com a expressão entristecida.

— Aaaahg! Que dor!

— Vê o Sol raiar esta manhã.

A dor foi sumindo, pouco a pouco.

— Por quê, vampiro? Por que me pede isso?

Sétimo estendeu a mão para Tiago levantar-se, dizendo:

— Porque hoje será o último raiar de Sol a que assistirás. Depois do raiar do Sol, teu coração será um coração de vampiro. Um coração seco. De raros espasmos... que te deixarão louco, fazendo-te acreditar que voltará a bater. Só os vampiros tolos cedem a esse apelo. Os que se dizem bons... como se fosse possível existir um vampiro bom!... Tornam-se assassinos, matam o primeiro que cruza o caminho. Acham que o coração voltará a bater, que voltarão a ser humanos! Que bobos! Nenhum vampiro volta a ser humano. Aprende agora para que não percas tempo procurando formas. Os tolos acham que voltarão a viver. Viver para morrer como os mortais. Como os de sangue quente. Que irão para o Vale Negro, viver a Aventura. Que chegarão aos portões do Céu, do Inferno... de qualquer raio. Mas não vão! São vampiros! Os originais, como eu, não têm alma! Meus irmãos foram palermas. Esqueceram que os demônios da Batalha tomaram nossas almas. Tomaram nossas almas e largaram na

Terra nossos corpos. Desgraçadamente vivos! Para quê? Diga-me você, Tiago. Diga-me. Tu, que és novo nessa vida maldita. Para quê deixar gente sofrer assim? Por que Deus deixa isso acontecer?

— Não sei.

— Pois eu tive anos para pensar. Anos, com sangue de gente com ânimo vertendo do pescoço e enchendo meu corpo de energia. Anos. Sabes que resposta encontrei?

— Não. — respondeu o rapaz, pego de surpresa com a consternação do vampiro.

Um carro vermelho passou veloz pela rua. Sétimo fez uma pausa, olhando demoradamente para o veículo, que deixara um rastro de luz para trás. Voltou-se para Tiago.

— Não encontrei nenhuma resposta, general. Nenhuma...

Tiago estremeceu ao ouvir o monstro chamá-lo de general.

— ...e isso significa muito. Significa que Deus não liga. Não liga para nós! Não se importa com o que aconteceu conosco. Nem um pouco. Importa-se mais com quanto um padre defeca, mas nem um pouco com o que aconteceu às nossas almas.

— Tchê, não diz isso! Deus se importa com todos.

— Tchê, digo que não se importa! Digo quantas vezes quiser ouvir! Ele nunca me pediu desculpas. Nunca! Se ao menos permitisse que nossos corpos fossem levados! Não permite. Não se importa, deixa-nos aqui, para vermos os nossos irem, enquanto nós ficamos. Não morremos... só o sangue do homem nos sustenta. Que somos nós? Só nos restou esta herança... sermos chamados de malditos por aqueles que foram nossos semelhantes. Assassinos...

Como no momento em que comentou sua dor, Tiago teve a impressão de que o vampiro sofria.

— Acredita, Tiago. Ele não se importa conosco. Qual é a melhor parte desta lição, general?

Tiago refletiu um pouco. Como não respondeu, o vampiro se adiantou.

— Se Ele não se importa conosco, Tiago, Ele não se importa com o que nós fazemos.

Voltaram a andar.

Terminaram a subida sem conversar. Sétimo se admirava com cada carro que passava. Tiago tentava absorver sua nova condição. Enquanto a fera centenária se maravilhava com as coisas do novo mundo, Tiago, a seu modo, também começava a se entreter com um outro novo mundo. A noite não era mais escura. Seus olhos tudo viam. Enxergava mais longe, ouvia sons distantes. O olfato. Talvez fosse esse o sentido mais modificado. Lembrava-se da primeira vez que o cheiro de sangue o encheu de gana. Nas escadarias do Luxor Hotel, César sangrava. Poderia ter atacado o amigo. O coração, quase parado, movia o sangue lentamente pelas artérias e veias, não deixando o corpo apodrecer, só isso. Nunca mais seria um coração de homem, pulsante, quente. Estranhava não lutar contra aquilo. Repugnara os vampiros enquanto lutava contra suas ações, enquanto lutava para salvar Eliana. Mas depois, quando Miguel derramou o sangue vampírico em sua boca, salvando-o da morte certeira, sem que ele desconfiasse, algo começou a mudar. Tornara-se um homem melhor, mais forte. Ganhara poder extra para conseguir salvar Eliana. Sentia que poderia evoluir ainda mais naquela condição. Talvez por essa razão, sentia-se atraído por Sétimo, sentia-se ligado a ele. Nunca antes, a não ser através de livros e cinema, ouvira falar de vampiros. Nunca haviam noticiado um no Brasil. Existiram outros? Sétimo era a única família que tinha agora, era seu único irmão. Teria de aprender com ele, lições, como aprendera agora. Deus não se importava com os vampiros nem com o que os vampiros faziam. Tiago odiara os vampiros, recusava a tornar-se um deles... porém, cada vez mais crescia a certeza de que era um deles e não adiantava lutar contra tal condição. Teria de aprender a ser um vampiro... um vampiro bom.

Chegando ao topo da avenida, o trânsito estava mais intenso. Uma moto passou pelos dois, fazendo um barulho ensurdecedor.

Sétimo apontou para a máquina.

— Um cavalo?! — perguntou admirado.

— Quase, Sétimo. Isso é quase um cavalo.

— Quero um desses.

— Uma, Sétimo, uma dessas. É uma moto. Motocicleta. Funciona a gasolina.

— Gasolina?

— Sim, como o caminhão que nos trouxe para cá.

— Tens muito o que me contar, ó gajo, muito. Quero uma dessas.

— Tu vais precisar de dinheiro e arrumar trabalho para ter salário. Acho que só poderá ser numa casa noturna... somos vampiros.

— Nesta forma, general, eu caminho durante o dia. Este é o meu dom... caminhar na luz do Sol.

Tiago nada respondeu.

— Para ter uma dessas eu preciso de dinheiro... quantas moedas de ouro?

— Aqui no Brasil, nada se conta em moedas de ouro... a moeda corrente é o real. Precisa trabalhar. Eu precisava consertar muito cano no fundo do mar para descolar meus trocados. Agora, preciso pensar no que fazer com o dinheiro que recebi da USPA. Sem poder sair durante o dia, vai ser difícil descolar um trampo. Como te disse, só se for em casa noturna, e olha lá.

— O que é trampo?

— Trampo é trabalho... é gíria.

— Gíria?

— É. Se tu anda com grana no bolso sem ter um trampo, os gambés vão achar que tu é malaco, tem que ficar esperto, mané.

Sétimo parou de andar, olhando para Tiago.

— Mané?

— É tudo gíria. Quer ser um brasileiro, tem que aprender a falar gíria. Traduzindo o que eu te disse: se tu anda com dinheiro no bolso sem ter um trabalho, a polícia vai achar que tu é ladrão, preste atenção, burro.

Sétimo sorriu.

— Isso é a língua portuguesa falada nestas paragens?

— Também é. É a língua portuguesa falada por um montão de gente, principalmente pelos jovens. Se quiser se parecer com um jovem que vive aqui em Osasco, vai ter de aprender a falar como eles, preste atenção. E não é paragem, é pedaço.

— Pedaço?

— Isso. É a língua portuguesa falada no pedaço.

— No pedaço. — repetiu o vampiro.

— Tem que perder o sotaque português também. Está menos acentuado que hoje pela manhã, mas tem que perder esse acento completamente, para ser tomado como um brasileiro comum.

Voltaram a caminhar pela avenida. Tiago procurava uma parada de ônibus. Um totem no quarteirão seguinte indicava o local, contudo não estava certo se passaria algum ônibus naquele horário. Passava um pouco da meia-noite. Pensava nisso quando um circular despontou na avenida.

— Veja, vampiro, lá vem o busão... busão é ônibus.

— O que é ônibus?

— É aquela carruagem. Uma carruagem pública. — explicou Tiago, estendendo o braço para que o coletivo parasse.

Sétimo olhou para a grande máquina que se aproximava. Deveria ser movida pela magia da gasolina, pois não vinha tracionada por cavalos. Era bela, jogando luz pelas janelas, contaminando a noite com um ar fantasmagórico. Uma garoa fina começou a cair. Viria assim, sempre junto com o ônibus? A máquina fabulosa freou, produzindo um barulho incrível. Sétimo experimentou uma excitação tremenda. Queria tocá-la. Um monstro mágico que se movia sem cavalos. O mago, dono da carruagem, fez a porta abrir. Tiago contara-lhe uma história fantástica naquela manhã. A história de seus irmãos, que terminavam mortos pela bomba nuclear, mas, por mais incrível que tivesse sido a narrativa, não tinha experimentado sensação como aquela. Se tivesse um coração vivo, certamente estaria disparado.

Dentro do ônibus, além do cobrador e do motorista, havia apenas duas pessoas. Sétimo olhava para tudo, com os olhos arregalados. O homem que conduzia a carruagem fez a porta de entrada fechar com magia. Ninguém a tocou. Um ronco poderoso, e a condução ganhou velocidade. Sétimo sorriu para Tiago, como um menino que brinca com o pai no carrossel. Os olhos do vampiro pediam explicações. O brasileiro passou pela catraca, pagando as duas passagens com uma nota de cinqüenta reais, o que fez o cobrador armar uma careta desgostosa. Abriu a gaveta e passou a contar notas e a juntar moedas. Com o troco na mão, Tiago foi para o fundo do ônibus.

— Deixa-me ver a grana. Preciso conhecê-la.

— Quer ver a grana... até que você aprende rápido, vampiro. — disse Tiago, passando alguns reais para Sétimo.

— Não sou mané. É claro que aprendo rápido. Tenho miolos de vampiro.

Tiago riu.

— Fica com esse dinheiro; te ensino a usar. Cada nota tem o valor estampado... é quase como as moedas portuguesas de tua época: quanto mais juntar, mais tem. Naquele tempo, não tinha variação no preço do petróleo, inflação embutida, greve de caminhoneiros... às vezes, precisa levar tudo isso em consideração para comprar um cachorro-quente.

— Cachorro-quente? O que é isso?

— Hoje tu aprende. Vamos comer um, estou faminto.

— Comer? Se tiveres sorte tuas tripas ainda trabalham... mas acho que não vais apreciar mais a comida mortal... essa tua fome não é por cachorro-quente, general... essa fome é por sangue.

— Vamos ver, vampiro. Vamos ver.

O trânsito estava fluindo bem, quase não havia carros na rua. A garoa descia, enchendo as janelas do coletivo de gotículas. Provavelmente, os osasquenses estavam desanimados naquela noite, com um pouco de medo ainda. Afinal, o vampiro Inverno também fizera nevar na cidade. Acidentes jamais vistos foram desencadeados... tanto pela neve sobrenatural quanto pela chuva trazida por Tempestade. Chegaram ao centro em quinze minutos. Sétimo observou Tiago acionar um botão e uma luz se acender. Obediente, a carruagem parou e a porta abriu, liberando para a noite, para o calçamento público, os vampiros. Desceram, tocando a calçada com suavidade. Ali, no centro, havia muitos caminhando em pequenos grupos, outros vinham sozinhos. Ninguém lhes deu atenção. Eram pessoas na multidão. Duas pessoas excessivamente pálidas na multidão.

Andaram por vários quarteirões. Sétimo a tudo observava. Perguntava. Aprendia. Tiago, passando por onde enfrentara os vampiros na noite da nevasca, sentiu um vazio no peito. Sua mente brigava com o vampiro que ele começava a ser. Tinha saudade de ser humano, mas o vampiro, cada vez mais instalado, fomentava essa ambigüidade de sentimentos. Depois de andar bastante, Tiago convidou Sétimo a entrar num bar. Havia percebido a curiosidade do monstro pelos lugares cheios de gente e animados. Ficaram em pé, no balcão. Os clientes falavam alto e riam ao sabor do álcool. Os assuntos eram os mais diversos, e Sétimo ouvia atentamente. Tiago pediu um refrigerante e uma porção de fritas. Sétimo sabia onde estava: numa taberna. Silencioso, observava os brasileiros, ouvia as palavras, tentando entender a conversa. O pedido de Tiago chegou. Sétimo viu o rapaz apanhar uma cápsula pequena e cobrir os palitos amarelos, que o taberneiro trouxera, com um pó branco.

— O que é isso, Tiago?

— Sal.

— Ah... sal... e estes palitos?

— São batatas fritas. Fritas.

Sétimo observou-o comer. Um palito após o outro.

— Vai? — ofereceu ao vampiro.

— Posso me arrepender... meu estômago não trabalha mais... mas, ora, pois, preciso aprender a ser um brasileiro, pá!

— Então come, não diga ora pois nem me chame de pá nunca mais... me chame de cara; brasileiros falam cara, portugueses falam pá.

Sétimo aquiesceu e imitou Tiago: apanhou um palito de madeira, espetou-o num dos palitos de batata e enfiou-o na boca. A língua aqueceu-se. Sétimo mastigou e saboreou o tubérculo frito. Era bom! Sorriu para Tiago, espetando mais um. Mal matara a curiosidade e lá vinha outra. Que era aquele líquido que o vampiro novo ingeria? Um líquido negro e borbulhante.

— Isto é refrigerante. — disse Tiago, adivinhando o interesse do vampiro. — É coca-cola. Toma.

Tiago pegou um copo no balcão e o encheu.

Sétimo virou um gole tímido, desconfiado. Saboroso. Sorriu novamente.

Observando o rapaz beber e sorrir daquela forma, Tiago assustou-se, mas não deixou transparecer. O garoto era um demônio. Dera-se conta de que não estava ali ensinando um rapazote loiro, que tomava coca-cola, que comia fritas, que sorria como uma criança... estava ensinando um morcego gigante, que formaria um exército, que pretendia ressurgir para o mundo, que fazia um curso rápido de costumes para tornar-se um assassino mais eficiente.

Sétimo gostou tanto do sabor que tentou tomar o copo todo de uma só vez. Algo estranho. Bateu o copo no balcão. A boca parecia queimar.

— É estranho, não é? Se tu tenta beber tudo, o gás faz arder a língua. — explicou Tiago.

Terminaram as batatas e o refrigerante. Tiago pediu mais duas garrafas da bebida. Ficaram lá por quase meia hora, conversando um pouco, explicando as coisas ao vampiro. Decidiram andar. Tiago sacou da carteira uma nota alta, e o caixa entregou-lhe o troco. O rapaz separou as notas mais altas das pequenas e colocou-as na carteira. Um homem ao seu lado observava a operação. Saíram do bar e entraram numa rua estreita e pouco movimentada.

— Muita gente nessa cidade.

— Você ainda não viu nada, Sétimo. Amanhã, a gente sai mais cedo de casa... você vai ver o que é bastante gente.

Caminhavam. Passos. Tiago virou a cabeça. Dois homens.

— Continue andando, Sétimo. Acho que tá vindo encrenca por aí.

— Encrenca?

— É... problemas. Tem um cara... ele estava no bar... posso estar enganado, mas acho que está vindo atrás da gente.

— Para quê?

— Roubar meu dinheiro.

— Isso é problema... esqueceu que você agora é um...

Antes que Sétimo terminasse, ouviu a voz do humano que se aproximava.

— Aí, chefe... tem fogo?

Tiago parou e encarou o par. Homens jovens. Um de boné, outro com um abrigo verde, magros, rostos de expressão dura.

— Não, não temos. — respondeu, voltando a caminhar.

— Sem pressa, sem pressa. Cê tava no bar, não é?

Foi Sétimo quem parou primeiro desta vez. Tiago virou-se. Era um assalto, sabia; ninguém pára desconhecidos numa rua escura para conversar.

— Cê tava no bar, não tava? — perguntou o de verde.

Tiago aquiesceu.

Sétimo via a porta do bar, longe, com um pouco de luminosidade transbordando. Mais ninguém na rua. Estavam a sós com dois marginais que queriam tirar o dinheiro de seu tutor. Trinta metros até o fim da rua. Uma casa comercial sem grades bem onde estavam parados. O cenário perfeito. Estava faminto, e aqueles dois vagabundos tinham mexido com a dupla errada.

— Então cê é o cara que tá com uma nota preta na carteira, não é?

Tiago nunca fora assaltado. Nunca. O pai, delegado, contava histórias. Aquele safado falando de seu dinheiro, mãos nos bolsos, provavelmente segurando um trinta e oito. Uma semana atrás ter-lhe-ia metido medo, com certeza. Hoje não. Já tinha perseguido vampiros. Fora atraiçoado pelo Exército brasileiro, tomando um tiro nas costas. Tomara sangue do vampiro Inverno. Não... eles não metiam medo. Eram dois patetas pondo o pescoço na forca sem saber. Não queria que Sétimo atacasse, mas sabia que o tutor-vampiro estava faminto. Pobres almas!

— Passa a carteira. — disse o de verde. — Sei que cê tá com dinheiro.

Tiago, imóvel.

— Vai, mano. Tamo pra brincadeira, não. — esbravejou o de boné, falando rápido e tirando um revólver do blusão de moletom.

Uma arma. Sétimo sentiu o velho demônio desperto. Alguém ameaçando. Estava livre da caixa de prata. Livre da perseguição de Tobia. Livre para matar.

— Cês tão travados de medo, não tão? Passa logo a grana que acaba tudo bem. Dá o dinheiro, porra!

Uma risada encheu a rua. Tiago imóvel.

— Que foi, pivete cabeludo? Tá rindo do quê? Quer tomar um balaço?

— Dá a carteira, mano, quero sair fora. — ameaçou o outro, nervoso.

Sétimo continuou a rir ainda mais alto.

— Não estou com medo, mano. — disse o vampiro. — Só acho engraçado. Ameaças-me com uma única arma. Vocês dois, sozinhos comigo. São patetas!

O de boné apontou o revólver e disparou.

Sétimo caiu de costas. Engasgou. Continuou rindo. Tossiu, riu e ajoelhou-se diante do olhar incrédulo da dupla de assaltantes homicidas.

Os dois estavam atônitos. Nervosos. Despreparados para aquela nova situação. Um homem baleado, rindo, agonizando e rindo. Não! Não estava agonizando. Estava se levantando e rindo da cara deles.

Tiago fez os olhos cintilarem. As presas brotaram. A dupla não cagou nas calças porque olhavam incrédulos para Sétimo. Percebeu que o de boné ia atirar mais uma vez.

— Agora chega.

Tiago arremessou-se contra o atirador, que conseguiu disparar, mas não acertou o vampiro, ainda debilitado, pois não havia tomado sangue após sua transmutação. Um descuido. A mão do marginal desvencilhou-se da sua. Um terceiro disparo. A bala cortando sua barriga, Tiago gritou. A dor foi momentaneamente indescritível. Passou para um latejamento, um ardor discreto. Seu corpo estava se curando. Arrancou a arma do assaltante e jogou-o contra o muro do outro lado da rua. O homem gritou. O segundo pulou nas costas de Tiago e aplicou-lhe uma gravata. Pessoas na porta do bar. Tiago encostou o trinta-e-oito na cabeça do agressor e detonou. Os braços em volta de seu pescoço... um espasmo... amoleceram. O baque surdo do corpo indo ao chão. Sétimo ria, espaçadamente, mas ria. Via seu general. Seu defensor... não que precisasse, mas queria que Tiago se sentisse assim. Poderoso. Seduzido pela força vampírica. As pessoas voltaram para dentro do bar com a explosão do revólver. O de boné, encostado no muro, acocorou-se. Gritava, a clavícula quebrada.

— Não me mata! Não me mata! Pelo amor de Deus.

— Quantos você já matou por causa de cinqüenta contos? — perguntou Tiago.

— Ninguém, tio. Juro!

— Pede-me clemência e mente?!

Tiago arremessou o revólver para além do cruzamento. Arrastou o homem pela rua de paralelepípedos até a calçada onde Sétimo estava.

— Toma. É tua comida. Esse verme não merece perdão.

— Não me mata! Não me mata!

Sétimo arrancou o boné do homem para agarrar o cabelo curto e fétido e fazê-lo envergar o pescoço. As presas brotaram monstruosas, maiores que a dos outros vampiros, e cravaram no pescoço do mortal.

Tiago arrastou o corpo do outro assaltante, tirando-o do meio da rua. Logo a polícia estaria ali.

Sétimo arremessou o corpo da vítima em cima de um amontoado de sacos de lixo na garagem da casa comercial.

— Vamos, vampiro, vamos sair daqui.

— Sim, deixa os corpos aí; logo acham e levam ao padre.

Tiago não quis entender, mas sair logo do local. Não queria que a confusão toda recomeçasse. Não tinha pensado em escondê-los, mas não era má idéia.

Chegaram até a rua Pedro Fioretti e desceram, passando em frente ao hospital municipal central. À entrada de outro bar, Tiago viu uma passagem escura entre o boteco e um prédio de três andares. Atravessaram. Um calafrio. Saindo do outro lado, sabia onde estava: no estacionamento do supermercado onde encontrara os vampiros em Osasco pela primeira vez. Se fosse para a direita e descesse a rua, chegaria ao centro, onde fora ferido mortalmente por Acordador com dois tiros no peito e salvo da morte em seguida por Miguel, num túnel, ao lado da estação de trem do largo. Tomou aquele rumo, narrando mais uma vez a Sétimo tudo o que acontecera ali. Nem se deu conta de que uma viatura da polícia desceu zunindo a rua. Chegou ao largo. A cena da batalha com os vampiros. Saudade do amigo Miguel.

— Que é aquilo?

Tiago saiu do transe com a pergunta do vampiro.

— Polícia.

Havia uma porção de viaturas no largo. Sétimo caminhou naquela direção atraído pela luz do giroflex no topo de cada carro.

Passaram como dois curiosos. Os policiais cercavam um carro negro, aparentemente destruído por disparos de arma de fogo, e uma motocicleta esportiva, amassada, deixando claro que o motoqueiro havia tomado um tombo cinematográfico.

— Vamos por aqui. — conduziu Tiago. — Vamos para casa. Por hoje, chega de aventuras.

Os dois vampiros, misturados ao amontoado de pessoas, seguiram para a lateral de um viaduto, deixando as luzes das viaturas para trás, deixando os cadáveres para a polícia.

CAPÍTULO 15

O táxi encostou no largo da Batata. Dimitri desceu e puxou Tobia, que ainda estava desmaiado. Sentou-o na calçada. Abandonou a doze de cano serrado dentro do carro. Bateu a porta. O táxi disparou, afastando-se o mais rápido possível. O condutor levava para casa uma história para contar em todo churrasco de sua vida dali em diante. O dia em que fora seqüestrado por um homem com cara de assassino, armas de assassino, levando um homem com armadura de prata, que pagara cem reais por uma corrida de vinte.

Dimitri deixou Tobia apoiado. Debaixo do sobretudo, o fuzil compacto do homem de armadura, duas pistolas, granadas... seu arsenal ambulante. Estendeu a mão. Outro táxi. Colocou o desfalecido no banco da frente e entrou na parte de trás. Na mão, a carteira de Tobia. Leu o nome, vasculhou, como se procurasse dinheiro. O taxista obeso virou-se pra trás, Matador encontrou o que queria.

— Pra onde, chefe?

— Rua dos Franceses, por favor. Meu colega encheu a cara... acabou a noite por hoje.

O taxista riu e fez um comentário animado. Dimitri não entendeu. Estava absorto em pensamentos. Por que não dera um tiro na cabeça daquele cara? Caçador de vampiros o caralho! O cara era muito amador. Andar com carteira! RG! Endereço no bolso quando sai para comprar armas! Um imbecil. A menos que a identidade fosse falsa, como a que ele costumava usar... Duvidava. Iria entregar o maluco em casa e sumir. Estava ficando velho. Para quem reclamava da monotonia da vida profissional, até que a noite fora bem animada.

O carro cruzou a Pedroso de Morais, desembocando na avenida Rebouças. A hora avançada ajudava. Sem trânsito, chegou rápido à Paulista, e para o bairro da Bela Vista foi mais um instante.

Dimitri checou o número. O táxi parou em frente a um condomínio grã-fino. Sacou vinte reais da carteira de Tobia e pagou ao motorista.

Com uns tapas na cara, fez o homem sustentar-se sobre as pernas. Ainda estava apagado, pois não fez perguntas nem notou que quem o amparava era o homem que esteve a um triz de tomar-lhe a vida. Caminhou claudicante, apoiado no assassino de sobretudo preto. Dimitri tinha certeza de que se o soltasse, ele iria ao chão antes de completar o primeiro passo. Sangue na armadura, do joelho para baixo. Matador olhou para os lados. Fechou o sobretudo do caçador de vampiros, tentando esconder a armadura e o sangue. Vasculhou os bolsos do caçador. Um pacote pardo. Chaves. O vigia fez o portão estalar, liberando a entrada do assassino e do morador. Dimitri viu uma câmera junto ao portão. Haviam reconhecido o morador maluco. Conduziu Tobia para a entrada. Passou pelo porteiro. Gesticulou, dando a entender que Tobia havia tomado todas. O porteiro sorriu. Depois que os dois passaram, espichou o pescoço, olhando-os ressabiado. O elevador abriu e os homens foram engolidos pela porta metálica.

Lá em cima, Dimitri fez a maçaneta girar e empurrou a porta. Rico. O homem era rico. Decoração discreta, mas móveis caros, certamente eram caros, Dimitri era assassino, não era burro. Por praticidade, não enchia a casa com coisas caras. Há poucos dias, havia decidido montar uma casa, longe de Osasco, onde pudesse ser o chefe. Havia aberto uma conta no banco. Depositava a cada cabeça abatida. A cada empecilho resolvido. Mas, comparada à do magnata que tentara abatê-lo, deveria ser conta de peixe pequeno. *Home theater*, televisores de todas as polegadas, tapetes, armadura de prata, fuzil norte-americano... coisas de magnata. O homem pareceu conduzir-se sozinho. Dimitri amparou-o até um quarto amplo. No apartamento silencioso, a armadura de prata produzia um tilintar marcado pelas passadas incertas de Tobia. O corpo do caçador de vampiros tombou na cama, inerte, barulhento, inconsciente. Dimitri abaixou-se ligeiramente. Balançou o homem pelos ombros. Nenhuma resposta. Estava apagado. Levantou-se. Olhou ao redor. Quarto bonito. Chique. Voltou para o corredor. No carpete, uma marca de sangue. Na sala, outra gota. Caçador de vampiros... um lunático, isso sim. Uma mesa de centro, baixa. Tudo arrumado. Tudo no lugar. Nenhum pó. O cara era organizado. Ou melhor, pagava pela organização. Duvidava que o *playboy* pusesse a mão num espanador no meio da semana... nem sabia para que servia o botão de liga-desliga do aspirador de pó. Um livro grosso no chão, próximo à sacada principal da enorme sala. Onde estava com a cabeça quando resolveu bancar a babá daquele bosta? Parecia novato... o novato dos novatos. Fora seduzido temporariamente pela frase que o lunático dissera. Enfrentar gente que não conseguiria matar. Um desafio. Olhou ao redor mais uma vez. O livro aberto no chão. Aproximou-se. Se o cara fosse um caçador de vampiros, iria morar numa igreja, não num apê caro daqueles na Bela Vista. A casa estaria cheia de crucifixos, réstias de alho. Não tinha nada daquilo. Era um doido. Abaixou-se. Folhas antigas... papel amarelado, pardacento, escrito à mão. Português de Portugal... ortografia antiga. Vampiros... a obra falava de vampiros. Desenhos. Desenhos da armadura de prata, imprescindível para a caça aos demônios noturnos. Os sugadores de sangue. Passou a mão pelo queixo. Interessou-se. O livro era grosso e antiguíssimo. Manuscrito. Valioso. Não estava roubando. Era assassino, não ladrão. Interessou-se. Iria fazer uma retirada. Devolveria após a leitura. O pacote pardo no bolso, cheio de dólares norte-americanos, era a indenização que cobrava pela perda do Comodoro negro. Teria de comprar e preparar outro. Blindagem era coisa cara. Certamente, o lunático estava com aquele pacote para pagar pelas armas. Novato. Dinheiro no bolso. Uma marca generosa de sangue no chão da sala, semidesenhando a pegada do maluco de armadura de prata. Prata pura. Caralho! O cara era rico mesmo! Hora de sair.

Uma viatura da polícia militar parou na frente do condomínio na rua dos Franceses. O porteiro, aparvalhado, correu para recepcionar os policiais.

— Ele disse que o morador estava bêbado... eu deixei ele subir para levar o homem ao apartamento...

O policial ergueu a mão, fazendo o cara se calar.

— Quem é ele?

— Não sei. Nunca vi. — respondeu o porteiro, conduzindo, empurrando os policiais para dentro. Tinha que mostrar a eles.

— Nunca viu?! — indignou-se o segundo policial, de bigode.

— Nunca. É que o morador parecia bêbado... ele estava ajudando. Mas eu vim até aqui e vi estes pingos de sangue no chão.

Os policiais estacaram. Quase tinham pisado na evidência. Era sangue mesmo. Estavam acostumados a encontrar aquele tipo de rastro.

— Como você deixa um vagabundo entrar aqui sem falar com o morador?

O porteiro não respondeu.

— Quanto tempo faz?

— Quase vinte minutos.

— Não saiu?

— Não. Ninguém saiu. Nenhuma pessoa. Essa hora é mais tranqüilo. Mesmo que o cara quisesse sair escondido, não dá. Tem guarita na garagem, tem câmera em tudo que é canto.

— Leva a gente lá.

O porteiro abriu o elevador. Subiram, armas na mão. Suspeita de ladrão no apartamento. Desceram no andar de Tobia. O porteiro adiantou-se. Indicou a porta de entrada.

— Fica aqui. — disse baixinho o de bigode, com arma em punho.

Destrancada. O primeiro entrou. Uma mancha de sangue no carpete. Ninguém na sala.

O segundo policial, também empunhando seu revólver, percorreu a sala até a sacada. Nada.

O de bigode seguiu pelo corredor. Mais um pingo de sangue no carpete. Sangue no lençol. Ninguém no quarto. O coração acelerado. Normalmente, os porteiros faziam chamadas infundadas. Bate-boca de vizinhos, quebra-quebra na reunião do condomínio. Esposa com TPM... confusões diversas. Raras eram as ocorrências que tinham prosseguimento. Marido violento. Esposa traída esfaqueando a porta. Um corpo. Era aquilo que o soldado de bigode procurava e temia... um corpo. O quarto amplo, uma porta entreaberta. O companheiro chegando à porta. Caminhou na direção daquela segunda, entreaberta. Um banheiro. Tinha que ser. Passos lentos. Nenhum sangue naquela direção. Encostou-se à parede. Fez sinal para o parceiro aproximar e entrar. O segundo soldado, Abel, ergueu o revólver e saltou para dentro do banheiro. Alguém atrás da porta? Não. Um homem na banheira. A água correndo.

— Mas que porra é essa! — gritou Tobia, vendo o banheiro invadido.

O soldado de bigode também entrou.

— Que é isso? Um esquadrão inteiro, pô? — indignou-se o morador, sem sair da banheira.

O porteiro chegou.

— Esse aí é o dono do apartamento, porteiro?

— É sim, senhor.

— Cadê o sujeito que te trouxe pra cá? — inquiriu o policial, dirigindo-se a Tobia.

— Que sujeito?

— Segundo o porteiro, o senhor subiu carregado. Tinha um ferimento...

— Sei lá quem me trouxe aqui. Acho que era um morador também. Deixou-me na porta do apartamento e foi embora. Eu tô com um machucado na perna, só isso, ele me ajudou porque estava doendo pra cacete. Eu não tenho que ficar dando explicação pra porteiro nenhum. Pago essa porra em dia e não dou permissão pra ninguém trazer a polícia na minha casa.

— Eu só queria ajudar... — resmungou o porteiro, defensivo.

— Ele descreveu uma cena suspeita, senhor. Só viemos checar. Devia agradecer por alguém primar por sua segurança.

— O que vocês querem? Um muito obrigado? Obrigado. Agora, me deixem em paz. Tive um dia cheio. Uma guerra.

Os policiais sabiam que não tinham o que fazer. Sabiam onde aquela espécie de discussão iria chegar. Viam esse tipo de folgado todos os dias. Burgueses com o rei na barriga, cheios da razão... provavelmente aquele merda estava devendo. Devia estar dando o rabo para o tal vizinho.

— Vamos. — disse o de bigode.

O soldado Abel deu uma olhada no quarto: tudo parecia normal. Enquanto o porteiro pedia desculpas ao morador, seu parceiro saiu do banheiro e deu uma espiada debaixo da cama. Nada. Talvez fosse verdade... o porteiro é que andou vendo demais.

Dimitri caminhava normalmente. Sobretudo fechado. O livro grosso e antigo debaixo do braço. Pegou a Ribeirão Preto, não conhecia muito o bairro. Rua Dr. Seng, Silvia, Itapeva. Sabia que a última o levaria até à avenida Paulista. Não queria ir para a avenida. Um táxi descendo. Fez sinal. Queria sair da rua. Poderia até voltar de ônibus. Parque Continental. Tinha de evitar a atenção. Armas embaixo da roupa. Muita confusão num dia só. A sorte, por aquela noite, poderia estar acabando. O azar maior tinha sido o fato de Malaquias, o contrabandista de armas, não estar na casa. Provavelmente, com um recado tão eloqüente, não iria mais folgar com o Sofia. Conhecia o Malaquias. Era um *marchand*, um homem de negócios. Não iria revidar. Para seu bem, era melhor que desaparecesse.

— Osasco. — murmurou ao taxista.

— Pela Corifeu ou pela Castelo?

— Castelo.

— Tá.

O homem acelerou.

— Viu o jogo do São Paulo?

— Não quero conversa.

Silêncio. Pneu cantando. Gente lá fora, alheia ao assassino. O assassino que não puxara o gatilho naquela noite. Não tirara a vida do homem. O assassino que olhava o livro. Primeira página. Uma prece...

uma prece bizarra. Português arcaico, diferente. Alguma coisa podia entender. Ajudai, ó Pai, aquele combatente. Dai força e inteligência. Os Filhos das Trevas são muitos e estão em todo lugar. Dimitri virou mais uma página. O desenho de uma estaca de madeira, um crucifixo. Madeira e fé, eis nossa espada e nosso escudo. Mais uma página... um texto pequeno, inteligível. Um nome escrito por Tobia, o matador de vampiros. Uma data: No Ano do Senhor de Mil, Trezentos e Vinte e Seis, escrevo assombrado meu testemunho. Matador. O nome! Aquele homem, o louco da armadura, vira os documentos, seu nome era Tobia! Como? O livro era muito antigo, páginas amareladas e ressequidas, parecia que iam esfarelar ao menor descuido. Uma herança de família, só podia ser; ninguém viveria tanto. A relíquia tinha uns oitocentos anos! Porra! Quem era aquele cara? Um vampiro? Um vampiro, segundo a lenda, viveria muito tempo, bicho eterno, mas não teria aquela aparência humana... eram deformados, dentes imensos. Aquele bosta tinha cara e jeito de grãfino espirocado, só. Não era vampiro. Estão em todo lugar, ecoou a escritura. O táxi parado num farol. Gente passando. Frio. Noite. Estão em todo lugar. Impossível. Saberíamos. Televisão, jornais, internet, informação rápida, curiosos... vampiros, um prato cheio. Saberíamos. Dimitri folheou mais um pouco. Um capítulo começando. A letra desenhada, a palavra Inverno. Fechou o livro. Vampiros não existiam. Um embrulho no estômago. Não tinha enjôos quando pedaços de cérebro e osso atingiam seu corpo. Quando sangue do inimigo impregnava suas luvas. Mas quando lia dentro de um veículo em movimento, o enjôo nunca tardava. Aquele capítulo iria esperar. Pelo sim, pelo não, leria o livro. O manual de caçada aos vampiros.

CAPÍTULO 16

Reginaldo auxiliava a entrada da camioneta do IML. Fazia sinais com a mão. O motorista queria entrar de ré, mas o retrovisor esquerdo havia sido partido por uma bolada certeira da molecada que batia uma pelota na semana anterior. Até o governo repor aquele espelho, ele próprio já teria sido carregado nos gavetões que vinham na traseira do veículo.

— Vem, Getúlio, pode vir! Anda homem, olha o tamanho dessa entrada!

— Bá, eu sei que o caminhão passa. Quero que tu vejas se não vai pegar num prego. Basta esta merda de retrovisor quebrado! Não vou tirar dinheiro do meu bolso no borracheiro.

— Tá limpo. Pode vir. — ordenou Reginaldo.

O motor roncou engatado na marcha a ré, e Getúlio freou, estancando quando Reginaldo gritou.

— Pára! Tá bom! Quer arrancar o pé do defunto?

Valadão, que não tinha arredado pé do galpão com seu defunto, riu. Era verdade: mais um metro e o pneu teria entortado o pé do cadáver.

Getúlio puxou o freio de mão. Acendeu um cigarro antes de descer. Abriu a porta, virado para fora, e deu uma baforada comprida.

— Vamos ver o que temos aqui...

O agente do IML rodeou a camioneta. Viu primeiro os pés do cadáver. Deu outra baforada comprida. Soltou a fumaça devagar.

— Esse aí sofreu, hein? — comentou.

— Um pedaço de pau no peito. — balbuciou Reginaldo.

Getúlio agachou junto ao corpo.

— Já vi de tudo. Isso não é o pior, nem de perto. Vou precisar de ajuda. Vim sozinho. Ô Valadão, pega no pé do bicho.

— Credo em cruz, tchê! Pego nada! Sai de retro.

— Deixa de viadagem, Valadão. Pega no morto; vou descer o gavetão.

Valadão benzeu-se três vezes.

— Deixa que eu ajudo. Esse velho é cagão.

— Bá... nunca ouviu falar que dá azar pôr a mão em defunto?

— Cê deve tá certo, Valadão. Deve ser por isso que eu levo essa vida fodida. Sábio Valadão, sábio. Sou um fodido, mesmo. Eh! Eh! Eh! — brincou o agente, arrastando um dos gavetões para fora do compartimento traseiro da camioneta negra com as letras garrafais do IML.

— Cê tá fodido, mas tá melhor que esse. Defunto, apagado, presunto, pé junto, abotoado. Podrão, esse é o melhor. Podrão, que nem o Otávio Augusto dizia no *Sábado*, dentro do elevador, preso com um defunto.

Getúlio não perguntou nada. Colocou o gavetão ao lado do corpo. Reginaldo segurou os pés.

— No três. Um, dois, três, vai!

Barro e algumas embalagens de ovos foram parar no fundo da chapa metálica. Lobo estava de novo dentro de uma caixa de metal.

— Agora é mais fácil, Reginaldo. É só arrastar o gavetão pra dentro da gaiola de levar presunto. As alças ajudam.

A operação transcorreu sem problemas. Em menos de um minuto, Getúlio estava travando as portas traseiras da viatura.

— Agora é só levar.

— Pra que a pressa, Getúlio? Vamos tomar uma no Boteco do Alemão. — sugeriu o Valadão.

— Ih! No Alemão, não. Tava cheio de repolho lá. O Exército tá chouriçando alguma coisa por aqui. Nunca vi tanto agito em Roda Velha.

— Vamos no Menezes, aqui mesmo. — sugeriu o policial.

— Dá não, pessoal. Tenho que entregar o cadáver. Trabalho é trabalho. Já demorei uma vida pra chegar aqui. A bateria arriou, chamei o Celso pra fazer uma carga rápida. Só assim para chegar aqui. O dr. Artuin tá esperando a entrega. Tá numa ansiedade... nada como um assassinato para exercitar sua capacidade forense.

— Capacidade forense... — repetiu o Valadão. — Bonito isso.

Getúlio subiu e bateu a porta da camioneta. Despediu e deu com a chave no contato. O motor girou esforçado, pegou e morreu.

— Ô geringonça! — esbravejou o condutor.

Deu na chave novamente. O motor gemeu, sem pegar. Na terceira tentativa, nem sinal.

— Cacete!

— Bateria?

— Não pode ser. Dei a carga agora mesmo.

— Tá parecendo.

— Ô Reginaldo, pára de rogar praga. — reclamou Getúlio, girando a chave novamente, sem o menor sinal de partida.

— Vamos dar um tranco.

— Bá, essa bichona é danada de pesada.

— Vem cá, Valadão, vamos empurrar esta joça.

O senhor obeso veio lentamente. Getúlio desceu, agradecendo a si mesmo por ter entrado de ré. Empurraram os três. A camioneta moveu-se muito lentamente. Tentaram. Getúlio pulou para dentro. Mesmo engatando a terceira, era pouco embalo.

— Não vai dar. Já são quase quatro horas. O Neves vai me comer o figo!

— Calma, Getúlio. Tu tem culpa que a merda da viatura tá quebrada? Arrumar ninguém quer. Vamos dar um tranco dando embalo com o meu carro. Tem uma corda aí?

— Nada. Ô Valadão, vê uma corda pra gente.

— Tenho no meu trator. Espera um pouco.

Assim que o zelador saiu, o celular de Reginaldo disparou. Era o delegado.

— Calma lá Neves. O carro do IML quebrou. Estamos resolvendo aqui com o Getúlio, mas acho que em uma hora estamos colocando esse cadáver na geladeira.

Reginaldo apressou-se em encerrar a ligação, tranqüilizando o delegado e o coitado do Getúlio.

Esperaram vinte minutos até o ágil zelador retornar com a maldita corda. O policial manobrou seu carro, amarrou a corda no engate e, posteriormente, no pára-choques do veículo do IML. Funcionou. A camioneta precisou de um embalo para fazer o motor pegar. Getúlio acelerou forte para esquentar o motor. Desataram a corda e então seguiram pela estradinha. Reginaldo conduzia lentamente à frente, escoltando o veículo. Queria estar por perto se o amigo precisasse.

Desde que retornara para a delegacia, por volta da hora do almoço, Bira não tivera um momento de sossego. Faz isso, faz aquilo. Prepara os papéis para a detenção do moleque. Estava sem tempo para escrever as coisas que se amontoavam na cabeça. O Neves fora agitado para a casa do filho do vereador. Queria passar o fax para o número do Exército. Um homem com estaca no peito. Se o tenente não estivesse brincando... seria possível. Que coisa! Vampiros! Haviam chegado à delegacia por volta da uma hora da tarde. Neves nem descera do carro, zarpando para a casa de

Leonardo. Estava demorando muito. Intercorrências? Algum problema? Será que o menino revidara? Preocupação. Terminou as tarefas. Ajeitou uma das celas. Só tinham duas para oito detentos no total. Duas vezes em seus quatro anos de polícia vira as celas cheias. Sem carcereiro. Eles é que tinham que dar um jeito. Tirou algumas cadeiras quebradas que haviam sido depositadas na cela e pedaços de ferro. Amontoou tudo no corredor. Não era faxineiro, droga! A outra estava pior. Havia se tornado um depósito de papéis e coisas quebradas. Ambas estavam cobertas de pó. Nem cogitou varrer. O menino que se danasse. Não ia limpar cela para ninguém. Se confessasse, ia mofar ali até a audiência ou transferência para uma detenção de menores. Não haveria vereador no mundo que tirasse aquele moleque da prisão. Cadê o Neves? Ia ligar para o Reginaldo. Duas e meia da tarde quando ouviu o carro do delegado encostando. Ansioso, foi para a porta. Lá vinham eles, o delegado, Leonardo e mais um rapaz. Parecia o enteado do Moisés. Leonardo de algemas. Neves o fez passar à frente. Por último, entrou o rapaz que acompanhava o detento. Leonardo sentou no lugar indicado pelo delegado. Bira correu para a máquina de escrever. Sabia o que fazer. Neves tomou o depoimento do rapaz, que tudo negava. A respeito dos disparos na parede, dizia ter sido um acidente. Não tinha nada a ver com o defunto na granja do seu Cazuza.

— Mas o defunto tá com sua blusa de moletom.

— Minha? Como, minha?

— Sua mãe, Leonardo, sua mãe pôs uma etiqueta nela.

Leonardo ficou quieto. Pensou.

— Esse cara que morreu...

— Foi assassinado, Leonardo, assassinado.

— Ele pode ter roubado minha blusa. Ele entrou lá e roubou.

— E você deu uns tiros nele porque ficou zangado, não foi?

— Não dei tiro nenhum, delegado. Não dei.

— Por que disse que a campainha estava quebrada? Quando o Bira chegou e tocou, eu ouvi muito bem! Por que tirou a mesinha em forma de flor do meio da sala e arrastou para o corredor? Escondendo o quê, moleque?

Leonardo ficou quieto.

— Cadê a arma? Quantos tiros você deu? Ninguém dispara dois tiros por acidente... explica.

— Não fala nada até o advogado chegar, Leo. Meu pai foi buscar.

— Bico calado, pivete! Tá com ele nessa história? — inquiriu o delegado.

— Pra cima de mim, não, ô Neves. Pra que essa banca toda? Cê não tá falando com marginal nenhum! Conhece a gente desde que nascemos. Conhece meus direitos. — retrucou João.

— Você e seus direitos vão a pequepê. Seu colega começou essa história com o pé esquerdo. Não queria que eu entrasse na casa... onde tem fumaça, tem fogo. Cê fecha o bico que ele já está bem complicado.

— Não falo nada até o advogado chegar.

— Pois bem, vai esperar no xadrez. Bira, leva o moleque lá pra trás.

— Pega leve, Neves. Meu pai não vai gostar de saber que você abusou do poder.

— Não me tira do sério, moleque. Não me irrita. Tô sendo bacana com você, nem te enfiei a mão na fuça ainda. — bradou o delegado, erguendo a mão pro menino. — Com assassino é assim, na base do sopapo. Seu pai não vai gostar é de saber que tem filho assassino... assassino e impertinente. Não abra mais a boca na minha delegacia. Quer falar com o advogado, pois muito bem. Espera com o rabo no xadrez. Se abrir o bico, toma pau. Se chorar, toma chute. Tira esse menino da minha frente, Bira! Já falei!

Os garotos perderam a pose com os berros ferozes do delegado. O homem estava uma fera. Passava a mão no bigode irritantemente e parecia a ponto de sacar o revólver da cintura e meter uma bala no guri.

João recuou, dando passagem ao escrivão, que levava o amigo. Não disseram nada. Estavam com medo. Foi para a frente da delegacia e sentou na calçada: só restava esperar. O Sol forte das três da tarde incomodava um pouco. Moisés prometera arrumar um advogado quando o Neves saiu de sua casa arrastando o amigo algemado. Neves dissera que tinha evidências irrefutáveis. Leonardo estava encrencado e ia precisar de um advogado de cinema para salvar o rabo. Moisés era bacana, argumentara tudo, mas nada adiantou. A coisa estava complicada.

Quando Bira voltou do xadrez trazendo as algemas para o delegado, Neves falava ao telefone com o dr. Artuin. Queria saber a quantas ia a autópsia. O corpo ainda não havia chegado. Neves desligou e discou para o Reginaldo, cobrando notícias.

— Não acredito. Arruma logo esse negócio! Esse caso vai dar pano pra muita manga... uma hora! Porra, Reginaldo! Tá bom, tá bom. Apressa isso. — Neves desligou e olhou para o escrivão. — A viatura do IML quebrou. Saco. Vai demorar para chegar no legista. Daqui a pouco, é noite, e a gente ainda não vai ter tudo levantado. Se o advogado desse merdinha chegar, já queria ter o laudo da autópsia na mão, preparado.

A gente viu o corpo por cima. Quem sabe o moleque não meteu uns balaços nas costas do homem, sei lá. O legista é que vai investigar, mas se o corpo não chega... ah! paciência! Vou fumar. Até eu já estou nervoso, tchê.

Bira adiantou os papéis da prisão preventiva do rapaz. Teriam de fazer um pedido ao fórum. Agrupar todos os dados. A visita do delegado, o laudo da autópsia, as provas. O menino estava enroscado. Podia se safar, mas ia ter trabalho. O vereador iria voltar das férias mais cedo naquele ano. Apanhou uma folha nova. Datilografou algumas linhas, arrancou da Olivetti e foi ao fax. Sabia que Neves não aprovaria... por isso, não comentou nada. Aquele troço estava esquisito, já que o Exército pedira, tinham de saber. Um corpo com estaca no peito. Mesmo que tivesse sido o filho do vereador, sabe-se lá por qual motivo, a estranheza qualificava uma notificação. A máquina cuspiu uma tarjeta que comprovava a transmissão perfeita da mensagem. Agora sabia que não ia tardar uma nova visita do tenente-qualquer-coisa que viera de manhã. Paciência.

A camioneta encostou em frente ao IML, uma casa pequena, com a frente revestida de lajotas vermelhas, cobertas por folhas amareladas que caíam da árvore frondosa na calçada, com as placas estatais que identificavam a benfeitoria do Instituto Médico Legal. Reginaldo estacionou a viatura logo atrás. Getúlio destravou o compartimento traseiro e aguardou a chegada do policial para ajudá-lo. Até que fora bom a camioneta ter falhado. Tinha um ajudante num dia que era para estar sozinho. Carregar defunto não é nada fácil. Não é qualquer cidadão que está passando que se presta ao trabalho de ajudar.

Getúlio foi ter com o dr. Artuin. Ia colocar o morto na geladeira ou direto na mesa para o estudo? O dr. Artuin queria direto na mesa. Sem demora. O agente voltou à camioneta. Agarrou a alça e tirou o gavetão. Reginaldo ajudou. Cara pesado. O agente cobrira o cadáver com um plástico preto que tinha uma protuberância central: o galho de árvore enfiado no peito. Coisa estranha. Getúlio orientou-o como tirar o corpo e depositá-lo na mesa. Fez o policial calçar um par de luvas plásticas. O dr. Artuin era chato nessas coisas. Queria tudo rigorosamente de acordo com as regras do livro. Vivia falando das regras. Que se divertisse com o traficante. Só podia ser. Um forasteiro, cara estranha, morto violentamente. Só podia ser bandido. Isso era coisa para o Reginaldo descobrir. Roda Velha não tinha crimes assim. Arruaça, tinha. O merda do moleque que ficava quebrando vidraça e mandando bilhetes obscenos para todo mundo. Coisa de interior. Queria entregar logo o defunto e rapar fora. Em casa estavam preparando as coisas para ir à Lagoa dos Patos. Um fim de semana revigorante era o que precisava. Nada de defuntos, nada de dr. Chato Artuin. Só lazer, mulherada de biquíni, Sol e água. Pronto, o corpo estava preparado para a autópsia. Agora, o dr. Artuin que se virasse. Profissão do caralho. Ficar mexendo em defunto. Não bastava o que aquela gente já tinha penado até esticar as pernas? Tinha ele que ir lá com o bisturizinho fuçar, cortar mais um pouco? Avisou o doutor. Puxou Reginaldo para fora.

— Vou ficar aqui, Getúlio. Tô curioso, quero ver no que vai dar.

— Ih, isso demora! Deixa o doutor aí. O cara é chato... faz as coisas devagarinho. Só sai laudo amanhã.

— Com o Neves atacado? Duvido.

— Tô falando. Não gosto do Artuin. É cheio de coisa. Não faz nada rápido, tudo no livro. Regrado, metódico, parece louco. Daqui a pouco, liga aquela merda de rádio. Sempre as mesmas músicas, parece até que gosta de revirar tripa de defunto. Cê já viu autópsia? Ele queria me ensinar. Idéia de doido. Ensinar-me pra quê? Fica tirando aquelas coisas nojentas. Fígado, vesícula, babento, credo. Meu negócio é pegar e trazer. Não quero, nunca, fuçar em barriga de morto. Deus me livre. Dá até um arrepio.

— Mas tu tá muito apavorado, tchê. Tem que ter medo é de vivo, não é de fígado de defunto.

— Eu não tenho medo, tenho é nojo. Coisa nojenta, Reginaldo. Um dia, pede pra ele te mostrar. Hoje não, vamo no Alemão. Olha a hora, o Exército deve ter ido embora e o bar deve tá aberto. Vamo logo que eu não posso demorar.

Reginaldo coçou o queixo. Queria ficar. Mas o calor, o mormaço daquele fim de tarde... não podia fazer uma desfeita dessa com o Getúlio... um chopinho gelado...

— Só um. — redargüiu o policial. — Só um e eu volto.

Getúlio deu de ombros.

— Vamos na viatura; deixa essa camioneta aí. Depois, não pega de novo...

Foram.

O dr. Artuin entrou na sala de autópsia. Acendeu a luz sobre o cadáver coberto pelo plástico preto. Retirou a capa. Seus olhos, acostumados aos cadáveres, não esboçaram reação. Olhou para o galho enterrado no peito do homem. Não era tão grosso. Como teria passado pelo tórax sem quebrar? Pontiagudo, provavelmente. Ferimento estranho.

Aquele corpo daria um laudo e tanto. Soube disso nos primeiros cinco segundos de observação. Sem sangue no ferimento aberto pela madeira. O homem já estava morto quando o galho entrou. Lacerações pós-morte, sem sangue. Estranho. Apanhou um instrumento afiado, maior que um bisturi cirúrgico, cortou a camisa e as mangas da blusa de moletom, deixando-o nu na parte superior. Mordidas de animal roedor no membro superior esquerdo. Examinou a manga esquerda: estava roída. O ataque dos ratos fora na granja. Rigidez cadavérica. À primeira vista, parecia morto há menos de doze horas. Abriu a boca do cadáver para examinar as vias aéreas. Narinas desobstruídas. Nada na garganta, nem resíduos de alimento. Examinou os dentes. Brancos. Caninos pontiagudos. Demorou olhando para os caninos superiores. Um tanto proeminentes. Dentes estranhos. Afiados. Aquele homem não deveria ter dificuldade alguma para rasgar carnes duras no churrasco. *Causa mortis*? O galho fora traspassado no tórax após o homem ter morrido. Isso era evidente para o legista. Era melhor removê-lo. Talvez o idiota autor daquela maldade o tivesse feito para despistar. Segurou firmemente o galho e arrancou-o num puxão só. O corpo estremeceu. Artuin, acostumado a espasmos *post mortem*, assustou-se. Que diabos era aquilo? Diacho de morto esquisito? Essas coisas passavam pela cabeça do legista, que permanecia estático, olhando para o cadáver, segurando o galho com firmeza na mão esquerda. Encarou o morto uns instantes, após recuperar-se do susto ligeiro, e colocou o galho em cima de uma prateleira ao lado da mesa. Apanhou um bisturi.

— Fica quieto, piá. Vamos descobrir o que te matou.

Sol poente. Brites sentia-se cansado. Não pregava os olhos há horas. Levantara o nome de dez testemunhas da confusão armada por um forasteiro na noite anterior no bar do Alemão. Diligências a tarde toda. Conversas desencontradas. Sol na cabeça. Ao menos, pareciam na pista de algo. O motivo da confusão fora frívolo. Um freguês queria pendurar duas latas de cerveja. O balconista resolveu partir pra cima do cliente. Conversaram com ele. Disse apenas que bateu com um bastão no braço e no estômago do português. Era português? Era. Tinha sotaque carregadíssimo. Podia estar imitando? Não sabia responder. Silvinho disse apenas que o homem falava como português, que não sentiu um tiquinho de dor com as porretadas e depois não lembrava mais nada. Fora arremessado, caindo dentro do bar. Estava lá agora com uma coleira no pescoço e um braço lesionado preso numa tala. Era tudo. Não diria aos homens do Exército que o português maldito fizera os olhos brilhar.

Seria tomado por louco. Isso nunca! Falara demais com os repolhos; eles que fossem falar com outras pessoas. Não gostava do Exército. O serviço militar obrigatório fora, disparado, a pior época de sua vida. Queria distância. Brites ouvira o homem atentamente. Quem conduzira o interrogatório, com as perguntas redigidas pelo tenente, fora o cabo Souza. As outras testemunhas pouco contribuíram. Restava o último nome. Társio Costa. Fora o tal que no B.O. citara dentes de leão. O escrivão dissera que o homem estava bêbado. Um soldado acionou a campainha da casa.

Cinco jipes do Exército encostaram próximos à casa, dando cobertura ao tenente. Os soldados desciam, trazendo cada um seu FAL. Olhavam ao redor, atentos. Estavam caçando. Caçando vampiros. De acordo com as instruções, após o pôr-do-sol, aquelas criaturas, como nas lendas, podiam andar pelas ruas. Ninguém admitia, mas agora, com o Sol poente, todos ganhavam uma dose a mais de ansiedade. Teriam um confronto? Ouviram as histórias mais estranhas referentes aos últimos embates. Soldados mortos no gelo. Cobertos por neve. Atacados por animais selvagens. Perderam um helicóptero. Fizeram ataques pelo ar, pelo mar. Detiveram os demônios. Mas restavam dois ou três. Precisavam ser localizados, acossados, destruídos. Era para isso que estavam ali, buscando pistas. Buscando a morte.

Um barulho na porta. Um homem surgiu. Veio caminhando lentamente até o portão. Passos incertos. Bêbado.

— Senhor Társio Costa? — inquiriu o soldado.

— Bá, que confusão é essa na minha porta? Tô preso?

— Você é Társio Costa?

— Sou eu mesmo. Quê tu quer, piá?

— O cabo Souza tem umas perguntas para o senhor. Abra o portão.

O homem cambaleou, tentando tirar o molho de chaves do bolso. Agarrou-se aos ferros do portão para não cair. Riu. O soldado quase tomou as chaves da mão do pinguço para agilizar a missão.

Brites examinava o sujeito. Não deveria ter muito mais de quarenta anos. O quintal limpo, com flores enfeitando o passeio. Era casado. Bêbado demais para ficar com o corpo ereto e parado. Não era uma testemunha confiável. Droga.

Confirmou tudo o que disse na delegacia na noite anterior. Fora atacado por um homem com dentes grandes. Um bicho. Deveria ser um ET.

— Ele era português?

— Sei lá. Tinha um sotaque estranho... mas português, português mesmo, não sei.

A testemunha inclinou o corpo. O soldado afastou um passo bem a tempo de livrar-se de um jato de vômito.

Társio caiu sentado.

— Desculpa, coronel. Eu tô mal pra cacete. Preciso tomar um remédio. Já volto. — disse o homem, levantando-se com dificuldade. — Se eu não tomar um negócio, como vou poder ir pro bar hoje à noite? Isso não pode acontecer, não pode. — resmungava o pinguço, voltando para dentro da casa.

— Vamos. — ordenou Brites.

Abandonaram a casa com o portão escancarado. Os jipes dispararam pela rua, seguindo o do tenente. Estavam cansados e famintos. Ansiosos para voltar ao posto em Amarração, onde teriam comida e descanso. Nenhum deles queria passar a noite longe do grupamento. O céu rosado revelava que teriam pouco mais de vinte minutos de luz do Sol.

O dr. Artuin levou a mão ao peito tamanho o susto desta vez. Cambaleou, zonzo, batendo forte contra as portinholas da geladeira de guardar defuntos. Um calafrio poderoso fê-lo tremer e arrepiar da cabeça aos pés. O morto... como podia? O morto... meu Deus! A mão... a mão mexia!

Na delegacia, Neves estava no corredor da carceragem. Espremia o rapaz. Queria saber o motivo. Por que matara o forasteiro? Tinha que saber o motivo. Sabia que quando o advogado chegasse, teria que liberar o menino. O moleque era menor. A prisão fora ilegal, sem flagrante, uma suspeita forte, mas precisaria da autorização de um juiz para botar as mãos em cima do pivete. Queria uma confissão. Com uma confissão, sim, mesmo com a prisão ilegal, as coisas ficariam mais fáceis para ele e complicadas para Leonardo.

— Abre o bico, Leonardo. A coisa toda já tá clara. Foi você que matou o desgraçado.

— Não matei ninguém, Neves. Porra! Deixa-me em paz!

— Eu sei que matou, moleque. Isso você não precisa negar. Como, a gente vai descobrir mais tarde. Não é isso que eu quero saber. Quero saber o porquê. Por que matou o cara?

— Não matei, puta que o pariu! Cê tá fodido, Neves. Cê vai me pagar. Preso?! Meu pai vai acabar com sua raça.

— Seu pai não acaba com a raça de ninguém, moleque. Tá achando que aqui manda coronel? Aqui não tem mais disso, não. Já foi o tempo. Abre o bico, suaviza a coisa. Se você colabora, a gente leva em consideração... se você complica, a gente complica também.

— Se acha que eu sou burro, Neves? Acha? — gritou Leonardo, nervoso, com lágrimas nos olhos.

— Tá vendo, se tá até chorando... e olha que a gente nem encostou em você.

A verdade era que Leonardo estava nervoso e com medo. Sabia que podia ficar calado, mas também conhecia a fama do delegado. Se o advogado amigo do Moisés demorasse, temia por sua integridade física. O que o pai ia falar? A mãe podia ter um troço.

— Vai, caralho! Fala! Foi por drogas? Dinheiro? Cê tava devendo? Tô querendo te ajudar, filho. Fala. Um maluco aparece aqui na cidade, cê deu uns tiros, e daí? Mas você tem que me ajudar também.

— Não enche, Neves. Não enche. Eu não fiz nada. Não matei aquele desgraçado. Se ele tava com a minha blusa preta de moletom é porque roubou. Não enche!

— Roubou? Aí você deu uns tiros. Os tiros de ontem, lembra?

— Não foi isso, Neves, não foi isso.

— Cê tá enrolado, Leonardo. Pra começar, eu nem disse que a blusa era preta, você já sabia. Quer dizer que você viu o cara. Quando você viu?

— Não falo mais nada. Tá vendo? Não falo mais. Pronto!

Neves, de supetão, enfiou a mão pelas grades e puxou Leonardo violentamente, fazendo o rapaz bater a cabeça nas barras de ferro.

— Você se acha esperto, não é? Se acha o tal. Nenhum advogadozinho de porta de cadeia vai livrar seu rabo. Não deixo e ponto. Quem manda aqui dentro sou eu. Você viu o cara. Viu ele roubando suas roupas do varal. Você arregaçou o cara na bala. Agora vai ter que explicar.

— Explicar o quê, Neves? Explicar que o cara foi morto com um pedaço de pau no peito? Sem tiro nenhum no corpo? — murmurou Leonardo, com o rosto comprimido contra a grade.

Neves relaxou a mão e Leonardo apressou-se em se afastar, saindo do alcance do delegado. O rosto marcado por barras vermelhas.

Neves bufou. O dr. Artuin estava demorando com aquela merda de autópsia. Só depois do laudo do médico poderia voltar a pôr as mãos no moleque. Moleque safado! Tinha ouvido sua conversa com Bira. Só podia ser. A não ser que ele mesmo tivesse cravado o galho no peito do defunto.

Lusco-fusco. O jipe do tenente conduzia a tropa para a praça central de Roda Velha. Havia indícios fortes de que o arruaceiro do bar do Alemão fora um dos vampiros. Com a noite entrando, teriam chance de voltar a rastreá-lo. Sotaque português, dentes proeminentes. Força sobre-humana. Tinham de ficar alertas. Providenciaria comida aos homens e descanso para os mais debilitados. Encostavam na praça quando chegou uma mensagem pelo rádio. O operador correu até Brites.

— Tenente Brites, permissão para falar, senhor.

— Pode falar soldado. O que há?

— Fomos avisados por Amarração da chegada de um fax. Aqui mesmo em Roda Velha foi encontrado o corpo de um homem com uma estaca no peito.

Um alvoroço montou-se na praça.

Santo Deus! Um movimento curto, mas repetitivo. Sem chance para espasmos pós-morte. Não, não eram. O braço flexionou. Deus do céu! O cadáver estava vivo! Como? Como, se do corte no peito não vazava sangue algum? O coração parado! Coisa do demônio! Só podia ser. Suor frio brotou na testa. Fugir. Artuin arrastou-se, passo a passo, aproximando-se da porta, hipnotizado pelo evento. Outro calafrio, uma tremedeira, quando o morto produziu um barulho. Ar escapando dos pulmões. Quando o homem sentou-se na mesa, Artuin não conseguiu mais ficar. Abriu a porta atrapalhado e correu pelo corredor da pequena casa que servia ao IML. Atravessou a recepção e girou a maçaneta. Trancada! A porta estava trancada! Santo Deus! A janela ampla da recepção era protegida por uma grade contra invasão e agora impediria a fuga do legista. Artuin, o coração disparado, pensando. A chave? Onde? Lembrou. Na sala de autópsias, junto da mesa de exame, ao lado do ex-morto. Um demônio. Só podia. Pelos fundos? Haveria escapatória? Muros altos. Lanças. Tinha que pegar a chave. Lembrou-se. Uma bolsa velha no canto da recepção, atrás da mesa. Abriu-a. Nada de chave, mas instrumentos de autópsia. Apanhou o bisturi com lâmina maior. Uma arma. Como matar o que já estava morto? Encostou-se à parede do corredor. Ouvia a voz do morto. Murmurava algo... português misturado com espanhol. O legista começou um pai-nosso. Arrastava as costas na parede. Pé ante pé, de frente para a porta da sala de autópsia. O morto, Artuin podia vê-lo, sentado na mesa de exame, de costas para a porta. Balbuciava coisas inaudíveis. Palavras desconexas. Nem parecia português. A chave. Tinha que pegá-la. Se fosse devagar, silencioso, passinhos curtos... talvez o maldito não o ouvisse. O corpo parecia num transe. O coração disparado de Artuin havia deixado todo seu corpo quente. O legista estava passando mal. Contrações estomacais. Ia vomitar a qualquer segundo tamanho o nervoso. A voz diabólica do ex-morto entrando em seus ouvidos parecia furar os tímpanos.

As pernas bambeavam. Tinha medo de cair. Sentia-se preso num pesadelo inusitado. Os mortos que havia cortado a vida toda estavam se vingando através daquele maldito falante sentado na mesa de exames. Os olhos correram pela sala. Parou no batente da porta, com medo de entrar, com medo de estar ao alcance dos braços roídos por ratos daquele forasteiro vindo do inferno. Controlou os espasmos. Um líquido quente veio até sua boca e depois foi engolido mais uma vez, deixando na língua o gosto acre e ácido do líquido estomacal. Artuin jamais presenciara tal fenômeno. Decididamente, não estava pronto para aquilo. Fez o sinal-da-cruz e passou pela porta. Estava agora bem perto da prateleira onde deixara o molho de chaves. O morto, ainda de costas, parecia examinar a ferida aberta pelo galho de árvore. As palavras que o homem pronunciava... Artuin percebeu um sotaque... entendeu uma palavra... a palavra lobo repetida diversas vezes. O homem falava de um lobo.

Brites invadiu a delegacia de Roda Velha. Bira, o escrivão que o atendera de manhã, veio ao seu encontro.

— Tenente...

— Onde está o corpo? Onde está o corpo com a estaca? — indagou o militar sem prestar atenção à saudação que o escrivão ensaiava.

— No necrotério. Um legista vai fazer...

— Autópsia? Vai tirar a estaca do peito do vampiro? Não pode! Onde fica esse necrotério? Temos que correr! — gritou o tenente.

Bira estava confuso. O homem nem o deixara falar. O tenente parecia histérico, com aquela cara de quem não dormia há um século.

— O delegado está com o assassino aqui no xadrez...

Mais uma vez, o militar não esperou a conclusão do idiota do escrivão. Avançou na direção apontada. Entrou num corredor. Duas celas. O homem, o delegado, debruçado na grade de uma delas, falando com um rapaz nervoso.

— Quem é você? — perguntou Neves.

Brites aproximou-se rapidamente, ansioso. Olhou para o rapazote aprisionado.

— Foi você quem cravou a estaca no peito...

— Eu não matei ninguém! — gritou Leo, transtornado, ainda mais agora com um militar com cara de *serial killer* adentrando a delegacia.

— Quem é você? Já perguntei.

— Escuta rapaz, preciso saber...

— Não falo nada. Não matei ninguém!

— Matou, sim! — emendou Neves, aproveitando o nervosismo despertado no suspeito pelo aparecimento inesperado do militar. — É melhor abrir o bico, guri. Até o Exército tá querendo você. Fala logo para facilitar as coisas.

— Cale a boca! — esbravejou o tenente. — Eu estou falando com o moleque!

— Quem você pensa que é para chegar gritando comigo na minha delegacia?

Brites ignorou a pergunta de Neves, pôs as mãos na grade, cada uma segurando uma barra vertical, como se quisesse arrancá-las. Fitou o menino magro e assustado trancafiado ali dentro.

— Era um vampiro, não era? Você enfiou a estaca no peito do vampiro?

Um arrepio poderoso percorreu o corpo de Leonardo. Era como se alguém lhe despejasse um balde de água fria na cabeça. Uma euforia cresceu no peito. Alguém que o entenderia. Desatou a falar, com lágrimas enchendo os olhos. Correu para a grade, para perto do tenente.

— Fui eu, fui eu! Ele tentou me matar. Queria me pregar aqueles dentes pontudos. Disse que ia me matar, mas eu enfiei um galho no peito dele e o matei. Matei o vampiro! Matei! Matei! Ninguém ia acreditar... um vampiro! Vampiro!

Brites deu meia-volta e, acelerado, saiu do corredor, passando por Bira.

Neves seguiu-o. Estava puto da vida. O menino falando mais que locutor de rodeio. Confessando o crime. Pressionara tanto, desde a visita à casa e há uma hora naquele lenga-lenga no corredor da carceragem. Agora, aquele militar filho da puta o fizera falar com duas perguntinhas. Ainda mais com a baboseira de vampiros. Vampiros não existem, saco!

— Que merda é essa? — gritou às costas de Brites, que ia em direção a um jipe parado na frente da delegacia.

Brites virou de repente, assustando o experiente delegado Neves.

— Aquele moleque não está mentindo. Não temos tempo a perder, delegado, acredite. Perdi centenas de homens nesses últimos dias caçando esses filhos da puta. Onde fica o IML? Não podemos perder tempo; não duvide.

Bira correu em direção ao jipe sob o olhar sisudo e repreendedor do delegado.

— Eu te levo, tenente.

— Delegado, ligue para o IML, peça ao legista para não tocar no corpo, pelo bem dele e pelo nosso.

— Vampiros não existem! — berrou o delegado.

O motorista deu partida no jipe e já começava a rodar quando o tenente respondeu:

— Quisera Deus, delegado. Quisera Deus.

Neves ficou parado feito tonto alguns instantes em frente à delegacia. Um jipe ficara para trás, estacionado ao lado do distrito, dando cobertura. Que coisa de maluco! Quando a barulheira dos veículos do Exército desapareceu, os ouvidos do delegado foram tomados pelos gritos de Leonardo. O garoto estava enlouquecido.

Neves entrou. Digitou os números do IML. Ninguém atendeu. Devolveu o fone ao gancho. Olhou para o corredor da carceragem. Vampiros... retirou a pistola da cintura, destravou o municiador e checou. Estava cheio. Recolocou a munição na pistola e sentou-se na cadeira de couro, de frente para a porta aberta, olhando para a rua, com a poeira levantada pelos jipes ainda assentando. Ia ser uma noite longa, com certeza.

O jipe freou, derrapando e parando em frente ao IML de Roda Velha. Brites desceu, sacando a pistola do coldre. Sinalizou, prontamente acompanhado por dois soldados armados com fuzis. O tenente alcançou a porta da casa, e girou nervosamente a maçaneta. Trancada. Bateu com a coronha da pistola. Sem resposta. Um tique-taque macabro em seu ouvido. Um alerta com que ainda não se habituara a lidar naqueles dias de caçada. Deu duas ombradas violentas contra a porta. O silêncio na repartição pública não inspirava boas novas. Gesticulou para um dos soldados, que continuou golpeando a porta até vencê-la. Mais soldados amontoaram-se em frente ao IML, ávidos para colocar os fuzis em ação. Brites entrou primeiro, pistola para frente, braço estendido, um passo de cada vez. Nenhum frio sobrenatural. Nem tempestades fora de hora. Os malditos já tinham perecido. Alcançou o corredor. Tarde demais. Sangue no chão. Entrou na sala de autópsias. O piso cheio de sangue. Um corpo decapitado. O braço arrancado. Pegadas de alguém descalço dirigindo-se para os fundos do IML. O coração experimentado do tenente acelerava conforme avançava para os fundos. Sabia que tratava com criaturas traiçoeiras. Podiam esconder-se nas sombras. Podiam estar a um passo. Desapareciam e apareciam como coisas feitas pelo demônio. Fantasmas. A trilha de sangue terminou no quintal dos fundos da casa adaptada para o Instituto Médico Legal. Um tanque de lavar roupas, tomado pela poeira, guardava o último traço do vampiro. A marca de sangue dizia que a criatura usara a peça como ponto de apoio para transpor o muro. Estava, outra vez, à solta. Um monstro feroz, assassino, que decapitava oponentes, arrancava membros com a facilidade de quem tira manga de árvore. Brites e os homens saíram. Instruiu-os com as viaturas. O vampiro estava na cidade. O cadáver encontrado ainda tinha o corpo quente. Brites olhou para o céu. Escuridão. A hora do vampiro.

— Liguem os faróis. Vasculhem as ruas. Não economizem munição. Quero esse vampiro! — bradou, dando as últimas instruções antes de entrar no jipe.

Ia voltar à delegacia. Tinha de falar com o garoto. Se houvesse alguma pista vital; alguma chance de identificar o vampiro, só o menino poderia ajudar. Dobrava a primeira esquina, em alta velocidade, quando um uivo sobrenatural entrou pelos ouvidos. Lobo!

A fera rosnou furiosa. Lobo ergueu a narina e levantou-se, apoiado em duas patas. A presa não estava longe. Os pêlos das costas eriçaram. O ódio queimava o pensamento primitivo. Lobo alcançava quase três metros de altura naquela posição. Um monstro horrendo. A boca imensa salivava, inúmeros dentes pontiagudos exibiam-se. Uma máquina de matar. O cheiro do ousado rapaz que lhe cravara a estaca no peito convidava-o para mais um embate. O rapaz que o vencera. Primeiro, com a arma de fogo; depois, com a madeira. Subestimara o corpo mirrado e o jeito medroso do menino. Queria encontrá-lo. Não queria matá-lo. Não. O fedelho teria algo pior. Seria amaldiçoado. Fixou a direção e disparou em galope. Pelas ruas estreitas de Roda Velha, cruzava com transeuntes que gritavam apavorados. Homens urinavam nas calças. Mulheres desmaiavam. Crianças corriam horrorizadas. Benziam-se. Era o cão. O medo puro estampado nos olhos. Uma pequena construção no outro lado da rua. A porta aberta. Um homem sentado na cadeira de couro. Na rua, homens uniformizados agitando-se. Briga!

No jipe estacionado ao lado da delegacia estavam quatro soldados. Instantes atrás discutiam se algum dia encontrariam aquelas criaturas de quem tanto se falava ultimamente. Ficaram contentes quando souberam que o tenente havia pedido que ficassem. Perante o oficial, não podiam relaxar. Ao menos agora, cada um estava tragando seu cigarro. Eduardo limpava o fuzil que nunca precisara disparar fora do quartel, fora dos exercícios de tiro. Não sabiam que a decisão de ficar seria também sua sentença de morte. Foi Eduardo quem notou primeiro. A rua era precariamente iluminada, mas impossível não notar aquela estranha silhueta. Primeiro, pensou ver um cavalo, mas não era. Era um monstro. Um monstro descrito sob centenas de formas diferentes nos últimos dias. O monstro que abatera o helicóptero em Porto Alegre. O monstro que comera um de seus amigos. A fera chamada Lobo. Gritou alucinado, desceu do jipe e caiu com um joelho no chão. Destravou o fuzil e empunhou a arma, mirando a silhueta galopante que se aproximava veloz. Os outros soldados viraram-se com o grito. Estaria louco o Eduardo? O sangue gelava nas veias à medida que a sombra da fera crescia ligeira na rua escura. Era um deles. Um dos malditos. Aquele em forma de lobo. O cigarro caiu da boca do soldado Laerte. A mão encheu-se de suor, tanto que quando bateu no mecanismo para destravar o fuzil, os dedos escorregaram. Eduardo efetuou os primeiros disparos. O terceiro soldado debruçou-se no capô do jipe para firmar mira e começou a atirar. O soldado Ferreira sentiu o coração bater descontrolado. Um medo primitivo tomou conta de sua mente. Não controlava as pernas quando elas o carregaram para dentro da delegacia, fazendo-o se jogar num dos cantos da sala de entrada.

Não fazia mais de um minuto que o delegado Neves se acomodara na cadeira. A poeira deixada pelos jipes acabava de assentar. Passava a mão pelo rosto, tentando organizar as idéias e esquecer os gritos do detento quando o som dos primeiros tiros chegaram. Disparos potentes de fuzis. Os soldados. Não teve tempo de reagir quando um deles voou pela porta e arremessou-se ao chão tentando esconder-se atrás de uma mesa. O delegado levantou-se. Mais tiros. Um urro selvagem. Sentiu um calafrio. Que droga era aquilo?! Correu para a porta com a arma na mão. O detento também percebera a agitação. Leonardo não soltava um pio. O garoto, sentado no chão, abraçava as pernas e só ouvia. Algo de ruim estava acontecendo.

Neves sentiu novo calafrio. Um vulto veloz cruzava a rua. Um animal excepcionalmente grande, galopando. Uma criatura coberta de pêlos escuros e aparência selvagem. A fera saltava ziguezagueando, evitando os disparos das armas poderosas dos soldados, e avançava rapidamente. Neves empunhou a pistola e começou a disparar.

Lobo sentiu uma bala penetrar o membro dianteiro. O ódio era maior que a dor. Num salto, cruzou o ar, caindo em cima do jipe. Abocanhou a cabeça de um adversário que se apoiava no capô do veículo. A cobertura do jipe afundou com o peso da fera. Lobo viu um segundo soldado abandonar o fuzil e fugir. Não criaria problemas. Um homem debatia-se sob suas patas, no interior do veículo. Três disparos atingiram suas costas. Com duas mastigadas, triturou o crânio. Lambeu o sangue quente e doce que vertia do pescoço do corpo espasmódico que tombava ao lado do veículo. Um salto para trás e avançou a boca para dentro do carro. Triturou o braço do soldado que tentava efetuar disparos. Com os gritos da vítima tomando a cena, Lobo, sempre grunhindo de modo animalesco, abocanhou ombro e peito e arrancou pele e músculos, deixando as costelas do soldado à mostra. Aquele morreria em poucos segundos. Retirou a cabeça de dentro do jipe. O homem que disparava da diminuta porta havia desaparecido. Lobo avançou. Um homem no canto da sala, chorando, apavorado. Urina. Não traria problemas. Inspirou prolongadamente, dilatando e movendo as narinas. A presa que buscava estava ali.

— Vamos, moleque. Sai daqui. Pelo amor de Deus! Eu não queria isso! Juro! Eu não queria isso! — gritava Neves, revirando o molho, tentando encontrar a chave.

— Que aconteceu, delegado?

Neves não respondeu. Chave errada. Caralho! Um rosnar. Virou-se. A fera, ali no corredor, cruzava a porta. Jogou o molho para dentro da cela.

— Que foi isso, Neves?! Responde!

O delegado começou a atirar. Quatro explosões até a pistola começar a expelir apenas um clique-clique, sem munição. Neves ficou paralisado. Então, Leonardo pôde ver na íntegra a razão de tamanho pavor. Um monstro peludo voou pelo corredor, esmagando o delegado no chão. O garoto levantou-se assustado, soltando um grito de pavor. O policial não se mexeu; provavelmente já estava morto quando o monstro levou a bocarra escancarada de encontro ao ventre do homem vencido e levantou-a, trazendo sangue e vísceras para fora. Leonardo quase atravessou a parede de concreto tamanho era o desespero alimentado pela cena. Puxou o molho de chaves com a ponta do pé. Movia-se o mínimo possível, evitando chamar a atenção da fera bestial. Um urro ensurdecedor encheu a carceragem. Leonardo gritou horrorizado. Neves estava morto! A barriga aberta e o monstro desproporcional com as patas dianteiras em cima do corpo. A fera levantou-se e olhou para dentro da cela. Leonardo encostou na parede e sentou-se. Estava fora do alcance do monstro e agradecia a Deus por Neves ter falhado ao abrir a cela. Graças a ele, estava a salvo.

Lobo agarrou as barras de ferro com as patas poderosas. Puxou a porta, fazendo o metal ranger e envergar-se lentamente. Os olhos da presa congelaram. Empregou mais força sobrenatural arrancando a grade e parte do reboco. O menino chorava, estático e incrédulo. Lobo voltou à posição quadrúpede, avançou um passo e urrou o mais alto que pôde.

Leonardo sentiu o bafo quente da fera atingir o rosto e o urro descomunal ferir os ouvidos. Perdeu os sentidos.

O jipe militar freou. Brites saltou antes do carro parar. Os homens mortos. O pesadelo sem fim. Tudo recomeçando, sem descanso. Voou pela porta da delegacia. O soldado Ferreira chorava no canto da sala como uma moça traída; o delegado, morto no corredor da carceragem. A cela, destruída. Sangue no chão. Do garoto, nenhum vestígio. Vingança. Teria Lobo devorado o menino por inteiro? Bem provável. Brites sentiu o ar pesar e um mormaço desconfortável tomar conta de seu corpo. O ar faltava no pulmão. O cansaço voltando. A derrota. Mais uma vez, fora um inútil. Sentia-se assim. Um inútil. Incapaz de vingar a morte de tantos homens. Encostou a cabeça na parede fria da cela. A lista de baixas aumentava. O pesadelo continuava. Letal e horrível. Sem trégua. Precisava descansar. Precisava de paz. Ergueu a pistola e encostou o cano na cabeça. Passos no corredor. Seus homens chamando. Brites devolveu a arma ao coldre. Poderia até fazer aquilo no final da história. Poderia. Não merecia continuar vivendo depois de tantos dos seus terem morrido. Não tinha culpa pelos demônios existirem, mas o fardo era pesado demais. Poderia fazer, mas teria de acabar com a raça daquele lobo dos infernos. Estava cansado.

CAPÍTULO 17

Tiago ouviu uma risada prolongada. Era como se estivesse despertando de um sono extenso, de meses. O corpo doía. Um frio sobrenatural dominava o ambiente. Sua pele estava retraída, arrepiada. Reparou que a respiração não exalava mais nuvens de vapor. O corpo morto não produzia mais o calor das células vivas. Entristeceu-se. Quando contaria a Eliana e César? Quando saberiam que havia se tornado um vampiro maldito? César talvez desconfiasse. Talvez já soubesse. Olhou ao redor. Não estava no porão da casa alugada. Estava num gramado. Uma neblina espessa não deixava seus olhos vampíricos desvendarem muita coisa da paisagem. Árvores. Nenhuma luz. Um vento forte cortou a relva. Um silvo ardido fez-se ouvir. Estava na floresta. Frio. Girou sobre os pés. Confuso. Onde estava? Que lugar era aquele? Cadê Sétimo, o maldito vampiro? Farfalhar de asas. A névoa se afastando lentamente. Olhou para o pássaro que agora planava rente à grama. Uma coruja. Linda. Tiago deu seu primeiro passo. O gramado crepitou sob o peso de seus pés. O campo verde parecia coberto por uma fina camada de gelo. As árvores estavam distantes, num raio de trinta e poucos metros. Uma impressão ruim. Um latejar insistente na cabeça, que mudava de lugar quando girava o corpo. Um latejar que indicava uma direção. Posicionou-se de modo que o cutucar ficasse bem na testa. Fosse o que fosse, estava na sua frente, nas árvores, escondido pela neblina ainda existente. Olhos chamejantes. Um vampiro aproximando-se. O frio sobrenatural intensificou-se. Desta vez, Tiago não se incomodou. Estava curioso quanto à silhueta que tomava forma dentre as árvores. Um vento gelado, forte, que ganhou força e mais força, obrigou-o a mudar a disposição dos pés para equilibrar-se. Um homem alto, esguio, cabelos longos. Olhos que brilhavam, vermelhos, poderosos. Inverno. O vampiro Inverno. Era um sonho. Um pesadelo. Sabia que o vampiro Guilherme estava acabado, extinto pelo artefato nuclear. Tiago só fora salvo pela poderosa intervenção de Miguel, o vampiro Gentil. O que fazia o maldito Inverno em seu sonho? O que quer que fosse, lá vinha ele, imponente, forte. Um vampiro cruel que se alimentava do medo e do sangue. Guilherme franziu o cenho, intimidador, pronto para o ataque. Tiago acendeu os olhos, em advertência. Inverno deveria saber que ele agora era um vampiro de fato. Abriu a boca e exibiu os dentes transmutados para o adversário que tudo congelava. Inverno parecia sorrir, mas, repentinamente, disparou na direção de Tiago, que cerrou os punhos e preparou-se para a luta. Nunca temera Inverno... temia menos ainda agora que era um vampiro também, e, aos poucos, aprendia mais e mais. Sabia tornar os músculos rijos como rocha. Já dominava a velocidade vampírica. Fazia os olhos cintilarem para aprimorar a visão. Lutaria. Estranho. Inverno parou no meio da corrida. Aliás, a melhor definição seria: Inverno congelou. Literalmente. De um segundo para outro, seu corpo, velozmente, foi envolto por uma fina camada de gelo que preservara com riqueza de detalhes os contornos do vampiro. Uma estátua opaca, fria, morta. Tiago relaxou os músculos. Desarmou a guarda. Os olhos apagaram. Caminhou vacilante até Inverno. A névoa quase não existia mais. A lua no céu. O vampiro congelado. O frio nada incomodava. Seu corpo refletido na estátua de Inverno. Seu rosto no rosto de Inverno. Um calafrio. Som de passos. Virou-se. Outro calafrio. Um homem caminhando lentamente. Nenhum som. Só quando ele próprio, Tiago, se movia, os ouvidos captavam o crepitar da grama congelada. Já o novo visitante parecia não ter peso. Um homem mediano, magro. O demônio. Nada de chifres, nada de pele vermelha, mas sabia que era o demônio. O homem parou a uma certa distância e disse:

— Cuidado.

Tiago despertou sobressaltado.

— Estou preocupado com Tiago, Cesão...

César colocava uma porção de enlatados no armário, ouvindo a amiga.

— ... tenho medo. Ele tá estranho. Saiu com o diabo ontem à noite e agora passou o dia todo na toca com o monstro. Ai, Cesão, tô pensando o pior...

César não retrucou. Sabia o que a amiga estava pensando e temia do mesmo modo. Tiago estava diferente. Desde o confronto com os vampiros. Pálido. Estranho. Tiago tornara-se um deles. Um vampiro. Se a suspeita se confirmasse... o que fariam? Fugiriam? Abandonariam o amigo? César não quis comentar sobre a mancha de sangue em Tiago após o encontro com o policial rodoviário nem da impressão de ter visto os olhos do amigo se iluminarem no encontro com Sétimo no fundo do Luxor Hotel. Na ocasião, César estava sob efeito de medicação forte, cansado e estressado... com a cabeça e o tórax ainda muito doloridos; não queria tirar conclusões apressadas.

— Ele ficou com Sétimo em vez de ficar conosco. Dormiu o dia todo. Acorda à noite. Será que ele virou um deles?

— Não sei, Eli. Ainda não sei.

Eliana colocou uma peça de carne para assar.

— Nem comer ele está comendo. Está estranho. Muito estranho. — reclamou a mulher.

— Todos nós passamos por uma experiência estressante nesses últimos dias, Eli. Tem que considerar isso também. Aquele Lobo, por exemplo. Acabei com a raça dele no galpão. Ele matou soldados a torto e a direito, mas eu consegui acabar com a raça dele. O maldito ainda está vivo, disso eu sei, porque eu vi, eu senti na pele a raiva dele. Ele virá me buscar um dia... tudo isso é demais pra cabeça da gente, que vivia numa cidadela à beira-mar. Minha vida era a repartição pública, mergulhar, pescar, mais nada. Agora só vejo, só ouço vampiros. É de pirar. Olha o que eu comprei. — comentou, estendendo um pote para Eliana. — É extrato de alho. Tu põe bastante na comida. Lembra do que o Tiago disse? Foi o alho que o salvou num dos encontros com os vampiros. Mete isso em tudo, até no suco de laranja. Se esse maluco do Sétimo se engraçar, vai ter uma puta dor de barriga. Nosso sangue ele não toma. Guarda um pouco pro Tiago. Se ele comer, é porque não virou vampiro.

Eliana rompeu o lacre da embalagem, abriu o forno e espalhou um pouco do produto sobre a carne. Alho.

Sétimo entrou na cozinha.

Eliana e César sobressaltaram-se.

O Sol ainda não havia deitado completamente, e os últimos raios do dia invadiam o recinto, atingindo o vampiro.

Sétimo fechou os olhos claríssimos, pondo o dedo polegar e o indicador sobre as pálpebras. Ao abri-los, estavam negros e insensíveis à luz do Sol. Apenas César notou a sinistra adaptação.

— Pensei que você fosse arder e esfumaçar até tornar-se cinza, como nos filmes... — comentou o rapaz.

— Filmes? O que são filmes, pai?

— Esquece. Não sei explicar. Depois vou te mostrar. Mas, como dizia, achei que você não suportasse o Sol.

— Foi assim no passado. Depois de servir de escravo ao anjo banido, me foi permitida a tolerância à luz do Sol. Até a chegada da noite, não tenho a plenitude de minha força, de meus poderes vampíricos, apenas o suficiente para me locomover, andar, fugir, atacar quase como um mortal. Mas quando a noite cai, cá estou de volta, Sétimo, o poderoso. Sétimo, o rei dos vampiros.

— O que vai fazer agora que está livre?

— Temos um trato, pai. Recorda-te? Me ensinas a ser uma garça dentre as garças. Um brasileiro, pois de Brasil é chamada esta terra. Acabo, como disseste, com a raça do Lobo.

— Bá, disso eu vou gostar.

— Bá, é só tu me ensinares. — retrucou o vampiro, imitando o sotaque do rapaz.

César riu. Eliana continuava calada, sentada à mesa, observando o monstro em forma de menino. Um rapaz bonito, e era justamente isso que a impressionava, que a amedrontava. Sabia que o mundo nunca mais seria o mesmo após a descoberta da caixa de prata por seus amigos de Amarração. Haviam soltado no mundo vampiros poderosos.

— Vamos sair, pai. Mostra-me teu povo.

César olhou para Eliana, que aquiesceu prontamente. Temia que a amiga se chateasse por não esperar a refeição preparada com atenção. Ele só não sabia que a moça se sentia aliviada cada vez que Sétimo se afastava. Não demorou muito para César e Sétimo deixarem a casa no caminhão que os servira na fuga de Amarração. O Sol escondia-se atrás do morro, deixando a noite ganhar o céu.

Os olhos de Tiago abriram-se de repente. Acabara de despertar assustado em função do estranho pesadelo. Respirava rápido, descompassado. Um pesadelo com o vampiro Inverno. O frio. Lembrava-se do frio. O cômodo, escuro para olhos humanos, estava gelado. Tiago descobriu uma fina camada de gelo sobre a mão e o desconfortável colchão velho que lhe servira de cama. Sétimo não estava. O que causara o estranho fenômeno? Chegou a alarmar-se. Inverno. Não podia ser. O maldito fora consumido pelo fogo da bomba. Só se Gentil tivesse mudado os planos. Teria ele salvado os outros? Estariam vivos e por perto? Não. Não seria possível. Sentiria o cutucar na cabeça ao querer detectá-los. Não sentia nada. Mas era um vampiro novato. Um iniciante. Sétimo teria de responder. Onde estaria? Sabia que Sétimo eles não conseguiam sentir, pois tinha essa proteção, outro presente arranjado por Lúcifer, seu escravizador. O que teria ocasionado aquele fenômeno?

Tiago deixou o cômodo dos fundos do sobrado. Um caminho de pedras levava ao quintal gramado da frente. Recordou-se do pesadelo, da clareira coberta de grama verde e congelada. Cuidado. Que diabos de aviso era aquele? Cuidado com Sétimo? Cuidado com o quê? Já tinha tantos problemas. Agora, teria de se preocupar com adivinhações. Cuidado. Com o gelo? Seria isso? Estaria enganado? Se Inverno estivesse vivo... seu inimigo mais feroz, mais combativo. Vivo. Não poderia. Sentiria. Tinha de falar com Sétimo. Um cheiro forte de carne assada vinha de dentro da casa. Carne e alho. Um embrulho no estômago. A boca seca. Um vento rápido cortou o quintal, agitando o cabelo de Tiago. O cheiro da amiga amada. Tinha de contar que não era mais o Titi. Era um bicho. Um vampiro. Um inimigo dos humanos. Estava de cuecas em frente ao portão. Qualquer pessoa que passasse, o veria daquele jeito. Subiu os degraus até a varanda e dirigiu-se à porta de entrada. Eliana estava na cozinha. O toque-toque chegando aos ouvidos. Foi encontrá-la. Estava batendo com o cabo da faca no tampo da mesa.

— Oi, Eli. — cumprimentou.

Ela ergueu o rosto. Um sorriso enfeitou a face ainda cansada.

— Oi, Titi. Estava com saudade. Agora, você só anda com aquele.

Tiago aproximou-se.

— Comprei duas calças para você hoje. Cesão pagou. Compramos comida também. Parece que vamos ficar um bom tempo aqui. Até tudo se acalmar.

Tiago passou a mão no cabelo louro e cacheado da amiga e sentou-se ao seu lado.

— Você é um deles, Titi?

O rapaz nada disse. Seus olhos acenderam-se por um instante e apagaram lentamente, como brasas morrendo.

Eliana sentiu um calafrio, uma coisa gelada crescer na boca do estômago e espalhar-se pelo corpo. Lágrimas brotaram nos olhos. Abraçou o amigo por um instante.

— Titi... Titi.

Afastou-se rapidamente. O corpo dele estava gelado... morto.

Tiago passou a mão fria, ainda com resquícios do gelo que apanhara durante o sono, na face de Eliana. Também estava emocionado.

— Que vai ser agora, Titi?

— Não sei, Li. Juro que não sei.

— Por isso ficou com ele a noite toda. Por isso dormiu durante o dia.

— Estou com medo de te perder, Li. Só isso eu temo. Vou aprender a viver nesta nova condição, mas não vou suportar sem ter você por perto. Te amo muito, Li.

Eliana levou as mãos ao rosto. Enxugou as lágrimas. Abraçou mais uma vez Tiago, agora, demoradamente.

CAPÍTULO 18

Leonardo acordou. Um lugar escuro. Tentou mover-se. Não pôde. Estaria morto? Será que o lobisomem o devorara na Terra? Onde estava? Que lugar era aquele? Um cheiro forte entrando pelo nariz. Cheiro de bicho. Cachorro molhado. Os braços doendo. Um gosto estranho na boca. Semelhante a ferrugem. Não conseguiu separar as pernas. Estava amarrado. Amarrado firmemente. Os pulsos doendo. Falta de ar. Rolou e ficou de bruços. Os pulsos doeram mais, porém sentiu um alívio na circulação sangüínea dos braços. A respiração piorou. Quanto tempo ficara apagado? Não estava morto. Não estava. Estava preso, preso como bicho. Um barulho. Algo se arrastando. Sentiu ânsias. Aquele gosto ruim. O que tinham colocado em sua boca? Cuspiu. Sede. Muita sede. A barriga ardendo. Queria enxergar. O que se arrastara na escuridão? O monstro? Queria ver. Uma coisa estranha aconteceu. Como se uma luz piscasse. Um clarão. Viu o cômodo com claridade por um segundo, como se uma luz mágica houvesse acendido. Depois, tudo voltou a escurecer. Escureceu, mas não era como antes. Os olhos pareciam acostumados à escuridão. Podia ver contornos. Um cômodo inacabado. Tijolos vermelhos sem chapisco. Tijolos soltos no chão. Nenhuma janela. Uma máquina de misturar concreto. Um canteiro de obras. Estava envolto por um arame grosso. Apertado. Inesperadamente, a escuridão completa voltou. Não divisava mais nada. Por último, antes de tudo voltar ao breu, viu os contornos de um homem deitado. Um calafrio. O vampiro! O vampiro em que havia cravado a estaca! Não vira o rosto do homem. Não vira. Mas sabia. Era ele! Falta de ar. Tontura. Desmaio.

Um tapa na cara. Leonardo despertou atônito. Todos os músculos do corpo doíam. Um segundo tapa, forte, brutal. Sem saber onde estava e o que acontecia, o rapaz protegeu a cabeça entre os braços. Onde estava? Escuridão. Queria enxergar. Um clarão repentino. Antes de entender o que acontecia, a escuridão voltou. Os contornos na escuridão. Um homem de pé ao seu lado.

— Acorda. Dormiu demais, ó brasileiro.

A voz. Leonardo a conhecia. O vampiro. Lembrava-se. Acordara antes. Horas antes. Amarrado. Falta de ar. Estava solto agora. E, como da primeira vez, aquela impressão de enxergar as coisas momentaneamente estava se desfazendo de maneira vagarosa. Tudo escuro. Estava solto. Sem arame. Encaracolado, amedrontado. Lembranças esparsas. Perdido. Tonto.

— Levanta. Vamos sair.

Leonardo continuou parado.

Afonso agarrou-o pela camiseta, que esgarçou e rangeu com o partir de alguns fios ao levantá-lo.

— Fica de pé, ó pá. Vamos andar.

Leonardo levantou-se, quieto, com medo. O homem tinha sotaque lusitano misturado com espanhol. Sabia que o vampiro o mataria. Não tinha forças para lutar. O monstro. O vampiro era o monstro que o arrancara da cadeia. Que matara o delegado Neves a bocadas ferozes. Que arrancara com as garras dianteiras as grades como se fossem feitas de pau podre. O desgraçado queria vingança. Só não sabia quando seria executado. Obedeceria. Procuraria uma hora oportuna para empreender a escapada. Essa era sua única chance. Fugir. Fugir e esconder-se. Depois daquele episódio na granja e na cela, sabia que era impossível matar a criatura de sotaque português.

Afonso puxou Leonardo para fora do canteiro de obras. Estavam no porão do que um dia seria um prédio de três andares, afastado da cidade, no meio do nada. Um hotel? O rapaz olhou em volta. Mato. Não sabia nem se estava em Roda Velha. Parou um instante para cuspir. O gosto ruim persistia. O céu encoberto por nuvens deixava pouca luz chegar ao chão. Os silvos de algumas aves noctívagas vinham do mato. Tontura. Leonardo era puxado pelo vampiro agarrado ao seu punho. Era a mesma noite? Não sabia se estava no mesmo dia em que fora resgatado da cadeia. Poderia ser a noite seguinte. O corpo doía muito. Cada passo era um suplício. As costas, os braços... todos os músculos reclamavam. Algo estranho no estômago, como se houvesse engolido um punhado de cabelo.

— Estou com sede.

— Já? — retrucou o vampiro, emendando um riso.

Leonardo não entendeu.

Afonso, outrora furioso com o rapaz, via nele agora um novo fruto em sua aventura. O rapazote, magro, fraco e inocente, o havia derrubado duas vezes. Poderia até ter interrompido sua existência, vencido-o definitivamente se houvesse largado seu corpo estacado ao Sol. Não o fez; o único erro. O erro mortal. Estava lá, vivo e poderoso, pronto para quebrar o pescoço do menino num piscar de olhos. Entretanto, após arrancá-lo da cela, fugir da cadeia com o corpo ferido multiplamente, dolorido, embora recuperando-se velozmente dos buracos abertos pelas armas poderosas, lembrou-se do humano que o abatera com a bala de prata. Pouco conhecia dos brasileiros. Afonso se julgava um ser poderoso, mas nada conhecia da estranha terra nova. Estava separado dos irmãos, e não os sentia mais. Apenas o novo vampiro. Teria de cruzar aquela terra estranha ao encalço do novo irmão e futuramente buscar o humano insolente que o derrotara no passado. Precisaria de um cicerone. De um guia de costumes. De um soldado forte. O menino saíra-se muito bem nos confrontos. Se ele, o vampiro antiquíssimo e experiente, se deixara vencer pelo menino, que dizer de novos confrontos com os homens uniformizados? Precisava aprender sobre aquela terra, aprender a ser mais um entre os humanos. Os vampiros assimilavam rápido, absorviam informações com uma capacidade cem vezes maior que os humanos comuns. Eram seres inteligentes. Mortalmente inteligentes. Seguiria um dos ensinamentos básicos dos vampiros. Para safar-se da perseguição dos malditos caçadores, Afonso teria de ser um brasileiro entre os brasileiros. Uma garça dentre as garças. E aquele menino lhe daria isso. Era esperto e valente. Seria um bom soldado. Por essa razão, reteve as presas afiadas do lobo. Após amarrar o garoto nos fundos do prédio em construção, enquanto ainda estava inconsciente, Afonso, assumindo a forma humana, serviu-lhe uma dose generosa de sangue vampírico, ordenando:

— Chupa meu punho! Desejas roubar meu poder e a mim ser igual. Recebe meu dom!

Leonardo obedecera. Sugara o líquido vertente do punho do vampiro. Com o corpo abastecido do alimento maldito roubado dos soldados e do delegado de Roda Velha, a oferenda não enfraquecera o vampiro.

Após a ingestão, Leonardo desfaleceu mais uma vez e ficou apagado durante todo o dia, despertando na nova noite. Estavam agora cruzando a mata, tentando fugir.

O jovem olhou para trás. Os pensamentos começavam a entrar em ordem. De nada se lembrava desde o desmaio na cela, quando o monstro a invadiu e ele já contava com a morte. Contudo, sabia que as luzes distantes eram da cidade de Roda Velha e que os dois helicópteros que se distanciavam no horizonte, rumando em direções opostas e jogando ao solo fachos de luz, buscavam o lobisomem e o vampiro maldito. Ainda não se dera conta de que os dois detestáveis personagens eram um só. Ainda não se dera conta de que o gosto horrível que impregnava sua língua e descia pela garganta eram resquícios do sangue ingerido. Não fazia idéia das transformações que ocorreriam em seu corpo rapidamente a partir das próximas horas. Não sabia que ele e o maldito forasteiro já trilhavam o mesmo fim, o destino sombrio dos vampiros, das criaturas da noite, e que, dentro em breve, seria ele também um lobo transformado pela luz da primeira noite de lua cheia. Não demoraria, pois a lua rumava para o quarto crescente.

CAPÍTULO 19

Tobia acordou com o telefone tocando insistente. Cinco da manhã. Os olhos ardendo. Cansaço. O dia anterior não fora fácil. A compra fracassada das armas. O confronto com o assassino. Quase morrera. Não se lembrava de nada depois de desfalecer no piso úmido e metálico da fétida passagem no centro de Osasco. Lembrava-se apenas de estar em casa, são e salvo, com a polícia no banheiro. Dor de cabeça. O telefone. Esquecera. Ele continuava tocando. Atendeu.

— Alô.

— Tobia?

— Quem está falando?

— Sou eu. O cara que você tentou matar ontem... li o livro velho. Se tudo isso for verdade... se essas criaturas existem mesmo, te dou um curso expresso de manejo de armas e te ajudo a botar pra fuder com essas coisas.

— Meu, não tem se. Esses vampiros existem. Eu achava que minha família fosse uma linhagem de malucos, que inventavam coisas e enfiavam no livro.

— Você nunca viu um deles? — perguntou Dimitri, indignado.

— Não.

— Eu achei que você já tinha visto, que estava atrás deles.

— Não. Nunca vi um. Pelo menos, acho que não. Acho que eles estavam adormecidos e de alguma forma alguém os despertou. Acho que tem a ver com aquela coisa da caixa. Você viu a parte da caixa?

— A caixa de prata com os sete vampiros... eu li. Isso é muito doido. Tô cansado dessa gente que morre fácil. Quero caçar coisas novas. Quero um novo trabalho. Já tenho dinheiro pra me aposentar.

— Cê me ajuda, te dou mais.

— Como confia assim em mim? Não me conhece.

— Você também não me conhece e está agora conversando comigo. Acho que isso se chama empatia.

Dimitri não respondeu.

— Precisamos falar mais. Traga o livro. Vou te mostrar umas coisas.

— Vamos para Portugal?

— Portugal?! Para quê?

— Essas coisas... seus antepassados não são portugueses?

— São. Eram. Mas os vampiros estão aqui!

— Aqui?! — surpreendeu-se Matador.

— É, cara. Esse negócio da bomba nuclear? Se o Brasil detonou mesmo um míssil nuclear... qual seria a razão? Algo sério. As autoridades sabem reconhecer algo sério. Aquele helicóptero que caiu no Rio Grande do Sul, que o Exército também não quer admitir... teve um monte de testemunhas. Falam coisas desencontradas, mas, que o helicóptero caiu e que tinha uma criatura enorme na cena, isso ninguém pode desdizer. Se você deu uma boa folheada você...

— Lobo...

— Isso mesmo. Isso mesmo. O filho da puta do Lobo. Nevascas no Rio Grande Sul em pleno verão! E não era a neve fajuta que costuma despencar. Foi nevasca. Testes do Exército? Duvido.

— Inverno...

— Até em Osasco, onde você age, uns dias atrás teve aquela tempestade horrível, sem precedentes...

— Tempestade...

— ...caiu poste na avenida dos Autonomistas. Matou gente. Caíram árvores. É uma história maluca, chapa, eu sei. Mas taí, bem diante de nossos olhos. Não estou inventando. É por isso que me agitei. Que saí à compra de armas. Que te encarei. Se não for capaz de encarar qualquer ser humano, que dizer desses monstros. Não vai ser nada fácil, cara, mas eu não vejo a hora de bater de frente com esses negos.

— Vamos trocar cartas. Te digo o que fazer com armas, tu me dizes o que fazer com vampiros.

— Fechado.

CAPÍTULO 20

Som alto. O martelar cadenciado expelido pelas caixas acústicas não incomodavam Agnaldo. Arrastava-se entre as pessoas. Queria chegar ao bar da danceteria mais uma vez. Queria encher o copo mais uma vez. Estava de saco cheio. Não agüentava mais aquela vida. Os pais não o agüentavam mais. O professor do cursinho não agüentava mais. Esforçava-se, porra! Mas nada daquilo entrava na sua cabeça. Nunca iria entrar para a faculdade. Já tinha falhado em dois vestibulares. Quase vinte anos, e os pais o tratavam como um moleque de dezesseis. Se pudesse, fugiria. Idiotas. A mãe, infiel. O pai, infiel. Tudo pró-forma. Para a família, para os amigos, tudo bem. Só gostava da irmãzinha. A única que não cobrava nada, a única que não o chamava de burro. A única que merecia seu apreço. Pensava nessas coisas, mas sabia que nunca faria nada. Nunca na vida faria nada. Era um imprestável. Um beberrão. Queria chegar ao bar. Queria mais um copo de vodca com laranjada. Queria cair na calçada. Fugir do pai estúpido e da mãe falsa. Só a Inês prestava. Só a Inesinha. Era por ela que ainda tentava. Para não decepcioná-la. Assistiam ao *Pink e o Cérebro* juntos e riam. Liam sua coleção antiga da *Chiclete com Banana* e riam. Os Skrotinhos eram demais. Queria ser um escroto. Nem isso conseguia. Copo cheio. Briga para atravessar o salão da danceteria Hortência. Lotado. Uma cadeira num canto. Não olhava para as meninas. Não olhava para ninguém. Nem para o cabeludo que o observava. Pensava. Ia aceitar a proposta do Carlão. Ser instrutor na academia de musculação. Era disso que gostava. Malhar. Puxar ferro. Que estudar, que nada! Estava farto daquela cobrança. Supino reto. Cento e vinte quilos. Supino inclinado. Abdominais. Rosca direta. Sessenta quilos. Pulley Asa. Levantar oitenta quilos. Bíceps inchados. Pernas potentes. Tríceps. Era disso que gostava. Força. Exercícios. Olhos das mulheres. Famintas. Interessadas. Há muito não era mais o Agnaldinho. O menino mirrado e desinteressante. Era o Naldão. Força bruta. Era bom saber: os homens pensavam duas vezes antes de encarar. Olha o tamanho dele.

Não arriscavam. Não era briguento. Na verdade, nunca entrara numa briga depois de ganhar tamanho. Gostava de puxar ferro, não de bater. Puxar ferro e encher a cara. Um paspalho. Um misto do que era bom e ruim. Era isso que achava de si mesmo.

Sétimo havia pedido para César encostar quando passaram em frente ao Hortência Dance Club. Tanta gente. Meninas lindas. Pediu para César parar. Estavam conversando há bastante tempo. Perguntava tudo e César respondia. Diferente de Tiago, que ainda estava abobalhado com sua condição vampírica e lutava contra a força que dominava seu coração. Já tinha visto aquela história uma centena de vezes. Negação primeiro, matança depois. Prazer em roubar sangue dos vivos. Prazer em apavorar os humanos. Prazer na caça. Fugir do Sol. Era isso e muito mais. Viver eternamente. Cruzar os séculos. Ser filho da noite. Um prazer. Roupas negras, dormir em caixões. Ser uma fera temida. Um vampiro. Enxergar na escuridão. Mover-se com velocidade incrível. Saltar com graça. Tocar o solo com leveza. Ser uma máquina de matar. Caçado. Caçado por Tobia, que não mais existia, que não mais era problema.

César pagou as entradas. Aquele dinheiro de papel era tudo. Não existiam mais as moedas com a efígie do rei. Iria montar seu exército. Comprar um novo castelo. Manter soldados. Iria precisar de muito dinheiro. Tinha que aprender sobre aquilo, pois precisaria aprender a ganhar dinheiro, a sustentar seu feudo.

Dentro da danceteria, Sétimo emudeceu. Uma multidão espremida. Meninas. Meninas novas com jeito de mulher. Lindas. Homens e mulheres dançando. Roupas estranhas, movimentos atrevidos. Diversão. Bebida. O som alto incomodando seus ouvidos sensíveis. Teve de proteger-se. Bloquear a audição vampírica; só assim para os tímpanos não explodirem. Observava as pessoas demoradamente. Ouvia as conversas sem nada entender. Além de estar em outro país, vivia outra época, largamente distinta da sua. Costumes totalmente diferentes. Palavreado enigmático. Um ser humano comum não sobreviveria um dia diante de tantas novidades. Um cérebro comum não assimilaria tão velozmente as maneiras, os objetos, as tecnologias. Ele mesmo, o vampiro, deixava o queixo cair para as coisas, que dizer de um ser humano comum. Seres comuns não vivem séculos, vivem alguns dias. Sétimo sorriu.

Depois de mais de uma hora, os olhos do vampiro encontraram Agnaldo. Não havia ainda pensado naquilo, mas ao se deparar com o tamanho do garoto, impressionou-se. Um rapaz forte, músculos avantajados.

Um excelente soldado. Um guerreiro. O garoto estava cabisbaixo, entornando com rapidez uma bebida destilada. Estava embriagando-se. Expressão de tristeza. Um olhar vago, no qual o vampiro sensível captou abandono, mágoa profunda e um mar de incerteza. A vítima perfeita. Olhou ao redor. César conversava com uma moça de longos cabelos castanhos e pernas grossas. Estava distraído. Sentou-se de frente para Agnaldo. Sétimo, de roupas pretas naquele salão escuro, estava perfeito. Não chamava a atenção de ninguém, imóvel, esperando. Vinte minutos se passaram. O rapaz forte levantou-se. Provavelmente, buscaria mais destilado. César ria, com o rosto colado no rosto da moça. Boa conversa. Agnaldo saindo do salão. Perfeito. O som cadenciado do coração do caçado misturava-se harmoniosamente às batidas compassadas que vinham das caixas acústicas da danceteria. Ninguém notou. Ninguém queria notar. Garotos só tinham olhos para as meninas. As meninas exibiam-se dançando sensualmente para os meninos. Ninguém reparou quando os olhos do vampiro cintilaram discretamente, deixando escapar um espectro de luz vermelha por um breve instante. Os dentes cresceram. Agnaldo cruzou a porta, ganhando a rua. Sétimo apertou o passo. Agora queria sangue. Sangue e seu primeiro soldado. O garoto seguiu pela rua agitada sem olhar para trás. Pediu um cigarro para outro jovem. Tragou. Sétimo não tinha olhos para mais ninguém. Ai daquele que se interpusesse em seu caminho. Emitiu um rosnado quase inaudível. Agnaldo seguiu por uma ruela de frente à danceteria. Cabisbaixo, pensativo, não notou o rapaz cabeludo aproximando-se às suas costas. Não notou a ruela deserta sem testemunhas. Não notou o pequeno caminhão estacionado alguns passos adiante, quase na praça à qual se dirigia. Não notou que sua existência mortal se encerraria naquele instante.

✠ ✠ ✠ ✠ ✠ ✠

Tiago havia deixado a casa. Subia a rua em direção ao bairro de Novo Osasco. Algum dinheiro no bolso e a esperança de encontrar com Sétimo e César. Não queria ficar na casa sozinho com Eliana. Alguns dias atrás, isso era tudo o que queria, não mais agora. Agora tinha medo. Precisava encontrar o vampiro. Precisava de respostas para algumas perguntas. Aquele sonho estranho com Inverno e com o demônio. O que o demônio queria com ele? Cuidado com o quê? Por que acordara com gelo espalhado pelo corpo? Frio. Sentia o frio sobrenatural até agora. Maldito Inverno. Mesmo desmaterializado pela bomba, continuava a assombrá-lo. Caminhava rapidamente. Dirigiu-se ao ponto de ônibus. Teriam ido ao centro de Osasco ou teria César levado o vampiro para conhecer a cidade de São Paulo? Tentaria Osasco. Já seria como procurar agulha no palheiro, porém mais promissor do que buscá-los em São Paulo. Não conseguia sentir Sétimo. Um ônibus. Estendeu o braço. O veículo pintado em tons de verde deixou escapar um chiado ao abrir a porta. Tiago subiu, cumprimentou o motorista com um rápido aceno, pagou a passagem e procurou um banco vazio na parte traseira do coletivo. Ninguém em pé; muitos jovens fazendo algazarra. Gritos desnecessários e bagunça excessiva, irritando visivelmente o cobrador. Uma senhora com criança de colo reclamou e recebeu uma sonora vaia. Ouvia as conversas. Parecia que aquela turma toda ia ao Rhapsody. Conhecia o *dance club*. O motorista fez uma curva em alta velocidade, obrigando-o a tombar o corpo e encostar-se na lateral do veículo. A garotada gritou entusiasmada. Freada. Chiado do dispositivo pneumático. Um pressentimento ruim. Dois homens entraram. Um de boné vermelho e outro com blusa de lã. A noite não estava tão fria para uma blusa grossa daquela. O ônibus acelerou. Gritaria. O cobrador reclamava da bagunça. Frio sobrenatural. Tiago atento aos dois homens. Algo chamava sua atenção. Debaixo da blusa de lã, uma arma. O mais alto, de boné, ficou atrás. O outro aproximou-se do cobrador e sacou o revólver. O homem empalideceu. O assaltante encobriu a arma com o corpo. Gritaria de bagunça, ninguém percebendo o assalto. O rapaz de boné vermelho sorriu para uma das meninas na frente. O cobrador entregava o dinheiro. O acompanhante da menina bateu boca com o de boné. O segundo assaltante sacou a arma também. Desespero. Choro. A mulher com a criança ficou pálida, chamando por Nossa Senhora.

— Todo mundo quieto! — gritou o de blusa.

— Cê não tava todo machão? Cadê o machão? — indagou o de boné ao garoto que acompanhava a menina.

O motorista freou.

— Nem pensa nisso, véio. Toca o bumba. Circulando, sem parar no ponto. Vamo fazê a goma rapidinho; todo mundo quieto e a gente sai fora.

Os olhos de Tiago chamejaram. Afundou-se no banco para não ser notado. Uma inquietação gigante borbulhava internamente. Os caninos vampirescos brotaram instintivamente. Perigo iminente. Estava se defendendo.

O de boné tirou uma sacola plástica de debaixo da camiseta e passou a recolher carteiras e dinheiro dos passageiros.

O cobrador olhava fixamente para o de blusa. Tremia. Já fora assaltado, mas aqueles dois pareciam drogados... sabia que podia sobrar bala a qualquer instante, por qualquer motivo. O rapaz de boné recomeçara a gritar com o menino sentado no banco da frente. Tremia... mas não era o medo. Era o frio repentino que tomara conta do coletivo. Pequenas nuvens de vapor escapavam com a respiração.

O de blusa passou pela catraca apontando a arma para os passageiros da parte traseira da condução, quietos e amedrontados. Era assim que queria. Era assim que funcionava. Qualquer problema, pou, pipoco na certa. Respeito e segurança. Um homem estranho ali atrás, olhando-o fixamente. Olhos estranhos. Um calafrio. Frio.

Um disparo. Gritos e nova freada.

— Que é isso, Tuquinha? Pra que atirar?

— Esse folgado tava dando uma de machão! Pra cima de mim, não, vagabundo.

O moleque tombou no corredor. Gritaria e choro dos amigos. Alguém saltou e agarrou-se na arma do Tuquinha. Uma menina estava reagindo. O de blusa correu para a frente. Um rapaz agarrou o Tuquinha, levando-o ao chão. Gritos. Chiado dos pneumáticos abrindo as portas. Novo disparo.

Tiago levantou-se e, mais rápido do que um humano faria, agarrou o de blusa creme. Esmagou a mão do assaltante, fazendo-o largar a arma e gritar prolongadamente. Arremessou-o ao chão e pisou em sua cabeça repetidas vezes até fazê-lo perder os sentidos. Ódio consumindo o pensamento. Um cheiro impregnante de sangue preenchia o ambiente. Sangue do garoto baleado se esparramando. Tiago teve uma vontade súbita de experimentá-lo. O estômago queimou. Voltou a concentrar-se na situação, lutando para esquecer o odor. Quem eram aqueles marginais? Que direito tinham de agir assim com as pessoas? Iriam enfrentar alguém de verdade.

— Anda com essa porra, motorista! — gritou Tuquinha, apontando a arma, em pé, refeito após o ataque.

O segundo disparo havia atingido a menina que agarrara a arma. O rapaz o largara para socorrer a moça. Ninguém mais se atrevera a tocá-lo. O ônibus voltou a circular. Viu o comparsa caído no chão, desfalecido. Um homem em pé. Frio. Um frio absurdo tomando conta do lugar. Os vidros do veículo estavam embaçados. Da boca de todos os ocupantes escapavam nuvens espessas de vapor. O frio apertando. Tiago encarava o assaltante.

Tuquinha levantou o revólver.

— Toma, filho da puta!

Tiago foi atingido no peito, caindo imediatamente de costas. Encaracolou-se. Raiva. Dor. Um tiro no peito já não era a mesma coisa. A dor era fenomenal, mas a raiva era maior. O frio sobrenatural. Sabia de onde vinha: dele, vinha dessa raiva. Iria congelar o desgraçado. Desejou isso, enquanto a dor diminuía gradativamente.

Tuquinha sorriu ao perceber que acertara o desgraçado em cheio. Não era muito bom com o revólver a mais de três metros, mas atingira o peito do verme.

— Toca esse ônibus, vai pro Jardim D'Abril, eu me viro por lá. Se pára, se suja, eu te arregaço na bala.

Tuquinha sentia a adrenalina fazendo efeito. Queria pular do ônibus ali mesmo e se enfiar em qualquer buraco. Mas, no D'Abril, teria mais chance de se esconder. Precisava arriscar mais um pouco. Não sabia se aquele frio era alguma reação, mas começava a incomodar. Sirenes ao longe. O coração disparou. Ordenou ao motorista que corresse, e, aos passageiros, que se calassem, que ficassem sentados e quietos. Todos tremiam.

— Puta que pariu, que frio!

Tiago abriu os olhos e estendeu a mão na direção do marginal.

Tuquinha começou a tremer. Uma fina camada de gelo prendeu-se ao seu corpo. Olhou para a mão apavorado. Todos tremiam de frio dentro do ônibus. Olhou para o homem: estava vivo. Ia apontar o revólver mais uma vez em sua direção, mas não conseguiu completar o movimento. Seu braço não obedecia mais tamanho o frio que se apoderara dos músculos. Gelo... gelo!

Tiago saltou pela porta traseira do ônibus em movimento. Tocou o chão com leveza, sem produzir ruído algum. Com agilidade vampírica, equilibrou-se, evitando um tombo desastroso. Ninguém por perto. Muita gente no quarteirão seguinte, onde o motorista freou e encostou o ônibus. Viu o pessoal descer e se agitar. Os passageiros estavam cobertos por uma finíssima camada branca de cristais de gelo. Ninguém que assistia à cena entendia o que se passava. Tiago recolheu os dentes vampíricos.

Um rapaz, apavorado, pulou para a calçada batendo no corpo, desprendendo da roupa a película de gelo. Todos pareciam imitá-lo. Dentro do ônibus, com os vidros completamente embaçados, permaneciam apenas o bandido desmaiado e o cadáver congelado do segundo assaltante. Ninguém notara o gesto do rapaz baleado, e poucos perceberam que ele estava faltando na cena, já que afastava-se em passos apressados em direção ao centro da cidade.

✠ ✠ ✠ ✠ ✠ ✠

César olhou ao redor. Onde havia se metido o vampiro? Deixou a garota com quem conversava, pagou a despesa e saiu. Muita gente na frente do Dance Club Hortência. Droga! Onde estaria Sétimo? Atravessou a rua em direção ao caminhão. Desceu para a praça. Lá estava o vampiro. Ao lado do caminhão. Sentiu um alívio.

— Por que saiu de lá?

— Muito barulho, cara. — respondeu o vampiro, sem sotaque algum.

— Cara? Cê aprende rápido, moleque-vampiro. Vamos sair fora.

— Sair fora...

— Vamos dar um giro e voltar pra casa. Esse caminhão não é muito seguro. Se o policial rodoviário passou o número de nossa placa para alguma central... se ele não estiver bem, e algo me diz que ele não terminou bem o encontro na estrada... você o viu de dentro daquele casulo? Não importa. O que quero dizer é que não é seguro ficarmos zanzando neste caminhão. O Tiago vai ter de liberar algum dinheiro para mandarmos este bagulho de volta ao meu amigo. Se eu demorar mais um pouco, ele bota os canas atrás da gente. Aí entorta de vez.

O motor roncou e o caminhão tremeu. César soltou a alavanca do freio de mão. Sétimo apenas prestava atenção nas palavras e nos movimentos do pai. Iria aprender a guiar aquelas carruagens.

Passaram por várias ruas. Os olhos do vampiro se encheram com as luzes. Que é aquilo? Um banco. E aquilo? Um supermercado. Um hipermercado. McDonald's. Churrascaria. Universidade. Terminal rodoviário. Shopping center. Pessoas compram de tudo no Shopping center. Posto de gasolina, para abastecer as carruagens. Gasolina. Um gay. Motociclista. Telefone celular. Banco de novo. A gente precisa roubar um banco um dia desses para encher o bolso de dinheiro. Risadas. Carros. Uma profusão de gente. Ruas que não acabam mais. Delegacia. Polícia. Carro de polícia. Maloqueiros. Fonte. Praça. Prefeitura. Viaduto metálico. Tantas coisas!

Quase uma hora depois, retornaram à casa alugada. César pediu que Sétimo abrisse o portão. O vampiro em forma de adolescente obedeceu. César estava se acostumando com a presença daquele que o chamava de pai, longe de se parecer com o monstro repugnante que conhecera. Nada de agressividade. Era um vampiro estranho. Encostou o caminhão na garagem e desceu. Dirigia-se para dentro quando notou que Sétimo se encaminhava para o compartimento traseiro e tentava destravar a porta.

— O que tu tá fazendo, tchê?

— Ora, pois, trouxe cá um hóspede, não serei grosseiro a ponto de fazê-lo pernoitar na carroceria deste caminhão.

César nada disse e foi até o vampiro. Um hóspede?! Que diabos era aquilo?! A expressão de curiosidade mudou para espanto quando viu o moleque franzino arrastar um rapaz corpulento, aparentemente morto, e arremessá-lo ao ombro.

— Fecha a porta, tchê. Vou colocá-lo lá dentro.

César passou a mão na cabeça. Acabara de pensar que Sétimo era um bom sujeito. Lá estava ele agora carregando um cadáver nos ombros. Um lanchinho para a fome da noite.

O vampiro passou pela escada que dava para a varanda da casa sem subir, dirigindo-se para os fundos, para o cômodo onde ele e Tiago haviam passado o dia anterior. Soltou o corpo de Agnaldo no chão. O rapaz não estava morto, mas por pouco. Sétimo havia lhe servido do próprio sangue, criando seu primeiro filho depois de centenas de anos. O primeiro soldado para construir seu exército e preparar-se contra os caçadores, que não tardariam quando os sinais fossem mais claros, quando as vítimas fossem numerosas. Poderia até mesmo existir um descendente de Tobia, que viria rápido na primeira caravela para a terra nova, esse lugar chamado Brasil, para acossá-lo. Sim, formaria seu exército. Tinha dom especial. Era um monstro selvagem quando queria. Tinha asas e corpo agigantado. Voltaria triunfante ao seu castelo. Um rei. Seu nome seria temido em todos os cantos da Terra. E mesmo o Exército brasileiro, com suas bombas de fogo, como Tiago lhe descrevera, não seria capaz de derrotá-lo. Era assim que seu plano começava, com o rapaz de músculos avantajados o servindo como guerreiro. Seu filho seria forte, pois era o primeiro. Seria treinado como seu general, Tiago, seria. Tiago era um simplório. Pelo que podia observar, relutava contra a Vida Escura. Não lhe agradava ser um vampiro, mas não tardaria a se acostumar à condição. Lutava porque não era um desalmado como ele, o vampiro original, que teve a alma roubada por um demônio. Amava os humanos. Amava a gente, mas logo enxergaria todos, sem exceção, como caça disponível, como alimento. Ensinaria tudo aos dois. Um general, um soldado. Uma base boa para começar.

Tiago não encontrou o amigo, tampouco o vampiro. A bem da verdade, estava ainda absorvido pelo desespero que o tomara dentro do ônibus. Fora ele, não Inverno, quem congelara e quase matara todos do coletivo. Sentira ódio do assaltante e transferira o sentimento para ele em forma de frio. Transformara o idiota numa estátua de gelo. Tiago abriu e fechou a mão, e uma fina camada de gelo desprendeu-se da palma. Cheiro de sangue chegou-lhe às narinas. Viria do ônibus ainda? Fome. Precisava alimentar-se. Queria sangue. Energia. Seria bom que nenhum outro marginal cruzasse seu caminho naquela noite. Caso contrário, viraria comida de vampiro.

CAPÍTULO 21

O helicóptero desceu numa clareira. Haviam feito buscas durante todo o dia, procurando em locais onde o lobo pudesse estar entocado. Procurando o vampiro. Já era noite. Brites estava cansado. O corpo, a mente. Não iria dar trégua. Mais homens mortos engrossando a lista. Mais ódio alimentando seu espírito. Era ponto de honra localizar aquele demônio. Trazia uma pistola com munição especial. Balas revestidas de prata. O caiçara ensinara. Dissera aos soldados que fora assim que abatera o lobo no armazém. Agora, sabia que quando cravasse a bala de prata no corpo da fera e ela tombasse, teria de queimá-la. Liquidar o monstro. Expô-lo ao Sol. Fatiá-lo numa máquina de frios. Fazer tudo isso ao mesmo tempo para pôr um ponto final naquela história de desgraça.

O helicóptero sacolejou quando tocou o chão. Brites despertou do transe.

— Vamos, vamos. Todos com o rádio ligado. Reportem-se minuto a minuto, no mínimo. Quero todo mundo vivo! Vamos acabar com esse desgraçado!

Dez soldados desceram. O helicóptero alçou vôo imediatamente. Os homens estavam encurvados na clareira, ouvindo os gritos do tenente, que protegia o rosto dos grãos que se desprendiam do solo com o vento brutal causado pela aeronave. Estavam apavorados. Alguns deles tinham visto o que sobrara dos companheiros que montaram guarda defronte a delegacia. Na verdade, não havia muita coisa. Isso dava muito medo.

Brites poderia ter voltado para a base em Amarração, mas queria rastrear a fera. Procurar em todos os cantos. Tinha que encontrá-la. Detê-la. Não podia perder o rastro. Não teria ido para muito longe. Quanto podia correr em uma noite na pele de lobo? Teria fome, iria aparecer. Só queria evitar que mais inocentes estraçalhados fossem a dica para encontrar o lobo.

Todos munidos de fuzis. Alguns com metralhadoras. Granadas, lanternas, rádio e faca. Medo. Poucos admitiam, mas dentre as tralhas, carregavam medo.

Separaram-se. O terreno, da clareira para a floresta, era íngreme, em declive. Um vento úmido chacoalhava os galhos das árvores, enchendo a escuridão de sons assombrados. Os fachos de luz percorriam as copas, o chão e os troncos, As botas faziam gravetos estalarem e as folhas em decomposição no solo fofo afundarem. Minuto a minuto, naquela busca sem sucesso, os soldados falavam no rádio. Identificavam-se por número, de um a dez. Somente o tenente Brites era chamado pelo nome.

O soldado número três era o que tinha descido mais. Havia se afastado dos outros. Não acreditava que iriam se deparar com a fera. O lobo deveria estar bem longe. A bota partiu um galho seco. Ergueu a lanterna, clareando o alto das árvores. A única coisa que encontrariam seriam corujas. As vozes de dois amigos bem afastados. Jogou a luz na direção, mas não os viu. Galhos estalando às suas costas. Virou-se repentinamente. Outro. Vasculhou com a luz e nada encontrou. Um brilho avermelhado dentre as árvores. As vozes dos amigos distantes. Um chamado pelo rádio para que se reportassem; mais um minuto havia passado.

— Soldado Três, tudo ok.

A escala subiu até o décimo soldado. Ninguém encontrara nada. Nem ele. Só continuava com a lanterna em riste, procurando o causador dos estalos. Um coelho? Não ouvia mais as vozes. Estava longe. Desceu alguns passos. O som de água correndo alcançou os tímpanos. Um riacho. Vaga-lumes. Um vento mais forte chacoalhou com violência, movendo os troncos de algumas árvores antiquíssimas. Um rangido forte. Folhas desprenderam-se do alto. Passos. Iluminou na direção. Passos. Um homem. Um homem chegando. Ergueu o fuzil. Puxou a trava, liberando a arma para disparar.

— Alto! Parado! Identifique-se imediatamente.

O vulto imobilizou-se. O coração do soldado batia acelerado. Que era aquilo? O que o homem estava fazendo ali no meio da noite?

— Vamos, homem. Dê um passo à frente e identifique-se! Mão na cabeça!

O homem levou as mãos à cabeça e em seguida deu um passo à frente.

O soldado iluminou o rosto do sujeito. Alto, magro, de cabelos pretíssimos, quase nos ombros.

— Identifique-se!

— Calma, rapaz. Meu nome é Afonso.

O soldado retomou a calma aos poucos. Olhava para o desconhecido. A luz da lanterna batia em cheio no rosto dele. Afonso? Procuravam um lobisomem, não um homem. Tranqüilizou-se. Tiveram um preparatório com Brites. Desconfiar de homens com sotaque português. Aquele não tinha sotaque português algum. Não era motivo para preocupação.

— Que está fazendo aqui?

— Para que essa arma, tchê? Tá caçando rã?

— Cala a boca. Te fiz uma pergunta.

— Vim buscar água no riacho. Estou com sede.

— Está acampado aqui?

Vacilante, meneou a cabeça positivamente.

O rádio emitiu um chiado, chamando a atenção de Afonso.

— Tudo em ordem. Só encontrei um sujeito acampado aqui na mata. Nada demais. — reportou-se o soldado número três quando chegou sua vez.

— Encontrou o quê? — quis saber Brites.

— Um homem. Disse que está acampado aqui.

— Onde você está, soldado Três?

— Desci o morro. Estou ao lado de um riacho, na parte sul da clareira. Não tem...

— Não se mova, soldado. Não perca o homem de vista.

— Tudo bem, pode deixar... — respondia o soldado, voltando a olhar para Afonso, quando um arrepio tomou seu corpo. O homem havia desaparecido enquanto respondia ao tenente sem dar-lhe atenção.

O coração disparou. Ouvia os passos dos amigos que corriam em sua direção. Estavam longe, mas vinham rápido.

— Ele tem sotaque português, soldado?

— Não, tenente, não tem... mas ele... — o soldado vacilou.

Um riso sinistro encheu a mata.

— Ele o quê, soldado?

— Ele sumiu.

— Fique atento, soldado, estamos chegando. Não se mova! Não o procure! Fique aí. — ordenou o tenente.

O riso voltou a encher a escuridão.

A corrida dos amigos revelava que estavam mais próximos.

— Ora, pois, soldado. Não vem me procurar? — brincou Afonso.

O soldado estremeceu ao identificar o sotaque lusitano.

— O gajo está com medo, está? Ó pá, pra que temer o Afonso, que é um homem? Tu tens esta arma. Com ela, me matas num instante.

O soldado não respondeu. Não arredou pé por pura teimosia, porque a cabeça gritava corre! corre! e ele não obedecia. Torcia para os outros chegarem logo. Para o tenente chegar logo.

Um rosnar.

Deus! Era o desgraçado! Sem dúvida, era o desgraçado! O lobisomem. Tinha-o visto ali, na sua frente. Por que não o encheu de balas?

Um rugido encheu a floresta.

Brites, ainda do outro lado da clareira, ouviu o grito da fera e apertou o passo. Agora, tinha uma direção.

Outro rugido. Disparos. Gritos. Era o ritual.

O soldado número três não acreditava no que via. Um monstro gigante, erguendo-se em duas patas, bem no seu nariz. Criatura horrível, coberta de pêlos, a cabeça semelhante à de um lobo, só que inúmeras vezes maior, rugindo enlouquecida. O pavor era tamanho que não conseguiu disparar de imediato. Recuou dois passos, então puxou o gatilho. O fuzil disparou repetidas vezes, o soldado caiu para trás e bateu numa árvore. Tinha acertado a fera. Tinha. O barulho das botas dos companheiros... muito mais próximo, estava salvo. Estava salvo.

Lobo desviou-se dos disparos. Percebeu que o menino havia se desesperado, atirando sem olhar. A presa caiu. Com as quatro patas no chão, saltou de trás da árvore e colocou-se de frente para o soldado. O rapaz ia tentar um novo disparo, mas a fera foi mais rápida e arrancou-lhe a arma com uma patada. Rugiu no rosto do soldado, que desmaiou de medo. Adorava aquilo, vivia para aquilo.

Três soldados chegaram enquanto o lobisomem fugia. Um deles ainda divisou, incrédulo, a sombra do monstro desaparecendo entre as árvores. O companheiro tinha sinais de mordidas por toda a parte superior do corpo.

— Ele morreu, senhor. — avisaram pelo rádio.

Quando Brites chegou, benzeu-se ao ver o soldado.

— Por onde ele fugiu, vocês viram?

— Por ali, senhor. — indicou o que tinha visto o vulto grotesco.

— Vamos.

O tenente começou a correr. O chão fofo dificultava o avanço em velocidade, provocando escorregões e o cansaço precoce dos músculos. A fera estava escapando. Não podia. Tinha matado mais um. Não podia fugir. Iria persegui-la. Até o inferno, se necessário. Iria apanhá-la na unha, se preciso. Matá-la na porrada. Não podia fugir. Levou a mão ao rádio. Ofegando, orientou o piloto. Queria a aeronave vasculhando. Procurando no lugar certo. Torcia para o maldito estar debandando em linha reta. Correu mais dois minutos. Um som ensurdecedor acima das árvores. O helicóptero passando, rasgando o ar como flecha. Holofotes para o chão, buscando.

Brites olhou para trás. Os meninos não tinham nem metade da sua idade e tinham percorrido metade do que ele tinha. Correu mais um minuto. Incessante. Ofegante. O pulmão doendo, queimando. Maldito lobisomem. Se morresse, que fosse na boca do maldito, não vítima de um infarto fulminante no meio do mato. Mais alguns passos. Escorregou. As árvores tinham sumido. Apanhou o fuzil. Bateu a mão no coldre. A pistola com balas de prata ainda estava lá. Chão enlameado. Barro. Patas. Os olhos no céu. O helicóptero ia reto, sem sinal de parar. Sem sinal da fera. O barulho dos soldados chegando. Brites voltou à corrida. Patas da fera. Um rastro nítido. As pernas não agüentavam mais. O peso da arma. O helicóptero girava para o lado, voando baixo, distante. Brites parou de correr. Andava acelerado. Rápido. Determinado. Olhava fixo para as pegadas da fera. Os soldados estavam próximos. Comentavam sobre a agilidade do tenente, espantados. Brites estacou, atônito. A mata voltava a formar-se à frente, mas não era esse o motivo de sua admiração. As pegadas da fera que galopava sobre quatro patas desapareceram, dando vez a dois pés descalços. Pés humanos. Um pouco à frente, antes de sumir dentro da mata, as pegadas do vampiro juntavam-se a mais um par de pés calçados. O monstro não estava sozinho. O tenente entrou na floresta à procura do maldito, mas, para seu desespero, a busca terminaria sem resultados.

Em cima de uma árvore, longe dos olhos dos soldados, Afonso observava-os. A seu lado, quieto e obediente, estava o novo vampiro, o menino Leonardo. Afonso notara que o rapaz estava silencioso e com poucos movimentos. Não tentara fugir. Deveria estar fraco, sob o efeito do sangue vampírico. Tinha de tomar sangue humano tão logo fosse possível. Tinha de ratificar sua condição de vampiro. Do contrário, pela própria vontade, com a sede... poderia morrer como um humano. Tinha de confirmar seu caminho para a Vida Escura, tornar-se um vampiro de fato. Todavia, não era a hora propícia para incentivar tal feito. Os soldados vinham com armas. Afonso não estava tão forte. Precisava alimentar-se em outro lugar e começar a instruir seu pupilo, seu soldado. Tinha de ensiná-lo sobre os poderes vampíricos. Entusiasmá-lo. Cativá-lo. Tinha de cercar-se de novos vampiros. Sétimo, assim que desperto, não tardaria em buscá-lo. Teria uma surpresa: uma alcatéia pronta para combatê-lo e, se possível, destroçá-lo. O som dos soldados desapareceu no meio das árvores. Só o do inseto metálico era ouvido. Alguns instantes em silêncio e estariam a salvo. Tinham de buscar uma nova toca para se proteger da luz solar. Logo, mesmo Leonardo não suportaria a claridade do astro-rei.

CAPÍTULO 22

Dimitri dirigiu-se ao ponto de encontro, o terminal rodoviário da Vila Yara. Ninguém reparou muito naquele homem truculento, de sobretudo preto amarrado na cintura, escondendo cinco tipos de armas embaixo do couro. Usava uma touca de lã enrolada na cabeça, na verdade, uma escaramuça para dificultar a identificação do assassino profissional, para aumentar o medo das testemunhas. Avistou o homem magro chamado Tobia em frente ao McDonald's. Tobia meneou a cabeça, cumprimentando-o rapidamente. Abandonou um *milk-shake* pela metade e saíram. Orientado por Dimitri, Tobia deixou o carro no estacionamento do supermercado Solar, próximo à saída do terminal.

Era noite. Entraram num Passat importado. Dimitri realmente havia se envolvido com alguém de dinheiro. Um carro lindo. O mundo dos assassinos de aluguel dava bastante dinheiro. Se o cara soubesse economizar, estava feito. Dimitri, o Matador, poderia comprar um quando quisesse, mas era melhor não chamar a atenção. Preferia guardar o dinheiro. Quando se retirasse do ramo, queria uma aposentadoria bem gorda para conhecer o mundo e esquecer os rostos. Esquecer o cheiro de pólvora. Esquecer o nome das melhores armas, os nomes dos contatos. Esquecer o chefão Sofia. Esquecer o sangue... mas, isso, quando se retirasse. Agora, queria experimentar aquele novo desafio. Caçar vampiros. Precisava encontrar algo que comprovasse aquela maluquice em que estava se metendo.

— Retorna no farol, à esquerda.

Tobia obedeceu.

— Aonde vamos?

— Li no seu livro de caçar vampiros. Uma das primeiras coisas a se fazer é checar os necrotérios. Tem um no Bela Vista. Vamos dar uma olhada. Quero me familiarizar com o trabalho.

— Pelas últimas notícias, esses malditos estavam agindo no Rio Grande do Sul. Tem até indícios da presença do Lobo, um dos mais perigosos do grupo dos sete do rio D'Ouro.

— Neve...

— Coisa do vampiro Inverno.

— Aqui deu uma puta nevasca uns dias atrás. Nunca, nunca vi isso. É coisa desse vampiro.

— Seria muita sorte encontrá-lo aqui... ou muito azar... ainda não sei. Preciso de aulas de assassinato.

— Vou cobrar uma taxa por essas aulas.

Tobia olhou para Dimitri.

— Cobrar?

— É. Quatro mil dólares. Preciso de um Comodoro novo.

— Blindado.

— Blindado. — repetiu Matador.

Dez minutos depois, estavam encostando o Passat na frente do IML. Na recepção, Dimitri inventou uma história para convencer o funcionário a levá-los até a sala onde se conservavam os cadáveres não identificados. No meio da conversa, tentaram obter do legista de plantão dados mais específicos.

— Me conta uma coisa, doutor. Vocês encontraram algum cadáver estranho esses dias?

— Estranho? Eu vejo cadáveres estranhos todos os dias, senhor.

Dimitri passou a mão no queixo. Tobia interveio.

— Estou procurando um cara que tenha tido o sangue drenado do corpo. Como se houvesse...

— Cês não estão procurando parente nenhum, não é? Estão me achando com cara de otário? São fanáticos de alguma seita? — irritou-se o médico.

— Não é nada disso, doutor... — quis explicar o caçador de vampiros.

— ...o salário já é uma merda, agora tenho que agüentar isso. reclamou, fechando um gavetão, encerrando uma senhora pálida dentro da geladeira.

— ...se viu algum cadáver com o sangue drenado, com mordidas no pescoço. É isso que a gente tá procurando.

— Quem vocês são? Caça-vampiros? Dá um tempo. Tenho mais o que fazer.

O médico-legista deu as costas à dupla e alguns passos na direção de outra sala. No meio do caminho, estacou. Virou-se lentamente, levou a mão à cabeça, coçando o topo com dois dedos.

— Eu só posso estar ficando maluco também... — resmungou, voltando às gavetas.

O legista apanhou o bloco fixado com um barbante ao lado da geladeira e vasculhou apressadamente algumas páginas.

— Achei.

Abriu a geladeira.

— Esse cara aqui deu entrada ontem. Sem documentos, sem nada. Um indigente. Vinte anos no máximo. Corpo magro demais. Provável usuário de drogas... mas não morreu de *overdose*, não. Marcas no pescoço, duas perfurações profundas, marcas de outros dentes. Não é cachorro. É de gente, com toda certeza. Como perfuraram assim, não sei, mas que foi gente, foi. Pelo tamanho, provavelmente um homem. A gente não perde muito tempo com indigente. Não temos a *causa mortis*; ainda não o examinei. Não sei por quê, depois da visita de vocês, acho que não vou encontrar muito sangue neste cadáver... pálido demais. Acharam seu troféu? Têm alguma explicação? Sou todo ouvidos agora.

— Não temos explicação, doutor. Somos curiosos. — disse Dimitri. — Se encontrarmos mais novidades, te damos um toque. Liga para este celular se ficar sabendo de alguma coisa, se puder ajudar.

— Ajudar no quê?

— A achar quem fez isso... lembra? Vampiros?

O legista sorriu e meneou a cabeça.

— Se eu vir alguma coisa diferente eu ligo, pode deixar.

Tobia quase não agüentou segurar até sair do IML. Na escadaria, gritou:

— Estão aqui, Dimitri! Estão aqui!

— Que fazemos agora?

— Nossa primeira ronda. Está armado? Ora, não adianta. Precisamos nos montar. Precisamos das ferramentas de trabalho... mas vamos fazer nossa primeira ronda. Toma. Você, que conhece essas ruas, você dirige. — disse Tobia, arremessando a chave do carro para Matador, entusiasmado.

CAPÍTULO 23

César acordou cedo. Esperara Tiago até as três da manhã, mas o amigo não voltara. Era um vampiro. Sabia que o amigo tornara-se um. Até quando poderia confiar nele? Não sabia. Os olhos pareciam cheios de areia e teimavam fechar. Estava preocupado com o caminhão. Tinha de resolver o problema naquele dia. Encontrar um guincheiro que o levasse de volta ao sul. Ou um motorista. Não conhecia ninguém na cidade. Não era íntimo do cunhado de Tiago o suficiente. Resolveu comprar um jornal e procurar nos classificados. Já estava no portão quando foi alcançado pelo rapaz de aparência inofensiva, Sétimo. Caminharam juntos, calados no princípio, com César procurando uma banca. Perguntou a uma mulher que lavava a calçada da casa duas ruas abaixo. Desceu mais uma, chegando à rotatória. A banca, segundo a mulher, só lá em cima. Como a caminhada seria longa, quebrou o silêncio.

— Por que trouxe para casa aquele rapaz ontem à noite?

— Porque precisei. Tenho de montar meu exército. Os caçadores de vampiros não tardarão. Conheço bem essa história, cara.

Cara?!, repetiu César em pensamento. Nem parece um português do século XV falando.

— Notícias de morte são as que se espalham mais rápido. Tenho que ficar esperto. Montar meu exército. Se me acham, preciso de defesas. As armas dos homens hoje são outras. Tenho que me preparar. Aprender a me defender. Preciso de brasileiros que conheçam isso, que vivam o dia-a-dia. Meu exército.

Chegaram ao topo da longa pista de asfalto. Na avenida, carros passavam em profusão. Era a primeira vez que Sétimo chegava ali em plena luz do dia. Os olhos do vampiro não paravam. Nem via direito por onde andava. César afastou-se um pouco para comprar o jornal. Iria procurar um motorista particular. Deveria sair mais barato que o guincho. Quando voltava, encontrou Sétimo prostrado diante de uma loja de veículos, abundantes naquela avenida. Em Amarração, ao contrário, havia apenas uma loja de compra e venda de carros. Percebeu que os olhos do vampiro de cabelos longos estavam fixos em uma moto amarela, modelo esportivo. Sétimo, sem se dar conta da aproximação de César, rodeou o alambrado que protegia a loja e entrou, sendo prontamente atendido.

— Quero essa motocicleta. — disse ao vendedor.

— Linda essa moto. Nenhum arranhão. Único dono. Pode sentar. Sinta o peso. — convidou o homem, estendendo ao rapaz um cartão da casa.

Sétimo não perdeu tempo. Montou na máquina. Tinha altura suficiente e não pesava nada. Tiago ensinaria a controlar o equipamento. Percebeu que havia vários dispositivos, além da direção. Certamente, teria de dominar os mecanismos para conduzir o cavalo com segurança e agilidade.

— Seu pai não vai encanar? Não parece ter habilitação. Não é da minha conta; só quero saber se vamos perder tempo.

— Não, não vamos perder tempo, cara. Quantas moedas?

— O preço? Essa V-max está por onze mil reais. Tudo facilitado pelo Panamericano.

— Onze mil reais?

César entrava.

— Pai, paga onze mil reais ao homem. Quero esta motocicleta.

O homem olhou com estranheza. Aquele cara não parecia pai do rapaz, parecia irmão.

— Cê tá louco, tchê? Acha que ando com onze mil reais no bolso? Toda minha grana está no sul. Tenho um trocado aqui, mas o grosso ficou lá. Estou duro.

O vendedor deixou o sorriso artificial esmorecer. Perdendo tempo.

Sétimo saiu da moto.

— Peço ao Tiago.

— Tá, vai lá e pede. Duvido que ele tenha. Não só parece um moleque: age como moleque. Tem que aprender que dinheiro se ganha com trabalho... e demora para ajuntar onze mil reais. Tem que consertar muito cano no fundo do mar...

— O Tiago também já falou isso. — retrucou o vampiro, saindo da loja. — Não tem um jeito mais rápido de fazer fortuna? Recompensas? Heranças de família?

— Herança? Olha, eu comprei o jornal... começa a ler... você precisa aprender que no Brasil o povo não fica rico com herança de família.

O povo herda dívida do pai. Um carrinho, na melhor das hipóteses. Quando sai uma casa, tem que dividir com três irmãos. O povo é pobre. Dinheiro rápido, só roubando.

— Ora, pois! Nós, vampiros, não somos ladrões.

— Então vai entregar pizza... cê não morre mesmo... tem toda a eternidade para ir juntando as gorjetas e comprar a V-max... até lá, cê pega ela com um bom desconto! Ah! Ah! Ah! — brincou César.

Sétimo não deu muita bola para o sarro do acompanhante. Agora, estava hipnotizado por outra coisa. Uma mulher. Uma mulher de pele morena e longos cabelos castanhos-escuros escorridos até as costas. Linda. Nenhuma mais linda que ela estava na rua. Não vira nenhuma mais linda que ela na danceteria na noite passada. Acompanhou-a com os olhos até a moça sumir dentro de um coletivo. Fechou os olhos para gravar a fisionomia em sua mente vampírica... aquele rosto e aquele corpo lindamente cheio de curvas. Se possuísse um coração comum, estaria acelerado. Sétimo estava apaixonado.

Desceu o caminho em silêncio. Nem comentou mais o desejo pela motocicleta esportiva. Seu desejo agora era outro. A mulher linda. Até César estranhou. Não dissera nada porque se preocupava com o caminhão emprestado.

A luz solar ofuscou os olhos do vampiro. O Sol, até ali escondido em grossas nuvens, despontava com o vigor matutino. Os olhos de Sétimo cintilaram, mudando do verde ao preto, para proteger-se da claridade diurna. Mesmo assim, ardiam com o Sol. Ele precisava de sangue. Precisava de força vampírica extra, porém não atacaria ninguém durante o dia. Esperaria a noite bem-vinda. Sairia com o novo soldado e com Tiago. Precisavam habituar-se ainda mais com a vida noctívaga. Na verdade, para Agnaldo seria a primeira saída. Estava agora sob o efeito do sangue de Sétimo, numa espécie de transe. Precisaria de sangue para tornar definitiva a transmutação de seu corpo mortal em imortal. Precisaria desejar o líquido quente que conduzia a vida nas veias mortais. Do contrário, haveria sempre uma chance para a humanidade em seu corpo. A Tiago restava apenas aceitar ainda mais sua nova condição. Sétimo sentia o general vacilante, ora apreciando, ora rejeitando a vida noturna. Era preciso firmar-se para fortalecer-se, senão seria presa fácil quando os caçadores detectassem os traços e viessem à caçada.

Na volta, César ocupou-se em vasculhar o jornal. Por enquanto, não podia voltar ao Rio Grande do Sul, por isso contrataria alguém para devolver o caminhão ao amigo. Trabalharia até que tudo se resolvesse. Precisava abastecê-lo e limpar o baú, sujo pelo estranho casulo formado por Sétimo quando transmutou-se para as formas humanas e jovens com que transitava agora.

Eliana saiu. Tiago havia lhe pedido que comprasse outras roupas para ele. Sentia-se melhor. O corpo da mulher não doía mais. As marcas estavam sumindo aos poucos. Ela mesma precisava de muitas coisas. Tiago dera-lhe uma boa quantia em dinheiro. A moça tinha algum trocado em conta-corrente, mas não sabia se era prudente movimentá-la agora. Será que o Exército desconfiava de alguma coisa? Estaria monitorando seu saldo bancário? Passaria pela cabeça dos militares que os dois tinham escapado da explosão gigantesca causada pela bomba graças à ajuda inesperada do vampiro que parava o tempo? Teria alguém visto quando eles abandonaram a cidade no caminhão? Tantas perguntas! Tomaram tanto cuidado! Estavam apavorados com a fera. Ela mesma, Eliana, que parecia em choque na ocasião, não vira nada. Mas se alguém os tivesse visto... o Exército poderia estar à procura deles. Não poderia dar pistas. Iria usar somente o dinheiro vivo de Titi, o dinheiro obtido com a descoberta da caravela maldita com a caixa de prata. Precisavam pensar em alguma coisa. Com uma casa cara como aquela, se não conseguissem uma forma de economizar ou ganhar dinheiro, a grana de Tiago sumiria em poucos meses. Da última vez que estivera ali, em Osasco, Sabrina lhe dissera que havia dois grandes shoppings na cidade. Certamente, encontraria roupas para Tiago. Roupas escuras. Camisetas pretas. Calças. O amor-vampiro cedendo, tornando-se cada vez mais um deles.

✠ ✠ ✠ ✠ ✠ ✠

Tiago despertou com a chegada da noite. Uma claridade fraca ainda caía do céu, chegando até a entrada do cômodo em penumbras. Não precisou da visão vampírica para enxergar Sétimo, acocorado junto à parede, observando-o. Ao lado de Sétimo, algo que não havia notado ao se recolher pela manhã: um corpo. Um rapaz de compleição avantajada, forte como um touro, daqueles que fazem você evitar confusão quando encontra na rua. Vinte anos, no máximo. O que fazia ali? Por que Sétimo trouxera o cadáver? O cheiro do sangue do rapaz invadiu-lhe as narinas. Notou então os lábios de Sétimo sujos de líquido vermelho. Uma refeição. Tiago sentiu o estômago arder. O corpo queria sangue. A mente, ainda contaminada pela humanidade que persistia, declinava. Não queria sangue. O ar frio. Lembrou-se do episódio no ônibus. Congelara o bandido. Talvez tivesse matado o outro. Vampiro. Poderoso. Em poucos dias na Vida Escura, já se via poderoso. Tomara um tiro na rua. Dor instantânea. Momentânea. Passageira. O poder vampírico curando velozmente. Consumindo suas energias. Curando. Obrigando o corpo vampiro a urrar por mais sangue. O cheiro arrebatador do líquido naquele porão. A voz de Sétimo enchendo o ambiente.

— Veja o que trouxe pra você, general. — disse o vampiro, gesticulando, estendendo o braço vagarosamente sobre o corpo do rapaz, como se o oferecesse.

— Não quero. Não quero sangue. — disse Tiago, com a cabeça dolorida, movendo-a em sinal negativo repetidamente.

— Não é sangue que te trago, general. É teu primeiro soldado. O primeiro de muitos que trarei. Nosso exército.

— Não é comida?

— Não. Vê. Está vivo. Logo desperta. É vampiro. Criei na última noite. Forte... uma excelente promessa como soldado.

Tiago calou-se. Estava espantado demais para expressar qualquer coisa. Estava confuso. Um soldado! O demônio falava sério? Sétimo iria constituir um exército de fato? Maldito! E aquela coisa de chamá-lo de general deixava seus pêlos em pé. Arrepiava-se. Era como ter parte com o demo. Talvez ter parte com o demo fosse mais fácil do que lidar com aquele vampiro. Sétimo fazia Inverno parecer um bom moço.

— Sou mais poderoso que todos os outros que conheceu, general. — disse o vampiro, como que lendo os pensamentos de Tiago. — Posso fazer quantos filhos quiser. Os outros eram fracos. Criavam um filho e perdiam força. Eu a recupero em poucas horas e, em poucas horas, crio outro. Basta tomar mais sangue. Basta sair para a caçada. Não quero guerra, general, mas quero armas para lutar se for preciso. Não quero chamar a atenção dos caçadores, mas quero estar forte e folgado quando eles chegarem. Escuta, Tiago. Os caçadores não tardam. Pode passar uma década, um século, duas vidas, eles virão. São uma maldição.

Rapidamente, Sétimo amordaçou o corpo desfalecido de Agnaldo e amarrou os braços às costas. Sabia que os novos acordavam arredios na maioria das vezes. Ainda mais quando eram feitos novos vampiros sem um prévio contato ou consentimento.

— Vamos, Tiago. Vamos para a caçada.

Tiago olhou para a porta. A claridade fraca que vira antes já desaparecera. Era noite.

— Vamos. — insistiu o vampiro, dando-lhe um tapinha no ombro.

— Não quero sangue.

— Estás fraco. Posso ver. O que aconteceu ontem?

— Não quero matar mais ninguém.

— Vai viver de quê? És novato. Precisa de sangue. Está com uma cara péssima.

— Viver de sangue... isso não é viver. Não quero caçar. Não quero aprender nada. Trouxe um cara pra cá. Matou-o, tornou-o vampiro. Disse que quer mais. O que vai fazer? Criar um exército?! É louco. Quantos vampiros quer? Cem, mil? Acha que vou te ajudar matando gente? Acha que o governo vai deixar? Não basta o que aconteceu com teus irmãos?

Os olhos de Sétimo cintilaram na escuridão.

— Não me obrigue a te arrastar para fora desta toca, general! Não me afronte! Temos um trato. Te ensino a ser vampiro. Te dou proteção. A ti e a meu pai, que será caçado por Dom Afonso. Cedo ou tarde, Lobo encontra César, ele tem um faro bom, pode localizá-lo a dez estádios daqui. E é bom que eu esteja por perto. Temos um trato, lembra? Te ensino a ser um bom vampiro. Tu me ensinas a ser como os humanos.

— Quer que te deixe um monstro mais perigoso do que és. Escuta você mesmo falando. Já não parece um português. Fala igual a mim. Um arremedo.

— Ora, pois, tu mesmo disseste para não falar gajo, ó pá. E é isto que eu estou fazendo. Estou falando como o povo desta cidade. Sou um brasileiro, cara. Tá ligado?

Tiago sorriu. O desgraçado aprendia rápido.

— Agora, chega. Vamos caçar. Quero um general forte... não um maricas que vive à custa de sangue de ratos e galinhas.

Tiago reparou em um conjunto de sacolas próximo do canto onde dormia. Roupas, como havia pedido a Eliana. Iria acompanhar o vampiro, mas não iria tomar sangue.

CAPÍTULO 24

A escuridão começava a ser vencida por uma linha vermelha no horizonte. Leonardo notara o exato momento em que Afonso entrara em transe, cerrando os olhos fantasmagoricamente, adormecendo. Caminhou lentamente até o vampiro. Passou a mão repetidas vezes sobre os olhos da criatura. Estava apagada. Leonardo foi saindo, arrastando-se para fora da gruta descoberta pelo vampiro. Ficara surpreso com a facilidade do monstro em localizar aquele abrigo escuro. Essa era sua chance de escapar. Sentia o peito doendo. Estava doente. A boca, que não se livrava daquele sabor amargo. Sabia que estava doente. Arrastou-se cerca de cinqüenta metros. No meio do caminho, começava a esbarrar em velas e cumbucas cheias de oferendas aos deuses do candomblé. Cheiro de cachaça, papéis. Podia enxergar bem na escuridão. Só isso parecia ter melhorado em seu corpo. O estômago queimando. Uma dor aguda no peito fê-lo interromper o arrastar. Bateu o queixo no chão, doloridamente. Sentiu que uma pedra abrira um corte no local. Um rasgo profundo. Um talho. Levou a mão à ferida. Dor. Arrastou-se. A dor no peito sumindo. Precisava de um médico. Era seu coração que doía. Precisava fugir daquela criatura. Avisar aos pais que estava vivo. Certamente, a mãe já teria enlouquecido. Mesmo distante, já teriam lhe dado a notícia de seu sumiço. Dois dias... mais. Já estava perdendo a noção do tempo que estava prisioneiro daquela criatura. Respiração agitada. Velas... todas apagadas. A gruta alargava-se, dando para ficar de pé. Levou a mão ao queixo. Nada de sangue. Nem uma gota. Estranho. Muito estranho, porque passando a mão, tinha a clara impressão de haver ali um talho. O queixo costuma sangrar pra caramba quando é ferido. Via nos campeonatos de Vale-Tudo. Quando os atletas se feriam, era problema, o sangue vertia. Algo de errado. Claridade. Uma linha vermelha tímida no horizonte. O Sol nascendo. A escuridão indo embora. Correu pela mata. Estavam num morro. Longe, lá longe, uma cidade. Uma cidade pequena. Muito menor que Roda Velha.

Seria Amarração? Não podia ver o mar porque a manhã brumosa impedia de enxergar o chão com clareza. Leonardo arfava. Não lhe faltava ar, não era isso. Era a tensão. Correu. As pernas, graças a Deus, pareciam ir mais rápido do que nunca. Não era Amarração. Em Amarração, não havia prédio. Tinha de alcançar a cidade. O Sol despontando. Os primeiros raios solares acertando o morro. Os olhos de Leonardo. O rapaz gritou. Algo de errado com os olhos. Com a pele. Ardor. O Sol. Leonardo rolou pelo chão. Maldito vampiro! Maldito vampiro! O Sol o estava matando. Encaracolou-se. A pele parecia a ponto de estourar. Os braços estavam inchando. Protegeu-se à sombra de uma árvore frondosa. O tronco majestoso dificultava a passagem do Sol ainda tímido. Leonardo melhorou rapidamente. O braço desinchou. O ardor desapareceu. Era o Sol. Chorou. Era um vampiro. Agora fazia sentido. O maldito o havia transformado. As lágrimas desciam em quantidade. Pingavam nas pernas do menino. Não queria. Desespero. Levantou-se. Logo o Sol ganharia força. Correu. Refez o caminho até chegar à gruta. Arremessou-se para dentro. A luz forte queimando as costas. Dor. Arrastou-se para a escuridão, respirando descompassado. Aproximou-se de Afonso. Leonardo agarrou-o pela gola da camisa e balançou o corpo adormecido da fera.

— O que fez comigo?! O que fez comigo?! — gritava, chorando.

Largou o corpo morto do vampiro. Recostou-se nas pedras no fundo da gruta. A luz do Sol jamais chegara ali. Abraçou os joelhos e encostou a testa neles. Silêncio. As lágrimas ainda desciam pela face, indo até o queixo curado, dali desprendendo-se e caindo no colo. Leonardo cerrou os olhos e, naquela posição, adormeceu.

Noite. Leonardo abriu os olhos, saindo do transe. Estava sozinho no fundo da gruta. O corpo, sem nenhuma sensação do desconforto da manhã. Passou a mão no queixo. Não encontrou o talho aberto pelo ligeiro acidente. Lembrou-se. Era um maldito, agora. Somente o estômago ardia. Precisava se alimentar. Há quanto tempo não comia? Não lembrava. Tinha que aproveitar a ausência do vampiro e fugir. Ligar para casa. Tentou repetir mentalmente o número da residência. Não conseguiu. Agilmente, esgueirou-se até onde podia se levantar e andar. Na boca da gruta estava Afonso. A fuga parecia impossível. O vampiro nunca o deixaria ir. A escuridão atrapalhava. Desejou enxergar melhor e, como um milagre, um clarão formou-se repentinamente. Fechou os olhos e apertou-os. Quando abriu, a noite havia virado dia. Tudo podia ver com nitidez. Era até melhor do que se houvesse luz do Sol. Correu. Ódio queimando no peito. Se era um vampiro, não deveria temer o maldito que na boca da gruta aguardava.

Afonso notou a aproximação do aprendiz. Lentamente, virou-se para dentro do túnel escuro. Surpresa. Sabia que ele viria, mas não daquela maneira. Afonso mal teve tempo de levar os braços à frente. Um par de olhos vermelhos vinha em velocidade espantosa na sua direção. Perigosos. Olhos de vampiro. As mãos do rapaz agarraram seu pescoço. Desequilibrados, foram ao chão.

— O que fizeste comigo?!! — urrava Leonardo.

Afonso desvencilhou-se das mãos trêmulas do menino e, com agilidade de vampiro, saltou para trás e, em seguida, para cima de uma árvore. Os olhos cintilaram, e presas alongadas brotaram na boca. Estava assustado.

— O que fizeste comigo, canalha?!

O riso de Afonso encheu a mata.

Leonardo levantou-se e procurou. Encontrou o par de olhos chamejantes em cima da árvore. Apontou-lhe o dedo:

— O que fizeste comigo?

— A mim, parece que já tens a resposta. Vieste como flecha. Olhos vermelhos.

— Sou um vampiro?

— É mais.

— ...

— Logo descobre. Logo descobre. — disse o vampiro, enquanto saltava ao chão, caindo de forma fantasmagórica, sem causar som algum ao tocar o solo.

Afonso deu alguns passos até o garoto, mantendo uma distância segura. Além do vento batendo nas árvores, só se ouvia o barulho das folhas secas se quebrando sob os pés da criatura.

Leonardo respirava descompassado, tentando recuperar a calma.

— Vês? É noite de lua cheia.

Leonardo ergueu os olhos e viu, dentre os galhos e folhas, a luz da lua gigante no céu. Linda. Maravilhosa.

— Que tem a lua?

— Ganhei do diabo um dom maldito. Posso me tornar uma fera quando preciso, quando quero matar os homens, quando tenho de empreender escapada. Tenho controle sobre essa metamorfose. Torno-me fera quando quero... homem, quando me reabasteço do sangue humano. Só não tenho controle sobre meu corpo quando chega a primeira noite de lua cheia. Quando ela está assim, nua e poderosa no céu. Logo, o lobo vem e toma conta de mim. E assim será contigo. Tomaste do meu sangue. Desejaste ser como sou... agora vais experimentar ser fera. Ser poderoso. Ser indestrutível. Vem. — chamou o vampiro.

Atônito, o rapaz seguiu Afonso além das árvores. Lá embaixo, a cidade iluminada.

— Vê as casas. Lá está nossa comida. Lembra da gruta e volta depois de alimentar-se. Não seja tolo. No começo, estarás descontrolado, atormentado, furioso. Não queira ficar lá e matar todos. São nossa comida. Guarda para amanhã. Logo, os homens do rei estarão atrás da gente. Toma cuidado: come um e volta pra cá.

— Não vou me tornar um lobisomem como você. Não vou comer nenhum ser humano.

Afonso riu. Logo à frente, havia um barranco com cerca de oito metros, ao qual, rindo, Afonso arremessou-se, enfiando-se na vegetação lá embaixo.

Leonardo olhou para a lua. Seus olhos de vampiro tornavam-na mais linda. A luz era cegante. A pele ardia levemente, fazendo-o lembrar-se do episódio da manhã passada, quando tentara enfrentar o Sol. Estava sozinho. O vento bateu forte no morro. Ouviu o farfalhar de ave noturna. Seus olhos buscaram o céu negro. Lá estava ela. Uma coruja carregando um pequeno animal nas garras. Cheiro de chuva entrando pelo nariz. Ouviu o guincho da pequena vítima. Um cheiro adocicado misturando-se ao da chuva. A ave passando sobre sua cabeça. O cheiro de sangue. Uma gota acertando-lhe a testa. Leonardo passou dois dedos sobre o local. O cheiro hipnotizante. Lambeu a ponta dos dedos. O estômago queimando. Calor. As risadas de Afonso desapareceram. Fitou prolongadamente as luzes da cidade ao pé do morro. Um uivo de lobo. Uma fera à solta. Sentiu o estômago arder. Dor forte, obrigando-o a arquear o tórax para frente. Caiu de joelhos. A pele ardendo. Arrancou a camiseta. Leonardo rolou no chão. Uma dor intensa tomou o corpo inteiro. Os ossos pareciam se encher de espinhos que feriam toda a musculatura. As pernas transmitiam ondas de dor como se estivessem fraturadas. Leonardo arrancou as calças. Quando tentou se levantar, sentiu o estômago contrair e provocar náuseas. As mandíbulas rangeram enquanto dentes descomunais brotavam na boca. Leonardo gritou, fora de controle. Olhou espantado para os dedos da mão, que se alongavam, conferindo-lhe aspecto horrendo. O peito aumentou de volume. A dor cresceu, e ele gritou ainda mais. Não demorou muito para os gritos desesperados tornarem-se uivos.

A transmutação estava completa. Leonardo havia roubado parte do dom maldito de Afonso e era agora um lobisomem. Escancarou a boca gigantesca e urrou feroz. A dor havia deixado o corpo, e parte da mente fora arremessada para um canto escuro do cérebro. Só assim para justificar o prazer que tomava conta dos pensamentos. Ergueu o focinho, inspirando repetidas vezes o ar da noite. Farejava Afonso. Os olhos encontraram as luzes da cidade. Levantou-se sobre duas patas e notou que se equilibrava com facilidade. Soltou novo urro, voltou às quatro patas e disparou morro abaixo. Não era tão grande quanto Afonso em forma de lobo, mas, aos olhos de qualquer humano, certamente seria tão assustador quanto. Descobriria isso em breve, assim que cravasse as presas em sua primeira vítima. Estava louco para matar, estava louco para encontrar Afonso e nele cravar os dentes, pois, se agora era um monstro, a culpa era dele.

Leonardo saltou sobre pedras altas. Desceu pela grama e pelo barro e atingiu o asfalto. Estava na cidade. O vento constante avisando que a tempestade que se aproximava talvez fosse a razão das ruas estarem vazias àquela hora; talvez os habitantes ainda estivessem impressionados com as nevascas recentes nos arredores. Muitos atribuíam o feito ao demo; muitos se recolhiam assim que o Sol caía. Eram sábios sem saber. Talvez estivessem acuados, com medo do lobo que uivara antes mesmo dele tornar-se um lobo também. Estavam com medo. Leonardo, a fera, ergueu o focinho. Afonso correu. Depois de alguns quarteirões, encontrou Lobo debruçado sobre um cadáver, mastigando carne humana. Os olhos ferinos de Leonardo cintilaram, enchendo a noite de um brilho escarlate efêmero. Lobo virou levemente a cabeça. O novato estava ali, na rua, espreitando. Leonardo disparou pela calçada, grunhindo ferozmente. Saltou, cravando os dentes nas costas de Lobo, que repeliu o novato, chacoalhando o dorso musculoso e colocando-se de pé, impondo a silhueta gigantesca. O novato vacilou e estacou, os pêlos eriçados, rosnando furioso, com os dentes descomunais à mostra. Lobo rugiu. Leonardo deu um passo para trás, mas num segundo arrependeu-se, e partiu para cima da fera. Engalfinharam-se, rolando pelo chão. Leonardo mordia Lobo repetidas vezes, furioso por ter-se tornado um monstro tão horrendo quanto o vampiro-lobisomem. Lobo afastou-se do novato insolente. Daria uma boa fera aquele rapaz! Era guerreiro. Era valente. Fizera uma boa escolha para iniciar a matilha. Levantou-se sobre duas patas e, com a dianteira, desferiu um potente golpe na face de Leonardo, que rolou pelo asfalto e bateu num poste da rede elétrica. Da face, pingaram gotas de sangue. Botou-se de pé e urrou. Lobo fez o mesmo. Duas feras em forma de lobo expunham sua fúria no meio da rua de uma cidadezinha litorânea do Rio Grande do Sul. Estavam prestes a partir para um novo embate quando o som de sirenes alcançou os ouvidos de ambos. Ato reflexo, viraram a cabeça na direção do som. No início da rua, avistaram duas viaturas da polícia em alta velocidade. Mantiveram-se em pé, observando. Prudentemente, as viaturas pararam a cem metros dos monstros. Policiais desceram, protegendo-se nos carros, empunhando carabinas por cima da lataria dos veículos. Abriram fogo, disparando repetidas vezes. Lobo desabalou em ziguezague, fugindo dos tiros. O novato foi atingido, tombando com o peito dolorido. No entanto, notou que a dor era momentânea. Imitou Lobo e começou a correr de encontro às viaturas, evitando mais que duas passadas em linha reta, para confundir os policiais. Gritos. Os homens, antes do ataque, já estavam desesperados.

— Caralho! Eles estão vindo! — gritou um deles.

Disparos. Metralhadora cuspindo projéteis de maneira desordenada, mas nenhum atingindo a fera mais próxima. Lobo. O monstro perfeito. Saltou para a calçada, como se estivesse se afastando, confundindo os homens. Num segundo movimento, pulou para cima de um muro e impulsionou o corpo gigantesco de volta para o asfalto, voando na direção das viaturas. Gritos. Pânico. Bateu as patas no capô do Santana da PM, fazendo o carro afundar. A boca desceu, engolindo braço e ombro do policial que empunhava a metralhadora. Tiros de pistola e carabina ferindo a pele. Ardiam, mas não eram ferimentos mortais. Não eram balas de prata. Contou seis policiais. Cinco lutando, um ferido definitivamente. Caiu atrás da segunda viatura. Confusão. Virou-se. Os policiais pulavam para o outro lado. Dor na região atingida. Dor desaparecendo. Rugido. Talvez os policiais armados dessem algum trabalho. Talvez. Não fosse o segundo lobo, que surgia no meio das viaturas, trazendo na boca o braço de outro soldado. Não fosse isso, talvez durassem, talvez fugissem com vida para contar a história aos netos, mas aqueles ali não fariam isso, não daquela vez. Lobo correu na direção dos policiais. Dentes pontiagudos cravando em carne. Morte. Não durou dois minutos e todos estavam mortos. O novato devorava vorazmente uma vítima, lambuzando o focinho no sangue fresco. Lobo ouviu mais sirenes. Prudência. Fez sinal com a cabeça para o novato e disparou. Refeição feita, era hora de aproveitar a noite.

CAPÍTULO 25

O vampiro estava boquiaberto. A cidade era gigante. Como seu guia permitira que demorasse tanto para descobrir o tamanho daquela coisa gigante que era a cidade de São Paulo?

Tiago parou. Deixou o vampiro chegar sozinho ao meio da passarela. Notava que ele estava espantado com a profusão de carros e luzes que passavam velozes abaixo de seus pés. Sétimo não parava um instante de perguntar. Aprendia rápido. Nunca precisava repetir um nome. Estavam numa das passarelas da avenida Rebouças, perto do Hospital das Clínicas. Poucas pessoas àquela hora, e ninguém dava bola para o homem pálido debruçado no parapeito.

Sétimo estava impressionado também com a quantidade de habitantes. Era tanta gente que poderia escolher, sem demorar muito. Achar aqueles de quem os outros não sentiriam falta. Alimento. Soldados. Estava começando a ficar obcecado pela idéia de montar um exército. Queria proteção. Ouvira da boca de Tiago quão poderosos haviam se tornado os homens com armas. Bruxos.

Tiago também debruçou-se, admirando a avenida. Carros, carros e mais carros. Subindo e descendo. Ninguém notava que dois vampiros estavam ali. A cabeça zumbindo. O estômago queimando. Precisava se alimentar. Sabia que não era o Tiago de antigamente. Não iria ao McDonald's. Não comeria frango frito. Precisava de sangue. Sangue humano. Os olhos brilharam vermelhos. Os olhos vasculharam, buscando uma presa. Os dentes alongaram-se. Eram armas.

— Vamos. Quero comer. — disse Tiago.

Sétimo sorriu ao notar os olhos do parceiro. Tiago havia perdido a batalha. Estava aceitando sua condição. Tornava-se um monstro, um vampiro. Não resistira à fome. Não era Sétimo que chamava — era ele, o novato. Fome de sangue. O discurso eloqüente de quem repudiava o sangue humano caía por terra.

Tiago se encaminhou para a escada. O sobretudo recém-comprado batia ao passar do vento.

Sétimo apertou os olhos e, ao abri-los, já haviam transmutado. A face tornara-se dura, perdendo o ar juvenil adotado no disfarce de adolescente. Era a cara de um predador sedento. Soltou um curto grunhido e seguiu o general.

✠ ✠ ✠ ✠ ✠ ✠

Voltaram para casa pouco antes do amanhecer, de táxi. Tiago pagou ao motorista, que fingiu ignorar o filete seco no canto da boca do estranho passageiro.

Entraram. Tiago lembrou-se do novo vampiro. Quando chegava à toca, ouviu um grunhido que vinha do cômodo escuro. Sétimo antecipou-se. O novo soldado, o primeiro soldado, contorcia-se. Sétimo sabia que o rapaz despertara havia pouco. Os punhos feridos pelas amarras mostravam que o novato estava pouco contente com a condição de prisioneiro. A boca selada deixava escapar grunhidos curtos e quase inaudíveis para ouvidos humanos. Só por isso os da casa não haviam despertado. Sétimo aproximou-se de Agnaldo. O rapaz tinha lágrimas nos olhos esbugalhados, que o encaravam com medo. Sétimo desferiu um soco forte na cabeça do novato, que o fez desmaiar, e arrancou a fita adesiva de sua boca. Providenciou um talho com a unha no próprio punho e abasteceu o novato de sangue. Como seu coração vampiro não pulsava, precisou espremer o corte para que o líquido vertesse. A boca de Agnaldo encheu-se. Num instante, Sétimo repôs a fita adesiva, apanhou o corpo pesado do soldado e acomodou-o num canto da toca. Tiago estava acocorado ao fundo. Sétimo vedou e calçou a porta para que não fosse aberta durante o dia. A noite fora agitada. Seis cadáveres tinham sido abandonados nas calçadas à própria sorte. Que um padre os encontrasse e desse a todos boas orações. Que fossem recebidos na porta do Céu. Que não fossem ignorados por Deus como os vampiros foram e eram. Sétimo benzeu-se. Recostou-se e, subitamente, cerrou os olhos, imóvel, morto.

Tiago sentiu um cansaço grande e repentino apoderar-se da mente. Não conseguia julgar o vampiro nem se incomodava com a presença do rapaz apanhado por Sétimo. Queria apenas descansar a cabeça. O corpo estava explodindo de energia. Era estranho. O corpo forte e firme. Os músculos rijos como nunca. Mas a cabeça exausta, como se estivesse debruçado sobre cálculos complexos dias a fio. Fechou os olhos e em mais nada pensou. Com a chegada da próxima noite, estariam abertos como que por encanto.

CAPÍTULO 26

Agnaldo despertou quando anoiteceu. Tentou mover o braço e logo descobriu que continuava com os punhos amarrados. A boca estava seca, sem traço de saliva em canto algum. Um gosto amargo, que lembrava sangue. Os desgraçados que fizeram aquilo tinham machucado sua boca. Procurou o ferimento com a língua e não encontrou. Estava zonzo. Com fome. Com sede. Perturbado. Não tinha mordaças. Emitiu um gemido prolongado. Ouviu passos. Um homem levantou-o e desatou o nó das costas.

— Quem é você?

O homem não respondeu, acocorou-se ao lado dele.

Agnaldo sentiu que os olhos estavam mais acostumados com a escuridão. Não era um homem, mas um garoto um pouco mais novo que ele.

— Que eu tô fazendo aqui?

— Você foi escolhido.

— Escolhido? Que merda é essa?

— Você fará parte do meu exército. É forte. Será um bom soldado.

Agnaldo levantou-se abruptamente. Esbarrou no rapaz, tentando empurrá-lo para longe, mas não conseguiu tirá-lo do lugar. Tateava a parede, procurando uma saída. Tinha sido pego por um bando de malucos. Só podia ser isso. Tinha que aproveitar agora para fugir, porque quando os outros chegassem, poderia não dar conta. O magrelo não o teria apanhado sozinho; não conseguiria.

— Onde está a porta? Fica longe de mim, seu maluco.

— Você não vai sair.

— Quem vai me deter? Você?

Agnaldo encontrou a porta de madeira. Tentava abri-la, mas a maldita não se movia.

Sétimo fez os olhos cintilarem.

Agnaldo assustou-se com o brilho vermelho que tomou a escuridão por um instante.

— O que é isso?

— Meus olhos.

— Quem é você?

— Quem eu sou? Quer saber quem eu sou ou o que eu sou?

Agnaldo encostou-se na porta, empurrando-a com o corpo. Um par de olhos vermelhos feito brasas boiava no ar, vindo em sua direção.

— Sou um vampiro. Acredita em vampiros?

Agnaldo meneou a cabeça, com o coração disparado. Não conseguia dizer palavra alguma.

— Já te dei do meu sangue. Tu estás vindo para a vida noturna. És um filho de vampiro. Te escolhi porque és forte. Serás meu melhor soldado... assim que assumires tua nova condição. És um vampiro.

Agnaldo lembrou-se do gosto de sangue e cuspiu enojado. Não podia crer no que estava acontecendo. Vampiros?! Aquela coisa só existia no cinema. Era que nem Papai-Noel. Tudo de mentira. Agora, diante dos seus olhos, aquele par de brasas flutuantes colocava em xeque sua convicção. Levou instintivamente a mão ao pescoço procurando feridas, protegendo-o da presença daquele ser.

Sétimo aproximou-se ainda mais e grunhiu prolongadamente, exibindo os dentes pontiagudos.

O rapaz sentiu-se enlouquecer. Estaria tendo um pesadelo?

— Deixa eu sair! Deixa eu sair! — começou a gritar, golpeando a porta.

Com um soco, Sétimo acertou o bíceps avantajado do rapaz, que foi de encontro à parede e caiu desequilibrado.

— Quer sair, soldado? Quer sair para a noite? — perguntava o vampiro, com os olhos chamejantes. — Se quiser sair, há de se comportar. Sairá comigo e com teu general. Aprenderá a caçar e a sobrepor-se à raça humana. Aprenderá a usar sua força vampírica, que a partir deste instante começará a crescer e a apoderar-se de seu corpo. O general mesmo muito lutou contra a força vampírica, mas ontem cedeu. Tornou-se um caçador fenomenal. Sem piedade, apenas obedecendo à sede. E tu, tu não tardas a sucumbir à vida vampírica. Já és forte. Agora, então, verá tua força quintuplicada num instante. Com o passar dos anos, tornar-se-á mais firme que rocha. Audição aguçada. Olfato capaz de farejar longe. Visão clara na escuridão. Uma fera. Um assassino perfeito.

Agnaldo ouvia em silêncio e respirava rápido. O braço doía. Só podia ser verdade o que o maldito dizia! Um rapaz sem músculos aparentes... como conseguiria golpear com tamanha força e precisão? Só algo diferente de um humano... um vampiro. Os dentes pontiagudos que vira na boca do agressor condiziam com o folclore. Sentia uma dor forte no peito, como se o coração fosse explodir. Porém, o coração não estava disparado.

— Te escolhi dentre muitos. Tenha a honra de se juntar ao meu exército. Se queres sair desta toca e caminhar sobre a terra novamente, diga já que não me dará trabalho. Agora, se pretendes fugir, tudo bem, te dou uma chance. Te dou meia hora de vantagem. Fuja... mas nunca mais pare de fugir. Vou te achar e trucidar seu corpo. Ninguém me faz de bobo. Ninguém.

Agnaldo agachou-se. Lágrimas brotaram. Rezava para que fosse um pesadelo, para que acordasse em casa. Não queria ter aquela certeza no peito. A certeza de que sua vida acabara ali. A certeza de que estava morto.

CAPÍTULO 27

Tiago havia abandonado a toca enquanto Sétimo vigiava seu novo soldado. Subiu até a varanda, onde César e Eliana estavam sentados. Quando Tiago se aproximou, interromperam a conversa, assustados com a presença do amigo.

— As roupas ficaram boas, Li. Obrigado.

Eliana sorriu, vendo que realmente acertara na escolha. Todas as peças eram pretas, como ele havia pedido.

Tiago debruçou-se na mureta. A lua cheia estava esplendorosa, porém não conseguiu manter os olhos fixos no satélite por muito tempo. Um ardor leve apoderou-se dos olhos e da pele onde a luz da lua tocava. Respirou fundo. O cheiro da noite invadiu suas narinas. Havia matado muita gente na noite anterior. Havia sucumbido ao poder vampírico, mas, estranhamente, não estava arrependido, nem se sentia mal. Era como ter tirado um bife duma vaca. Abaixou a cabeça. Notou que começava a habituar-se à nova condição. Justo ele que tanto odiara aquelas criaturas quando deu-lhes vida, retirando-as da caravela! Agora era um deles. Sabia que não tardaria... o novo soldado cederia às vontades humanas e logo estaria achando normal ferir a carne e das artérias extrair sangue vivo. A cada dia, mais se tornava um deles... um dos malditos. Até o assombroso dom de congelar havia herdado de Inverno. Tinha se perguntado como isso teria acontecido, quando, num *flash*, veio-lhe a lembrança e a imagem dele, Tiago, cravando os dentes em Guilherme e tomando o sangue contaminado com a maldade e a selvageria de um dos vampiros mais cruéis que caminhara sobre a Terra.

— Quem é esse rapaz, Tiago? — quis saber Eliana.

— O nome dele é Agnaldo. Vi seu R.G. É um moleque. Tem dezoito anos. — respondeu, meneando a cabeça, como se lamentasse.

— Por que ele pegou esse menino?

— Já te falei, Li. Ele quer criar um exército. Quer encher essa casa de vampiros. Deus me livre!

— O César tá certo. É isso mesmo. Ele quer proteger-se. Quer reerguer-se. Quer um exército. Que eu seja seu general. Que o ensine a viver como humano. Quer tudo isso.

— Deus... — balbuciou a mulher.

Tiago sentou-se no muro da varanda. Não conseguia mais olhar para a luz da lua.

— Agora, você também é um vampiro... temos dois no porão. O tal Lobo vivo em algum lugar. Esse pesadelo não vai acabar nunca.

— Vou arrumar um jeito de parar com isso, Li, pode deixar.

— Que jeito? Vai matar Sétimo? Lobo? Só se for esse o jeito! — exclamou César.

Tiago suspirou.

— Não sei. Não sei. Matá-los... acho que já fizemos nossa parte. Tentamos ajudar o Exército a apanhá-los. Mas o que ganhei? Um tiro pelas costas. Não vou mais fazer o serviço deles.

— Mas temos ao menos que avisá-los sobre os planos desse monstro. E quando forem cem vampiros?! O que faremos? Vamos estar do lado de quem? Dos bandidos ou dos mocinhos?

— Nós não podemos avisá-los, Eliana. Estávamos na caravela quando a bomba explodiu. Como vamos explicar que nos salvamos de uma detonação nuclear?

— O César não estava no barco. Ele pode denunciar.

— Não sou traidor... esse Sétimo já foi traído não sei quantas vezes... além do mais, ele é minha garantia de vida até liquidar o Lobo.

— Boa coisa ele não é. — retrucou a mulher.

— Mas se você não denunciá-lo, Tiago, vai fazer o quê? Aliar-se a esse plano maluco de rechear o Brasil de vampiros?

— Pô, Cesão! Não quero me aliar. Mas não vou cagüetar o cara. Isso não demora muito a estourar. Matamos gente esses dias. Logo, ele chama a atenção. Logo, a polícia está atrás dele por seus próprios feitos... não precisamos abrir... — Tiago parou ao notar a expressão de Eliana. Havia dito algo de errado.

— Matamos?! Você, Titi... você está matando gente junto com esse monstro?!

Tiago emudeceu.

— Não deve ser fácil, Eliana. A gente conhece esse cara. Não faz mal nem pra mosquito... — quis ajudar César.

Os três ficaram em silêncio por um longo momento, só quebrado quando Tiago disse:

— Vamos deixá-lo só. Não vamos participar disso. Vamos fugir!

CAPÍTULO 28

Tobia e Dimitri estavam na terceira noite de ronda. Decidiram continuar em Osasco depois de encontrar a primeira vítima no IML.

Rodavam pelas ruas a bordo do novo Comodoro. Dimitri dirigia enquanto Tobia continuava a revirar os jornais do dia, lendo as páginas policiais, procurando assassinatos suspeitos, notas reveladoras. Só com pistas mais conclusivas conseguiriam achar o lugar certo: o covil dos vampiros. Sem isso, teriam de usar a cabeça e ter sorte. Tinham que detectar os locais de presença vampírica, assinalar pontos no mapa. Tobia sabia que um vampiro astuto deveria caçar longe de seu covil.

Estavam próximo ao centro, depurando estranhezas. Lendo o livro dos caçadores, Dimitri descobriu que as criaturas tinham obsessão por roupas pretas. Eram geralmente muito pálidos, destoantes. Os olhos poderiam brilhar no momento de perigo. Dimitri encarava fixamente grupos de jovens vestidos com sobretudos e jaquetas pretas. Eventualmente, encontrava gente pálida. Seguiam com o carro. Mais de uma vez, desceu do Comodoro e abordou suspeitos. Passava o dedo enluvado no rosto e trazia uma marca na ponta. Os pálidos estavam maquiados. Góticos. Gente pirada. Gostavam de se parecer com mortos e freqüentar cemitérios. Crucifixos no pescoço.

— Os vampiros temem crucifixos? — indagou Dimitri, que não lembrava de ter encontrado qualquer artigo esclarecendo.

— Não. Esse negócio de crucifixo é folclore.

— Então, não adianta grudar uma cruz na testa do vampiro para vê-lo queimando?

— Não. Segundo o livro dos Tobia, alguns vampiros eram até religiosos. Mandavam construir capelas nas vilas mais afastadas e doavam fortunas para pequenas igrejas.

— Estranho.

— Outros assumiam publicamente um ódio mortal contra a Igreja e Deus. Pregavam que Deus tinha-lhes roubado a alma, e por isso cometiam os maiores desatinos, mas, estranhamente, eram poucos. A maior parte podia até não ir a solo sagrado, mas dava moedas aos clérigos peregrinos, dava proteção. Quando matavam, deixavam os cadáveres onde fossem certamente encontrados. Preocupavam-se com isso. Uma dualidade: por um lado, tiravam a vida; por outro, procuravam encaminhar o morto.

— Encaminhar?

— É. Não escondiam os cadáveres. Só faziam isso com quem odiavam. Porque, se os corpos não recebessem os sacramentos antes de subir ao reino das almas, poderiam encontrar as portas do céu fechadas.

— Esses bichos são estranhos.

— Estranhos e perigosos. Independentemente de serem religiosos ou não, mesmo os mais crentes não perdoavam a vítima na hora de saciar o vício do sangue.

O Comodoro continuou transitando. Sabiam que em Osasco havia atividade de vampiros. Encontrá-los seria uma questão de tempo.

CAPÍTULO 29

Noite seguinte ao ataque às viaturas. Leonardo, nu, despertou no escuro da gruta encravada no morro. Afonso observava-o de longe, jogando ao novato as roupas largadas no mato na noite passada.

— Vamos andar, Leonardo. Aqui não é mais seguro. Agora há pouco, vi insetos metálicos voando sobre nossas cabeças. Logo alguém lembra que existe esta toca, e seremos pegos.

Leonardo sentiu a visão clarear, sem saber que seus olhos haviam cintilado, trazendo-lhe o benefício da visão vampírica. Colocou a roupa. Não queria ser pego. Não queria ser morto. Queria ver a mãe. Há quantos dias estava desaparecido? Três, quatro? Seus pais teriam chegado dos Estados Unidos? Queria contatá-los, falar com eles, dizer que estava vivo... vivo? Que tão logo pudesse, voltaria para casa, voltaria para eles. Deveriam estar sofrendo. Olhou para o chão. Não encontrou os sapatos. Estava descalço. Viu Afonso deixando a caverna. Fechou os olhos. Cenas relâmpago tomavam sua mente, vindo em torrentes repentinas. Viaturas de polícia. Tiros. Gente morta. Ele havia feito aquilo. Feito aquilo quando tornara-se um lobo. Um lobisomem. Abriu os olhos. Grunhiu baixinho. Nervoso. Os dentes apontando. Tinha que se livrar do vampiro.

— Vamos! Anda, menino. Não temos a noite toda. Vamos buscar o vampiro novo.

Leonardo aproximou-se.

— Que vampiro novo? Fez um novo vampiro?

— Não. Falo de um que veio antes de ti. Um que está na Terra alguns dias a mais.

— Qual é seu nome?

— Afonso.

— Para onde quer ir?

— Vamos para o norte, menino.

— Leonardo.

— O quê?

— Meu nome, vampiro. Meu nome é Leonardo.

— Siga-me, Leonardo. Vamos andar. Não temos tempo para conversa.

— Para onde vamos?

Afonso lançou um rosnado.

— Acho que já respondi, menino.

Leonardo encontrou seu par de tênis no mato. Calçou-os rapidamente e seguiu o vampiro. Fingiria estar obediente. Não iria fugir. Iria conquistá-lo. Tornar-se um seguidor fiel. Fiel apenas aos olhos do vampiro. Quando conquistasse a confiança daquela criatura... iria destruí-lo. Já havia feito isso quando era o simples garoto que fora toda a vida. Havia imobilizado o vampiro com uma estaca no peito. Certamente conseguiria fazê-lo mais uma vez. Precisava de aliados, comparsas. Bastaria a hora certa aparecer. A oportunidade de ouro. Iria matá-lo... só assim conseguiria voltar para seus pais.

CAPÍTULO 30

Eram quase cinco horas da tarde quando Sétimo, encantado com o pátio repleto de automóveis, desceu na avenida para examiná-los de perto. Eram reluzentes e pareciam carruagens novíssimas. Saíra sozinho. Já havia decorado o nome dos coletivos que seguiam em direção ao bairro onde morava. Não muito distante dali, ficava o terminal rodoviário da Vila Yara. Sabia que lá encontraria um jeito de voltar pra casa. Passou a examinar os carros despreocupadamente, sem ser incomodado pelos vendedores, que viam ali um adolescente de cabelos longos e lisos, magro, de roupas escuras, um roqueirozinho sem dinheiro. Sempre enchiam muito o saco, perguntavam isso e aquilo, mas não tinham dinheiro no bolso sequer para a gasolina que tiraria o veículo da concessionária. No entanto, Sétimo, apesar de achar os carros bastante bonitos e reluzentes, já tinha se maravilhado com outros desejos. Seu coração vampiro fora tomado por duas coisas. O cavalo metálico, chamado de motocicleta, e a estonteante moça morena que se dirigia a um ponto de ônibus. Queria reencontrar as duas coisas. Para a primeira, precisaria de dinheiro. Para a segunda, precisaria de sorte. Fosse humano, Sétimo dava por certo que o coração bateria acelerado quando avistasse novamente a beldade morena. Como era linda! A motocicleta também! Daria um jeito, cedo ou tarde, de possuir as duas em seu castelo.

O vampiro atravessou a avenida dupla e desceu no sentido viaduto metálico. Tiago lhe dissera que seus irmãos tinham passado por ali. Odiava-os, não negava, mas também não podia negar que sentia falta daqueles bastardos. Mesmo antes da traição fatídica, quando o entregaram ao demônio em troca de poderes, já alimentavam essa relação de amor e ódio. Sétimo sabia que sempre fora invejado por sua perspicácia e determinação, por sua valentia e selvageria, que mantinham os humanos afastados e os fazia respeitar a raça dos vampiros. Eles o invejavam, pois sabiam que era o único vampiro temido pelo implacável caçador de vampiros,

Tobia. Apesar de todas as desavenças, sentia falta dos irmãos. Miguel... Tiago dissera que ele não fizera parte daquele pacto maldito. Miguel fora enganado por Inverno, resultando na entrega de Sétimo ao demônio para ser escravo. Não tinha mais como acertar as contas com os irmãos. Somente Dom Afonso perambulava pela Terra. Não era o suficiente. Criaria seu exército poderoso. Tomaria a cidade. Voltaria ao D'Ouro como rei. O rei-vampiro. Acertaria as contas com Satã. Seria mais poderoso e mais temido que o próprio demônio.

Parou em frente a outro pátio de veículos, imensamente maior que o da loja. Eram tantos! Desceu a rua e leu a placa luminosa, lá embaixo, Carrefour. Tiago havia lhe comentado algo... lembrava-se. Não era uma loja de carros. Era um supermercado, onde os humanos se abasteciam de víveres, das coisas mais variadas, um conforto. A raça humana não precisava mais caçar, não precisava mais lutar. Tão diferente de seu passado imediato! Os feudos eram outro mundo, muito diferentes. Não possuíam portões, não contavam com muralhas. Ninguém temia ser banido da cidade para viver na floresta escura e fria. Não caçavam, não carregavam machados e espadas pesadas. Por isso, tinha tanta gente obesa nas ruas. Sétimo, intuitivo e de rápida assimilação, entendia que os gigantescos supermercados eram a evolução dos mercados simplórios, porém divertidos e abastados de novidades, que supriam os moradores das recentes vilas. Era isso. De certa forma, não se distinguiam tanto dos mercados antecessores, exceto pela distância dos séculos e pelo salto da modernização. Após atravessar o estacionamento, alcançou o prédio onde todos entravam. Seus olhos claros passaram para negros instantaneamente, adaptando-se à grande quantidade de luz. Seus olhos encheram-se. Mulheres, crianças e homens. Gente. Muita gente. Não faltaria naquela terra matéria-prima para a construção do seu grupamento. Era tanta gente que não dariam falta pela perda de alguns. Mulheres lindas, mas nenhuma como a que vira noutro dia. Uma música contagiante tomou conta de seus ouvidos. Rumou em direção ao som. Certamente, um conjunto tocava. Esbarrou em duas pessoas. Um rapaz olhava-o espantado. Possivelmente, impressionado com sua pele ainda muito alva. Precisava caminhar mais ao Sol. Continuaria pálido, mas, com a pele queimada, haveria de camuflar um pouco mais o rosto vampírico. Podiam estranhá-lo no momento, mas, sem dúvida, ninguém se dava conta de estar cruzando o caminho do vampiro mais poderoso da face da Terra.

Sétimo encontrou a origem do som. Não havia conjunto harmônico algum. O som contagiante vinha de uma pequena caixa... uma espécie de máquina. Reparou num casal que conversava com um homem uniformizado, funcionário do supermercado, deduziu o vampiro. Compravam uma máquina de fazer barulho. Prestando atenção, Sétimo descobriu que o objeto era o melhor CD-player do mercado e que a música que escapava das caixas acústicas era da banda Raimundos. O casal afastou-se com o vendedor, negociando detalhes para fechar a compra. Sétimo aproximou-se do aparelho e tocou a frente metalizada. Girou um botão, e o som ampliou-se abruptamente. Percebeu que olhares humanos recaíram sobre ele. Desfez o giro, e o som voltou ao normal. Queria um. Enfiou a mão no bolso direito e retirou as notas dadas por Tiago. O novato o ensinara a conhecer o valor do real. Tinha vinte. Chamou outro funcionário e pediu o preço. Setecentos reais! Afastou-se contrafeito. Tinha que conseguir dinheiro. Rápido. Não estava acostumado a privar-se de prazer por falta de ouro. No castelo português, tinham um aposento cheio de ouro e objetos adquiridos em pilhagens e negócios feitos no feudo. Davam terra aos criados e recebiam sua parte. Nunca faltou dinheiro após organizarem-se no castelo. Prosperavam. Eram ricos e temidos, o que afastava os ladrões e os saqueadores. Precisava dar um jeito. Pensava nisso quando ouviu gritos desesperados. Explosões repetidas. As pessoas começaram a correr desesperadas. Dirigiu-se à entrada da loja. Queria entender o que acontecia. Disparos. Vinte metros à frente, no imenso corredor do supermercado, uma nuvem de fumaça formou-se.

— Assalto! Assalto! — ouviu o vampiro, não dos bandidos, mas dos assustados clientes.

Correria. Ao contrário de perturbar-se, Sétimo estava fascinado. Gritos de mulher. Queria que Tiago estivesse ali. Viu os assaltantes. Contou seis homens, todos encapuzados, todos empunhando armas compridas, que, a grosso modo, faziam lembrar os mosquetes usados pelo Exército do rei. Todos os humanos se afastaram. Sétimo recostou-se a uma pilastra. Como todos corriam, não queria chamar a atenção do bando. Mais disparos. Sétimo colocou o rosto no corredor, saindo de trás da coluna. O corpo de um funcionário no chão... agonizante. O cheiro do sangue vertente alcançou suas narinas e apeteceu-lhe. Os olhos cintilaram. Voltou a esconder-se na coluna, junto a um dos caixas. Os ouvidos atentos acompanhavam a ação dos bandidos. Espreitou. Viu-os esvaziando habilmente os caixas. Passaram por vários e vinham em sua direção. Sétimo não cogitava sair; queria enfrentá-los. Com certeza, eles se fariam de homens valentes, sem sonhar que se deparavam com um vampiro maldito, potencialmente assassino. Iria destruí-los e levar o dinheiro. Compraria o CD-player, compraria o cavalo metálico que tanto apreciara. Os dentes sobressaíram. Os assaltantes aproximavam-se e disparavam contra as gavetas registradoras, arrombando-as e jogando o dinheiro dentro de sacos de lona. Sétimo retesou os músculos, preparando-se para o confronto. O assaltante surgiu e assustou-se ao se deparar com o moço de negro junto ao caixa. Mais dois chegaram. Sétimo abria a boca, preparando-se para atacar o primeiro, quando foi surpreendido pela poderosa arma do marginal. Explosões sucessivas soaram dentro do supermercado. Sétimo sentiu o corpo ser perfurado inúmeras vezes. Não suportando o impacto, recuou, deixando o corpo cair de encontro a uma das prateleiras, que o encobriu com mercadorias esparramadas. O assaltante que abatera o vampiro sorriu e disparou novamente sobre as caixas de cereal que cobriam sua nova vítima. Um segundo esvaziou mais uma gaveta, e um terceiro fez um sinal.

— Fim do tempo. Vamos rapar.

Sétimo sentia o peito queimar. A dor insuportável cedia. Seu poder vampírico regenerava rapidamente a carne destruída. Estava poderoso. Havia caçado nos últimos dias, abastecido o corpo de sangue fresco. Sentia agora os benefícios daquele cuidado. Levantou-se num movimento único. Bateu a mão no peito, retirando as balas presas ao corpo. O sangue fresco ajudava o poder vampírico a regenerar a carne destruída e expulsar os projéteis metálicos. Usou a força que restara para sair do supermercado. Mais tiros. Os seguranças trocavam disparos com os assaltantes, que fugiam num furgão branco. Sétimo usou a velocidade vampírica, transformando-se numa sombra indistinguível, correndo, até alcançar o automóvel. Saltou para cima do furgão e agarrou-se no teto. As perfurações feitas pela arma do mortal haviam desaparecido quase por completo. Contudo, a força vampírica também se esvaía. Era, porém, poderoso e estaria restabelecido em poucos minutos. Manteria-se agarrado fortemente às hastes no topo do furgão até se recuperar, e então tomaria seu dinheiro. Sim, seu dinheiro... Os malditos haviam o atacado... agora lhe deviam tudo o que tinham.

O bando fugia nervosamente, quieto. O motorista era ágil e seguia a rota de fuga planejada. Acionou um botão e uma sirene ativou o giroflex, promovendo, imediatamente, o furgão a ambulância. Deixava um viaduto, dirigindo-se a outro. Os carros, emaranhados no costumeiro congestionamento da tarde na cidade de Osasco, davam passagem aos salvadores de vida. Instantes depois, ganhavam a marginal Pinheiros. Os homens começaram a abrir os sacos de lona e a examinar os resultados do assalto.

Havia bastante dinheiro. Sem polícia no encalço. Logo desapareceriam. Todas as etapas estavam se concretizando como planejado. O próximo passo seria chegar ao galpão alugado e aguardar até o dia seguinte, abandonariam o furgão e voltariam para Osasco em dois carros. Só não contavam com o intruso no andar de cima.

Dezessete minutos depois, o furgão imbicava no armazém. Um dos bandidos desceu, sem capuz, sem máscara, um homem normal abrindo um portão. O veículo entrou lentamente, com o som do motor enchendo o ambiente. Um Fiat Palio e um Uno estavam estacionados. O bando saltou do furgão sem notar o vulto esguio esconder-se na armação do telhado. Se estivessem atentos, poderiam ver um par de brasas ardendo na escuridão.

Os homens riam e sentiam-se a salvo. O galpão amplo parecia uma velha oficina de carros. O chão estava sujo e manchado por incontáveis poças de óleo seco. Não possuía equipamentos e estaria liso, não fossem alguns móveis velhos organizados num canto. Um jogo de sofá, com o tecido rasgado, algumas cadeiras, uma velha mesa de bilhar, com a forração igualmente puída, e uma geladeira azul funcionando. Depositaram os sacos de lona sobre a mesa e passaram a separar as notas, alheios ao homem que se desprendia do telhado e despencava.

Sétimo tocou o solo silenciosamente. Contornou o furgão pé ante pé. Se os bandidos lhe entregassem o dinheiro sem objeção, se aceitassem lhe ensinar o manejo daquelas armas maravilhosas, poderia até deixá-los vivos. Poderia juntá-los ao seu exército. Torná-los soldados.

Os homens começaram a comemorar. Falavam alto. Riam. Da geladeira, tiravam latinhas de cerveja. Não tardariam a se embebedar.

— Quanto deu? Quanto deu?

— Peraí, Ratão. Tamo contando. Tamo contando.

— Quanto temos que dar pro Sofia?

— Trinta.

— Trinta mil?

— Trinta por cento, Ratão.

— Caralho! O porra do Sofia não faz merda nenhuma e leva trintão?!

Ouviu-se um engatilhar de arma. Um dos assaltantes apontava uma pistola para Ratão.

— Mais respeito com o Sofia, Ratão. — bronqueou o assaltante.

— Calma aí, Régis... abaixa essa porra. Acha que tá falando com um filho da puta qualquer?

— O porra do Sofia, como tu falô, é que aluga pra você o armamento. Cobra barato para pôr tanto na mão de bandido pouca bosta feito tu.

Essas belezas vieram do Iraque semana passada. Cês tão tendo o prazer de estrear.

— Cala a boca, Régis, o cara é só o seu chefe. O Sofia não manda em mais ninguém aqui dentro. Se tu não tirar a mira da cabeça do Ratão, a gente apaga você em dois segundos. Que tu vais fazer?

— Se vocês me apagarem? Eu não vou fazer nada, palhaço. Caio morto... e vocês? Que vão fazer amanhã, quando eu não voltar pro serviço? Onde vão esconder esses rabos?

Régis abaixou a arma. Abaixou porque quis. Porque os homens se calaram. Não contestaram sua resposta. Haviam entendido o recado.

Ninguém mexia com o Sofia. E apagar funcionário do gordo chefe do crime organizado da Zona Oeste não era coisa sabida. Sofia pagava um cara para manter a ordem, para levar recados, eles sabiam. Uma lenda. Dimitri. Lentamente, os ânimos se acalmaram... tinham coisa mais importante para fazer. Contar o dinheiro. E, para Régis, restava conferir a féria e levar a parte que tocava ao Sofia.

Sétimo acompanhava a discussão. Já havia contornado o furgão e aproximava-se do grupo, atento ao que os homens diziam. Talvez por essa razão e por já ter empregado uma boa parte de sua força vampírica na recém-regeneração, não notou o humano às suas costas.

O bandido, vendo o rapazinho aproximar-se, tomou-o como um vagabundo invasor e, sem poupar força, acertou uma coronhada de rifle na nuca. O rapazote caiu de joelhos e tombou de cara no chão.

Os assaltantes viraram-se imediatamente e ergueram as armas. O rapaz tentava se levantar, virando-se para o motorista, mas recebeu uma nova e violenta coronhada no meio da testa.

Sétimo tombou desfalecido.

O agressor o agarrou pela gola da camiseta preta e arrastou-o para um cômodo nos fundos do galpão, no meio do lixo. Com o pé, desvirou o corpo do invasor e sacou a pistola. Do bolso do colete, tirou um silenciador e atarraxou à arma. Notou que o menino era forte, pois começava a se mexer, voltando à consciência. Apontou para o rosto e, sem um tico de ressentimento, puxou o gatilho, acertando dois disparos em cada olho, fazendo o sangue vazar pelo crânio.

— Vai pro inferno, vagabundo. — balbuciou, dando as costas ao pivete.

— Que foi, Zóio?

— Bem dito, Grilo. Bem dito... foi... foi pro inferno.

— Precisava matar o pivete, Zóio? Deve ser um nóia que se enfiou aqui dentro.

— Se era nóia, já foi tarde. Assim não fica mais marcando na rua. Usei até o cano silenciador pros vizinhos não virem encher o saco. Num tinha nada que tá aqui espiando.

— O Zóio é foda. — comentou Grilo, olhando para Régis.

O grupo se aquietou e continuou a tarefa de contar o dinheiro.

Noventa mil reais. Trocaram as pequenas pilhas e recomeçaram a contagem. Estavam concentrados, cada um ruminando algarismos no meio do som áspero das notas passadas uma a uma. Foi Régis quem detectou primeiro o barulho. Parecia um grunhido. Interrompeu a contagem e ergueu a cabeça, olhando ao redor. Os assaltantes estavam debruçados, alheios à preocupação do funcionário do Sofia. Régis teve a impressão de que era um cachorro. Instantes depois, novo barulho. Zóio também notara algo e inclinou a cabeça para precisar de onde vinha o ruído. Agora, estava mais alto e vinha do cômodo dos fundos, onde o assaltante apagara o moleque. Ao se levantar, derrubou a cadeira, e todos se colocaram de pé, virados em direção aos fundos, pois outro urro se fez ouvir, agora muito mais forte.

— Que porra é essa?! — espantou-se Ratão.

O som feroz calou o grupo inteiro.

Os homens seguraram firme nos rifles alugados por Sofia e alguns destravaram as armas, prontas para uso.

— Um tigre... — balbuciou Grilo, impressionado.

— Não viaja, Grilo... só pode ser um cachorro. — tentou acalmar Ratão.

Régis deu um passo à frente empunhando a pistola Glock.

Um segundo rugido ribombou no salão. Tão potente que chegou a fazer a poeira desprender do teto.

Duas bolas de fogo acenderam no cômodo escuro.

Ratão benzeu-se.

Os homens estavam boquiabertos. Não podiam crer no que viam. Duas garras gigantes tomavam conta do batente, transformando as paredes de gesso da edícula em pó para dar passagem ao corpo grotesco. Uma rosnadura assustadora escapava da garganta do monstro. Três homens se puseram em fuga desabalada. Antes que alcançassem a porta do galpão, surgiu um vulto que tomou a forma da fera que viam no cômodo. Ratão olhou de relance para a porta do quartinho destruído, mas não viu a fera. Ela estava ali, bloqueando a fuga dos bandidos. Com o braço estendido e o dedo em riste, gesticulava um não, dando a entender que eles não sairiam dali com vida.

Sétimo avançou veloz sobre o primeiro marginal e, num segundo, fez o pescoço do homem estralar e a cabeça dar uma volta de trezentos e sessenta graus, largando o corpo estrebuchando no chão. O grupo abriu fogo. Sétimo protegeu os olhos com o braço, e sem que percebessem, o vampiro transfigurado já estava nas costas do bando, apanhando com as garras mais um componente. Sétimo repetiu a estratégia, porém, antes de estrangulá-lo, o homem perdia a vida ao ser trespassado por dezenas de disparos feitos pelos próprios companheiros que, desesperados, tentavam abater o monstro a todo custo.

Sétimo farfalhou as asas gigantescas e fez da poeira depositada no chão uma nuvem espessa, causando tosse e interrompendo os disparos. Agarrou Grilo e, numa bocada só, arrancou a cabeça do bandido. Levou a boca ao pescoço desmembrado e sugou todo o sangue do corpo da vítima. Precisava do líquido poderoso. À sua frente estava aquele que tentara abatê-lo nos fundos do galpão. Ato vingativo. Sétimo estendeu dois dedos com unhas afiadas e cravou no crânio do assaltante, atravessando a cabeça da vítima pelos orifícios oculares. Zóio berrou desesperado. Sétimo farfalhou as asas novamente, e com maior intensidade, a fim de manter a poeira suspensa. Disparos perdidos cruzavam o galpão. Tomou o sangue do Zóio também, que caiu agonizante. Olhou em volta: faltavam três assaltantes. Perdidos e apavorados. Se os deixasse, sentir-se-ia vingado do mesmo modo, pois seriam loucos pelo resto da vida. Entretanto, queria mais sangue fresco no corpo. Dispendera toda a energia na mutação e teria de se recuperar antes de voltar ao covil. Retornar à forma humana consumia muito mais energia vampírica do que o contrário. Régis foi o próximo a perecer nas garras de Sétimo. Sentiu a unha aguda da fera entrar na barriga e sair junto com suas entranhas. Caiu de joelhos e viu o monstro se afastar e abater, ao mesmo tempo, os dois homens que restavam. Dos olhos do bandido marejaram lágrimas, ele estava certo de que sua vida ia embora, de que nunca mais sairia daquele galpão imundo, que nunca entenderia de onde tinha surgido aquele monstro infernal.

Mortos os assaltantes, Sétimo aquietou-se. Ficou imóvel por um instante, aguardando a poeira assentar. Corpos e sangue recobertos por uma película de poeira estavam espalhados pelo chão. Não era isso que interessava agora. Foi até a mesa revestida de tecido verde. Cuidadosamente, com certa dificuldade por culpa dos dedos disformes e unhas afiadíssimas, guardou o dinheiro numa sacola de lona. Apanhou três fuzis e enroscou as cintas na mão para melhor transportá-los. Foi até o centro do salão, abaixou-se perto do corpo de Régis e pegou a pistola da mão do bandido. A arma seria sua agora. Deitou a boca na barriga de Régis e sorveu o sangue. Levantou o rosto escarlate, estendeu as asas e, como mágica, alçou vôo. Bateu contra o telhado, jogando para o alto as velhas telhas de barro. O céu estava escuro. Sétimo ganhou altura velozmente, evitando se mostrar aos humanos. Ainda não era hora de chamar tanta atenção.

O monstro estava satisfeito. Havia conseguido, numa saída, dinheiro e armas para seu exército. Logo teria o que desejava: um exército formado, treinado e poderoso. Um exército com o qual andaria pelo mundo sem temer os caçadores, sem se preocupar com os humanos. Um exército que o ajudaria a vingar-se do pior malfeitor. Lobo? Não... Lobo era apenas uma peça naquele jogo. Lobo era um traidor seduzido pelo maldito demônio. Mais cedo ou mais tarde, sabia que o demônio viria ter com ele... Tinha de se preparar, pois seria a hora de acertar as contas.

CAPÍTULO 31

Agnaldo abriu os olhos. Não havia luz, mas podia enxergar. Um homem de preto estava acocorado do outro lado do cômodo. Agnaldo levantou-se lentamente. Na noite anterior, não ousara sair. Não com a promessa de ser caçado pelo vampiro. Havia ficado e refletido muito. Estava morto. Não era mais um humano. Há quantos dias estava ali? Um, dez? Não fazia idéia. O tempo parecia ter congelado.

— Benvindo à Vida Escura! — cumprimentou Tiago.

Agnaldo permaneceu calado. Foi até a porta. Estava destrancada. Abriu-a devagar. Um ar quente invadiu o quarto frio. Ouviu o barulho de um carro passando na frente da casa. Não podia ver a rua dali, apenas um gramadinho e um caminho rente à residência. Era um sobrado grande. Ensaiou um passo para fora, mas conteve-se. Olhou para o homem.

— Você também é?

— Vampiro?

Agnaldo aquiesceu.

— Sou. Sou um vampiro. — afirmou Tiago.

Agnaldo voltou e sentou-se no chão.

— Você é o general?

Foi a vez de Tiago menear a cabeça em sinal positivo. Não gostava daquele título imposto pelo vampiro, mas era assim que ele o chamava.

— Então você também é um vampiro novo?

— É uma longa história, cara.

— Se o que dizem sobre vampiros... nós... — Agnaldo engasgou, atrapalhando-se com as palavras, com a incerteza. — vampiros são imortais. Acho que dá tempo de ouvir sua história.

— Não é um conto de fadas, guri. Não vamos chegar a um final feliz. Somos vampiros e ponto.

— O que eu faço agora da minha vida? Minha irmã, meus amigos... o que eu faço?

— Toma sangue. É o que você faz agora. Bebe sangue. Dos outros, na rua.

Agnaldo não respondeu. Apenas fitava o homem de preto no fundo do quarto. Estava perdido. Fora sugado da vida comum sem aviso prévio, sem preparação. Tinha um cérebro lento. Demoraria para assimilar. Apenas os exercícios de musculação entravam rápido e direto no labirinto de massa cinzenta. Estava se lixando para os pais! Queria era falar para a Inesinha que estava vivo, se é que podia chamar-se de vivo... dizer que estava bem, enfim. Pensara em fugir. Sim, pensara. Mas em cabeça funcionara. Refletiu melhor. Fugir para onde? O único lugar em que teria prazer em voltar era a academia do Carlão. Só. Para que voltar para os pais falsos que pouco ajudavam e pouco se importavam com o que fazia? Talvez nem houvessem atinado a sua falta. Não fosse pela Inesinha, nem se incomodariam com ele. Voltar para o cursinho? Para falhar em outra faculdade? Voltar para a vida comum e tornar-se um trombadinha? Tinha medo daquela coisa toda de vampiro. Parecia loucura. Mas era fato. Fora capturado. O vampiro da noite passada havia dito que seria um soldado. Um soldado importante. Fora seduzido. Seria importante em algum lugar, enfim. Teria um posto. Seria...

— Desculpe pelo modo como falei. Sou um vampiro novo também. Não sou bom em lidar com essas coisas. Sei que não está sendo fácil, mas logo você se acostuma. Como se chama?

— Agnaldo.

— Meu nome é Tiago. Fui vampirizado por outro vampiro, não pelo que você conheceu. Você tornou-se vampiro através do vampiro Sétimo. Quem fez isso comigo foi o vampiro Gentil.

— Gentil? Que nome é esse?

— É uma conversa longa. Te conto em outra ocasião, quando tiver vontade de repeti-la.

— Como posso te ajudar, general?

— Não se metendo em confusão. Você ainda não saiu, não é?

Agnaldo concordou.

— Vamos sair. Vamos dar uma volta e conversar. Tem muita coisa a respeito de Sétimo que deve saber, se não quiser acabar morto. Ele só parece um cara simpático. Se você...

Antes que Tiago terminasse, um som grave encheu o porão escuro. Tiago já sabia.

— Fica perto de mim, tchê. O que tá vindo aí não é nada bonito de se ver.

Aos ouvidos de Agnaldo, alguém agitava uma grande lona do lado de fora.

Repentinamente, surgiu à porta um monstro agigantado, com formas de morcego.

— Caralho! Que porra é essa?! — espantou-se Agnaldo, afastando-se o máximo possível da porta. — Que porra é essa, Tiago?!

O monstro deixou um riso rouco escapar entre os dentes pontiagudos.

Sétimo jogou dentro do cômodo a sacola de lona contendo o dinheiro e as armas.

— Que é isso? Meu Deus do céu! Eu não quero morrer!

— Cala a boca, Agnaldo! — ordenou Tiago.

Sétimo esgueirou-se pela porta com certa dificuldade em fazer passar o corpo largo. Contraiu as asas e, mesmo assim, elas tocavam o teto, envergadas.

— Este monstro é o Sétimo. Teu criador.

Agnaldo não respondeu. Estava aterrorizado. Sua vida nunca mais seria a mesma. O mundo dessas criaturas, pelo visto, reservava surpresas sem número. Estava fadado a anoitecer e amanhecer boquiaberto para o resto de sua existência.

Sétimo apanhou o saco de lona e virou no chão.

— Toma, general. Dinheiro. — disse, com a voz rouca e poderosa.

Tiago ajoelhou-se surpreso. Eram notas de cem, cinqüenta e dez reais. Era muito dinheiro!

— Bá, que fizeste?

— Tomei de bandidos.

Tiago pegou um punhado. Tinha mais de três mil reais na mão.

— Guarda. Isso será para prover meu exército. É meu dinheiro. Daí sairá tua paga. Quero que arranjes uma casa maior. Deste dia em diante tu e ele irão trazer-me soldados. Esse lugar logo será pequeno. Precisamos de uma toca à nossa altura. À altura de um rei.

Tiago passou a separar as notas. Sabia que não adiantava contrariar a criatura. A situação mostrava-se cada vez mais complicada, indicando que era hora de deixar Sétimo. Não queria tomar parte daquele exército, que certamente seria montado para tomar o mundo. Para ceifar muitas vidas. Nunca quisera isso. Era um vampiro, isso não podia negar. Queria a vida apenas daqueles que serviriam para alimentá-lo. Sabia que contra isso não tinha mais forças para lutar. Estava lúcido e em paz no momento... mas quando a sede vinha, algo primitivo, algo incontrolável se apossava dele, tornando-o um monstro como Sétimo, disposto a matar para manter o poder. Era irresistível, mas não se mancomunaria com a fera. Não tomaria parte daquele espetáculo bizarro e torcia para ter tempo de tirar Agnaldo dali também. O rapaz, quando oferecera ajuda, mostrara-se entregue à sua nova condição, talvez seduzido pela lenda do vampiro imortal, sem ter idéia do que lhe reservava a Vida Escura. Tiago, apesar de ser um vampiro novo também, conhecera os sete do rio D'Ouro. Sabia no que aquelas criaturas se transformavam e do que eram capazes quando assumiam seu papel, quando se predispunham a matar. Eram cruéis.

— Depois de contar o dinheiro, general, vai e leva o novato para a noite. Preciso descansar. Preciso voltar à forma humana. Amanhã, tenho uma coisa importante para fazer. Separa uma parte deste dinheiro e deixa ao meu lado. Vou comprar o cavalo metálico.

CAPÍTULO 32

O celular tocou. Dimitri levou o aparelho ao ouvido. Conhecia aquele número. Era o Sofia. O chefe explicou a situação. Dimitri estava na ronda costumeira com Tobia.

— Vamos mudar o roteiro esta noite. Tenho que atender um chamado do meu chefe.

Sem esperar consentimento, alterou o caminho. Tinha que tomar o rumo da marginal Pinheiros. Sofia passara o endereço. Haviam perdido contato com Régis, e o chefe sabia que era para lá que o grupo do assalto iria após o roubo: um galpão onde os marginais se juntavam após um evento para dividir o dinheiro levantado. O trânsito estava fluindo bem e não demoraram muito para chegar.

— Você vem comigo, Tobia. Tá na hora de aprender alguma coisa na prática. Pistola 380; coloca o silenciador. Nada de barulho. É entrar e encontrar o cara. Não abre o bico. Se alguma palavra tiver que ser dita, quero que saia da minha boca.

Vestindo por baixo do sobretudo marrom a armadura prateada, Tobia sacou a arma e, com prestreza, atarraxou o silenciador.

— Vou abrir o portão. Você passa com o carro, devagar. Se os vagabundos abrirem fogo, relaxa. Este Comodoro é igualzinho àquele que você destruiu. Pode amassar, mas nenhuma bala vai passar. Farol alto aceso, o resto deixa comigo.

Dimitri abriu a porta do carro e tocou pesadamente o chão cimentado com o coturno. Desceu rápido e dirigiu-se ao portão. Tudo correu como o combinado. Em instantes, Tobia estava adentrando o galpão com o motor do Comodoro roncando compassado. Deixou o carro passar e, com um rolamento ágil, atirou-se atrás do veículo. O farol alto garantia que ninguém teria notado a manobra. Se alguém lá dentro quisesse confusão, iria pensar que o matador do Sofia ainda estava dentro do carro. Surpresa sempre funcionava bem, e ele era bom no que fazia. Por isso, para Matador, o jogo já não tinha graça. Era fácil resolver qualquer problema. Estava ávido pelo encontro com seus novos inimigos. Queria saber como se sairia contra os vampiros. Era um profissional em aniquilamento. Um estrategista nato. Implacável, instintivo. Por tudo que lera no livro de Tobia, o confronto não seria nada fácil, e isso o excitava enormemente.

O Comodoro estacou. Dimitri irritou-se quando o parceiro desligara o motor. Apesar de não ser essa a estratégia, ao menos serviu para ouvir o galpão. Nada de vozes. Era estranho, mas nem tanto, afinal, bandido esperto é aquele que trabalha e desaparece como fantasma. Não tinha ninguém ali. Levantou-se. Manteve a arma pronta para o tiro. Corpos no chão. Uma telha desprendeu e veio rodando, até espatifar-se contra o cimento. Outros cacos espalhados. Matador olhou para cima. O lugar estava caindo aos pedaços. Aproximou-se do primeiro cadáver. Ratão. Um bandidinho sem-vergonha. Sem tiros. Lábios cianóticos. Pescoço retorcido. Dimitri apurou os ouvidos. O silêncio persistia. Gesticulou com a arma para Tobia, convidando para assistir à cena macabra. Seria bom o parceiro ir se acostumando com sangue e morte.

Enquanto Tobia olhava calado e espantado para o corpo de Régis, Dimitri continuava a examinar. Três passos à frente, achou outro corpo. O rosto estava um tanto deformado pela violência do assassino, mas não tinha dúvidas de que era o Zóio. Um bandido meio maluco, que recebera a alcunha por sempre matar a sangue frio, com dois tiros em cada olho da vítima. E, ao que parecia, tinha encontrado a morte da mesma forma, com os olhos estourados. Nenhum tiro. Isso intrigava o assassino. Alguém tinha enfrentado aquele bando de vagabundos e, ao que parecia, não tinha dado um tiro. Mais um passo. Solto no chão, com a barriga aberta e moscas dançando sobre as tripas, Dimitri encontrou o colega de firma, Régis. Fez um ligeiro sinal da cruz e cuspiu para o lado.

— Quem disse que vaso ruim não quebra? perguntou-se o Matador.

Tobia estava espantado com a violência da cena. Ao se deparar com tripas e órgãos no chão, correu para um canto e respirou fundo. Ia vomitar.

Todo mundo morto. Nenhum tiro. Em cima da mesa velha de carteado, uma nota ou outra de dinheiro. Tinham roubado o dinheiro dos ladrões. Que sacanagem, pensou Dimitri, com um leve sorriso que afungentou por um segundo o ar soturno e sério, constante na face do assassino. Olhou para o fundo do galpão. Tinha uma edícula, com as paredes quebradas a uns três metros de distância. O cômodo recendia um odor desagradável e impregnante. Dimitri precisava examinar. Estava escuro.

Tobia voltou para o meio dos corpos e notou que dois, decapitados, apresentavam indício forte de ação vampírica. Os corpos estavam sem cabeça e deveriam ter, logo após a ferida, uma notável poça de sangue... que não existia! A mancha discreta não condizia com a lógica. Vampiros! Só poderia ter sido um grupo de vampiros! Irritou-se profundamente. Sabiam que os malditos existiam, estavam à solta, mas não conseguiam deitar-lhes as mãos. Eram lisos, escapavam entre os dedos. Nenhuma pista. Nenhum começo. Só estavam contando com a sorte, que não estava sendo generosa. Não era possível que não encontrassem nada. Era uma coincidência tremenda. Tinham que revirar o galpão até encontrar uma pista. Só podia ser obra do destino.

Dimitri abaixou-se. Um punhado de roupas rasgadas. Nenhum corpo. Vasculhou os bolsos da calça, encontrou uns trocados, notas amassadas. Mexeu no bolso da camisa. Um cartão. Uma loja de carros da avenida Novo Osasco. Conhecia o endereço.

— Te pego, filho-da-mãe.

CAPÍTULO 33

Sétimo rompeu o casulo. Estava novamente investido da forma humana, que o tornava uma ameaça maior entre os mortais. O corpo mirrado mantinha a gente inadvertida contra os perigos escondidos na criatura de cabelos claros e escorridos até as costas. Sentia-se fraco. Esse era o problema da metamorfose. Quando se tornava fera, não ficava tão exaurido, tão vulnerável, mas quando voltava à forma humana, parecia ter levado uma surra de homens e padecia como um mortal. Sentiu uma zonzeira quando deu os primeiros passos e tentou escorar-se na parede. Tiago e Agnaldo encontravam-se no transe vampírico. Dormiam. Cheiro de sangue. Haviam saído naquela madrugada e caçado. Nenhum novato. Pedira ao general que trouxesse gente nova. Cheirou Agnaldo. O vampiro novo ainda deveria estar assustado. Ele não havia se servido de sangue. Já Tiago tinha o rosto manchado com resquícios do líquido. Sétimo não pensou duas vezes. Nessas horas de necessidade, um vampiro deveria valer-se de tudo. Lambeu o rosto do general, tomando dele os traços de sangue ressequido, o que já lhe renderia alguma melhora. O estômago queimava; os músculos estavam fracos. Precisava de mais sangue; precisava urgentemente. Grunhiu nervoso e foi até a porta. Ao menos, já conseguia andar sem ter de escorar na parede. Com a mão trêmula, abriu a porta do cômodo e saiu rapidamente. A luz do Sol não invadia o porão, mas a claridade foi o suficiente para fazer Tiago transmutar as feições em visível desagrado. Sétimo fechou o recinto, garantindo segurança ao general. Caminhou pela grama até alcançar a varanda. Estava nu. Subiu os degraus com dificuldade. O cheiro de sangue o atraía. Eliana estava na casa. Eliana serviria aos seus propósitos. Sétimo grunhia, irritado com a fraqueza. Os olhos chamejaram debilitados. Os caninos alongavam. Protegeu os olhos contra a luz do Sol. Fraco daquela forma não suportaria mais que vinte minutos na rua. Podia andar de dia. Podia. Era um vampiro poderoso, dotado pelo demônio dessa capacidade. Todavia, precisava ter um mínimo de energia vampírica para tanto. Atravessou a porta da sala. César via TV junto com a mulher. Grunhiu agressivo, caminhando rapidamente para cima de Eliana. Pegos de surpresa, sobressaltaram-se. Ela gritou apavorada. César, inconscientemente, desferiu um chute no abdome do vampiro, que se debruçava como um selvagem sobre a mulher com as presas expostas. Estava louco! César assombrou-se quando se deu conta de que expelira o vampiro com um único golpe. Havia algo de errado com Sétimo!

— Sangue! — bradou, colocando-se de pé com certa dificuldade.

Eliana permanecia atrás de César, que recuava passo a passo, em direção à cozinha.

— Preciso de sangue! Estou fraco. A luz...

— Sai daqui, Sétimo! Prometeu que não nos atacaria.

— Promessas, pai... não podem ser mantidas nessa hora. Dê-me a mulher... estou fraco!

— Nunca!

Sétimo voou para cima dos dois. Mais uma vez, César conseguiu impedi-lo, arremessando o vampiro em cima do balcão da cozinha, enquanto panelas iam ao chão com estardalhaço.

Eliana gritava desesperada.

Sétimo balançava a cabeça atordoado, preparando-se para um novo ataque. César apanhou uma vassoura e quebrou o cabo contra a parede. O pedaço de madeira agora possuía uma ponta afiada.

— Te mato, vampiro! Fica onde está, senão te mato!

— Dá-me a mulher, pai. Meu estômago está queimando! Não sabe como isso dói! — gritou o vampiro, emendando um extenso grunhido.

Desesperado, empregou o que lhe restava da força vampírica. Mesmo sem velocidade para desaparecer diante dos olhos de César, conseguiu surpreendê-lo e arremessá-lo sobre a mesa, aparentemente desacordado. Apanhou Eliana com uma das mãos e subjugou-a, envergando seu pescoço, que expunha uma artéria pulsante. Não a mataria, apenas tomaria o sangue necessário para se restabelecer. Se preciso fosse, entretanto, não pensaria duas vezes. Quando descia a boca de encontro à pele da mulher, que chorava e se debatia debilmente, obedeceu à voz do pai.

— Pare, desgraçado!

Sétimo encarou César. O homem apanhou uma faca no chão e abriu um talho na própria mão.

— Toma teu sangue e deixa a guria em paz, maldito.

Sétimo, rapidamente, largou Eliana e caiu de joelhos, sorvendo sofregamente o sangue que pingava da mão do mortal. César permitiu que o vampiro retirasse três pequenos goles de sangue, quando então fê-lo afastar-se com outro chute no tórax. Apanhou o cabo de vassoura pontiagudo e, ato contínuo, trespassou o vampiro na altura do abdome. Sétimo, antes de cair de joelhos, ainda tomou um potente soco no rosto e a cabeça girou para a direita. Caído, começou a rir. Debruçou-se, apoiando uma das mãos no chão. Eliana correu para trás de César.

— Da próxima vez, vampiro, a estaca vai no seu peito.

Sétimo continuava rindo. Um riso fraco e ameaçador. Retirou o pedaço de madeira da barriga. Sentia dores.

— És valente, pai. Quando quiser se juntar ao meu exército, é só dizer. Mas advirto, pai. Nunca mais, nunca mais ouse me enfrentar.

Sétimo debruçou-se ainda mais e lambeu as grossas gotas que tinham caído no chão.

César enrolou um pano de prato na mão para proteger o ferimento e estancar o sangue.

— Obrigado pelo sangue, pai.

Sétimo levantou-se e, sorrindo, enfiou um dedo no buraco aberto pelo cabo de vassoura.

— Ainda preciso de sangue... para curar isto aqui.

Vendo a mulher encolhida atrás de César, Sétimo riu.

— Ah! Te acalma, mulher fraca. Minha loucura já passou. Agradeça ao meu pai. Coma alho, mulher. Coma alho. Ao menos, se te pego assim, durante a loucura, tomo de teu sangue e morro. Ah! Ah! Ah!

Num piscar de olhos, ele desapareceu da cozinha e foi para o quarto onde estavam guardadas as vestimentas. Apanhou uma calça preta e uma camiseta clara. Era hora de sair. Precisava de mais sangue... precisava comprar o cavalo metálico. Calçou um sapato maior que o pé, amarrando-o firmemente. Antes que os dois humanos se dessem conta, já estava voltando ao porão.

No cômodo escuro, com a visão vampírica funcionando novamente, encontrou o monte de dinheiro roubado, em pilhas uniformes e uma menor, separada das outras. Era o que pedira ao general. O dinheiro para a motocicleta. Enfiou o monte de notas no bolso e saiu. O Sol brilhava forte, mas não incomodava. Precisava de sangue, apenas para voltar à plena forma para curar a ferida aberta. Subiu rápido a avenida. Sorriu. Estava ansioso. A loja ficava na esquina do quarteirão seguinte, à esquerda. Pelo alambrado, viu a moto. Estava reluzente e parecia pronta a disparar pela rua. Sétimo aproximou-se lentamente e tocou-a com suavidade. Ao lado, um novo modelo, mais esportivo, mais arrojado. Alisou o tanque de combustível e o banco de couro. O comerciante chegou. Tinha o rosto fechado, pois já conhecia aquele tipo de cliente.

— Essa mil e cem está em promoção.

— Qual é o preço, cara?

— Tá saindo por oito mil e seiscentos.

Sétimo sacou o dinheiro. Contava e passava as notas de cem, quando foi interrompido pelo atendente, espantado com tanta grana.

— Olha, moleque, eu não sabia que você ia comprar. Vamos pro escritório. Não é seguro contar dinheiro vivo aqui na frente.

Na sala, o vampiro separou rapidamente o dinheiro e o colocou na mesa.

O vendedor recontou e percebeu que o volume que restava ainda era invejável.

— E carro, qual vai levar?

Sétimo espiou para fora.

— Nada me agrada tanto quanto aqueles cavalos metálicos. Hoje levo um. A mil e cem. Não quero mais nada.

— Quantas motos já teve, filho?

— Nenhuma. É a primeira.

— Realizando um sonho.

Sétimo levantou sem se dignar a responder. Não queria perder tempo com papo furado.

— Posso ir?

— Pode, a moto é sua. Precisamos assinar o recibo de venda no cartório a fim de você passá-la para seu nome.

— Não tenho tempo agora. Meu serviçal fará isso.

— Mas você não pode sair dirigindo por aí sem documento. Se a polícia te pega, vai te dar uma dor de cabeça danada. Essa bichinha é bastante... até provar que nariz de porco não é tomada...

— Meu serviçal virá. Basta que tu seja honesto e lhe entregue o tal documento.

O homem notou que o guri era esquisito pra danar. Serviçal. Era um riquinho nojento.

— Já pilotou uma destas?

Sétimo, que mantivera o tempo todo uma postura superior, com o peito aberto, de repente deixou o corpo murchar gradativamente. Estivera tão ansioso com o plano de comprar a moto que sequer lembrara que teria de pilotá-la para chegar em casa. César, certamente, saberia, mas o vampiro não queria chamá-lo. Era um vampiro. Dotado de cérebro vampírico. Aprenderia num instante.

— Tem combustível para uns quinze quilômetros. Cê tem que ir até um posto e encher o tanque. Aí, você roda à vontade. Se nunca teve uma dessas, você vai pirar. É uma delícia. E a mulherada fica toda acesa quando você chega com uma.

— Como é que pilota isso, mercador?

O sorriso do homem apagou.

— Você nunca pilotou, mesmo? Tá falando sério? Quantos anos você tem?

— Uns oitocentos e setenta.

— Ah! Ah! Ah! Oitocentos e setenta e nunca pilotou moto? Quer morrer tão cedo, garoto? Cê é louco. Cê vai morrer. É loucura. Tem que ir prum terrenão, dar uma pá de voltas, depois que acostumar com a potência, pegar a rua. Sem habilitação então... pode escrever; com uma bichona dessa, você é parado uma vez por mês. Os canas põem a maior pressão. Crescem os olhos.

O vendedor aproximou-se, tirou do bolso a chave. Sétimo estava com a mão sobre o tanque. O homem girou a chave e apertou um botão junto à manopla. O motor funcionou. O vendedor empunhou a manopla e girou. O motor rugiu estrondoso, agudo. Sétimo assustou-se, retirando a mão do tanque rapidamente.

— Se tu engata essa bichona, ela vira um foguete. Cê não vai conseguir andar daqui até ali; vai tomar o maior capote.

— Capote?

— É, vai cair. Se pega um poste, morre. Não posso deixar você subir nisso. É suicídio, ainda mais para um cara idoso como o senhor. — comentou o homem rindo, achando que Sétimo estava fazendo graça da idade.

— Como funciona?

— Tem que ter saco pra ensinar. Aqui é a embreagem. Se puxa pra passar a marcha. Sabe onde fica o câmbio?

Sétimo meneou a cabeça.

— Tá vendo? Tu não sabe nem onde é o câmbio. Não tem nenhum amigo que possa vir buscar? Usa meu telefone, liga e chama. A moto já é tua; ela não vai sair daqui. Vai lá e busca alguém, dá um jeito. Se tu quer montar e sair com ela assim mesmo, que vou fazer? A moto é tua. Você é de maior. Vou fazer o quê? Mas é que dá dó. De você, não, mas dessa belezinha. Tu é o segundo dono. Quilometragem baixa, sem um arranhãozinho... moto de garagem. Vai estragar tudo. Cê que sabe, depois pra vender é uma bosta.

Sétimo empunhou as manoplas e fez o pezinho subir. A moto era pesada, mas não para um vampiro. O sangue cedido por César já fazia efeito. Empurrou-a para a calçada. Sorriu. Gostava da imponência da máquina. Aprenderia a pilotar ainda naquele dia.

— Vou levar assim.

— Cê é doido, moleque. Tá fissuradão, né? Sei como é, vejo isso todo dia que vendo um carro. O cara quer sair com o produto na hora... tá certo. Não tenho ninguém pra levar a moto pra você. Se você agüenta, vai firme. Só não vai esquecer de vir buscar os documentos.

Sétimo aquiesceu e foi para a rua. Andava lentamente, tomando cuidado para não perder o equilíbrio. Logo que embicou na descida percebeu o peso aumentar sensivelmente. Um mortal teria problemas para chegar com a pesada máquina ao final da rua. Estava envolvido em pensamentos quando um arrepio assaltou seu corpo. Os olhos encontraram os de uma linda garota que subia a rua. Teve de novo a sensação de que se possuísse um coração mortal, ele estaria pulsando violentamente tamanha e agradável surpresa que o apanhara. Linda. Olhos lindos. Corpo esguio e provocante. Trajava calça e jaqueta de couro escuro. Estava encantado. Era a mulher perfeita. Chegou a bambear a motocicleta. A garota percebeu e abriu um sorriso encantador. Sétimo retribuiu e interrompeu a descida. Lembrou o que o mercador havia dito sobre moto e mulheres.

— Gostou da moto?

A garota parou.

— Bonita. Muito bonita. Acabou a gasolina, motoqueiro?

— Não. Tem para uns quinze quilômetros.

A menina riu francamente.

— Tá falando sério? Esse negócio é pesado pacas! Por que está empurrando com os pés?

— É pesado pacas. — retrucou o vampiro, tentando imitá-la para criar simpatia.

— Por que não está em cima dela? É muito mais sexy, motoqueiro.

— Não sei pilotar. — respondeu, meio sem graça.

— Sério? Não sabe pilotar? E o que está fazendo com ela aqui no meio da rua? Roubou?

— Não. Acabei de comprar, logo ali. Estou levando pra casa.

— Tá precisando de umas aulinhas de pilotagem? Sou uma ótima professora.

— Não brinca!!

A garota aproximou-se e tocou o banco. Exalava um cheiro delicioso, logo percebido pelo vampiro.

— Meu último namorado era motoqueiro... e o penúltimo também. Vou te contar uma coisa, mas não é pra tirar proveito... tenho uma queda por motoqueiros, sabia?

— Sabe pilotar essa aqui?

— Posso parecer uma patricinha, mas te garanto que sei. Te dou umas aulinhas de graça, assim você vira um motoqueiro de verdade e depois me leva pra tomar um chope. Meu último namorado, além de motoqueiro, trabalhava numa importadora de motos esportivas como esta aqui. Sei pilotar quase todas as motos mais selvagens do mercado. Quase todas.

— É toda sua.

— Só que você tem que segurar ela pra mim... é muito pesada.

A experiência da garota, que à primeira vista parecia uma jovem frágil, logo mostrou que falava a verdade. Deu partida e convidou Sétimo para tomar lugar na garupa. Ele estava extasiado. A garota pela qual se apaixonara de imediato, coisa rara em sua existência secular, havia se unido a seu destino de modo mágico. Parecia que os deuses manipulavam tudo à sua volta.

— Vamos dar um rolê. Se você nunca andou numa destas, é melhor se segurar em mim, motoqueiro. Segura, e segura forte.

A garota debruçou-se sobre o tanque da máquina e partiu. Sétimo agarrou-se à motoqueira pelos quadris, maravilhado com as curvas sensuais da morena. Assustou-se com o tranco do veículo e inclinou o tórax para frente, tentando recuperar o equilíbrio. A moto atingiu velocidade incrível em poucos segundos, e, num piscar de olhos, estavam no final da rua. A garota soltou um grito entusiasmado, enquanto Sétimo ainda procurava entender como a coisa funcionava. Sentia-se feliz por estar com duas coisas que gostara à primeira vista: a motocicleta e a garota que vira na rua dias atrás. A motocicleta já era sua propriedade. A garota, se a situação fosse favorável, logo se juntaria à Vida Escura. Bastava que ficassem sozinhos e que ela experimentasse de seu sangue maldito.

CAPÍTULO 34

Tiago despertou. Batiam à porta. As vozes de César e Eliana atravessavam a madeira grossa. Parecia urgente. Os olhos cintilaram e o quarto passou do escuro ao visível. Agnaldo dormia. Foi até a porta e destravou-a. Lusco-fusco. Os olhos arderam por um breve segundo, adaptando-se à fraca luminosidade.

— Ele enlouqueceu, Tiago! — gritou Eliana, agarrando-se ao tórax do amigo.

César puxou o amigo para fora, Tiago mantendo-se próximo à porta.

— O que aconteceu?

— Ele atacou a Eliana, e se eu não estou em casa, ela já era. Bá, foi assustador.

Tiago abaixou a cabeça, encostando o queixo no peito e cheirando o cabelo da amiga. Que vida era aquela? Até quando permitiria que Sétimo colocasse a vida do amigo e da amada em risco? Era hora de abandonar o monstro. Sabia que ele os perseguiria, mas decidira enfrentá-lo, como fizera com os outros. Se perecesse, melhor seria. Preferia a extinção a deixar a mulher amada à mercê daquela fera. Quanto a César, que temia o ataque do Lobo, teria de munir-se de mais balas de prata e enfrentá-lo. Poderiam ao menos notar a presença quando Lobo se aproximasse. Tiago detinha esse poder, sentir os vampiros. Invocou na mente o nome de Lobo, chamou-o pelo nome duas, três vezes, e então a sensação o assaltou. Aquele latejar conhecido, como um cutucar em sua nuca. Virou-se para o quarto: vinha daquela direção. Era impossível medir a distância, mas ao menos saberia de onde o perigo viria. Algo lhe dizia que o confronto não tardaria. Meneou a cabeça. Era loucura. Dois monstros. Não podiam se dar ao luxo de assistir de camarote ao surgimento de um exército vampiro. Tiago não queria participar, não queria ser chamado de general nunca mais. Era um vampiro, e agora essa condição era irreversível. Entretanto, já que viraria um monstro maldito, de alma perdida, ao menos estaria do lado dos benfeitores. Afastaria seus amigos do vampiro e bateria de frente com Sétimo se preciso.

Inverno fora um inimigo poderoso e nos confrontos sempre conseguira surpreender o adversário. Não temia os vampiros, e era hora de parar de temer a figura de Sétimo. Era hora de encará-lo de igual para igual.

— Juntem suas coisas. Vamos embora daqui. Não vamos mais participar dessa loucura.

No fundo do cômodo escuro, Agnaldo cerrou os olhos ao perceber que Tiago iria encará-lo.

O rapaz olhou para o novato. Deveria avisá-lo? Sabia que Sétimo logo faria dele um assassino. Um garoto assassino. Voltou-se para os amigos e subiu até a casa para discutir a fuga. Tinham de se afastar de Sétimo. Não sabiam onde ele estava, mas decidiram que tinham que fazer agora e rapidamente. O Sol acabava de se pôr; e tinham bastante tempo para correr. Era preciso considerar que Tiago não podia mais se expor à luz.

Tiago foi ao guarda-roupa e apanhou o maço de dinheiro. Espalhou as notas e contou: pouco mais de sete mil reais. Daria para alguns meses, se controlasse os gastos. Do contrário teria de imitar Sétimo: assaltar. Era a única explicação para o surgimento de todo aquele dinheiro e armas. Se fosse a opção, melhor sentar o rabo naquele porão e continuar lá por toda sua imortalidade.

César checou arma e munição. Estavam dando um passo importante, mas o que o afligia era não saber para onde essa resolução os estava levando. Não sabia o que tinha atrás da porta número dois. Tiago estava estranhíssimo nos últimos dias, matando gente para viver. Estava assustado. Todavia, depois do que o vampiro aprontara, não podia desistir. Bastava a morte de Olavo. Pobre Olavo! Não tiveram tempo para chorar a morte do amigo nem velar o corpo. Estaria apodrecendo no porão fedorento do Luxor Hotel, com vermes devorando as entranhas. Arrependeu-se de já ter providenciado a devolução do caminhão-baú ao amigo sulista. Agora, teriam de se virar. Partir na louca. Sem rumo. Só querendo ganhar distância. Afastar e proteger. Proteger os amigos com a própria vida, caso necessário.

Eliana, que comprara umas poucas mudas de roupas, enfiou-as numa providencial sacola de lona que encontrou na varanda. Estranhamente, sentia-se feliz de estar se afastando da fera, embora soubesse que o alívio viria somente após estarem bem longe dali.

Tiago juntou suas coisas. Roupas pretas era tudo o que tinha. Deixou algumas peças para Sétimo. A irmã. Teria de ligar para ela, avisá-la que estava deixando a cidade. A pobrezinha ficara preocupada da última vez. Tinha que dar satisfações. Aquela casa... o cunhado. Tinha dado dinheiro para ele ajeitar as coisas. Tinha que adverti-los do que se passava. Era hora de abrir o jogo, dizer a verdade. Trombou com Eliana no corredor. Abraçou-a e beijou-a na boca. Estava sentindo saudade daquilo. Estava inseguro, com medo de contaminar a linda mulher de cabelos cacheados com seu lado amaldiçoado, mas não podia resistir. Seus olhos cintilavam quando cruzavam com os dela. Voltou ao porão rapidamente e apanhou um punhado do dinheiro empilhado. Não faria falta ao vampiro. Certamente, aquele era o fruto de um primeiro assalto. Sentia que Sétimo começaria a concretizar o que almejava. Construiria seu exército e, para tanto, faria muito mais dinheiro que aquele. Enfiou as notas no bolso da calça. Um pouco nos da frente, outro tanto no de trás. Notou que Agnaldo abrira os olhos naquele instante.

— Estou indo embora, tchê. Vou deixar essa loucura. Se é esperto, vem com a gente.

— Não vou. Quero ser um vampiro.

— Escuta, rapaz, você é um vampiro. Vindo ou não vindo.

— Eu quero ser importante.

— Olha, não dá tempo de discutir. Você pode vir com a gente e explicar essa coisa de ser importante no caminho.

Agnaldo não respondeu. Os olhos cintilaram. Aprendera a fazer aquilo.

— Nem tente, novato. Nem tente. Não tem idéia do poder que tem. Não faz idéia no que está se transformando. Acabo com tua raça em um segundo. Já tô escolado nessa história de brigar com vampiros.

Os olhos do novato apagaram-se.

— A gente se pega outra hora, fugitivo.

Tiago não respondeu. Sabia que estava diante do novo general. O rapaz fora seduzido pelo vampiro. Sétimo sabia escolher os discípulos. Agnaldo seria um escudeiro fiel.

— Boa sorte, Agnaldo. Te cuida menino... te cuida.

Tiago deixou o porão. Não queria estar ali nunca mais.

Meia hora depois desembarcavam no centro de Osasco. Sabiam que ali havia uma rodoviária. Pediram informação e lhes indicaram a boca de um túnel. Descendo os primeiros degraus, Tiago sentiu um calafrio deslizar pelo corpo. Fora ali, na entrada daquele túnel, que Miguel o salvara da morte, arrancando-o das garras da dama portadora da foice. Impedira sua partida dando-lhe o sangue vampiro. Miguel fizera dele um filho novo. Sentia falta do amigo. Do único vampiro que se predispusera a ajudá-lo a retirar Eliana das garras de Guilherme e seu bando. Dera-lhe vida e força, força para vingança. E mais uma vez, Miguel salvara-o da extinção, de ser consumido com os irmãos pelo fogo da bomba. Sentia saudades do vampiro Gentil. Era a primeira vez que desejava rever o vampiro. Sabia que o irmão de sangue de Sétimo jamais permitiria a criação de um exército vampiro. Não compactuava com a maldade. Certamente, daria um jeito. Seria um aliado a mais naquela luta. Um aliado com o dom de parar o tempo, um soldado forte e poderoso, com força vampírica ampliada através do tempo. Parecia despertar de um breve transe quando ouviu César chamá-lo.

— Vamos, homem. Tá sonhando? Corre.

Atravessaram o túnel, saindo ao lado da estação rodoviária. Passageiros apressados levavam a bagagem através do portão de embarque, gente descendo de táxis e rumando para a plataforma. César passou de guichê em guichê até encontrar o que vendia bilhetes para o ônibus de partida. Voltou com as passagens, apressando os companheiros.

— Vamos, vamos! Está saindo.

— Para onde vamos?

— Guarujá. Vamos para o Guarujá.

CAPÍTULO 35

— Dá-me um beijo? — pediu a garota.

Hélio, deitado, apoiou-se num dos cotovelos e beijou a boca da menina.

— Você é linda.

— É? Por que então você fica olhando para a Marcinha?

— Porque ela é bonita também... mas você é mais. Meu coração dispara quando eu olho pra você, não pra Marcinha.

— Se quer continuar me beijando tem que parar de olhar para as outras gurias, sabe? Eu sou muito ciumenta.

— Bá, mas já te disse, eu gosto de beijar você, só você.

— Tá muito calor aqui. Será que todo mundo conseguiu dormir?

Hélio soergueu os ombros.

Janaína levantou e afastou o lençol. Abriu o zíper da barraca, calçou os chinelos e inspirou fundo. Passava da meia-noite. O céu estava lindo.

— Vem pra cá, Hélio. A lua tá linda.

O rapaz saiu e abraçou a namorada. Janaína não era exatamente magra, mas as formas eram sensualíssimas. Estava doido para levar o namoro adiante, avançar os sinais, porém a adolescente mostrava-se insegura. Adorava beijar e se esfregar, mas na hora do vamos ver, sabia como jogar um balde de água fria no fogo juvenil. Hélio tivera de gastar muita lábia e grana para organizar o acampamento de amigos junto à Lagoa dos Patos. Todos estavam felizes, mas o sacrifício foi convencer pais e mães. Prometeram que seria um passeio de um dia só, que voltariam no dia seguinte, na hora do almoço. Que trabalho! Agora, era só esperar Janaína se soltar, relaxar e sentir-se protegida ao seu lado. Pena não haver bichos naquela localidade! Por que não se lembrara dos filmes norte-americanos? Agora sabia porque os casaizinhos ficavam em volta da fogueira inventando histórias de terror... Depois, pintava aquele medo, e as garotas não ficavam fazendo hora para se pendurar nos braços dos mocinhos. Olhou para o céu. Jana tinha razão. A lua cheia deitava luz na Terra de forma esplendorosa, refletindo divinal na água da lagoa. Um espetáculo.

Tudo para aumentar o clima romântico. As outras barracas estavam em silêncio. Vieram seis casais de amigos. Alguns já tinham apagado as lamparinas. Duas barracas com a luz acesa, espalhavam um halo de claridade através da lona, enfeitando a mata que margeava a água.

Hélio sorriu. Tinha dado tudo certo.

Jana virou-se e beijou o namorado, deixando a mão de Hélio percorrer seu corpo. O coração batia forte. Sabia que o namorado queria, mas tinha medo. Só de pensar, a emoção formava um bolo na garganta, causava engasgo, secura.

— Que foi isso? — perguntou a menina, desvencilhando-se dos braços fortes de Hélio e olhando para a mata.

— O quê?

— Esse barulho.

— Não ouvi na...

Um ronco forte encheu o acampamento, e um vento repentino tomou conta do lugar. Janaína gritou assustada. Que era aquilo? Um monstro?! Hélio recuou. O som parecia um rosnar. De repente, para surpresa do casal, um helicóptero surgiu, cortando o céu. Passou tão baixo, criando uma ventania tão forte, que chegou a temer que a barraca desprendesse do chão.

— Um helicóptero... — murmurou o rapaz, admirando o aparelho que se afastava rente ao espelho d'água.

Em outro ponto da lagoa, sentado à margem, um senhor de posse de uma lanterna pescava em silêncio. O lazer naquele local requeria paciência, pois a piscosidade era baixa. O homem temperava a vigília com uma garrafa de bom vinho. Daquele jeito, poderia ficar ali sem fisgar um peixe sequer até o amanhecer. Se tivesse vinho, a paciência não se extinguiria. Tomava um gole direto no gargalo quando viu o helicóptero passando ao longe, lançando sobre a água um potente facho de luz. Coçou a cabeça. Pescava há anos no lugar e nunca vira nada sobrevoando, ainda mais tão baixinho. Tomara que não viesse para o seu lado. O barulho trovejante do motor afastaria os parcos peixes. Com prazer, o velho Onofre percebeu o aparelho se afastar e sumir atrás dos morros, sem dar pinta de voltar. O som da máquina desapareceu por completo, e ele voltou a ouvir o cricrilar dos insetos e sentir a paz que a lagoa transmitia quando tudo era silêncio. Sem lanchas, sem algazarra da criançada. Por essa razão preferia pescar durante a madrugada.

Onofre deu uma nova golada no vinho. Teve a impressão de uma fisgada. Puxou a vara rapidamente. Nada. Trouxe o anzol para perto dos olhos. Diacho! Tinham levado a isca. Pousou a mão no pote ao lado para retirar um preparado especial que atraía os peixes da lagoa. Prendeu a massa ao anzol, deu um jogo no braço e arremessou a isca para o meio d'água. Hora de esperar. Ficou quieto. Notou que o silêncio havia aumentado. Não ouvia mais o cricrilar costumeiro. Até a água da lagoa parecia ter adormecido. O gosto adocicado do vinho desceu pela garganta. Apurou a visão e virou-se para trás. Estava numa parte feita de areia, uma prainha. Vinte metros para trás, começava uma faixa de grama e mato baixo, depois, começava a mata. O coração disparou. Nenhum barulho. Só o do órgão batendo no peito. Sério, podia ouvi-lo. Podia jurar que estava vendo um lobo, um lobo gigante, caminhando em sua direção. Fez menção de apanhar a lanterna, mas desistiu. A luz poderia chamar a atenção do lobo... talvez o bicho nem o tivesse visto. Bastava a luz da lua para notar que a silhueta da criatura era pavorosa, muito grande. Talvez um cão de raça. Onofre engoliu seco quando viu, saindo da mata, outro daqueles bichos. Este era bem maior. O primeiro desviou, afastando-se. Caminhava sobre a grama, paralelamente à mata. Os dois monstros juntaram-se. Erguiam as fuças para o céu, farejando. Buscavam comida? Onofre benzeu-se e pôs a mão na boca para abafar um gemido. Espantou-se quando um deles colocou-se de pé. Lobos não ficavam em duas patas, muito menos cães de guarda. Deus!

Leonardo rosnava baixinho. Irritação. Lobo aproximou-se e inspirou fundo. Cheiro de uva fermentada. Franziu o cenho, grunhindo prolongadamente. Não era hora de comer. Prevenira o garoto. Iriam caçar soldados. Não matariam ninguém, apenas subjugariam. Afonso daria a eles seu sangue poderoso. Fariam deles seguidores de sua matilha. Leonardo, quadrúpede, adiantou-se ligeiro. Os olhos viam com clareza; não tinha obstáculos pela frente. O helicóptero já havia se afastado o suficiente; não seriam localizados. Avistou barracas. Uivou para Afonso.

Hélio e Janaína abraçavam-se, os corpos fervendo feito brasas. Nus, entrelaçados dentro da barraca, exalavam um cheiro adocicado e juvenil. Os cabelos longos da garota misturavam-se aos braços do rapaz. O lampião estava aceso, com claridade mínima, suficiente para se olharem na penumbra. Apaixonados, seria aquela a primeira noite de amor do casal. Hélio queria que fosse especial, pois sabia que sua querida nunca estivera tão íntima de um homem. O coração de ambos batia acelerado. Juras de amor e paixão eterna eram trocadas... estavam alheios ao perigo.

Hélio beijava a nuca úmida da parceira, fazendo-a retrair-se de prazer. Entretanto, um ruído junto à barraca colocou-os alerta.

— Que foi isso? — perguntou a garota, sentando e cobrindo-se.

Hélio ficou atento. Que amolação! Logo naquele momento! Intensificou a chama do lampião.

Estavam relaxando. Nenhum barulho. Suas sombras estampadas na lona da barraca. Abraçaram-se. Estalos de galhos pisados.

— Bá, estão de sacanagem! — irritou-se Hélio, saindo de cueca.

Olhou ao redor. Nada. Ia entrar na barraca quando o sangue gelou nas veias. Que era aquilo?!

Um urro rompeu no meio do acampamento. A garotada agitou-se. Hélio gritou. Um rosnar.

Os olhos do rapaz estavam esbugalhados e a boca, aberta. A fera bloqueava a passagem, e outra surgia logo atrás. Não poderia correr. Janaína, atônita, continuava na barraca.

— Hélio! Hélio!

— Fica aí, não sai!

O lobo avançou com a boca escancarada. Hélio sabia que não era um animal comum. Era gigantesco, bem maior dos que conhecera no zoológico de São Paulo. E tinha achado aqueles tão grandes! Abaixou-se e apanhou um galho. Se tivesse fogo... talvez afungentasse aquele monstro. Ao menos, estava conseguindo prender a atenção das feras, que se afastavam da barraca de Janaína.

Lobo aproximou-se do rapaz. O medo jorrava em profusão dos olhos do menino. Aquilo só servia para incitar ainda mais a fera ao ataque. Correu, abaixando bastante o dorso, roçando a barriga na grama e cercando o rapaz. Queria devorá-lo, mas não podia. Aquela caçada tinha propósitos distantes da alimentação. Precisava de aliados, de uma alcatéia para cercar-se de proteção e força. Lobo rosnou iradamente. Os olhos vermelhos pareciam brasas. Sabia que o rapaz não ousaria atacá-lo com o pedaço de pau. Leonardo uivou às suas costas. Outros rapazes surgiam à frente das barracas. A hora era aquela... mais um instante, e poderiam perder o controle da situação. Ferir, sem matar. Teria de deixá-los fracos, para que se embebedassem de seu sangue imortal, ingressassem na Vida Escura. Afonso saltou e cravou os dentes no garoto. A ferida fez o sangue banhar o peito do rapaz. Uma patada no rosto de Hélio abriu novo ferimento e fê-lo desfalecer. Gritos, desespero. A fera parecia sorrir ao ver Leonardo com uma vítima dançando entre as patas. Gritos e medo. Era disso que um vampiro vivia.

CAPÍTULO 36

Sétimo enxugou o sangue da boca. Fora fácil convencer a garota a entrar em casa. Providencialmente, encontrou-a vazia. Ela soubera conduzir muito bem a máquina possante do vampiro e explicar os princípios básicos do funcionamento da motocicleta. A jovem espantou-se com a velocidade com que Sétimo dominou e manejou o equipamento. Conversaram um bocado. Sétimo conseguiu esconder o sotaque lusitano, mas notou que, mesmo assim, a menina achava graça no seu modo de falar. Ele só não escondeu o interesse nos olhos brilhantes e no rosto atraente da escolhida. A garota tinha um sorriso gostoso, que transmitia um ar de cumplicidade, sem se importar com o futuro que o vampiro lhe reservava. Horas depois, jazia num colchão coberto. Sétimo soltou o corpo da jovem, mergulhada num limbo fronteiriço à morte. A pele, pálida como nunca; o coração parando sofregamente. Os pulmões já não tinham forças para inflar e carregar oxigênio para dentro do corpo. Os olhos não viam nada, empastados, sem direção, banhados por lágrimas que faziam o rosto brilhar. Sétimo alisou o rosto da garota. Como era linda! Seria uma companheira maravilhosa. Ele a ensinaria a ser guerreira. Estaria junto para vê-lo triunfar quando tivesse seu exército ampliado. Seria sua rainha, enfeitada com jóias, com ouro. Colocaria uma coroa na cabeça, ornaria os cabelos longos e de cheiro bom com enfeites preciosos. Para tanto, era necessário que agisse rápido, antes que a pretendida fosse levada pelo barqueiro para a névoa e se perdesse no reino dos mortos. Mais uma vez, alisou o rosto da mulher e beijou-a suavemente nos lábios. A garota tinha sangue saltando pela jugular, mais fraco a cada batida distanciada do coração. Com presteza, Sétimo talhou o próprio pulso. Com a mão livre, fez a mulher abrir a boca.

— Paola, beba, Paola. Não abandone toda a vida. Venha reinar comigo. Te quero eterna, Paola.

Tapou com os dedos o ferimento no pescoço da pretendida e certificou-se de que ela havia ingerido o suficiente. Depôs o corpo e envolveu a ferida numa tira de pano. Abandonou o quarto, trancou a porta e guardou a chave no bolso. Não tardaria para o sangue maldito fazer efeito e tornar a garota uma vampira... sua nova cria... sua nova aquisição para a batalha que pretendia travar.

O vampiro desceu ao porão. Amanhecia. Tiago não estava. Teria perecido ao Sol? O cutucar na cabeça disse que não. Estava fora apenas. Sétimo recostou-se na parede escura. De pé, cerrou os olhos. Era hora de descansar. Precisava recuperar as energias perdidas. Quando abrisse os olhos, seria tempo de socorrer a nova vítima do choro. A nova vampira não teria forças para arrombar a porta, mas, por alguns dias, ainda teria a chance de andar com o dia claro. Alguns novatos podiam mais, outros podiam menos. O que definia era a hora em que o coração parava de bater como o de um mortal e tomava as características de um coração vampírico, um coração gelado. Desse momento em diante, a luz do Sol não seria mais tolerada e, se a nova criatura não resistisse à sede, sua nova condição passava a ser definitiva.

Sétimo abriu os olhos: estava no centro de uma clareira. Uma névoa fina escondia as árvores. Reconhecia o lugar; era o cenário preferido dele. Fora escravo do demônio por mais de cem anos. Conhecia seu modo de agir. Bastava a névoa desaparecer que ele surgiria. O vampiro girou sobre os pés. O nevoeiro dissipou-se rapidamente. Onde estava ele? Um riso.

— Faz tempo, não é, vampiro?

— Faz tempo, irmão.

— Tenho observado seus feitos. Tem estilo. O que pretendes? Não sou tolo. Não estás quieto como deverias estar. Retomaste a matança. Crias novas criaturas... e algo me diz que não vais parar com esses dois.

— Estás certo. Não vou parar. Chega de ser um escondido, marginal. Quero voltar ao D'Ouro, mas vê como são fortes as armas dos homens hoje? Preciso estar forte. Lembras do vampiro que fui. A cada gota de sangue, cresce minha força e enfraquece meu desejo de ficar quieto no meu canto. A cada gota, lembro o tratamento dos mortais para com meu povo, meus irmãos. Não serei mais cordeiro. Serei fera e dono da Terra.

— Ah! Dono da Terra! Bravateiro!

— Como ousas? Pensei que querias uma conversa de amigos! Depois de quinhentos anos, vens a mim e em poucas palavras trocadas já me insultas?!

— Eu, ousar? És tu quem insultas! Pensas que tenho que medir palavras para falar contigo ou com qualquer outro ser rastejante deste planeta horroroso? Achas que és muito melhor que a carne que caminha por essas terras, vampiro? Queres o quê? Que arranque tua cabeça? Nunca! Sabes que não arranco a cabeça de inferiores. Não dou essa honra à tua gente. Jamais!

— Estás bravo porque sou mais poderoso que você?

— Poderoso?

— Sim, mais poderoso. Tenho um exército se formando, um exército que caminha sobre a Terra, não sou um banido, banido como tu foste. Sou forte, ando de dia, ando de noite, sou a fera perfeita. Controlo os homens, ponho medo. Vencerei os exércitos da Terra. Meus guerreiros se espalharão como veneno, como doença. E tu... tu és lenda. Não fazes mal algum. Nessa nova terra, tem gente que nem em ti acredita.

— Pobre criatura tu és, Sétimo. Achas que invejo esta porcaria? Achas que invejaria as possessões de algum ser terreno? Já vi tanta coisa nesse universo, menino, que a Terra parece um traste velho. Tenho meus domínios, Sétimo. E dentro dos meus portões, terminam muitos daqueles que têm alma.

— Até nisso te venço, demônio. Até nisso... e sabes, não tenho alma. Deus, teu Pai, permitiu que teus cães a tomassem. Melhor assim; tu não tens como me afligir... já fui teu escravo, já paguei minha cota. E só tiveste poder para me carregar por meio da traição... agora, sem meus irmãos para consentirem, Satanás, não tens poder algum sobre mim. Nem medo me fazes. Não me levas de novo.

— És presunçoso, arremedo de demônio. Dizes que estás formando um exército. Que são dois soldados? Sabes quantos eu tenho? Não sabes o que posso fazer.

— Fazer... aqui na Terra, sob os olhos do Pai, aqui na Terra não fazes nada, nem tu, nem Ele. Sou desalmado, nem filho teu nem dEle. Aqui na Terra, faz quem é carne. Quem está no meio deles.

O demônio riu.

— Sou livre, diabo, sou livre e mais forte do que tu. Execrado. Caído. Preso nesta Terra que tanto odeias. Por que não vais para os domínios de teu Pai, aquele que tu tanto amas... por quê? Sabes que não podes. Foste punido e agora perderás esta Terra, porque vou ganhá-la. Serei o príncipe da noite que caminhará aqui, no plano físico. Serei o medo real. O medo presente... tu... ah! ah! ah! Tu serás história no livro... um medo mental. Um medo para os tolos.

— Tomas-me como tolo. E me ofendes. Pobre de ti, criatura de pouco cérebro. Queres que te combata? Achas mesmo que me rebaixaria ao nível de combater com meus exércitos um soldado presunçoso da Terra, um soldado de carne? Seria muita glória para quem não merece.

O que não permito e nunca permitirei é que um ser terreno tente me enfrentar como tu pretendes. Com bravata, tentando me diminuir em meus domínios. Tu te dizes líder e então assumo que saibas como temos que lidar com vermes que tentam nos diminuir. Temos que esmagá-los. Muitos, como tu, jamais serão problema na verdade. Bastaria um movimento meu para extinguir tua existência, arrancar do topo do pescoço essa cabeça pequena. Mas como és líder, sabes também que não podemos dar trela aos bravateiros, mas calá-los, calá-los com elegância... jamais te darei a honra de seres por mim diretamente escorraçado.

— Se não pretendes me tocar, como acreditas que conseguirás me deter? Agora, quem parece burro não sou eu, mas tu, besta estúpida.

O demônio riu.

— Não preciso fazer muito, vampiro. Trago de volta os que me darão o poder de deter essa tua tentativa fraca de apoderar-te do que não te pertence, de manchar meu nome. Carne da tua carne. Guerreiros da tua espécie.

Sétimo fechou a boca. Os olhos cintilaram.

— Trazes o quê?

— Trago teus irmãos. Para isso tenho poder.

— Tu, que foste expulso do Céu? Tu não podes. O poder da ressurreição é do Pai de Luz.

— Sou Lúcifer!

— Carregas luz, besta. Não és a luz. Tu não ressuscitas ninguém. Não trazes à vida os mortos.

— Basta-me água. Esqueceste por que o Inferno é tão quente?

— O poder da vida não pulsa em teus domínios. Não me faças perder tempo, besta, arremedo de santo. Braço torto.

— Falas de mim, desdenhas, vampiro. Criatura sem alma. Parece que também não tens cérebro. Viveste muitos anos, mas não tanto quanto eu. Estou aqui, neste planeta, desde o sétimo dia. Enquanto o Pai descansava, eu aprendia. Conheci Adão, Eva, Caim, Lázaro... tu viveste um instante; eu vivi sempre. Te falo agora, afirmo; trago teus irmãos!

— Não me amedrontas, Satanás. Não me amedrontas. O poder da vida, da ressurreição, sempre foi do teu Pai. Em tu não vive nada. Não ressuscitas um peixinho, uma figueira seca. Não me levas sem o consentimento de meus irmãos. Não destróis o que está na Terra. Vai, azucrina a cabeça fraca dos homens, vai. Faze-os virem contra mim. Cairão, um por um. Se nem Lobo é páreo, que humano será? Tobia! Ah! Duvido que essa raça ainda exista. O mundo mudou demais, demo. Vai, Satanás, põe medo em alguém.

— Digo que és burro, vampiro. O poder relaxa; esse sempre foi meu melhor trunfo. O poder relaxa. E te digo agora que trago teus irmãos, pois neles não havia vida alguma quando se foram, eram mortos, desalmados como tu. Pra que trazer vida ao que era morto? Ânimo aos que não tinham alma? Basta-me ordenar que existam, e eles existirão.

Sétimo engoliu seco. Os irmãos não lhe botavam medo, mas o que Satã dizia fazia sentido. Perdera o duelo verbal com o demônio. Perdera a pose. A argumentação. Era isso que o irritava.

— O gato comeu tua língua, vampiro? Ah! Ah! Ah!

— Vai-te, demo! Vai-te e ri. Sou mais forte que tu. Sou mais forte que todos! Duvido que os tragas de volta. Duvido. Nada temo, sou mais forte que eles, e tu nada podes fazer para me impedir de tomar a Terra.

O demônio deu as costas para o vampiro, afastando-se calmamente, rindo baixinho. Logo, seu corpo transformou-se num espectro e desapareceu entre as árvores.

Sétimo despertou aturdido. Os olhos queimavam como brasas. As presas saltaram ferozes.

— Maldito! Maldito! Maldito! — vociferou.

Anoitecia.

O pesadelo com a fera parecia ter durado alguns minutos, no entanto estivera em transe todo o período diurno.

Agnaldo acordou. Percebendo como Sétimo estava nervoso, chegou a sentir medo. Mal conhecia aquela criatura.

Sétimo abandonou o cômodo escuro. Subiu para a casa e foi até o quarto. Encontrou Paola em frente à cômoda, olhando-se no espelho, examinando a ferida seca no pescoço. A mulher assustou-se com a entrada do rapaz, logo notou que as feições inocentes do garoto louro estavam alteradas. Olhos vermelhos, injetados.

— Que fez comigo?

— Tornei-te vampira, como eu.

Ela voltou a olhar-se no espelho. Sétimo estranhou a naturalidade com que a mulher examinava a ferida.

— Esta mordida? Foi assim?

Sétimo apagou os olhos. Olhar para o corpo nu e o jeito doce de Paola acalmou seus pensamentos por um instante.

— Não. Dei-te do meu sangue. Assim tornei-te uma vampira. — explicou, mostrando a cicatriz em seu pulso. — Tornar-se vampiro não é doença, que vem pelo ar ou pelas coisas... é um ritual, uma doação.

— Deus... — murmurou a mulher.

— Ele não tem nada a ver com isso... e a partir de agora, Ele não tem mais nada a ver com você. Vampiros não têm lugar ao lado do Pai. Somos ignorados; criaturas não naturais do seu reino.

— Ainda estou bonita para você? Assim, como vampira?

Sétimo abriu um sorriso largo. Estava impressionado com a naturalidade com que Paola absorvera a nova condição de existência.

— Ainda está. E para sempre será.

Paola foi até Sétimo e deu-lhe um beijo. Apanhou sua roupa ao lado da cama e vestiu-a.

Sétimo estava fascinado pelo fato da mulher ter aceito sua sina tão prontamente. Fato raro. Sempre havia muito choro, muita dor, muita luta. Os novos recusavam a situação. Ela aceitara. Parecia que desejara aquilo a vida toda. A vida eterna.

— Meu peito dói.

— É assim que acontece. Mas tão cedo?

— Meu estômago está queimando.

Sétimo sorriu. Desceu ao porão. Apanhou um maço de dinheiro e colocou na calça. Agnaldo interpelou-o, avisando:

— Eles foram embora. Partiram.

— Tentou detê-los?

— Não... eu não sabia, se tivesse me dito...

Sétimo desferiu um soco no peito do novato, fazendo-o voar até a parede dos fundos do porão. Os olhos cintilaram.

— Se quer ser de meu exército, tem que saber. Nunca deixe ninguém partir. Ou estão conosco ou estão contra nós. Agora, levanta e vamos. É hora de caçar. Serás meu general doravante. Não podes mais agir como um tolo, um bufão. Terá de fazer jus a seus músculos e a seu posto. Vamos caçar. Tem de aprender a ser um vampiro, um vampiro dos bons, um guerreiro de presas. Paola está conosco.

Agnaldo levantou-se, passando a mão na nuca. A cabeça doía.

— Paola?

— Sim... Paola, nossa nova aliada, minha última aquisição.

Sétimo saiu. Paola estava na varanda. O vampiro adiantou-se e abriu o portão. Girou a chave na moto e montou. Deu partida, acionando o botão na manopla, que fez o possante motor funcionar. Sinalizou para que a mulher sentasse na garupa. Quando Agnaldo apareceu, ordenou que trancasse a casa e os encontrasse no topo do morro, na avenida. Zarpou com a mulher agarrada em suas costas, os cabelos longos aloirados misturando-se aos fios castanhos da garota.

CAPÍTULO 37

Quando Tiago abriu os olhos estava novamente no meio da relva onde tivera aquele estranho sonho. Estava cercado por uma névoa espessa, que movia-se lentamente, aderindo a seu corpo. Tiago assustou-se. Que fazia ali? Um par de brasas flutuantes bruxuleava no meio da neblina. Já estava habituando-se àquela imagem. Olhos vermelhos. Olhos de vampiro. Era sempre assim. Um cintilar na escuridão. Perigo iminente. Ou você corre sem olhar para trás ou você responde à altura. Tiago fez seus olhos cintilarem. Num ato reflexo as presas caninas surgiram, prontas para um confronto. Aos poucos, o círculo livre daquela névoa foi crescendo ao seu redor. Estava sobre um gramado, como da primeira vez, porém não havia gelo no chão. Não, porém seria o vampiro Inverno que correria para atacá-lo. A névoa foi se desfazendo. Tiago não via mais o par de brasas. Nenhum cutucar sobrenatural em sua cabeça. Nenhum vampiro. Um relâmpago surpreendente marcou o céu. Dois segundos depois, um trovão prolongado ribombou. Tiago arrepiou-se. Como eram poderosos os sons da natureza! Um silvo. Farfalhar de asas. Lembrou-se da coruja. Nada. Sentia olhos pesando no corpo. Tinha certeza de que estava sendo observado. Retraiu os caninos. O rosto levemente transfigurado foi relaxando. Virou sobre os pés. Num raio de vinte metros, começava uma floresta fechada. Estava no meio daquele círculo perfeito. No centro. Um calafrio. Parecia exposto às sensações humanas novamente. Lembrava-se do estranho aviso no último sonho. Cuidado. O portador daquela mensagem fora o demônio em forma de homem. Alguém se mexendo no mato. Chuva. Começou fraca. Tempestade? Não era possível. As gotas frias batiam no topo da cabeça, aliviando-o de um calor incômodo. A chuva intensificou-se. Não podia ser o vampiro Tempestade. Ele fora destruído. Inverno também, mas o visitara naquele breve pesadelo. Depois do sonho ruim, acontecera o episódio no ônibus. Congelara o coletivo estendendo a mão para o assaltante. Tornara-se um filhote de

Inverno. Um relâmpago poderoso explodiu muito próximo de onde estava. Um clarão na floresta. Gente se mexendo. Uma árvore gigante curvou-se. Tiago pôs a mão em concha sobre a testa para enxergar melhor. A árvore estava caindo. Ia bater bem pertinho. Talvez chegasse a invadir o círculo com os galhos compridos. Recuou, temendo o impacto. O tronco ganhava velocidade na descida a cada instante. O que se seguiu foi tão espetacular, que Tiago, de boca aberta, demorou para processar. O tronco parou no meio da descida. Tirou a mão da frente da testa. A árvore estava imóvel. Podia estar enroscada. Estava difícil de ver com tantas gotas de chuva na sua frente. Juntando esta observação, outro arrepio cruzou seu corpo. Tinha parado de chover, mas as gotas continuavam lá! Suspensas no céu! Sorriu, rodou sobre os pés novamente. Onde estava? O tempo parado! Miguel! O vampiro Gentil! Só ele podia fazer aquilo. Parar o tempo! Miguel! Tiago levou a mão às gotas. Quando as tocava, era como se fossem colhidas de um pé de chuva, transformando, escorrendo, se liquefazendo. Deu alguns passos. Estava se divertindo. Olhou para trás. Havia formado um corredor em forma de Tiago. Lembrou-se dos desenhos animados. Um susto. Repentinamente, a árvore foi ao chão com estardalhaço, batendo os galhos na grama. Tiago curvou-se assustado e recebeu uma saraivada d'água na cabeça. Antes que os galhos da árvore se acalmassem, a chuva cessou. As folhas da planta gigante subiam e desciam, pendendo dos galhos frondosos. Um trovão ribombou no céu. Tiago voltou a tomar uma postura altiva. Um riso encheu a clareira.

— Assustado, vampiro?

Olhou em volta até encontrar aquele que falava. O demônio em forma de homem.

— Gostou do que viu, não foi?

Tiago olhava-o silencioso. Era um sonho de fato? Como saberia?

— Isso tem um nome, vampiro. Saudade. Sente falta de Miguel, não é? Confunde o nome dele com bondade. Acha realmente que Miguel era bom? Era o menos mau, vampiro... o menos mau, só isso. Que adianta querer ser bom se não é possível sê-lo? Você mesmo, vampiro, que há pouco era humano... já sai para as caçadas, já sente prazer em matar e se alimentar.

Tiago ouvia calado. Era verdade o que o demônio dizia.

— Mas o admiro. Admiro, não posso negar. Não foi seduzido pelo poder prometido por Sétimo. Ah! Pobre é aquele vampiro! Acha que pode mais que eu. Ah! Ah! Ah! — riu, placidamente, o visitante.

O homem rodeou Tiago, examinando-o de cima a baixo. Passou a mão no rosto e continuou a falar.

— É verdade que Sétimo vai constituir um exército para tomar a Terra?

— É verdade.

— Admiro você. Abandonou o vampiro... por amor à mulher. Por medo de se juntar ao exército do vampiro. Sabe que ele virá destruí-lo, cedo ou tarde. Sabe. No começo não queria interferir, mas Sétimo caçoa de mim e de mim faz pouco. Sou um líder, e como líder não posso deixar que me difamem. Contudo, não posso me sujeitar a chamar meu exército para combater um exército que é da Terra. Não me sujeito a essa vergonha. Sétimo é o mais poderoso. Foi meu escravo. Ganhou força comigo. Após tê-lo através da traição, dei-lhe força em nome da vingança. Vingança que ele não teve por completo. Quem há de sofrer é o vampiro Lobo, que ainda zanza pela face deste planeta. Como demora a hora dEle chegar, Sétimo teria tempo para sugar o sangue deste mundo três vezes. Sugar e digerir. Não quero isso. Se fosse meu servo... mas agora se recusa e me repudia. Não conversa comigo e quer meu lugar. Ah! Ah! Ah! Pobre coitado! Aposto que adoraria ver meus anjos contra seus soldados. Acha que me rebaixaria a tanto? Meus soldados contra carne? Tolo. Quero carne contra carne. E você é o único na face da Terra com gana e coragem para enfrentá-lo. Como gostaria de vê-lo vencer! Mas você é novo. Novo demais. Fraco. Tenho de fazer a você o que fiz àqueles do rio D'Ouro. A partir de agora você tem seu próprio dom. A partir de já. Nem que esta árvore caísse sobre sua cabeça seria destruído. Nem este tronco pesado lhe feriria a carne. Carne? Ah! Vai adorar. Mas isso não basta. Pra combater um exército é preciso outro. Terá ajuda, vampiro. Terá ajuda. E prometo que agora eles não lhe farão mal. Serão seus soldados, general.

— Eles?

— Ah! Ah! Ah! Não fique assustado. Já falei que eles não lhe farão mal. Virão te ajudar. Trago-os de volta. Só não trago os mortos à vida... isso eu não faço... mas, diga, vampiro, quem, dentre eles, estava vivo? Diz.

— ...

— Ah! Ah! Ah! Acha isso parecido com um enigma? Não. O que foi dito foi claro como água. Antes de acordar, saberá do que falei. Agora mesmo, sabe do que falei. Sou o visitante. O portador da luz. Trago boas novas. Não sou um arbusto que arde... isso não sou. Te trago boas novas e sabe do que falei. Tens é medo de admitir que posso tanto e que logo eles estarão com você. Serão aliados para combater o exército do vampiro que se intitula rei. Para isso virão e depois disso partirão. Nada mais há que se fazer. — o homem falante fez uma pausa e, com voz séria, continuou. — Precisará de tempo para se fortalecer. Dê tempo para eles voltarem.

Dou-lhe mais uma vantagem: inverto o que está feito. Você sente Sétimo, mas ele não o sente. Vou bloquear esse poder do vampiro. Manter-me-ei concentrado; isso vai desarranjá-lo... ele vai ficar louco. Sétimo não sentirá mais ninguém. Ah! Ah! Ah! Um vampiro cego!

O visitante fechou o rosto, perdendo a expressão amistosa. Deu as costas para Tiago e, antes que o vampiro manifestasse qualquer reação, o corpo do homem tornou-se etéreo, desaparecendo gradualmente antes de alcançar o esconderijo na floresta. A voz do visitante ecoou, reverberando no ar, como uma assombração.

— Reserva cinco moedas, vampiro! Ofereça ao barqueiro que ele trará seus soldados do mar! Vá e faça!

Em seguida, sobressaltado, Tiago despertou. Era noite.

Tinham chegado durante a madrugada e se instalado em um hotel. César e Eliana ficaram com um quarto de duas camas e Tiago pediu um separado, com cama de casal. Só aceitou ficar ali após certificar-se de que o quarto era provido de grossas cortinas. Seriam suficientes para vedar o Sol. Pediram sanduíches e bebida. Conversaram durante o tempo que restara da noite. Não conheciam a cidade do Guarujá. Estavam tensos, pois acabavam de comprar uma boa briga, e felizes, por estarem juntos e vivos longe do maldito Sétimo. Procuraram descontrair, conversando amenidades. Amavam-se cada vez mais. Cada um procurava deixar para trás o gigantesco problema; faziam piada e riam uns para os outros, como quem diz: Está tudo bem. Está um inferno, mas está tudo bem.

Ao aproximar o raiar do dia, Tiago espalhou cobertores sobre a cama, tapando as laterais. Os amigos entenderam que era hora de se afastar. Assim que trancou a porta, esgueirou-se para debaixo da cama e caiu em seu transe vampírico.

Ao despertar, sobressaltado, no princípio da noite, ouviu as vozes dos amigos no quarto vizinho. Deu uma batida forte na parede, e a dupla não tardou.

Tiago abraçou Eliana demoradamente.

Perguntou sobre a cidade. Haviam dado uma volta e diziam que o lugar era muito bonito, mas nada comparado às deliciosas prainhas de Amarração. Tiago lembrou-se de sua casa à beira-mar. Saudade.

— Hoje foi um dia de muito Sol! Muita gente na praia. Estava uma delícia. Um sábado gostoso.

— Lembrem-se que Sétimo pode aparecer de dia. Pode surgir a qualquer instante. Durante a noite, pode chegar até voando... — Tiago fez uma pausa. Lembrou-se do que o demônio lhe dissera. Seria verdade? Será que Sétimo estava impedido de localizá-lo? Como seria bom acreditar.

Os amigos notaram a expressão no rosto do rapaz.

Eliana passou a mão na face preocupada do namorado. Apesar de Tiago ainda ter a pele morena, típica de quem trabalha no mar, o rosto estava empalidecendo cada vez mais.

Tiago baixou a cabeça.

— Que foi, Titi?

— Nada, Eliana.

— Sua cara mudou.

— É, velho, sei que vai ser uma barra, mas a gente começou junto e se tiver que terminar, fico feliz de terminarmos juntos. Só sinto falta do Lalá. — apoiou César, lamentando a morte do amigo.

— O Olavo... — balbuciou Tiago, sentindo um aperto no peito. A gente nem enterrou o Olavo.

Eliana abraçou-o.

— Tive um sonho estranho durante o transe desta manhã.

— O que foi? — perguntou a moça.

— Um troço esquisito.

— Desembucha, tchê! Quer nos matar de curiosidade?

— Sonhei com o demônio.

Eliana afastou-se e encarou o rapaz.

— O demônio?! — disse, benzendo-se.

— É. Mas não tinha nada de chifres. Nada de patas de carneiro. Era um cara.

— O que mais?

César ouvia calado.

— Foi a segunda vez, na verdade. Mais estranho que na primeira.

César sentiu o quarto esfriar. Olhou ao redor. Teria Tiago ligado o ar-condicionado?

— Ele me disse umas coisas... disse que vai nos ajudar. Ajudar a combater Sétimo. Queria que fosse verdade o que ele disse. Queria que não fosse apenas um sonho.

— Credo, Tiago! — gemeu a mulher. — Se vem dele, nada pode ser bom.

— Contra Sétimo, Li, eu aceito tudo.

— O que ele te disse, afinal? — inquiriu César, esfregando os braços para se aquecer.

Tiago notou o frio que o amigo sentia. Será que era ele, o vampiro, quem estava provocando?

— Disse que ia trazê-los de volta...

— Eles quem?

— Os vampiros do rio D'Ouro.

— Bá, e isso lá é ajuda, Tiago?!

— Ele disse que eles viriam para nos ajudar. Para nos proteger.

— Tchê, tu vai me desculpar, mas não acredito que aqueles vermes possam ajudar alguém. — emendou o amigo.

Tiago meneou a cabeça.

— Eu também não, mas ele disse. E mais. Disse que me daria um dom. Não especificou qual. Me faria um deles. Forte para lutar contra Sétimo. Disse também que eu seria capaz de sentir Sétimo e que Sétimo não seria capaz de me detectar... se somente isso fosse verdade, já me bastava. Não iria atrás daquele maldito; deixaria ele fazer o que quer; me bastava nunca mais ter que cruzar seu caminho.

— Sétimo não vai nos deixar em paz.

— Eu sei Li, eu sei. Por isso que temo por vocês dois. Ele não quer vocês, quer a mim. Quer um general. Só coloco os outros em perigo...

— Fica quieto! Foi você quem me salvou na caravela. Tá lembrado?

Tiago sorriu para a namorada, que expressava gratidão. Apesar de tudo o que tinha acontecido, ela era grata. Beijou-a de leve.

— Como ele é? — perguntou César.

— Quem?

— O demônio, no seu sonho... como ele era?

— Um cara normal. Na verdade, um cara até franzino, parecia fraco — mas não era. Tem o rosto duro, a pele queimada. Estranhamente normal, simplório. Podia ser qualquer um que tu encontra na rua. Mas ao mesmo tempo... aquele olhar penetrante dá medo. É como estar de frente pra um louco, um psicopata.

— Ele disse que te deu um dom. Então usa. Se sair faísca da tua mão, se acontecer alguma coisa diferente, é porque é verdade.

Tiago riu.

— Não é assim que o dom aparece, Cesão. Miguel me disse que o dom se revela na hora em que você precisa. No apuro. Pela história que ele me contou... os poderes foram revelados numa emboscada armada por Tobia.

— Se esses caras não fossem os vilões, eu diria que essa história é maravilhosa. Vampiros portugueses... dons malditos... que coisa! — comentou a mulher.

— E quanto a sentir Sétimo?

— Não sinto nada. Por isso, disse que até queria que o pesadelo tivesse sido verdade. Não sinto nada, então não tenho dom, e o bom é que os malditos vão continuar destruídos, como rezo para que estejam. Só sinto falta do Miguel. O único vampiro que me ajudou. O resto pode continuar no inferno. Basta o vampiro Lobo, que está à solta.

— Esse é o ponto. Esse é o ponto. O bicho tá solto. Deve tá matando gente. Vamos começar a vasculhar os jornais. Com certeza, vamos encontrar alguma coisa. Acho que devemos aproveitar agora, que temos dinheiro e tempo, para ir atrás daquele cachorro supercrescido. Tu podes senti-lo, não pode?

Tiago aquiesceu.

— Então... em vez de ficar roendo as unhas esperando o dia em que ele vier para me pegar, vamos primeiro.

— Só que ele também pode me sentir, não se esqueça.

— Não é problema; pelo menos, ficará surpreso. Lembra? Basta não ter medo dessas criaturas que nossa força se iguala. Se tu tiver medo dos veados, eles ficam cem vezes mais fortes. Se não, consegue quebrá-los na porrada.

— Espera, Cesão. Nos últimos dias, só fizemos correr, correr. Vamos dar um tempo aqui. Vamos respirar um pouco, tentar lembrar como é viver normalmente, se for possível. Saber onde estamos e o que queremos. Vamos dar um tempo. É a melhor coisa: deixar a mente clarear um pouco.

César concordou, movimentando a cabeça.

— Só quero fazer uma coisa enquanto esperamos.

— O quê?

— Mais balas de prata.

Tiago sorriu. Tinha orgulho de ser amigo de um guerreiro.

— Beleza! Vamos fazer mais balas de prata.

CAPÍTULO 38

Dimitri desacelerou o carro. Estavam em frente à loja citada no cartão que encontraram no galpão. A pista era quente. Loja de esquina, carros usados e motocicletas esportivas. Tobia lera no livro dos ancestrais que encontrar roupas rasgadas junto a corpos mutilados era forte indício de ação de vampiros. Lobo, por exemplo, quando transmutava, deixava para trás as vestes imprestáveis. Se um vampiro tivesse se transformado no fundo do galpão... aquelas peças haveriam de ter-lhe pertencido. Tudo o que tinham encontrado no emaranhado de trapos foi o cartão. Uma direção. Um endereço.

— Descendo aqui, a gente sai na City Bussocada. Lugar perfeito para um covil. Ermo, sem agito e longe da polícia. Vamos dar uma batida.

O Comodoro desceu a rua vagarosamente. Os dois mal puderam observar a moto esportiva que subiu zunindo no asfalto. Um rapaz vestido de negro e uma garota na garupa.

Dimitri olhou para Tobia.

— Talvez... — balbuciou o descendente de portugueses.

Com o motor engatado, focado, examinavam as casas. A avenida principal era larga e limpa. Uma construção aqui outra ali. O céu trazia pouquíssima claridade, pois o Sol, escondido no horizonte, deixava apenas sombras avançarem sobre os sobrados. Dimitri localizaria o covil. Bastava focar. Era um excelente matador. Sabia encontrar as vítimas. Detectava o ponto fraco. Esses malditos logo cairiam em seu caminho e pereceriam em suas mãos.

Rodaram vagarosos pelas ruas. Tobia estava ansioso. Chegava a sentir um nó na boca do estômago. Naquele dia, em frente ao Bingo Estoril, tinha enfrentado o homem que conduzia o Comodoro. Não sabia de onde viera a fúria que tomara conta de sua mente. Só lembrava que tinha puxado o gatilho, e uma determinação pétrea varria e empurrava o seu querer, partindo para cima do assassino com raiva e força. Seria assim contra os vampiros? Será que seus instintos o conduziriam com tal bravura diante das criaturas malditas? Torcia para que sim, pois agora, acuado no banco de couro do Comodoro negro, sentia a alma esvaindo, temendo o confronto. Nem a metralhadora que trazia ao colo confortava. Reviver as aventuras grafadas. Instruir-se com as advertências dos ancestrais contidas no velho e precioso livro do clã dos Tobias só incitava seu medo. Os inimigos eram descritos como perspicazes e engenhosos. Fortes e eternos. A cada ano, as forças multiplicavam-se. Uns tinham o corpo duro como rocha. Assassinos. Seria páreo para tais criaturas? Atormentava-se, inseguro ainda, o que poderia lhe custar a vida. O medo era a arma do vampiro, alimento mais poderoso que o sangue. Os Tobias ensinavam que para vencer o vampiro o caçador primeiro teria que vencer o medo. Combatê-los como seres inferiores, insetos extermináveis, praga a ser combatida.

Estacionaram numa esquina. O motor trabalhando. A escuridão avançando. Carros passando furtivamente. Pouco movimento. Os vidros com insulfilm escuro impediam que os dois fossem identificados. O carro era suspeito. Dimitri desligou o motor, recostou-se quieto e esperou. Só os olhos pareciam vivos, dançando de lá para cá, atentos.

Após quinze minutos de muda espera, Tobia, entediado, apanhou o *Diário de Osasco* no banco de trás. Estava dobrado na seção de pessoas desaparecidas. O aumento dessas ocorrências também apontava para uma propagação da atividade vampírica. Fotografias de rostos jovens ilustravam a página: deficientes mentais, mulheres, crianças, um rapaz robusto, sorridente, de boné, desaparecido havia cerca de uma semana. Tobia foi pego de surpresa quando o motor do carro foi acionado.

Dimitri acelerou, sem passar dos vinte por hora. Passou por uma dúzia de ruas: ninguém nos portões. O bairro era pacato, ideal para esconderijo de vampiros. O olhar experiente não captou indícios. Uma construção ou outra chamava a atenção. Por exemplo, o casarão assobradado em frente ao qual se encontrava estacionado. Quintal amplo e coberto de grama; varanda espaçosa, confortável, com balaústres pintados de branco. O discreto caminho de pedras que levava para a parte posterior do terreno o intrigou. Estava certo de que ali havia uma porta, e que a parte baixa da residência comportava um porão. Pequeno, grande? Como saber? Com certeza, seguro e vedado, onde a luz do Sol não penetraria.

— Pode ser aqui.

— O quê?

— O tal covil. Cê disse que os vampiros se juntam e se escondem num covil.

— Ah! — resmungou Tobia, encostando o rosto no vidro enegrecido. — Como você consegue olhar através desse vidro? Como pode ser o covil?

Dimitri soltou o freio, e o carro deslizou rua abaixo. Chegavam na esquina quando finalmente Tobia conseguiu abrir o vidro e enfiar a cabeça para fora. Olhou para o casarão, mas não podia ver o quintal ajardinado, pois já viravam a esquina. Entretanto, uma pessoa estava passando pelo portão. Um rapaz robusto, de compleição avantajada. Não parecia vampiro. Passaria despercebido não fosse o fato de que aquele rosto, tinha quase certeza, aquele rosto era o do rapaz da seção de desaparecidos do jornal!

— Dê a volta no quarteirão! — gritou, colocando a cabeça para dentro do carro, erguendo o vidro elétrico.

Dimitri não questionou. Bateu o olho no retrovisor e deu a volta no quarteirão. Tinha um cara parado na frente da casa.

Chegavam à rua quando foram bloqueados por uma viatura. A segurança privada estava desconfiando daquele Comodoro negro estacionado no bairro, parado ali por tanto tempo, rodando a esmo, como se vigiasse as residências, tramando um assalto. Dimitri continuou, passando ao lado da viatura, sem entrar na rua desejada.

— Caralho. — entredisse. — Esses merdas vão atrapalhar.

O carro de ronda saiu da esquina, seguindo o Comodoro.

Dimitri avaliou a situação. O sobrado continuaria ali. Não invadiriam a casa agora, nem que confirmassem a existência dos vampiros. Precisavam juntar forças a favor, precisavam de luz do Sol. Tinham uma estratégia e não iriam pôr as coisas a perder. Engatou a terceira marcha e deixou para trás a rua estreita em que se encontrava. Acelerou, antes que a viatura os alcançasse. Chegou às grades do parque Chico Mendes, ganhou a rotatória que fazia a ligação com a avenida principal do bairro e deixaram a região sem maiores incidentes.

Na avenida principal do Novo Osasco, Dimitri tomou o sentido do bairro Santo Antônio. Conhecia aquelas ruas. Saberia como despistar um adversário. Não acreditava que a polícia militar se envolvesse naquele evento, mas todo cuidado era pouco. Como permitir que abordassem seu Comodoro forrado de armas de fogo e dispositivos explosivos?

— Aquele cara no portão... por que queria vê-lo novamente?

Tobia apanhou o jornal dobrado, e pediu que acendesse a luz de teto.

— Esse rapaz na foto. Acho que ele é o cara que estava no portão.

Dimitri coçou o queixo com a barba por fazer.

— Um dos desaparecidos?

— É o que parece, Dimitri.

— Isso não quer dizer nada. — retrucou o Matador.

Dimitri apanhou o jornal e olhou fixamente para a fotografia do rapaz. Agnaldo era o primeiro nome. Orgulhava-se de sua visão fotográfica, mas olhara de relance pelo espelho retrovisor. Não vira o rosto, apenas a silhueta de um homem forte. O garoto da fotografia parecia praticante de halterofilismo. Podia ser... mesmo assim, não queria dizer nada.

— Não quer dizer nada, mas pode ser tudo. Como já te disse, vampiros matam pessoas e, na maioria das vezes, ocultam o corpo. Outros, mais educados, deixam os cadáveres para que os padres encomendem a alma do pobre diabo, afim de que sejam recebidos no Paraíso. Algumas vezes, seqüestram pessoas e as transformam em soldados... em novos vampiros, aliados. — argumentava Tobia. — Pode ser esse o caso. O rosto é desse rapaz. Droga! Por que a merda daquele carro foi aparecer?

Dimitri mordeu o lábio. O fato do rapaz estar parado na frente da casa não indicava a condição de covil da residência. Entretanto, uma das qualidades que Dimitri possuía e que nunca desprezava era esse seu *feeling*. Pressentia que Tobia estava certo. Pressentia que aquele ordinário caminho de pedras terminaria no presumido porão, onde criaturas satânicas recolhiam-se nas horas de Sol e evadiam-se durante a noite para subjugar seres humanos e furtar-lhes a vida. Um tilintar na cabeça dizia que aquela casa era o esconderijo. Aquela casa era o alvo.

— Mano, tu vai precisar de um cursinho intensivo sobre bombas incendiárias e tiro rápido.

— E tu vais precisar de um curso rápido sobre cortar cabeças de vampiro.

CAPÍTULO 39

O som da arrebentação agradava Tiago. Fechando os olhos, podia imaginar que estava em Amarração, sentado na varanda de sua casa simples e gostosa, única herança material do pai. Um vento morno batia no rosto, e o vampiro manteve os olhos cerrados por uns instantes. O pai. Delegado, transferido de Porto Alegre para Amarração. Severo. Correto. Como reagiria sabendo que o filho tornara-se um assassino? Saudade do pai...

O barulho do povo passando... um burburinho. Parecia se distanciar. Mais uma vez, a imagem de Sétimo. Um cutucar no lado esquerdo da cabeça. Podia senti-lo, saber onde o monstro estava. Mantivera-se no mesmo ponto nos dez últimos dias. Estava em Osasco. Longe. Dia após dia, a força aumentava. Podia erguer um carro, se necessário. Sua velocidade vampírica estava excepcional. Ainda conseguia congelar o ar, como o vampiro Inverno, mas não sabia se era o dom prometido pelo visitante. O dom de congelar fora dado por Inverno. Estava curioso. Se podia sentir Sétimo, é porque tinha ganhado um dom, poderoso, como o visitante prometera. Olhando para o calçadão, viu César e Eliana se aproximando.

— Tiago, quer sorvete? — perguntou a mulher, sorridente.

— Não. Não quero.

César sentou-se ao lado do amigo. Um volume por baixo da camiseta formou-se. Desde que deixaram a casa em Osasco, o amigo andava constantemente armado.

César e Eliana entabularam uma conversa animada. Discutiam futebol. Eliana era cruzeirense fanática e zombava de Cesão, que torcia para o Flamengo.

— Bá, tu torce para um time que nem da tua terra é. Não tem como discutir comigo.

César argumentava. Elencava jogadores, estrelas que passaram pelo time. Não era um torcedor fanático, nunca fora ao estádio, mas era um apaixonado. Lembrava-se de vitórias fantásticas e gabava-se para a amiga. Eliana ria.

Tiago nem ouvia. Sabia que discutiam futebol, mas os olhos, a atenção, concentravam-se numa roda de adolescentes na praia, sentados próximos de onde as ondas vinham lamber a areia. Concentrava a audição vampírica. Palavras chegavam aos ouvidos. Dois deles eram traficantes. Estavam envenenando a garotada. Crack. Droga pesada. Nomes. Naldinho, de bermuda e sem camiseta, com uma corrente de ouro grossa no pescoço batendo no peito. Valdo, cabelo tingido de vermelho, braços musculosos e jeito truculento de falar. Riam. De repente, engrossou com um dos adolescentes. Cobrava dinheiro. O moleque reclamava. Valdo segurou-o pela camiseta e socou-o repetidas vezes no rosto até largá-lo desfalecido na areia. Os outros não reagiram. Estavam numa parte afastada do calçadão. O defeito na luz pública dificultava que os transeuntes os vissem. Mesmo que pudessem, o episódio violento fora tão rápido que nem chamaria a atenção. Risadas. Valdo e Naldinho afastaram-se. Vinham em direção ao calçadão. Risadas. Eliana deu um tapa em Cesão. Tiago mexeu a cabeça pra lá e pra cá, estralando os ossos do pescoço, sem tirar os olhos dos dois traficantes. Subiram para o calçamento, bem próximos ao vampiro. Tiago sentiu o corpo invadido pelo cheiro de sangue que gotejava da mão de Valdo. O rapaz parou um instante, examinando o ferimento.

— Filho da puta! Rasguei a mão no dente daquele folgado.

Iam atravessar a rua. Naldinho reparou no cara de rosto estranho, pálido, de roupas negras, sentado no calçadão encarando os dois.

Tiago estava concentrado na dupla, mas não notou que Naldinho percebera seu interesse. Somente quando os dois traficantes olharam para ele, deu-se conta de sua indiscrição.

— Que aquele palhaço tá olhando?

— Será que viu você arregaçando o Adriano?

— Grande bosta! Dou um pau nesse mauricinho. De calça na praia, só pode ser playboizinho de São Paulo.

Tiago, ouvindo os comentários maldosos, desviou o olhar. Não queria os malandros próximos de seus amigos. Fez que olhava para o outro lado, para uma garota de pele dourada que rebolava deliciosamente em direção ao sorveteiro. De soslaio, notou que os marginais se afastavam. Fixou o olhar em Valdo. O cheiro do sangue. O traficante, antes de sumir na esquina, olhou para trás, direto para ele. Fechou a cara ao perceber que o estranho ainda o observava. Ergueu o dedo médio em gesto obsceno e, em seguida, desapareceu na rua perpendicular à avenida.

— Tiago, tu tá estranho, guri. — observou Eliana.

Ele voltou-se para os amigos.

— Estou com fome. Só isso. Preciso comer. Preciso estar pronto.

Levantou-se. A camisa preta farfalhou com o vento. Passou a mão na boca. Sede. Os olhos cintilaram rapidamente. Sem olhar para trás, atravessou a rua. Parecia caminhar em câmera lenta. Os ouvidos bloqueavam os barulhos. Ouvia a risada dos dois. Os malditos. Entrou na rua. Os dois estavam no outro quarteirão. Uma gota de sangue no chão. Os olhos brilharam mais ainda. Era tarde. As ruas ficavam cada vez mais escuras à medida que se distanciavam da praia. Não escapariam. Do sangue de Valdo emanava um cheiro marcante, telegrafando seu paradeiro ao caçador. Os dentes pontiagudos brotaram. Um leão na savana, decidido a lutar. Uma lufada de vento no peito. O vento trazia com mais força o cheiro do sangue. Estavam distantes da avenida do calçadão; impossível para os marginais enxergarem o vampiro. Tiago, ao contrário, via-os com clareza. Os dois riam, vangloriavam-se de sua valentia. Tramavam novas cobranças. Novas extorsões. Entraram num terreno baldio para contar o dinheiro tirado do jovem espancado. Tiago surpreendeu-os, chegando sorrateiro.

Naldinho estava sentado num bloco de cimento contando o dinheiro. Valdo, lambendo o ferimento da mão, reclamava.

— Porra, tá ardendo pra caralho. Não pára de sangrar.

Tiago se fez perceber, arrastando o pé na areia.

Naldinho, sem camiseta, com o cordão de ouro pendendo no peito, encarou Tiago, boquiaberto.

— Que porra!... que cê tá fazendo aqui?

Valdo assustou-se. Encarou Tiago; lembrou-se dele fitando os dois na praia... o playboizinho paulista.

— Tu é cana?

Tiago meneou a cabeça negativamente.

— Que quer com a gente? É traficante?

Negou, calado.

Valdo levou a mão ferida para trás. Na cintura, prendia um canivete, grande como punhal.

Naldinho enfiou apressadamente as notas no bolso da bermuda.

— Cê tava encarando a gente na praia... que é que cê tá procurando?

— Vi vocês batendo no moleque.

— E daí? — inquiriu Naldinho, irritado, assumindo um ar violento, explosivo. — Tá com pena dele? O cara tava devendo dinheiro! Foda-se ele.

— Rapa fora, maninho. Rapa fora. — ameaçou Valdo, exibindo o canivete.

Tiago sorriu.

Os marginais entreolharam-se. O cara deveria ser um maluco... um justiceiro. Naldinho xingou-se por não ter trazido o cano; ia apagar o sorriso desse vagabundo passando fogo no cara.

— Rapa fora! Sai, cara!

Como o homem não se mexia, Valdo atacou.

Tiago incitou seus poderes. Imóvel e veloz, agarrou o braço do rapaz e torceu-o até ouvir um estalo, deslocando-o.

— Filho da puta! — gritou Valdo.

Tiago segurava firme a mão do rapaz, transferindo o frio sobrenatural que sabia produzir.

Valdo, com muita dor, relutou até arrancar a mão do poder do invasor. Tentou abri-la, mas a pele estava acinzentada e os dedos duríssimos. A dor insuportável foi crescendo, e o braço inchava. Desesperado, caiu no chão gritando. Os dedos tinham virado gelo!

Naldinho tentou correr, mas quando passava por Tiago, foi agarrado pelo pescoço. Viu quando os olhos do homem ficaram vermelhos incandescentes.

— É o capeta! É o capeta! Deus me ajuda! — gritava ensandecido.

Tiago cravou os dentes em Naldinho. Agarrou o jovem, que se debatia, e prendeu-o num abraço mortal. O rapaz gritou e lutou por quase um minuto, até perder as forças e o corpo amolecer.

Valdo rastejava quando sentiu a mão forte agarrando seu tênis, recolocando o corpo no terreno baldio. Viu o intruso, com a boca manchada de sangue, fechar o punho e dar ao delinqüente um pouco do próprio veneno. Como ele fizera com o rapaz na areia, Tiago golpeou-lhe violentamente o nariz. A face do bandido havia se transformado numa massa de carne disforme. O nariz era uma bolota inchada, e os olhos tinham se unido, tamanha a violência dos golpes. Os cabelos vermelhos confundiam-se com o sangue que tomava conta da pele, escapando por incontáveis ferimentos. Tiago grunhiu. Tinha provocado um traumatismo craniencefálico no marginal. Apoiou um joelho no chão e trouxe o pulso do rapaz até a boca. Abriu uma ferida e roubou o sangue do traficante. Matara-o com violência. Sabia que quando estivesse satisfeito culpar-se-ia pela crueldade de sua ação, contudo, naquele momento, sentia-se bem, pois estava pagando ao bandido com a mesma moeda que distribuíra a suas vítimas do tráfico. Violência.

CAPÍTULO 40

Sétimo despertou. A noite há muito havia entrado. Deitados à sua frente quatro novos vampiros, capturados e vampirizados por Agnaldo. Sétimo estava contente. Em poucos dias, o vampiro novato mostrara-se determinado a tornar-se um soldado valioso e fiel. Não questionava os ensinamentos de Sétimo, não perguntava o porquê disso ou daquilo. Apenas executava o que o vampiro pedia. Conseguira quatro soldados. Jovens e fortes. Excelentes soldados. Em dois dias, deixaram o desespero e agora aceitavam a nova condição, o desligamento da vida passada. Eram vampiros. Sétimo encarou Agnaldo, estava pálido, o rosto encovado. Precisava de sangue; estava cansado com a criação dos soldados: consumia muita força de um vampiro novo e ainda fraco, comparado aos antigos. Sétimo sabia que os filhos de Agnaldo seriam fracos. Demorariam muito e muito tempo para adquirir a resistência de um vampiro comum. Sabia que a criação drenava Agnaldo, que o novo general precisaria de muitos litros de sangue para se recompor. Porém, Sétimo satisfazia-se com o aumentar do séqüito. Era isso que importava agora. Protegeria o covil e daria tempo para que os novos se fortalecessem. Traria comida como uma coruja-mãe. Precisava que os novos ganhassem poderes e produzissem crias. Precisava de um exército.

Sétimo deixou a toca. Paola o esperava na varanda da casa. Como todos os dias, a mulher de pele morena e cabelos esvoaçantes estava linda, mas sem o brilho nos olhos, sem sorriso a enfeitar o rosto.

— Que tem, minha princesa? O que te aborrece?

Paola abraçou Sétimo, pousando a cabeça no peito do vampiro.

— Agnaldo tem novos amigos; eu não tenho ninguém.

— Tem a mim, minha rainha. Tem a mim. O que mais quer senão a mim e às coisas do mundo que vou lhe trazer?

Paola soltou do corpo frio e duro do vampiro.

— Estou só, Sétimo. Que graça tem descobrir um mundo assim sozinha? Você é homem... preciso de uma amiga, uma mulher.. é diferente.

— Quer uma dama de companhia? É isso?

— Que seja, Sétimo. Que seja. Quero alguém para conversar, contar as coisas novas... partilhar meus descobrimentos.

— Conte a mim, princesa, já disse. Sou todo ouvidos. Deixo o mundo para amanhã, tu me contas o que quiser.

— Não serve, Sétimo. Preciso de uma amiga. Não posso mais falar com minhas amigas antigas. Elas não entenderiam. Elas fugiriam de mim.

— Te trago esse presente, minha querida. Te trago uma dama de companhia esta noite.

A mulher sorriu e, antes que agradecesse, o vampiro desapareceu diante de seus olhos.

Sétimo trafegava em baixa velocidade com a recente aquisição, a motocicleta de mil e cem cilindradas. Passou pelo centro da cidade. Olhos atentos, buscando a vítima certa. Uma mulher. Mas uma mulher linda, para enfeitar ainda mais o castelo e servir de companhia para sua eleita. Uma mulher que quisesse ser vampira. Depois de muito rodar, sem encontrar quem despertasse sua atenção, tomou a avenida dos Autonomistas e rumou para a cidade de São Paulo. Paola gostava muito de passear naquela direção. Ensinara sobre a cidade vizinha. Mostrara os lugares quentes. Danceterias. Bares. Lugares coalhados de gente. Lugares perfeitos para as caçadas. Jovens, bêbados, artistas. Sangue disponível. Rapidamente alcançou a avenida Vital Brasil. Os olhos vampíricos enxergaram a torre do Unibanco. Atravessou um viaduto e alcançou a Rebouças. Carros em grande quantidade. Estava se acostumando. Aquela cidade nunca deixaria faltar matéria-prima para a criação de seu exército. Em breve, tomaria o controle daquelas ruas. Parou num cruzamento. Luz vermelha. Enquanto decidia para onde seguir, seus olhos cruzaram com os de uma linda jovem que atravessava a avenida. Agradou-lhe à primeira vista o jeito da mulher. Corpo voluptuoso. Formas deliciosas. Extremamente atraente. Cabelos fluindo ao vento débil que dançava entre os prédios. Olhos claros. A boca tão bem desenhada que faria qualquer coração humano bater mais forte ao tocá-la. As roupas... pretas. De acordo com o figurino vampírico. Saia de couro, curta. Pernas envoltas numa espécie de meia negra, translúcida, agarrada à pele. Jaqueta entreaberta e uma peça de renda agarrada aos seios volumosos e hipnóticos, de tão bem feitos. Luz verde. Sétimo deu força à motocicleta e dobrou à direita, acompanhando a garota. Ultrapassou-a e estacionou no calçamento público a duas quadras. Parecia realmente hipnotizado pela garota. Seguia o jeito provocante de andar. Era linda! Seria a acompanhante perfeita para sua Paola. Tão bela quanto!

Uma jóia de olhos verdes para enfeitar seu castelo. Ela entrou numa rua perpendicular à avenida. Sétimo deu partida e voltou um pequeno trecho na contramão para pegar a via. Rua deserta. Sétimo queria aquela mulher. Ela viria por bem ou por mal. Fora escolhida. Aproximou-se. A garota levantou os olhos ao perceber que o rapaz reduzia a velocidade. Estava curiosa. Sétimo encostou alguns metros à frente e voltou-se.

— Oi!

A garota notou a pele pálida do rapaz. Como era alva!

— Oi.

— Para onde vai?

— Para casa.

— Quer uma carona?

— Sem chance, cara. Não aceito carona de estranhos. — respondeu a garota, sem diminuir a velocidade e passando pelo vampiro.

— Ora, pois, quem disse que sou estranho?

A garota não respondeu.

Sétimo deu partida e alcançou a moça.

— Sou Sétimo. — disse o vampiro, estendendo a mão.

A garota sorriu.

— Qual é o seu nome?

— Aléxia.

— Uau! Que nome lindo!

— Você não desiste! Não vou pegar carona. Acha que sou o quê? Louca? Não te conheço.

— Não. Acho você linda, maravilhosa... não pode ficar desacompanhada.

Aléxia continuou, deixando o vampiro para trás.

Sétimo seguiu com os olhos. Como era sexy! Pernas bem torneadas, saia curta. Um corpo irresistível. Talvez fosse melhor esquecê-la. Talvez Paola não aceitasse uma concorrente. Não que a opinião da vampira lhe fosse importante, mas precisava de aliados fiéis... e Paola mostrava-se uma vampira que aprendia rápido e disposta a conquistar a noite ao seu lado... já possuía um valor muito grande para ser descartada. Quando Aléxia passou, Sétimo entreviu um crucifixo encaixado nos seios da mulher. Esqueceu-se momentaneamente das possíveis complicações com Paola: estava enfeitiçado pelas curvas da escolhida. Aléxia...

— Suba, Aléxia. Te deixo onde quiser.

Ela percebeu o olhar insistente do vampiro em seu decote. Adorava exercer aquele hipnotismo sobre os homens. Ainda mais nos garotos!

Sabia que tinha um corpo atraente e um rosto irresistível; que conseguia prender os homens pelo olhar, adorava o poder que seu corpo lhe proporcionava. Estava excitada, o coração batia mais rápido e, algumas vezes, chegava a corar. A rua escura, a abordagem de um estranho e o medo crescente em seu peito faziam da excitação uma compulsão pelo perigoso e proibido. Os olhos do rapaz não desviavam de seu corpo; subiam e desciam, como se atravessassem o couro grosso de sua roupa. Sorriu para Sétimo. O cara estranho e pálido era magro, tão magro que parecia frágil, e de rosto muito simpático. Que mal poderia lhe fazer? Parecia um desses filhinhos de papai, endinheirados, que gostavam de botar com pinta de malvados em cima de motos esportivas e carros envenenados. Subiu na moto e abraçou o vampiro.

— Nossa... você está gelado.

— É o vento. Não se preocupe, ele me deixa assim... frio. — respondeu Sétimo, acelerando a moto, fazendo a garota se agarrar ainda mais.

— Para onde vamos?

— Para onde quiser, Sétimo. Para onde quiser.

CAPÍTULO 41

Brites analisava o mapa desenrolado à sua frente. Frustração. O lobisomem parecia ter desaparecido. Não encontrava mais pistas que antecipassem uma emboscada. A última deixada pelo lobo fora um presumido ataque na região da Lagoa dos Patos, a cento e setenta quilômetros de Amarração. Doze adolescentes desaparecidos simultaneamente e o depoimento de um senhor que pescava à beira da lagoa, que afirmava ter visto dois lobisomens. Sim, lobisomens, pois jurava que tinham as formas lupinas e caminhavam sobre duas patas. Assumia que estava alcoolizado naquela noite, mas o fato é que o avistamento coincidia com o sumiço dos garotos. Nada restara no local do acampamento. Somente sangue. Nem os carros, talvez roubados por saqueadores, ou com alguma esperança, levados por possíveis sobreviventes. Se houvesse. Brites não entendia aquela história de dois lobisomens. Talvez o álcool fizera o homem ver o bicho duplicado. O fato era que não conseguia mais achar traços do bicho. Tinha recebido notificação de uma fazenda atacada e o gado dizimado quase completamente cem quilômetros ao norte do acampamento. Depois, mais nada. Era ele. Fizera um pedido de verba extra ao comando. Precisava de armas adaptadas para lidar com aqueles seres. Sabia que eram presos na prata, que se feriam com balas de prata. Ou o comando atendia ao pedido, mesmo estapafúrdio, ou continuariam amargando infrutíferas investidas. Brites suspirou. Passou a mão no cabelo. Olhou em volta. Os homens trabalhando automaticamente. Olhando para monitores. Olhando para gráficos. Papéis. Eventualmente, chegavam relatos de pessoas mortas em condições estranhas, com marcas condizentes ao ataque de vampiros em São Paulo, Osasco e região. Tinha que tomar uma decisão. E rápido. A situação já lhe fugia ao controle, mas ainda restava uma ponta de confiança, uma chama de fé. Acreditava que poderia livrar sua terra e sua gente daquelas criaturas. Queria vingar os soldados. Tinha que agir, antes que a chama se apagasse.

CAPÍTULO 42

O Comodoro encostou. Haviam aguardado o rapaz de cabelos longos deixar o lugar. Durante a observação, presumiram que ele seria uma espécie de guardião, o humano incumbido de cuidar da casa para os vampiros. Um sujeito que não deveria apresentar grau importante de periculosidade, pois não era vampiro. Um vampiro não poderia andar livre ao Sol. Concluíram que o covil estaria desprotegido após o cabeludo se retirar. Hora de agir. Dimitri desceu, seguido por Tobia. Tinham passado e repassado o plano. Dimitri gastara dias ensinando Tobia a manejar as armas. Agora era entrar, matar vampiros e sair. Sol a pino. Vantagem. Os vampiros não conseguiriam persegui-los. Não poderiam retaliar. Seriam mortos pela luz do Sol. O guardião estava afastado. Dimitri ergueu a tampa do porta-malas, passou uma metralhadora com silenciador para Tobia. Ambos vestiram uma malha de ferro trançado que descia da cabeça até o peito, protegendo o pescoço. Tobia tinha ainda o reforço da armadura prateada. Dimitri apanhou uma metralhadora e escondeu-a sob a roupa; achava mais eficaz que um punhado de chapas de prata. Foi ao portão. Cadeado e corrente. Voltou ao porta-malas. De dia, não poderia saltá-lo. Tinham pouco tempo até que as viaturas da segurança particular voltassem. Com o alicate de cabo prolongado, num instante arrebentou um elo da corrente e liberou a entrada. Arremessou a ferramenta a um canto do gramado e avançaram para o fundo da casa, onde puderam observar movimentação em inspeções anteriores. Dimitri empurrou a pesada porta. Estava destrancada. Tobia entrou logo atrás. O coração batia rápido. Eles existiam, enfim. Inimigos sobre-humanos. O primeiro confronto do novo desafio. Contaram cinco vampiros. Homens... garotos, na verdade. Todos em pé, olhos cerrados, recostados à parede. A claridade que invadia o cômodo fez alguns franzirem o cenho, mas nenhum abriu o olho. Um cheiro acre entrava pelas narinas. Terra amontoada num canto. Tobia pegou um pequeno galão que trazia embaixo das roupas. Dimitri mantinha a metralhadora empunhada. Acabariam com os cinco de uma vez. Não teriam uma segunda chance. Tobia espalhou o líquido sobre as roupas dos vampiros. Repentinamente, o que estava mais ao fundo abriu os olhos.

— Cuidado! — bradou Tobia.

Dimitri não se alterou. O alvo era a cabeça do vampiro desperto. Os olhos do vampiro transformaram-se em duas brasas, mas a criatura não se moveu, não emitiu som algum, Tobia terminou de espalhar o líquido inflamável sobre os vampiros e recuou até a porta. Dimitri retirou do sobretudo um artefato cilíndrico, do tamanho de uma lata de ervilhas. Puxou um pino e jogou o dispositivo. Ergueu a metralhadora e disparou contra o vampiro de olhos abertos, que foi ao chão, enrolado, fechando-se entre braços e pernas para proteger-se. Dimitri acertou todos os vampiros. Contava mentalmente. O tempo estava acabando. Assim que saiu, o artefato explodiu, incendiando o cômodo e fazendo uma labareda vermelha avançar para fora.

Matador gesticulou para Tobia. Subiram até a varanda. Cômodo por cômodo, nada. Nenhum vampiro. Tinha limpado o covil. Pensavam assim até encontrar uma porta trancada. Tobia golpeou-a com o ombro, na tentativa de abri-Ia. Dimitri recostou-se na parede oposta e bateu violentamente com o solado do coturno, sem sucesso. Não tinham tempo. Logo, a fumaça chamaria a atenção dos vizinhos, e os seguranças particulares estariam rondando o local. Matador armou outra bomba incendiária na porta. Atravessaram o gramado rapidamente e entraram no carro. Dimitri deu partida e zarpou, enquanto o artefato explodia.

Subiam a rua principal para chegar ao Novo Osasco quando viram o guardião descendo velozmente.

— Vamos voltar! — ordenou Tobia.

— Não podemos.

— Por quê?

— Já devem ter acionado a polícia. Aquele banana não vai conseguir fazer muita coisa. Vai ter muito o que explicar quando os bombeiros chegarem.

Sétimo ia em alta velocidade. Fora acometido por um pressentimento. Um sentimento ruim. Um sentimento de perigo iminente. O carro negro subindo a rua. Não havia dado muita atenção, mas lembrava-se que estava em frente da casa quando saiu. Não tinha tempo de persegui-lo. Caçadores? Tão cedo?! Quase caiu ao entrar na curva. Cheiro de fumaça. O portão aberto. Entrou no quintal e largou a moto no chão. Velocidade vampírica invocada. Vira fogo saindo pela porta do porão, mas tinha fumaça vindo de cima. Acudiria as mulheres primeiro. Elas poderiam ser destruídas sem notar. Fogo no corredor. Sétimo apanhou um tapete grosso e, usando sua velocidade vampírica, reduziu o poder das chamas. Havia algo diferente naquele fogo. Era difícil de apagar. Sétimo atravessou as chamas e, num único golpe de mão, fez a tranca da porta em pedaços. Aliviou-se. Pouco fogo tinha invadido o quarto, mas logo chegaria às cortinas negras que mantinham o ambiente completamente escuro. Se suas vampiras não perecessem às labaredas, seriam destruídas pelo Sol. Apanhou outro tapete e eliminou o fogo do quarto. As moças estavam de olhos cerrados, corpos nus, mãos cruzadas sobre o peito, aguardando a noite para buscar novos soldados. Sétimo abriu as torneiras dos dois banheiros, os chuveiros e tapou os ralos para que a água tomasse o assoalho. Repetiu na cozinha. Era hora de acudir o covil. Desceu rápido; o corpo não seria percebido por olhos humanos. No máximo, veriam uma mancha distorcendo o ar. Teve muito mais trabalho com o cômodo inferior. O fogo havia tomado todo o ambiente, mas por sorte o chão estava cheio de barro, resultado da providencial escavação de Agnaldo. As paredes de tijolos vermelhos à vista, sem acabamento, não se inflamavam. Cerrou a porta para que a fumaça não chamasse a atenção dos passantes. Sétimo, com o grosso pedaço de tapete, abafava rapidamente, como podia, o fogo insistente. Gritou enraivecido. A fumaça não incomodava seus pulmões mortos, e o fogo pouco atingiu sua pele resistente. Mas os soldados, recém-transformados, estavam queimados. Arrancou do chão o que sobrara da tampa de madeira que Agnaldo construíra. O general estava lá, apenas chamuscado, imóvel. Sétimo chacoalhou-o, trazendo-o à consciência. Agnaldo levantou-se sobressaltado.

— Não saia, vampiro. Ainda não é noite. Ajuda-me. Apaga esse fogo.

Rasgou o tapete e deu ao general.

— Cuidado. Vou abrir a porta. — advertiu o vampiro.

Sétimo levou ao gramado o pedaço de madeira que sobrara. Bem naquele instante, uma viatura da segurança particular encostou. Sétimo fechou a porta do cômodo. Os homens perguntaram o que acontecia. Sofrera um ligeiro acidente doméstico. Estava queimando uma mesa velha, e outros móveis acondicionados no porão haviam se inflamado.

— Mas você não pode sair queimando coisas assim, no quintal. É perigoso.

— Não se preocupem. Está tudo controlado. Podem seguir e tomar conta de tuas vidas. — explicou o vampiro, impacientando-se.

Estava nervoso. Se muita gente juntasse, se o Exército viesse em seu encalço, teria de abandonar tudo e todos. Não era o que desejava, mas essa possibilidade o fazia perder o controle. Queria seus soldados. Logo que coordenasse tudo, o problema estaria resolvido. Um bocado de sangue poderia ajeitar as coisas. Os vampiros tinham a fascinante capacidade de curar o corpo com velocidade assombrosa após a ingestão de sangue humano. Seria uma noite de caçadas. Sétimo conectou uma mangueira a uma torneira. Tinha visto Eliana, a desertora, aguar as plantas do pequeno jardim usando aquele encanamento. Girou até o limite e levou o esguicho para a porta do cômodo. Havia pouco fogo, mas a fumaça aumentara. O perigo havia passado. Só tinha que torcer para os curiosos se cansarem e nenhuma autoridade se incomodar. Entrou para certificar-se de que suas mulheres não corriam perigo. O chão estava encharcado e uma fina camada dágua já tomava conta do piso. Um pouco de fumaça ainda infestava o ambiente, mas o fogo fora banido. Tempestade. Onde estaria Tempestade? Se o vampiro Baptista ainda fosse vivo, se ainda existisse, viria a calhar naquela situação. Um simples querer faria água vir abaixo em abundância. Nenhum incêndio era páreo para o velho Tempestas.

A noite chegou. Sétimo festejou a negligência das autoridades brasileiras. Nenhum soldado, ninguém viera questionar o ocorrido. Sorte. Mas parava ali. Os vampiros novos estavam em estado lastimável. Eram filhos fracos. Agnaldo e mais dois que jaziam no fundo da cova improvisada estavam salvos, mas os cinco novatos que ficaram para fora estavam praticamente perdidos. Gemiam ininterruptamente e mal podiam se mover. Deixariam de existir em pouco tempo, tinha que agir. Não queria se afastar do covil. Se o carro negro voltasse, tinha que estar lá para encarar os atrevidos caçadores e liquidar suas vidas miseráveis. Iria destruí-los. Jurava. Tal atrevimento lembrava as buscas de Tobia, o Impetuoso. Mais que impetuoso, um estrategista. Um estrategista que já tivera a cabeça de Inverno nas mãos. Não fosse a união dos sete vampiros do D'Ouro, Guilherme teria perecido. Ficaria na casa, esperaria, pois, certamente, os malditos voltariam a atacar, aproveitando a fragilidade imposta ao covil. As meninas teriam de agir, atrair sangue para a toca. Sétimo subiu ao quarto de suas queridas vampiras. O dinheiro do grupo ficara a salvo, dentro do guarda-roupa. A manutenção da casa estava assegurada. Sétimo entrou. As mulheres haviam despertado e o brindaram com um sorriso largo. Paola foi a primeira a notar e perguntar o que acontecera na casa. Por que o chão estava alagado? Ele descreveu brevemente os fatos e passou às mulheres a urgência da situação. Tinham que salvar os novatos.

— Deixe com a gente, Sétimo, É sangue que quer? Sangue traremos. Aléxia, ponha sua roupa mais sexy. Hoje vamos sair para arrasar.

Aléxia sorriu para a vampira. Adorava a noite e o jogo da sedução. Confiava no corpo atraente e nas formas arrasadoras. Sabia que homem nenhum resistiria ao seu olhar. Iria caçar. Iria trazer sangue para os novatos.

Paola estava feliz com a companheira de Vida Escura. Como ela, Aléxia fora feita do sangue do mestre. Era forte e mostrava-se cada vez mais impetuosa, excitada com a vida noturna. Dera trabalho apenas no primeiro dia. Gritara. Chorara. Mas, com o passar das horas, após conversar com a nova irmã, arrefecera, aceitara. Era uma vampira.

— Vai, Sétimo. Vigie a casa. Para mim, basta a moto.

Sétimo estendeu a chave a Paola, devolvendo o sorriso com que fora recebido.

CAPÍTULO 43

Paola, calça de couro preta e jaqueta de couro com uma cruz vermelha nas costas, encostou Aléxia na garupa, trajava saia diminuta, meia preta colada à perna e uma blusinha leve de seda. Não tinha quem não notasse o par de mulheres. Uma morena lindíssima e uma loira fatal. O objetivo seria alcançado rapidamente. A mesa era assediada por grupos de rapazes a todo instante. As garotas pediram bebidas. Não queriam perder tempo, e começaram a jogar conversa fora. Aléxia divertia-se, sabendo que não teria de lançar mão de toda sua técnica de sedução. Já tinham encontrado as vítimas perfeitas: um quarteto de rapazes de vinte e poucos anos que tinham vindo do interior do estado para aproveitar a noite paulistana. Levemente embriagados, cediam à beleza da dupla feminina. Dez minutos após, estavam deixando o bar. Os rapazes tinham uma Blazer e sugeriram um lugar mais reservado para uma festa particular. A hora perfeita. Paola saiu na frente e subiu na moto. Colocou o capacete e deu partida. Os rapazes estavam entusiasmados. Nunca fora tão fácil arrastar para a festa particular mulheres tão belas. Gatas requintadas em geral demandavam muito tempo de conversa. Aléxia subiu na Blazer. Iriam para sua casa. Não sabiam, mas estavam a caminho de um covil de vampiros.

Sétimo ouviu o motor da possante motocicleta. Paola voltava. Os novatos estavam mal, precisavam de sangue. Sabia que era isso que as mulheres traziam. Sétimo sorriu. Por um instante, um pensamento passou pela cabeça. Os papéis estavam se invertendo. Ele cuidava dos novos pupilos, enquanto as mulheres saíam para caçar, para trazer comida para casa. Os malditos invasores pagariam. Seriam localizados, cedo ou tarde. Um carro grande parou do outro lado da rua. Sétimo, pela janela da sala, espreitava. Viu Aléxia, sorridente, e quatro jovens. Quatro vítimas. Perfeitos. Jovens adultos. Com sangue em fartura.

Aléxia trazia Marcelo pela mão. O garoto viera falando em seu ouvido o trajeto todo, tocando seu corpo com malícia. Permitira que ele se extasiasse, relaxasse, aproveitasse. Seria a última vez que ele faria aquilo.

Paola deixara o portão aberto. Os jovens faziam barulho e riam alto. Ela fez um gesto para que se contivessem, pois não queria chamar a atenção de um possível espectador. Em vez de indicar a escada que dava na varanda, conduziu-os diretamente ao cômodo dos fundos e empurrou a porta. Um cheiro forte de queimado ainda recendia no ambiente. A vampira valeu-se de sua visão vampírica, e os olhos cintilaram brevemente. Apenas Agnaldo estava no recinto. O general estava acocorado a um canto, invisível a olhos humanos, pois a escuridão era total. Os olhos da vampira apagaram-se. Paola fez com que dois jovens entrassem, deixando os outros por conta de Aléxia, que os segurava firme pelas mãos. Se os dois da frente gritassem, Marcelo e o companheiro não teriam como fugir.

— Vamos acender a luz, não estou vendo nada. — reclamou Marcelo ao entrar.

O recinto encheu com a risada dos rapazes embriagados.

— Nossa! Que cheiro! Vocês fizeram churrasco aqui?

— Onde acende a luz?

— Não vamos precisar de luz, queridos.

Os rapazes riam. Marcelo, pouco à vontade, estranhava a situação. Não estavam no interior da casa. O que havia de errado com aquele cômodo? Pensava nisso quando, de sobressalto, viu dois pontos vermelhos no ar, na direção onde acreditava estar a bela Aléxia.

A vampira, com os olhos acesos, avançou e, empregando sua força peculiar, agarrou-o com uma mão pelo pescoço e suspendeu-o. Repetiu o movimento com o segundo rapaz, vendo que Paola também iniciava seu ataque. Cravou os dentes pontiagudos no pescoço de Marcelo e fechou mortalmente a mão sobre a traquéia do segundo, largando ao chão o corpo, que se contorcia, buscando respirar. Marcelo debateu-se e golpeou-a com violência, mas a luta não durou muito.

Agnaldo, que providenciara uma nova tampa de madeira para a cova aberta no fundo do porão, removeu-a. Os vampiros atingidos pelo fogo estavam acondicionados ali, um por cima do outro. Retirava o primeiro quando notou Sétimo adentrando acompanhado de Lúcio e Rafael, os vampiros que, como ele, não foram vítimas das chamas.

Paola arremessou sua primeira vítima contra a parede, levando-a à inconsciência, tamanha a força empregada. O último gritou e tentou correr desesperado, sem enxergar a saída, batendo de encontro a um rapaz magro de cabelos longos. Antes que esboçasse reação, Sétimo cravou-lhe os dentes na jugular, engoliu o sangue quente da vítima e soltou-a. Uma dor aguda no pescoço. Sangue esvaindo, embebendo sua roupa. Gritou aturdido. Tonto. Que diabos era aquilo? Que balada de merda era aquela?! Paola agarrou-o pelo colarinho e levou-o até Agnaldo, que depositava cuidadosamente ao chão o vampiro Henrique, totalmente queimado e sem ânimo, imóvel. Entreabriu a boca do vampiro carbonizado enquanto Paola levava até sua boca contorcida o pescoço ferido do rapaz. A vampira teve que montar no corpo da vítima, prendendo-a entre as pernas, porque o rapaz debatia-se furiosamente, lutando pela vida. Alguns minutos após, o garoto morria. O silêncio deu vez a um choramingo. Um dos rapazes gemia no chão.

Agnaldo puxou o corpo de Henrique para um canto da sala e voltou à cova para retirar o próximo. Aléxia trouxe Marcelo, arrastado pela gola da camisa. Estivera até aquele instante pressionando a ferida no pescoço do rapaz para que o sangue não se perdesse. Aléxia cuidou para que o sangue caísse dentro da boca do outro vampiro queimado.

Sétimo ainda não estava certo da recuperação deles, pois estavam muito debilitados. Eram vampiros novos, não sabiam dominar os poderes recém-adquiridos. As forças não estavam enraizadas. Faltava treino. Poderiam sucumbir a tão duro golpe. Malditos caçadores! Pagariam por aquela ousadia. Não faziam idéia de que estavam se metendo com Sétimo, o pior dos vampiros do D'Ouro. Pagariam.

CAPÍTULO 44

Três pick-ups em comboio vinham pela estrada. A noite ia alta, e viajavam há cinco horas. Hélio deu luz alta para ler a placa. Guarujá – 136 quilômetros.

Estavam seguindo naquela direção havia dois dias. O líder, Dom Afonso, procurava alguém. Um vampiro novo. Era o que sabiam. Um vampiro que responderia a algo importante. E algo indicava que estavam chegando ao final da viagem.

Depois de quase uma hora, Afonso percebeu quando o cutucar mudou repentinamente de rumo, ficando para trás. Ordenou que Hélio parasse no acostamento. Por três minutos, farejou o ar e percebeu o cutucar no lado direito. Podia sentir o cheiro do mar. Cheiro de comida. Viu uma cidade grande, prédios e mais prédios. Mata atlântica. Um morro. Respirava lentamente, pensando. Não era producente adentrar a cidade com o grupo inteiro. Não conhecia o vampiro. Teria roubado o poder de Miguel, o Gentil? Não era seguro. Tinha que examinar, conhecer. Não arriscaria a prole quase treinada. Fora difícil no início controlar todos. Ele e Leonardo tiveram de caçar três fugitivos. Como os soldados eram escassos, ainda não poderia se dar ao luxo de matá-los, procedendo, então, à sua reintegração. Os amigos trataram de convencer os fugitivos a ficar e a se submeter à alcatéia. Seriam vampiros. Seriam eternos! Estavam agora sob controle. Leonardo se revelava excelente ajudante, e seus poderes aumentavam visivelmente. Afonso transmitiria seus conhecimentos com rapidez, pois precisava de soldados inteligentes e poderosos. E Leonardo lhe parecia suficientemente confiável.

Afonso ordenou o retorno. As pick-ups avançavam em velocidade reduzida. O vampiro, quilômetros à frente, divisou uma estrada aberta à beira da rodovia. Adentraram o caminho estreito cercado por vegetação densa e árvores altas. O terreno era acidentado, exigindo habilidade dos condutores. Dali em diante, veículos comuns de passeio não conseguiriam avançar. O trecho requeria tração nas quatro rodas e um bom braço. Meia hora nessa labuta até encontrar um caminho mais ameno. Uma clareira. Afonso ordenou que o comboio parasse e saltou.

A direção do novo vampiro mudava a cada instante, a cada passo. Estava próximo, naquela cidade. Guarujá. Iria encontrá-lo.

— Montem acampamento aqui. Vou visitar um amigo. Acho que encontramos o que procurávamos.

O grupo comemorou. Estavam cansados. Precisavam parar próximo a um centro urbano e se alimentar.

— Não saiam por ora e contenham-se. Aviso quando for o momento de caçar. — advertiu Afonso, como se adivinhasse o pensamento coletivo. — Leo, Hélio, venham comigo.

Hélio foi para o volante da Ranger, conduzindo o veículo para o centro urbano.

Afonso ainda se encantava com a luz elétrica, com os prédios numerosos e a ebulição de gente. Tudo tão diferente de sua terra, de seu tempo! Começava a assimilar o jeito daquela gente. Começava a entender os humanos. Estava satisfeito com o grupo que formara. Vampiros novatos, mas que aprendiam rápido. Ganhavam força vampírica, mais e mais, a cada dia. Logo seriam excelentes guardiães. Além da força vampírica, havia transmitido a todos seu dom. É claro que, como Leonardo, eram mais fracos que o Lobo original, porém ferozes e monstruosos. Alguns já dominavam a evocação do lobisomem. Serviriam. Tinha que proteger-se e criar ainda mais vampiros. Aumentar a prole. Aumentar sua força. Sétimo poderia estar vivo. Cedo ou tarde, procuraria vingança. Afonso conhecia muito bem aquele maldito. Conhecia muito bem a selvageria do vampiro. Só com muita sorte sairia ileso de um confronto sem um grupo poderoso para defendê-lo. Se estivesse em companhia dos irmãos, não temeria tanto. Todos os poderes reunidos eram o suficiente para repelir Sétimo; sempre conseguiam. Porém, sem os irmãos... era por isso que queria localizar o vampiro novo. O vampiro que, de alguma forma, estava conectado aos vampiros do D'Ouro. Dom Afonso concentrou a sensibilidade no vampiro desconhecido. Em geral, não se conseguiria pressentir um vampiro nunca visto. Era quase impossível. Só os mais antigos, os mais poderosos o faziam, ainda assim apenas quando os desconhecidos tinham um vínculo forte com quem tentava detectá-los. Entretanto, bastava deitar os olhos por um instante em cima do novo parente para cadastrá-lo entre aqueles passíveis de ser localizados e pressentidos. Afonso estava curioso. Um cutucar na têmpora direita, repetido, suave. O mar arrebentando. Gostava do som da água arrastando-se na areia. O velho Portugal estaria na outra extremidade do Atlântico, aguardando seu retorno. Voltaria ao castelo. Hélio embicou à esquerda, tomando uma nova rua. O cutucar repetitivo tomou a parte traseira da cabeça do vampiro, quase na nuca.

— Volte, *hombre*. O vampiro não está para cá.

Hélio fez o retorno. Cruzaram uma viatura da polícia militar que trafegava em baixa velocidade. Um dos soldados acionou o farolete e jogou a luz no rosto de Leonardo, que, instintivamente, protegeu os olhos.

Retomaram a avenida à beira-mar. Pouca gente andava no calçadão àquela hora. Alguns quiosques permaneciam abertos, com certa animação. Na subida, os olhos de Afonso chamejaram. Ordenou que parassem e aguardassem ali. Saltou e pôs-se a caminhar pelo calçamento. O sobretudo negro, com forro vermelho vivo, balançava ao sabor do vento. Os transeuntes com quem cruzava não escondiam a estranheza quando se deparavam com um homem tão pálido. Afonso, indiferente, avançava orientado pelo cutucar, quase na testa. Certamente, estaria no meio dos olhos quando fizesse a curva que se avizinhava. À direita, um pequeno e convidativo restaurante. Logo após, vinha um muro de pedras de aproximadamente sessenta centímetros de altura. As ondas batiam selvagens contra as pedras e, eventualmente, gotículas e espuma alcançavam o vampiro. Seus olhos encontraram uma silhueta peculiar. Um homem, também de roupas escuras e sobretudo negro, estava de pé, em cima do muro, admirando o mar.

Tiago percebeu a chegada do sujeito através de sua visão periférica. Virou o rosto. Lobo. Um cutucar rápido na testa. Não restavam dúvidas. Lobo viera para vingar-se de César. Sem sair do muro, Tiago ficou de frente para o vampiro. O sobretudo, aberto, tremulava como uma bandeira presa na haste. Assim que Lobo ganhou o muro, os olhos de Tiago acenderam-se.

— Ora, pois! Fica calmo, irmão. Venho em paz — disse Afonso.

— O que quer?

— Me conheces?

— Lobo.

Afonso aquiesceu. Era indiscutível que havia um vínculo entre aquele vampiro novo e seus irmãos.

— Onde estão meus irmãos do D'Ouro?

— Estão mortos.

Afonso manteve-se quieto por um instante.

— Imaginava isso. Não sou capaz de senti-los mais. Pobres. Devem estar apodrecendo à beira do rio, sem poder atravessar. Não tiveram os rituais fúnebres celebrados, nem missa, nem padre. Aposto que nem tiveram moedas deitadas nos olhos. Serão desprezados por Caronte. Sem recompensa, o barqueiro não trabalha, ainda mais para carregar tantos!

Tiago estava tenso. Não sabia por que razão o vampiro viera ter com ele. Certamente, estava atrás de Cesão. Jurara vingança.

Uma onda mais forte bateu nas pedras. Estavam a mais de dez metros do nível do mar. O muro estendia-se por toda a subida, perdendo-se na curva.

Dom Afonso interrompeu o monólogo. Do outro lado da rua, um prédio apontava para o céu. Um hotel.

— Cem anos na beira do rio. Cem anos... isso se Deus permitir que nós, homens sem alma, vivamos nossa Aventura.

O vampiro deu alguns passos em direção a Tiago. Não havia lua. A única luz provinha da iluminação pública na praia e de alguns apartamentos do hotel, com as cortinas abertas.

— O que aconteceu a eles?

— Foram destruídos por uma bomba.

— A tal da bomba nuclear que ouvi muito na televisão?

— Essa.

— Quem é você?

— Sou o homem que descobriu vocês no fundo do mar.

— Deveras?! — espantou-se sinceramente o vampiro.

Tiago saltou para o calçamento. Apesar da altura insignificante, o corpo bateu suave no chão, silenciosamente provando que ele usara seu dote.

— Quem te fez vampiro?

— Miguel.

— Gentil... está morto também?

— Está.

— E Sétimo?

— Vive. — respondeu Tiago, baixando a cabeça e demonstrando certa contrariedade.

— Raios! Desgraça! Por que não foi destruído pela bomba também? Que azar! Viver com essa sombra não vai ser fácil. Raios!

A indignação do vampiro chegou a divertir Tiago, que deixou escapar um sorriso enquanto Afonso batia o pé, irritado, contra o muro.

Dom Afonso também desceu ao calçamento e olhou para a praia. Seus olhos vampíricos enxergaram a Ranger estacionada rente ao calçadão.

Viu também a viatura da polícia militar encostando atrás dos vampiros. Problemas.

— Qual é teu nome?

— Tiago.

— Muito agradável tua companhia, novato. Quero mais detalhes sobre Sétimo, mas preciso ir agora. Tenho crias em apuros. Não posso perder meu exército. Tenho que me proteger mais e mais do irmão restante. O pior deles.

Mal terminou, Dom Afonso desapareceu.

Do alto do apartamento, no sexto andar do hotel, César recolhia a espingarda calibre doze que comprara. Estava munida de balas de prata. Não houve tempo para uma boa pontaria e uma boa oportunidade de tiro. O vento batia forte contra os olhos, erguendo as cortinas e enchendo o apartamento. Pensara demais, e tinha de pensar. Se errasse o tiro, o vampiro poderia escapar. Se vacilasse, poderia atingir Tiago. Tinha certeza de que a silhueta macabra junto ao amigo era o vampiro Lobo. Para onde teria ido? Ao apartamento? Virou-se instintivamente para a porta do quarto com a arma apontada. Era a única entrada disponível para o vampiro. Eliana dormia confortavelmente. Não iria despertá-la. Nem ao menos tinha certeza se ele viria. Correu o apartamento rapidamente com a visão. O facão de aço afiado estava em cima da mesa. Arrancaria a cabeça do desgraçado assim que o derrubasse com o disparo daquele canhão. Afonso não teria uma segunda chance com ele.

Hélio viu pelo retrovisor a aproximação da viatura e deu um toque para Leonardo. O Santana encostou no meio fio, atrás da *pick-up*. Quatro policiais desceram com armas em punho cercando estrategicamente a pick-up. Haviam puxado a placa do veículo, que estava com pedido de busca e apreensão: roubado.

— Desçam do carro! Mão na cabeça! Devagar!

Hélio olhou para Leonardo. Os olhos de ambos se acenderam.

— Os documentos da Ranger estão no meu bolso. — cochichou Hélio. — Vamos entregar e conversar?

— Não. Vamos treinar. — sussurrou o vampiro mais experiente.

— Saiam! Mão na cabeça! Desce, senão vou mandar bala, vagabundo!

As portas abriram-se simultaneamente. Se os soldados pudessem prever o resultado daquela abordagem, jamais teriam parado a viatura. Nem suspeitavam do desfecho mortal que a batida provocaria quando dois garotos de corpos magros e esguios desceram e puseram as mãos separadas sobre o capô da *pick-up*.

O sargento que comandava a operação estranhou. Dois meninos. Esperava encontrar dois caras com jeito de bandido, de expressões truculentas e barbas por fazer. No entanto, estava diante de adolescentes imberbes. Sabia que ladrão não tinha cara; por isso, não hesitou em prosseguir a averiguação.

Dom Afonso chegou naquela hora, mas manteve-se a distância. Uma aproximação brusca poderia precipitar as coisas. Leo era mais experiente, saberia como se safar. Não queria um confronto naquele momento; chamaria muito a atenção.

O sargento aproximou-se de Leonardo, junto ao calçadão, já que vinha sentado como passageiro. Separou as pernas do rapaz com o coturno e vasculhou o corpo. Desarmado. Sem carteira para conferir documentos.

— De onde vocês são?

— Rio Grande do Sul.

— Tá longe de casa, gaúcho. Não estamos em férias escolares, né? Veio entregar a *pick-up* roubada aqui?

Leo encarou Hélio, no outro lado. Dois pares de olhos em brasa. Leo balançou a mão discretamente, chamando a atenção do vampiro. Deixou as unhas crescerem pontiagudas e perigosamente afiadas.

— Tô falando com você, rapaz? Não lavou o ouvido, não? Vieram entregar a *pick-up* aqui? Quem é o receptador?

Leonardo soltou um grunhido.

— Que é isso?! — espantou-se o sargento, recuando e apontando a arma para o rapaz.

Tudo pareceu acontecer em câmera lenta. Leonardo, ágil como um lobo, virou-se num salto e flexionou as pernas, abaixando-se. O sargento, surpreendido, disparou. O projétil cruzou o ar, perdendo-se na escuridão. Antes de dar o segundo disparo, enquanto o soldado que cobria o sargento ensaiava uma reação, Leonardo deu um salto ligeiro para frente, lançando o braço estendido num movimento que descreveu um arco no espaço, e passou os dedos esticados rente ao pescoço do policial. Outro disparo perdeu-se no ar. As unhas afiadas da criatura rasgaram a carne do policial. Leonardo permaneceu imóvel por um breve instante, em postura que lembrava um exímio lutador de arte marcial. Quando o soldado que deveria proteger o sargento saiu do choque e procurou fazer mira, Leonardo saltou para trás do sargento, que levava a mão ao ferimento aberto na altura da traquéia, perdendo sangue copiosamente. Um tiro.

Alguém gritou no quiosque. O soldado vacilou. O sargento estava na linha de fogo. Leonardo agarrou o sargento pelo colarinho e pela virilha, transformando-o num escudo humano, e arremessou com violência contra o soldado. O militar conseguiu desviar-se a tempo, mas não teve sorte. O vampiro voou e atingiu-o com os pés. O soldado caiu no calçamento. Duas costelas quebradas. Levantava o braço para disparar, quando o rapaz tomou-lhe a arma. Que droga era aquela? Como podia mover-se tão rápido? Era um ninja dos filmes japoneses? Leonardo agarrou-o pela traquéia e comprimiu até senti-la esmigalhar na mão. Deixou o policial brigando por ar e foi ao outro lado da *pick-up*. Hélio saíra-se bem, servindo-se do sangue de um dos soldados que se debatia tentando escapar da morte certa.

— Não temos tempo para isso, tchê. Logo vai infestar de polícia. Vamos dar o fora.

Hélio levantou-se, limpando o sangue com as costas da mão. Entraram na pick-up. Afonso aproximava-se. Motor ligado. Dispararam em direção ao vampiro. Lobo saltou para a carroceria da Ranger e desapareceram da praia.

Ninguém no quiosque próximo serviria de testemunha. Acompanhavam a abordagem, mas depois que uma bala perdida atingiu um dos garçons, os poucos ocupantes se esconderam até que a *pick-up* disparasse pela avenida. Desesperados, os donos tentavam reanimar o funcionário. Alguém, num celular, pedia ajuda à polícia. Os militares estavam mortos.

Tiago chegou ao apartamento e abriu a porta rapidamente, deparando-se com Cesão empunhando a doze. Abaixou-se por reflexo e, num piscar de olhos, estava atrás do amigo, agarrando o cano da arma.

— Cuidado, cara! Tá querendo me matar?

— Aquele maldito. Era o Lobo?

— Era.

— Me achou.

— Acho que não. Veio atrás de mim. Veio saber dos irmãos. Podia até ter estragado tudo, mas percebi que ele não te procurava. Temos que tomar cuidado.

— Temos que matá-lo. Aproveitar que está desprevenido. É minha melhor chance de me livrar desse pesadelo.

— Não sei.

— Bá, mas como tu não sabe?! Tá louco? Se o bicho não sabe que eu estou aqui, você pode rastreá-lo. Vamos armados até os dentes. Você melhorou nesse negócio de ser vampiro. Pelo amor de Deus, Tiago. Pelo amor a mim. Se eu vacilo, esse monstro me mata.

Tiago descartou o sobretudo, ficando de jeans e camiseta preta.

— Talvez possamos fazer um acordo. Ele tem medo do Sétimo, talvez mais medo do Sétimo que ódio de você. Podemos fazer um trato. Ele está com medo de ficar sozinho. Podemos ajudá-lo a eliminar o Sétimo e deter o exército maldito do vampiro. Em troca, ele esquece que não vai com a tua cara.

— Não confio em vampiros, Tiago. Sem ofensas, mas essa raça é assassina por natureza. Até tu anda matando. Pensa que a gente não sabe?

— Preciso de sangue de gente! Onde acha que vou conseguir?

— Vamos num banco de sangue. A gente compra. Tu não precisa ficar tirando vida de terceiros.

— Você não é vampiro, Cesão. Acha que gosto de meter os dentes nos outros?

— Senão gosta, pára.

— Cala a boca, Cesão. Você devia estar contente de eu nunca ter desejado teu sangue. — gritou descontrolado.

César calou-se. O amigo estava mudando. Mudando perigosamente. Apostava que ele começava a gostar da nova condição.

— Não gosto de ser vampiro, Cesão, mas tem certas regras que você nunca vai entender.

— Posso não entender, mas não vou fazer porra de pacto nenhum com aquele vampiro filho de uma puta. Se tu não quer me ajudar, então não atrapalha. Se eu tiver que caçá-lo sozinho, vou caçar. Já fiz uma vez. A gente nunca teve medo desses vagabundos! Não vamos começar a nos acovardar agora que estamos adquirindo *know-how*. Vou pegar o miserável sozinho.

— Precisamos de ajuda, César. Se queremos impedir que a Terra se transforme num jardim de vampiros, precisamos de ajuda.

— Vamos recrutar caçadores de vampiros, então! Vamos pôr uma merda de anúncio no jornal. Procura-se doido varrido que queira matar vampiros. Só não vamos pedir ajuda para aquele vampiro. Ele vai me matar. Se me pega, se tem a chance, cedo ou tarde ele vai me matar. Quando me lembro dele no necrotério, eu fico arrepiado. Você nunca esteve cara a cara com o Lobo. Ele vira o bicho, cara. Aposto que até os outros vampiros têm medo dele.

Tiago afagou a cabeça e enfiou a mão no bolso da calça. Precisava de ajuda. Tivera um pesadelo com o diabo. Ele disse que eles voltariam, mas até aquele instante, nada. Os dias passavam, e nada. Cada vez mais precisava mover as peças no tabuleiro de xadrez, mas não sabia quais. Isso o impacientava. Os dedos brincavam com as moedas obtidas após o assassínio dos traficantes. Moedas de prata. Escorriam entre os dedos. Brincando. O vampiro Lobo disse que os cinco não seriam carregados pelo barqueiro. Como era o nome? Caronte? Uma voz repetiu em sua mente: Caronte não trabalha de graça, ainda mais para tantos! Tiago sentiu um arrepio percorrer o corpo de baixo para cima. Uma descarga elétrica. Retirou as moedas do bolso. Eram cinco. A paga. Que dissera o visitante em seu sonho? Reserva cinco moedas, vampiro! Ofereça ao barqueiro que ele trará teus soldados do mar! Tiago levantou-se. A janela estava aberta. Não havia tempo para aguardar o elevador. Correu e tomou impulso. César sentiu o corpo gelar. Ainda não estava acostumado aos novos modos do amigo. Tiago desceu velozmente, deu uma pirueta e caiu de pé. Tocou o chão como se não possuísse peso e subiu no muro. Ninguém o observava. Só César, lá de cima. Segurou firmemente as moedas e lançou-as ao mar. Mesmo distante, com sua audição vampírica, ouviu-as mergulhando na água. A sorte foi lançada. Iria aguardar ali até o Sol raiar.

CAPÍTULO 45

Tiago despertou com Eliana acariciando sua face. A noite estava fria. Havia muito o Sol se pusera. Tiago precisava de sangue. O estômago ardia furioso.

— Cadê o Cesão?

— Saiu faz tempo e ainda não voltou.

— Espero que não tenha se metido em confusão. Afonso...

Tiago levantou-se sobressaltado. César poderia ter ido atrás de Afonso! Poderia estar morto! Colocou o sobretudo e amarrou na cintura.

— Poxa, guri. Fiquei esperando você acordar um tempão... já vai sair? — queixou-se Eliana.

— Afonso, Li. O Lobo está na cidade. Pode estar atrás de Cesão. Ele está correndo perigo. Temos que encontrá-lo.

Em instantes, ambos estavam saindo do hotel.

Tiago lamentava que César não fosse um vampiro naquela hora. Se fosse, poderia detectá-lo e localizá-lo em poucos minutos. Teria que seguir seus instintos. Precisavam de um carro! Precisavam de dinheiro! Chegaram ao calçadão. Tiago varreu o lugar com sua visão privilegiada. Aguçou os ouvidos. Nada. César não estava ali. Lobo tinha encontrado o amigo. Só podia ser.

Na madrugada anterior, fizera uma vigília frustrada, acreditando ter encontrado a chave para dar prosseguimento ao estranho sonho que tivera com o demônio. Jogara as moedas, e nada. Naquele momento, as moedas eram o de menos. Queria encontrar o amigo, o irmão de tantos mergulhos.

— Fique na praia, Li. Ande pelo calçadão. Procure o César. Não desgruda dele. Peça para ele ficar longe do Afonso. O vampiro não sabe que ele está aqui nem deve saber, por enquanto.

Tiago desapareceu. Não era hora de prudência. Era hora de encontrar Lobo, salvar o amigo. O cutucar na testa. Seguir naquela direção. Correr com velocidade vampírica. Um vulto, tão rápido, que os humanos não podiam ver. Tomava cuidado para não trombar com ninguém; poderia matar a pessoa, destroçando seus ossos num acidente.

Ruas escuras. Atingiu a periferia, saindo da cidade. Atravessou a rodovia. Carros passando velozmente. Cheiro do mar. César não teria feito nenhuma besteira. Poderia estar morto àquela altura. Tiago sentia-se culpado por afundar os amigos naquela história horrenda de vampiros, que mais parecia um filme da televisão. Coisa de cinema. Mato. Pisou em mato molhado. O chão parecia alagado. Talvez um riacho. Árvores. O vampiro deveria estar perto. Vozes. Cheiro de vampiro. Afonso não estava sozinho. Precisou quebrar gravetos para limpar o caminho. O pé afundando em lama. Parou. Afonso estava se movendo. O cutucar mudou da testa para o lado direito da cabeça. Antes de alcançar o ouvido, Tiago corrigiu sua posição. Os olhos acenderam; brasas brilhavam na escuridão. Os caninos alongaram-se, prontos para a briga. Tiago caminhou lentamente. Algo estranho. Não sentia o cheiro de César, nem ouvia sua voz. Estava em chão seco. Os arbustos terminaram. Podia ver algumas árvores. Afonso estava ali, caminhando pra lá e pra cá em frente a uma fogueira. O Lobo. Tinha sangue nas mãos. O cheiro poderoso entrava em suas narinas e parecia lhe dar mais força só pelo fato de aspirá-lo. Contou mais dez pessoas. Dez vampiros! Lobo estava se multiplicando como Sétimo! Deu mais um passo. Ouviu um rosnar. Arrepiou-se. Aproximou-se de uma árvore. Um vulto saltou de um galho, em sua direção. Não fosse a velocidade vampírica, teria sido atingido. Tiago saltou para trás. Um vampiro caiu na sua frente. O grupo de Afonso não os havia percebido ainda. Os demais estavam em volta da fogueira.

— Intruso! — gritou o vampiro em meio a um grunhido.

Os olhos de Tiago cintilaram involuntariamente, deixou um rosnar escapar pela garganta.

O vampiro saltou para cima de Tiago. Antes que colocasse as mãos no invasor, o vampiro-vigia foi repelido com um potente soco. Tiago viu o atacante cair e levar a mão no nariz fraturado. Os vampiros do acampamento se deram conta do combate e se aproximaram.

— Calma, vampiro! — bradou Tiago. — Você é um novato. Essa briga não vai acabar bem pro teu lado. Antes de me tornar vampiro, eu fui caçador de vampiros.

O novato levantou-se rosnando.

— Se meteu com a turma errada, vampiro! — retrucou o ferido.

Tiago assustou-se. O vampiro não se moveu, mas abriu a boca, num rugido furioso. Suas feições começaram a transmutar e, rapidamente, a pele foi se enchendo de pêlos. A boca espichou, adquirindo formas caninas. O maldito vampiro era um lobisomem também! Tiago desejava estar com o revólver carregado de balas de prata. Poderia exterminar todos.

Examinou ao redor. Se tivesse de fugir, teria de voltar para a mata. Afonso estava junto à fogueira e não demonstrava intenção de intervir. César definitivamente não estava nem estivera por ali. Tiago sentia os olhos das criaturas cravados nele. Não iriam deixá-lo ir sem uma boa briga.

Estava em séria desvantagem. Lançou novo olhar para a mata. Se a contenda não terminasse com aquele primeiro oponente, correria para as árvores. Não era fácil se esconder de um vampiro, que dizer de um bando ...pelo menos, as árvores criariam maior dificuldade aos perseguidores... Olhou para o vampiro-lobo... sorriu... fugir era o plano B. O lobo rosnava enfurecido. Bocarra escancarada, salivando, medindo Tiago. O rapaz sabia que aquele hiato era perigoso, pois precedia um derradeiro confronto para um dos combatentes. Poderia morrer. Era hora de observar o oponente, descobrir um ponto fraco. Tiago estava excitado. Sentia os poros dilatarem e a musculatura enrijecer. Cravara-se no chão como rocha. O lobo rugia, igualmente tenso, movendo-se suave. Os outros vampiros assistiam, juntando-se, compondo um semicírculo. Tiago estendeu os braços e deixou os punhos gingarem à sua frente. Evocou todo seu poder vampírico e concentração. Precisaria de sangue em poucos segundos. Seus olhos brilhavam ainda mais. Mataria o desgraçado. Não seria derrotado num canto escuro. Queria voltar para Eliana. Queria destruir o exército de Sétimo. O maldito lobisomem não teria chance de liquidar a sua existência. Os segundos arrastavam-se eternos. Paradoxalmente, seu corpo, firme como rocha, ganhava a leveza de um dente-de-leão. Sentiu o ar esfriar, gelo formando-se na ponta dos dedos. Não precisava de oxigênio, mas inspirou fundo e expirou lentamente. Repetiu. O lobo recolheu a língua, escancarou ainda mais a boca e fechou-a violentamente, provocando um barulho assustador de chocar de dentes. A fera partiu para o ataque, correndo, avançando contra o vampiro intruso. O monstro vinha sobre duas patas, como se fosse um lobisomem semitransformado. Tiago esquivou-se, sem abandonar o lugar que ocupava, flexionando as pernas e girando o tronco. Sem dó, socou a costela da fera. Um estalar de ossos ecoou na clareira. O monstro rodopiou e ganiu, voltando imediatamente ao ataque. Tiago concentrou-se, não cedendo à ansiedade. Agarrou o lobo pelo focinho e, com o punho esquerdo, afundou o olho direito do atacante. Ouviu um segundo rosnar. Outro vampiro transmutara-se em lobo, mais forte que o primeiro. Tiago agarrou o lobo ferido e extravasou o frio intenso que acumulava. O lobisomem tombou envolto numa fina camada de gelo. Não iria matá-lo, mas era suficiente para colocá-lo por preciosos minutos fora de combate. Tiago centrou-se na roda. O novo lobo era maior.

— Vai, Hélio! — alguém gritou.

Tiago sentia a mesma tensão prévia ao primeiro combate. Sobreviveria ao novo oponente? Outros lobisomens se juntariam? Droga! Estava cercado. Não descobrira seu dom. O gelo! Não! O gelo fora roubado de Inverno. E ele não era tão poderoso quanto aquele vampiro. Um mero arremedo, uma imitação barata. Inverno conseguira congelar todos eles em segundos. Começava a se sentir idiota acreditando em sonhos com o demônio quando, repentinamente, um sorriso brotou no meio daquele momento adverso. Ele era um vampiro. Há cerca de um mês, nem que o pai ressuscitasse e lhe dissesse que vampiros existiam, não acreditaria! Se o demônio lhe dera um dom para combater Sétimo, haveria de tê-lo, e aquela era a hora certa para ser revelado.

— Vai, Hélio! — gritou outro vampiro.

De novo, a leveza tomou conta de seu corpo sólido.

— Vem, Hélio. — balbuciou, baixinho.

O lobisomem, provocado, disparou, fazendo lama e grama voarem do chão. Galopava em quatro patas e mataria qualquer humano do coração antes de abocanhá-lo. Tiago derrotara o primeiro e sentia-se confiante. Infelizmente essa autoconfiança veio a prejudicá-lo, pois subestimou o oponente. Desferiu um potente mas ineficaz soco na fera, imediatamente absorvido. O punho do vampiro desapareceu no pêlo do lobo, e o corpo foi atropelado pelo monstro volumoso. Tiago arfou e foi ao chão abruptamente, batendo a cabeça numa pedra. O punho doía, provalvemente deslocado. A fera prendia seu tórax com uma das patas dianteiras e um bafo quente descia até o rosto. Só pêlos e dentes. Hélio ergueu a cabeça e separou as arcadas, exibindo a dentição assassina. Desceu a bocarra escancarada, na intenção de amputar o braço estendido do intruso. O membro musculoso encaixou-se entre os dentes: bastava arrancá-lo. A dor era aguda e penetrante. Maldito! Estava perdendo o braço. O lobo fechou a boca, provocando um estalido. Tiago gritou. Seu dom! Qual seria?! Se perecesse, como derrotar Sétimo?! A fera levantou a mandíbula, vitoriosa. Cuspiu o volume que enchia a boca, mas dela escapou apenas terra e grama. Tiago levantou-se, agilmente. O monstro não entendia o que acontecia. O vampiro presumiu que o lobo calculara mal a mordida e não conseguira mutilá-lo, como demonstrava claramente sua intenção. Aproveitou-se da indignação da fera e atacou novamente, com a outra mão, quebrando algumas costelas, que estavam bem expostas, sem ferir o próprio punho. O estômago queimava. O lobo caiu, e Tiago saltou animalescamente sobre ele, cravando os caninos em seu pescoço, invertendo os papéis. Tomou-lhe do sangue, nutrindo-se precariamente do líquido que deveria restabelecer sua energia sobrenatural. O monstro sacudiu o dorso, livrando-se do vampiro. Urrou, recolocando-se de pé.

— Basta! — gritou Afonso.

Hélio fez menção de iniciar novo ataque, mas foi contido por um rosnar severo do líder.

— Tiago! Tiago! Que guerreiro formidável! Junte-se ao nosso grupo, *hombre*!

Tiago limpou o sangue que escorria do canto da boca. O líquido, infiltrando em seu organismo, parecia diluir a tensão que precedera o embate. Olhou para Hélio. O vampiro não tinha mais a forma de lobo, e o que se erguia do chão era um adolescente com cerca de dezoito anos, com a marca de mordida no pescoço por onde Tiago absorvera o sangue que abundava em sua forma lupina. Tiago baixou a guarda e encarou Afonso.

— Está recrutando um exército, Lobo?

— Estou recrutando guardas. Sétimo está vivo e à solta. Se conhece nossa história, sabes que a vingança não tardará. És um gajo valente, será muito bem recompensado se ficar ao meu lado.

— Não fico ao lado de vampiro nenhum. Só quero deter Sétimo. Isso você também quer. O problema é que quero detê-lo justamente porque o maldito está espalhando vampiros pela face da Terra... coisa que tu também fazes.

— Ó gajo, vejo que tu és vampiro novo. Logo verá que, sendo bom ou sendo mau, os caçadores virão indistintamente. Virão atrás de teu couro. Virão para rancar tua pele.

— Não pedi para ser vampiro. Agora que teu irmão me fez um, vou tirar proveito da condição. Nada posso fazer para voltar atrás.

— Serás caçado, acredite. Conheço Sétimo... apesar da idade avançada e do cérebro abençoado, aquele vampiro parece fazer vista grossa ao bom senso; enfia os pés pelas mãos. Exibe-se. O poder é o pior dos venenos. Algumas vezes, é letal e extermina o poderoso em instantes. Outras, é traçoeiro e rasteiro e prepara o bote aos poucos... é o caso de Sétimo. Ele mesmo prepara o caminho para ser caçado. Não se importa em exibir seu poder. Não se importa em matar, seja na praça pública, aos olhos de qualquer um que passa, seja na quinta mais afastada. É um meninote impetuoso e sem rédeas... um perigo, vampiro, um perigo. Por isso, te aviso, gajo: os caçadores já devem saber que os vampiros caminham pelo Brasil e logo estarão aqui, prontos para empalá-lo pelos buracos! Ah! Ah! Ah!

Tiago aproximou-se da fogueira. Não sentia frio; queria apenas examinar o acampamento. Cheiro de sangue fresco, mas nenhum cadáver. O sangue que ingerira ainda tinha o sabor humano. O lobisomem havia se alimentado há pouco, com certeza. César não fora a vítima, e Tiago sentia reforçada a idéia de que o amigo nunca estivera ali. Isso o aliviou. O vampiro olhou para o grupo que conversava e fazia comentários. Afonso dirigia palavras a dois rapazes, um era Hélio; o outro ele não conhecia. Contando com Afonso e o lobo congelado, imóvel no chão, eles eram onze. Onze! Rapazes novos e meninas adolescentes. Gravou na memória as feições. Não seria surpreendido com facilidade. Sentiu o calor do fogo chegar ao rosto. Teriam todos eles o poder de se transformar em lobo? Percebera outra coisa. O primeiro lobisomem era bem mais fraco que o segundo. Estava feliz por ter escapado da mordida que extirparia seu braço. Como o lobo tinha errado o golpe, não entendia. E contente por estar inteiro e vivo. Ia falar com Afonso, adverti-lo de que, mesmo unindo forças, não seria fácil afrontar Sétimo, mas um sujeito chegou e foi ter com Lobo. Outro vampiro. Não conseguiu ouvi-los. Conversaram rápido, olharam para Tiago.

Vinte minutos antes do vampiro ir ter com Afonso, Eliana, ainda na praia aguardando o retorno de Tiago, notou a garota de pele pálida observando-a a distância. O coração disparou. César não tinha aparecido. Estava com medo. Dirigiu-se a um quiosque de onde vinha uma música animada. Olhou para trás. A adolescente a perseguia. Estava distante, caminhava devagar, sozinha. Tentava disfarçar, mas Eliana sabia que a estranha garota a vigiava. Onde estava Tiago? O sangue gelava nas veias só de imaginar-se de novo nas garras daquelas criaturas. Pensou em voltar para o hotel, mas o prédio estava longe, talvez nunca chegasse até lá. Aproximou-se do quiosque, pediu uma caneta e rabiscou, com dificuldade, algumas linhas num guardanapo.

Estou voltando para o hotel. Vampiros me seguem.

— Moço, me faz um favor. Um amigo ia me encontrar aqui. Vou deixar esse bilhete para ele, você entrega?

— Vixe, vem tanta gente aqui, amiga. Como vou saber quem é teu amigo?

— É um cara vestido todo de preto, de sobretudo... é o único que vai me procurar. Quanto é isso aqui? — perguntou Eliana, apontando para um frasco.

— Não estou vendendo... isso é para os clientes.

— Vou precisar, eu compro. Toma. — Eliana estendeu uma nota de dez reais. — Com certeza, dá para você comprar mais cinco. — afirmou, tomando o frasco na mão e já sorvendo um generoso gole, direto do gargalo.

O balconista fez uma careta.

— Tá louca?! Tanta gente doida. Pode deixar. Entrego esse bilhete se seu amigo aparecer. Agora você desapareça antes que acabe com meu molho de alho. Sem esse molho, não vendo mais pastéis.

Eliana deixou o quiosque para trás, andando rápido pelo calçamento de madeira. A garota vampira ainda a perseguia. Sabia que não adiantava correr; a garota perceberia a ansiedade e viria em seu encalço, rápida como flecha. Tinha que caminhar. Se chegasse ao hotel, se pusesse a mão em uma das armas de César... Talvez ele tivesse voltado para o quarto também! Só podia ser isso! Animou-se. Estava caminhando rápido, cabisbaixa, quando a mão firme agarrou seu braço esquerdo. Assustada, soltou um grito.

— Calma, Li.

Eliana levou a mão ao peito, abraçou-se ao amigo.

— César! Ainda bem que é você!

Soltou-se do amigo e olhou para trás. A vampira havia sumido!

— Tinha uma vampira... tenho certeza que era uma vampira. Estava me seguindo...

César olhou para o calçadão. Nenhuma garota suspeita. Aliás, lembrou-se de que nunca tinha visto uma vampira. Só conhecera aqueles malditos do D'Ouro. Pelo sim, pelo não, era melhor buscar abrigo. Estava armado. Balas de prata. Sabia que eram próprias para lobisomem, mas abriam um bom buraco em carne de qualquer qualidade. No hotel, tinha mais munição e a espingarda calibre doze. Se houvesse uma vampira por ali, certamente pertencia ao Lobo. Se conseguisse atraí-la, detectá-la, talvez pudesse grudar os olhos nela e, quando o raiar do dia chegasse, segui-la e descobrir onde o vampiro se escondia. Um relâmpago súbito, no meio do oceano, chamou sua atenção. Acompanhara o noticiário. Não havia previsão de chuva. Outro relâmpago poderoso. Uma tempestade se aproximava. Voltaram para o hotel sem perceber que, além da garota, escondidos a distância, dois vampiros os perseguiam.

Preocupado com os amigos, Tiago abandonou o acampamento enquanto Afonso conversava com o vampiro que acabara de chegar. Seu estômago ainda ardia; precisava de mais sangue. A pequena porção roubada do corpo do lobisomem não fora o suficiente para repor a energia consumida no confronto. Precisava caçar. Precisava nutrir-se. Por essa razão, não conseguiu usar sua velocidade vampírica para retornar à praia.

Afonso ouviu o breve relato do vampiro. Era um dos dois que vigiavam Eliana. Quando o jovem aproximou-se, examinando-lhe as feições, um instinto disse-lhe que era hora de informar o líder. Dom Afonso agradeceu. Um caçador de vampiros, só podia ser. Que ligação aqueles dois teriam com o jovem Tiago? Precisava averiguar. Leonardo continuava seguindo-os a distância, saberia apontá-los. Disparou na direção de seu vampiro, evitando cruzar com Tiago.

Um vento forte vinha do mar para a praia. César e Eliana pararam um instante junto ao muro de pedras observando a arrebentação. O vento, crescente, jogava as ondas cada vez com maior furor de encontro às pedras, fazendo trombas d'água subirem alguns metros. Outro relâmpago iluminou o horizonte por um breve momento. César apertou os olhos. Teve a impressão de ver um barquinho jogando no mar, no sobe-e-desce da água agitada. Outro relâmpago. César perdeu a embarcação de vista, mas notou o céu cheio de nuvens pesadíssimas, negras e baixas. Uma onda bateu com violência contra as pedras jogando água no casal.

— Uau! — espantou-se a mulher.

— O negócio vai ficar feio, Li.

— Pensa que eu não sei? Também morei na beira da praia um tempão.

— Acho melhor subirmos para o hotel. Tiago pode demorar. Deve estar me procurando até agora.

César virou-se, e um arrepio correu o corpo. Havia um rapaz parado, de frente para eles. Rosto pálido. Roupas despojadas, de surfista. Contudo, a alvura cadavérica da pele denunciava: era um vampiro. Em seguida, uma garota juntou-se. Era a moça que seguia Eliana.

— Acompanhem-nos. Há uma pessoa que quer vê-los.

César fez menção de levar a mão às costas, onde estava o revólver, mas, com um movimento rápido, o vampiro agarrou seu braço e atingiu-o com força na cabeça. Desmaiou. A garota segurou Eliana firmemente e tapou-lhe a boca para evitar que gritasse. A *pick-up* encostou, e os dois foram colocados na carroceria.

As nuvens baixavam cada vez mais.

Quando Tiago chegou à praia, as ondas quebravam barulhentas na areia. O mar estava irritado. Incomum. Quando saíra, há pouco, a água chegava suave à areia, corrediça, murmurante. Agora, gritava, agourenta. Um relâmpago prolongado desenhou-se no horizonte, dizendo que o céu trazia tempestade. O ar tinha um cheiro estranho, provavelmente despercebido ao olfato humano. Em instantes, uma névoa tomou conta da praia; um minuto depois, era impossível ver a areia. O espetáculo era tão hipnótico que Tiago esqueceu os amigos por um momento. Subiu no muro do calçadão e fitou o mar. Quando a névoa espessa permitia, podia ver a água. A superfície do oceano parecia tomada por cordilheiras, mas era só água formando paredões que se moviam rápido. Pouco podia apreciar daquela demonstração de poder da natureza, pois as nuvens rasteiras cortavam a praia e impediam a visão. Tiago olhou para os lados e notou que cada vez mais gente acumulava, impressionada com o espetáculo. Para surpresa de todos, uma onda atingiu o calçadão, barulhenta, escondida pelas nuvens baixas, levando três ou quatro pessoas ao chão. Tiago continuava firme, encarando o mar, todavia começava a formar-se em sua cabeça. Não havia previsão de chuva naquela noite, e aquele fenômeno não era comum. Algumas pessoas se assustaram. Outras só saíram do calçadão quando ouviram um novo rugido avançando. Tiago continuou no muro do calçadão, mesmo sabendo que a nova onda chegaria. A água bateu forte no cimento, jogando uma torrente salina para cima. Tiago molhou-se, mas não se importou. A chuva forte chegou à costa. Os mais curiosos desistiram. Os relâmpagos mais próximos vinham acompanhados de estrondosos trovões. A chuva apertou, virando... Tempestade! Grossos pingos explodiam com força contra a pele do vampiro. As pessoas fugiram, deixando a praia completamente deserta. Tiago estava ansioso para vislumbrar o desfecho daquele espetáculo. Tempestade! Um arrepio. Um cutucar leve na testa. Acordador! Outro. Gentil! Se no peito pulsasse um coração comum, estaria disparado, pois o toque persistia. Inverno! Espelho! Estavam vindo! Do mar! Seus soldados. O exército de Sétimo estava com os dias contados. As ondas já não batiam contra o muro de concreto. Só a chuva, furiosa, espantava os mortais da praia. O nevoeiro poderoso desobedecia às leis da física, e um extenso corredor abriu-se, permitindo que Tiago enxergasse o mar. As águas estavam calmas, sem ondas. O corredor tinha cerca de trinta metros de largura, e profundidade até onde os olhos do vampiro podiam alcançar. Dentro dele, águas tão plácidas que faziam o mar parecer uma lagoa. O vampiro saltou para a areia. O corredor d'água tinha a superfície atribulada apenas pelos respingos das gotas da chuva. Um relâmpago iluminou o céu. As nuvens baixas e as paredes nevoentas refletiam e enchiam-se de luz.

Um espetáculo fabuloso para os olhos de qualquer um. A iluminação fugaz permitiu que Tiago vislumbrasse num átimo, os contornos de uma embarcação deslizando suavemente, na superfície da água. Os olhos acenderam, vermelhos e reluzentes. A escuridão da noite desapareceu. Mesmo assim, era difícil identificar o barco. Era preciso uma aproximação maior. A embarcação parou minutos depois. A chuva continuou furiosa e ainda mais forte. Um vento rasteiro e cortante erguia porções de areia, que causavam desconforto ao rosto de Tiago. Não era à toa que os mortais tinham partido em busca de abrigo. O sobretudo dançava à mercê do vento, quase perpendicular ao corpo. Aquela embarcação... era a caravela! Sabia que tinha sido destruída pela bomba, mas, como os vampiros, estava de volta! Ainda distante da praia, ancorou, imóvel sobre as águas Serenas, apenas acompanhando o subir e o descer do oceano. Um barco menor surgiu ao lado da caravela e parou. Estavam longe, mas Tiago teve a impressão de vislumbrar vultos saltando para a nova embarcação. Minutos depois, o barco retomou seus movimentos. Era provido de remos, um de cada lado, que subiam e desciam de forma cadenciada e inalterada durante todo o trajeto de cerca de dez minutos. Um vento frio somou-se à tempestade. Inverno. Tiago empertigou-se: bem que o vampiro poderia continuar inexistindo! O Demônio dissera que os vampiros surgiriam obedientes. Que assim fosse. Reunidos, eram um perigo. As remadas cessaram apenas quando o barco chegou perto da praia, deslizando, singrando e provocando um murmúrio encantado até bater no fundo na areia. Tiago estava ansioso. Olhos arregalados. Mesmo com o poder vampírico implorando por mais sangue, os dentes pontiagudos brotaram. Todo cuidado era pouco. Cinco homens se levantaram. Mais uma vez, Tiago teve a sensação de que, se possuísse um coração mortal, ele estaria explodindo. Dois saltaram primeiro, fazendo água subir ao receber o impacto das botas batendo na superfície. Ficaram com água até o joelho. Os outros três desceram pelo lado esquerdo. O barqueiro, aferrado a uma madeira que deveria guiar o leme, levantou o braço direito. Os remos, como por encanto, voltaram à coreografia assombrada, subindo e descendo, friccionando-se contra a água, desprendendo o barco da areia. Estava encapuzado, perdido num pesado pano marrom. Os pedaços de pele que escapavam das mangas denunciavam ser mais velho que os cinco vampiros juntos.

Um homem baixo, de tórax largo e forte, aproximou-se. Acordador.

O segundo, de cabelos longos e o de pele mais pálida dentre os cinco, magro, mas de compleição robusta, de músculos visíveis, poderoso. Inverno.

O terceiro tinha cabelos encaracolados, castanhos tão claros que eram aloirados. Rosto doce, jamais denunciaria ser um vampiro, não fosse a palidez mórbida e patente. Abriu um sorriso franco para Tiago. Miguel, o vampiro que o salvara da morte para que o rapaz resgatasse Eliana da garra dos irmãos.

Um homem negro surgiu atrás de Gentil. Sizudo, o maior e mais forte. Roupas escuras e jaqueta de couro.

Por último, surgiu Baptista, o vampiro Tempestade, que aproximou-se e pousou as mãos nos ombros de Tiago.

— Ora, gajo, pois não mudaste um nadinha esta tua cara feia! Cara de bacalhau! Ah! Ah! Ah! — gargalhou o vampiro.

Os quatro acompanharam a gargalhada, que desapareceu quando Acordador virou-se para o mar.

— Vai, Caronte. Vai e volta para o inferno. Obrigado, barqueiro bendito, mas não precisamos cá de teus préstimos. — disse o vampiro, com sua inconfundível voz sussurrada e grave.

À medida que o barqueiro se afastava, o *fog* repentino ia desfazendo o providencial corredor, e a paisagem desaparecia sob a névoa.

Tiago ainda estava atônito e tenso na companhia daqueles assassinos.

Inverno encarava-o sem nada dizer. Rosto frio, sem expressão. Um legítimo morto-vivo.

Miguel aproximou-se e abraçou o amigo.

— Continuam belas as luzes da tua terra, Tiago?

Pela primeira vez, Tiago sorriu. Um aperto no peito. No último encontro o vampiro comentara a luz elétrica.

— Continuam, Miguel. Continuam belas.

Baptista fez um sinal com o braço para o céu. Em instantes, a chuva cessou. As nuvens compactas mantiveram-se baixas. Nem sinal de Caronte.

Fernando, como Inverno, mantinha-se calado e inexpressivo. Braços cruzados, aumentando a silhueta avantajada.

— Viemos para servir-te, vampiro. Servir-te exclusivamente para deter nosso irmão, para evitar que Sétimo tome este planeta. — balbuciou Acordador. — Tu sabes onde ele está, não sabes? Podemos agora senti-lo, mas ele não. Isso já nos dá uma boa vantagem. Ao teu comando, partimos ao encalço do maldito.

Tiago deu as costas aos vampiros. Três ou quatro pessoas passavam pelo calçadão. Num salto vampírico, ganhou o topo do muro cimentado. Passou a mão pelo cabelo. Com o rodo, um rapaz empurrava a água para fora do quiosque-lanchonete. Onde estariam os amigos?

CAPÍTULO 46

César acordou na carroceria da *pick-up*. Eliana abraçou o amigo, que recostou-se na lateral do veículo. Vampiros burros. Não o tinham revistado, posto que ainda estava com a arma. A *pick-up* parou.

— Será que são do exército de Sétimo?

— Acho que não, Li. Pro meu azar, acho que são do Lobo.

Dois vampiros agarraram os capturados. Estavam no meio da mata, em uma clareira. Foram arrastados até onde o chão era feito de lama, onde o mato rareava.

Contaram nove vampiros, acocorados, em semicírculo. O céu estava completamente coberto de nuvens e, vez ou outra, uma névoa densa dificultava a visão. Um par de brasas reluzia na mata, aproximando-se. O homem vinha. Névoa. A silhueta desapareceu, ficando suspenso no ar o par de olhos vermelhos. Um vampiro.

— Ora, ora, ora! Se não está cá meu amigo caçador de lobisomens! — chacoteou uma voz grave com forte sotaque lusitano.

— Lobo... — balbuciou César para Eliana.

A mulher segurou firmemente sua mão.

— Ah.... que perfume agradável é esse que me chega às narinas? Que cheiro! Mulher... que cheiro bom tem teu sangue!

Eliana arrepiou-se. Encostou ainda mais no corpo forte de César.

— São amigos do guerreiro?

Não responderam. Notaram que o vampiro não mais apresentava o característico sotaque português. Disfarçava bem.

— Tiago... são amigos dele?

César aquiesceu.

Afonso rosnou prolongadamente. Seu rosto era completamente visível àquela distância. A névoa, quando se formava, era muito rala. A chuva não caía mais. Vez ou outra, relampejava.

Afonso deu mais um passo à frente; estava a três metros da dupla. Estacou. Ergueu a narina e fez cara de estranhar alguma coisa. Olhou para os lados. Parecia tomado por uma preocupação. Um minuto. Voltou a olhar fixo para César. Grunhiu, exibindo os dentes pontiagudos. Os olhos exalavam ódio puro.

— Ousou me afrontar! Lembra que prometi me vingar? Certamente, lembra. Tem medo de mim agora?

César permaneceu imóvel. Tinha que esperar a hora certa e fazer uso da arma. Aquelas balas de prata iriam parar na cabeça do lobo. Tinha que apagá-lo e capturá-lo. Jogar seu corpo ao Sol. Destruir definitivamente aquele mal. César matutava. Sabia que a possibilidade de sair com vida daquele encontro era mínima. Pensava em como ganhar tempo. Só viveriam se Tiago chegasse antes de serem liquidados. Era a única chance.

Um par de olhos brilhantes surgiu na mata. César chegou a pensar que fosse Tiago, aproximando-se sorrateiramente, mas logo esse fio de esperança foi abaixo, pois eram grandes demais para pertencer ao amigo. A criatura deu mais alguns passos. Era um lobisomem!

Eliana soltou um grito, colocou-se atrás do amigo. Nunca tinha visto nenhum deles antes. Era horrível.

Afonso afastou-se lateralmente, deixando o caminho livre para sua fera.

— O homem primeiro. — ordenou.

O lobisomem urrou. Raspou as patas dianteiras nervosamente.

O coração de César disparou. O lobisomem, apesar de um pouco menor que Lobo, assustava do mesmo jeito. Se corressem para a mata, não teriam chance. Havia muitos vampiros ali.

Eliana apertou-se contra o amigo. Lágrimas desciam pelo rosto. Uma coisa dura contra sua costela. Aproximou o rosto das costas de César. Era a arma. Retirou-a da cintura e a manteve nas mãos. Era pesada. Era uma esperança. Quantas balas caberiam naquele revólver? Torcia para que coubesse o suficiente.

César colocou a mão rente à coxa e apanhou a arma estendida por Eliana. Deu um passo para trás, empurrando a garota. Respirou fundo. Morreriam, mas ao menos dariam fim à criatura.

O lobisomem arrancou, desprendendo grama do chão a cada passada feroz. Saltou, lembrando um tigre, voando com as patas dianteiras estendidas para agarrar o mortal. Viu o humano erguendo uma arma. Um disparo. Dor explodindo. Tudo escurecendo.

O corpo do lobisomem bateu em César, derrubando-o. Um cheiro acre infestou o ar. César levantou-se agilmente, arisco. Apontava a arma para frente e tentava manter Eliana protegida. O lobisomem estava imóvel. Estava morto. Para concluir, tinha de destruir a fera antes que a forma de lobo abandonasse o corpo do vampiro. Se voltasse a ser vampiro sem ser destruído definitivamente, poderia voltar a viver... cometera esse erro com Afonso. O ar da noite estava frio. César notou que extensas nuvens de vapor eram sopradas com sua respiração. O braço arrepiou. Pingos grossos começaram a despencar. Os relâmpagos não paravam. Uma tempestade repentina tomou conta do céu e da terra. Água começava a escorrer de sua testa. Os vampiros concentraram-se em sua frente. Eram oito, mais o vampiro líder.

Afonso grunhiu, expondo os dentes pontiagudos.

— Insolente! Tu me paga! — bradou o vampiro.

César disparou, mas antes que atingisse o líder, Afonso desapareceu. O rapaz sentiu um potente golpe no peito que o jogou a alguns metros, caindo de costas na lama. Outro disparo escapou involuntário. As balas estavam acabando; não podia se dar ao luxo do desperdício. Respirava rapidamente. Dor no tórax. Era como se o golpe tivesse rasgado seu pulmão. Onde estava o vampiro? O ar faltou. Estava gravemente ferido. Tentou se levantar. A visão escureceu. Diabos! Não podia morrer.

— Eu que te libertei, maldito! Eu que te tirei da caixa onde Tobia te lacrou! Não pode me matar! — gritou César. — Eliana!

Olhou em volta. As costas doíam muito, os músculos pareciam estirados, rompidos. Caiu de joelhos. Apertou os olhos e, ao abri-los, viu Afonso correndo em sua direção. O vampiro, impiedoso, desferiu um chute violento nas costelas do humano. Queria dar-lhe uma morte lenta e dolorida. César girou no ar, caindo sobre o ombro. Gritou. Arqueou as costas para inspirar. Tiago... murmurou. Cuspiu sangue. As costelas afundaram; não conseguia respirar. Olhou para a clareira, mas não ouvia os vampiros. O ombro saíra do lugar, as vértebras, as costelas. Dor. Viu Eliana sendo arrastada pelos cabelos por uma garota pálida. Lágrimas brotaram. César era um homem duro, mas não se conteve ao ver que os vampiros iriam matar a amiga. Não iria protegê-la mais. Queria, ao menos, que ela resistisse até a chegada de Tiago. O amigo jamais o perdoaria. Ouviu a voz do vampiro ao lado. Ergueu o braço e disparou por instinto.

Afonso sabia que não podia subestimar o adversário e, a bem da verdade, aprendera com o garoto Leonardo que não deveria subestimar nenhum brasileiro com aquelas armas modernas. Por essa razão, estava atento, desviando-se com segurança do disparo grosseiro. Não precisou de velocidade vampírica para se aproximar. Arrancou o revólver da mão de César e torceu-lhe o punho, apertando os ossos até esmigalhá-los entre os dedos. Ele gritou prolongadamente. A mão pendia presa somente pela pele. Dom Afonso pousou um dos joelhos na lama e agarrou o brasileiro pela garganta. A boca do adversário estava arroxeada. Mesmo que o largasse ali, sabia que o indesejado estaria morto em questão de minutos. Afonso abriu a boca e cravou os dentes salientes no pescoço do rapaz. Sorveu uma generosa quantidade de sangue e, largou o corpo no chão.

Eliana debatia-se entre os vampiros. A chuva caía forte. Sua roupa estava ensopada. Os fios louros e encaracolados tinham grudado no corpo. A garota vampira imobilizou seu braço direito, outro vampiro juntou-se, segurando suas pernas. Gritava. Via Afonso espancar César. Chorava. Ouvia os gritos de César, que não reagia mais. Estava entregue. Um vampiro imobilizou seu braço esquerdo. Um último juntou-se e segurou sua cabeça, afastou o cabelo de sua pele e passou a alisar o pescoço. Iriam beber seu sangue.

Dom Afonso caiu de joelhos. O humano contorcia-se, sufocado com a falta de ar, e, mesmo assim, Afonso ouvira um riso sofrido escapando de sua garganta.

— Maldito! Maldito! — esbravejou o vampiro, com a voz esganiçada, colocando-se de pé com dificuldade. — Larguem a mulher! Larguem a mulher! — gritou para os vampiros.

Os malditos envenenariam seu exército. Os novatos eram fracos, poderiam perecer.

Afonso caiu. Rastejou até pegar o revólver que havia arremessado para o lado. A tempestade se fora. Levantou-se e caminhou cambaleante. Os malditos tinham ingerido alho. Tinham se precavido. Malditos!

— Ri agora, filho da puta! — desafiou o vampiro, usando um xingamento recém-incorporado ao seu vocabulário, apontando o revólver para o rapaz.

Cesão inspirou pela última vez na vida. Buscando forças sobre-humanas, soergueu a mão direita e, estendendo o dedo médio para o vampiro, mandou um gesto obsceno.

— Senta aqui, vampiro...

César cerrou os olhos.

Afonso puxou o gatilho repetidas vezes. Três disparos enterraram-se no peito do humano. O som da última explosão ecoou pela clareira. Depois disso, só se ouvia o estalar do cão contra o tambor abastecido de cápsulas vazias. Dom Afonso ergueu a cabeça. O estômago queimava doloridamente. Ia perder os sentidos. Olhou para Hélio, que, em forma humana, era o soldado mais forte em seu campo visual. Sabia que ele ainda se recuperava dos ferimentos causados pelo vampiro Tiago, mas comandaria a retirada. Sabia que Tiago se aproximava. Sabia que ele estava atrás da mulher e do amigo. Haveria de matar seus pupilos como vingança... Tiago não ousaria atacá-lo pessoalmente, isso o vampiro não ousaria. Quatro de seus novatos contorciam-se no chão. A garota também ingerira alho. Ele próprio ainda estava zonzo, mas a hibernada na caixa de prata revelava não ter sido tão inútil. Seu corpo adormecido e cadavérico ficara mais forte. O alho, em outros tempos, o teria feito rolar no chão, anulando o poder recebido. Conseguia caminhar, fraco, mas conseguia.

— Hélio! Tire-nos daqui!

Um dos vampiros ajudou a carregar Dom Afonso até uma das *pick-ups*.

— Onde está Dom Leonardo?

— Foi à caça com os outros, senhor.

— Pega o corpo do menino Carlos. — instruiu o vampiro.

— Ele está morto, senhor.

— Mortos todos vocês estão, estúpido. Traga cá o corpo do menino, que vamos dar um jeito.

— E a mulher?

— Ela está morta?

— Parece.

— Larga a maldita aí. Que os urubus os comam.

Os vampiros arremessaram o corpo do lobisomem abatido dentro da caçamba e abandonaram a clareira, deixando três barracas de náilon e dois corpos para trás.

CAPÍTULO 47

Um mau pressentimento. Foi a sensação que assaltou repentinamente Tiago quando chegava à clareira. Concentrava-se no vampiro Lobo. O cutucar mudara de direção. Dom Afonso estava deixando a clareira. Tiago abria uma picada com os braços, fazendo galhos quebrarem contra o couro do sobretudo. Olhou para trás. Os vampiros vinham em silêncio. Olhos acesos. Prontos para a briga. Tiago atingiu a clareira. Uma garoa fina despencava. Silêncio. Três barracas abandonadas. Marcas dos pneus das *pick-ups* na lama. Dois corpos caídos na grama. Tiago foi chegando, lentamente. Uma poça de sangue que se diluía na água da chuva estava se espalhando em volta do corpo de César. O pensamento estava confuso. Nada importava. O vampiro fugindo não importava. O retorno de Miguel, Guilherme e companhia não importava. Eliana. Chegou aonde estava o corpo da amada. Lágrimas escarlates mancharam seu rosto. A força nas pernas pareciam fugir. Pousou um joelho no chão, inclinou o tórax e beijou calidamente a boca da mulher. Miguel parou a seu lado, acocorando-se. As pálpebras da moça estremeceram. Estava fraca. Oito pequenas perfurações e muito sangue vazando. Tiago esboçou um sorriso.

— Está viva... — balbuciou o vampiro.

— Tapa os ferimentos. Não podemos perdê-la. Cuide dela. — orientou Tiago.

O rapaz levantou-se. Os vampiros estavam à margem da clareira. César... César estava morto. Aproximou-se do corpo do amigo e ajoelhou. O punho esquerdo estraçalhado. O lado direito do peito afundado com um chute, provavelmente. A boca roxa. Três buracos de bala no peito... o golpe de misericórdia, pois tinha certeza de que o amigo fora espancado antes de morrer. Um ódio crescente foi se apoderando de seu coração vampiro. Levantou o amigo e abraçou-o com força. O corpo ainda estava quente, e os membros penderam, inertes, do tronco. Tiago soluçou. Abraçou o amigo fraterno mais uma vez e chorou copiosamente.

Estava devendo aquele choro a Olavo... A morte de César libertou emoções reprimidas, pois tiveram de abandonar o corpo de Olavo no porão fedorento e fugir com Sétimo no baú do caminhão. Tiago soluçava. Ficou naquela posição por quase cinco minutos. Não faria o mesmo com o corpo de César. Lembranças voltavam à mente. O amigo de infância. Adolescência. O *brother*. Colega de repartição. Morto pelos vampiros. Tudo começara com aqueles malditos que, estranhamente, agora estavam do seu lado. Lembrou-se da valentia de César, sempre disposto a enfrentá-los. Lembrou-se da última conversa. Do conselho não seguido. Deitou o corpo do amigo na clareira, beijou sua testa. Uma gota de seu choro vermelho atingiu a face do cadáver. Tiago levantou-se. Lobo tinha selado seu destino quando decidira atacar seus amigos. Pedira a extinção ao tirar a vida de César. Silêncio absoluto. Tiago olhou para Miguel, enxugou as lágrimas. Tinha que sair dali rapidamente se não quisesse chorar também a morte da mulher amada. Olhou para César e disse:

— Descanse em paz, guerreiro. Descanse em paz.

Tomou Eliana nos braços e saiu, acompanhado por Miguel. Pediu aos vampiros que vigiassem o corpo do amigo. Precisava salvar Eliana antes de decidir o que fazer.

CAPÍTULO 48

O caminhão Scania parou na frente da suntuosa propriedade. Os seguranças já estavam avisados. Apenas checaram a identidade do motorista e da equipe de carregadores que vinham em uma van, logo atrás do gigantesco caminhão. Estavam acostumados a entregas fora de hora, mas aquele veículo chamava a atenção. Cruzou o portão lentamente e passou pela mansão, estacionando em frente a pequenos boxes que, com certeza, serviam de garagem. Céu escuro. Lua crescente. A van parou a certa distância. Os carregadores adiantaram-se até o baú do caminhão. Uma rampa acionada por comandos hidráulicos desceu, e a porta do baú foi destravada eletronicamente. Os homens puxaram as folhas pesadas abrindo os fundos do compartimento. Logo na ponta, estava uma *pickup* Blazer, e, assim que o caminho ficou livre, teve seu motor acionado. Um rapaz de pele pálida e compleição avantajada retirou o veículo do caminhão e manobrou-o, deixando ao lado da van. Em seguida, Sétimo desceu, montado na moto. Os carregadores ficaram assustados, já que não esperavam encontrar gente naquele compartimento. Um dos seguranças particulares de Danilo ergueu a porta de uma das garagens, e os carregadores apressaram-se em descarregar caixas de madeira. Eram largas, profundas, com dois metros de altura, espaçosas o suficiente para acondicionar um corpo. O vaivém era incessante. Cada caixa tinha como suporte uma espécie de carrinho, manejado por dois empregados. Sétimo, parado junto ao caminhão, acompanhava severo o trabalho, pedindo o maior cuidado no manuseio das caixas. Carregavam seu tesouro. Carregavam seu exército noturno. Fazia quase dez dias que Danilo fora anexado ao grupo, e, por extensão, o vasto patrimônio do traficante. Fora um momento decisivo naquele jogo de conquista. Graças às novas perspectivas, estavam descarregando setenta e duas caixas. Sétimo tinha uma morada digna de sua posição. Um castelo afastado do centro urbano, da polícia e do Exército. Afastado dos olhos curiosos e cercado por soldados do tráfico, fortemente armados. Ali cresceria seu exército da noite, tomaria o país e voltaria para Portugal. Danilo era o associado perfeito.

Conhecia o submundo, tinha influências em diversos setores. Entendia de armas, de matança e de segurança. Tinha dinheiro em fartura. Muito dinheiro, que, prontamente, colocara à disposição do exército de seu novo senhor. Tornara-se cria de Aléxia e sempre acompanhava a vampira. Aprendia rápido e desenvolvia com gana seus dons vampiros. Era um homem experiente que só fazia fortalecer o grupo de Sétimo. Quanto a ele, dia-a-dia tornava-se mais poderoso. A cada gota de sangue ingerido, o corpo mais se enrijecia. Os músculos pareciam feitos de concreto; o corpo mirrado era capaz de tombar um caminhão. Os olhos acendiam-se ferozes, e a expressão adolescente transmutava-se em forma horrenda quando franzia o cenho e preparava o ataque à vítima desejada. Toda noite saía para caçar. Toda noite aprendia mais e mais sobre a vida contemporânea. Tornara-se fã de filmes. Comprava DVD aos montes. Dizia que com os filmes aprendia muito sobre os seres humanos. Consumia música. Colocava o som no último volume e se divertia com a banda Raimundos, um de seus conjuntos prediletos e mais executados. Tornava-se cada vez mais violento. O armário estava entulhado de roupas negras. Destinara um dos soldados vampiros para cuidar exclusivamente de sua moto. Dava escapadas constantes. Farejava os malditos caçadores que haviam atentado contra seu covil no mês anterior. Ele os encontraria. Fazia rondas em Osasco. Buscava novos soldados. Todos os que trajavam negro, que tinham visual gótico, como aprendera nos filmes, eram suas vítimas preferidas. Roupas escuras, sobretudos pesados, crucifixos, coturnos. Estes pareciam estar predispostos a tornar-se vampiros e trilhar a noite em seu bando. Pouquíssimos desertavam. Os que tentavam eram destruídos pelos aprendizes... destruídos. O alistamento era assim: involuntário e irreversível. Durante o dia, Sétimo perdia horas na frente da TV. Dizia que estava se antenando às modernidades. Seus principais soldados carregavam aparelho celular e armas de fogo importadas; tinham carros e treinamento constante. Agnaldo também mudara bastante. Estava impressionado com sua capacidade para reter informações; agora que tinha um cérebro vampiro. Tudo o que via, ouvia e lia cravava-se em sua cabeça e jamais abandonava sua memória. Tomara gosto saudável pela leitura e devorava obras importantes para sua formação bélica. Táticas de guerra e de guerrilha. Pensadores. Obras de grandes generais. Musashi. Aprendia. Separava tudo o que lhe interessava. Formava-se. Conversava muito com Sétimo. Idéias. Perguntas. Preparava-se para a ordem de espalhar o mal vampiro pelo mundo. Faria tudo o que Sétimo pediria e da melhor forma, com competência e com gana. Dominaria o mundo junto do vampiro. Levaria Sétimo para o castelo, para Portugal e seria, para sempre, seu soldado mais fiel.

CAPÍTULO 49

Escuridão. Patrícia despertou. Estava presa. Respiração apressada. Arranhou a madeira. Deus! O que seria aquilo? Um caixão? Só poderia. Empurrou a madeira. Gritou. O que estava fazendo ali? Sensação de aperto. Tontura. Não tinha ar lá dentro. A caixa era vedada. Lembrou que não precisaria de ar nunca mais. Fora apanhada por uma criatura. Lembranças... lembranças embaralhadas. Um convite. Uma carona. Dentes pontiagudos. Um Landau negro cruzando a rua. Dentes cravando sua carne. Sangue. Seu sangue indo embora! Uma oferta... a salvação. Sangue vampiro. Olhos vermelhos, brilhantes. Olhos fantasmagóricos. Risadas. Estava agora num caixão. Nervosa. Gritou. Esmurrou a madeira até afastá-la. A tampa caiu no chão. Seu caixão estava de pé, nos fundos de um cômodo largo e amplo. Dezenas de caixas. Patrícia deu um passo para fora. O compartimento onde estivera presa não era um caixão. Era uma caixa de madeira. Tinha dezenove anos. E agora era uma vampira. Uma vampira! Outras tampas caíram. Outros vampiros despertaram. Alguns expondo caninos alongados. Outros, com os olhos chamejantes. Eram tantos!

Um Landau negro, contendo cinco vampiros, deixou a nova morada. Chegaram a uma rodovia e ganharam velocidade. Rafael, o iniciado há mais tempo, levava novatos para a caçada. Deveria alimentá-los e trazer novos recrutas para o covil. Agnaldo instruíra todos os iniciados a trazer novas pessoas. Não tinham tempo a perder. Precisavam aumentar seu poder o mais rápido possível. As histórias começavam a aparecer nos jornais. Não tardaria o combate contra os caçadores e as autoridades brasileiras. As ordens eram caçar para alimentar e fortalecer-se cada vez mais. Caçar para desenvolver os dons vampíricos. Caçar para recrutar mais e mais aliados.

Rafael, que comprara o Landau especialmente para as caçadas, acionou o limpador de pára-brisa. Uma garoa fina despencava, e relâmpagos iluminavam a noite. Acelerou até o carro deslanchar sobre o asfalto. Os vampiros novatos estavam calados. Uma garota no banco de trás, que fora vampirizada por ele próprio dois dias atrás, tinha o rosto molhado... lágrimas.

Chovia forte. Júlio estava cansado. Estressado. Era quase sempre o último a deixar a loja de eletrodomésticos. Não via a hora de terminar a faculdade e abandonar aquele estágio sem graça e mal remunerado. Olhou pela janela do escritório.

— Droga. — resmungou, queixando-se da garoa. — Nem trouxe uma blusa mais grossa.

Júlio estava com uma malha fina por cima do uniforme. Somente Jeová, o segurança, estava no salão, defronte a única porta aberta, aguardando o garoto sair para trancar-se dentro da loja. O estudante apanhou uma mochila e colocou nas costas. Esfregou as mãos, aproximando-se da saída. Estava próximo à rua principal do comércio de Jandira. A cidade crescia, próspera, com gente de toda a Grande São Paulo buscando um lugar afastado da agitação da capital, mas ao mesmo tempo próximo o suficiente da metrópole para continuar trabalhando e vivendo. Júlio morava em Barueri, e bastava uma condução para chegar em casa. Porém, o ponto de ônibus distava quinze minutos de onde estava, pois preferia sempre tomá-lo no ponto final e ter um lugar garantido para viajar sentado. Chegou à porta entreaberta e cumprimentou Jeová com um meneio de cabeça. Parou, receoso de sair para a noite fria. Uma lufada de vento bateu na marquise. O *neon* que enfeitava a fachada lançava estalidos elétricos com tubos que não acendiam devido ao curto-circuito. A garoa batia silenciosa no chão, e parte da rua de paralelepípedos ficava brilhosa, refletindo as luzes dos letreiros. A calçada abaixo da marquise estava seca, com o piso composto por lajotas intercaladas em preto e branco.

— Tá com medo do frio, filho?

— Ah, Jeová. Semana passada tive uma bruta gripe, minha garganta tava uma lástima.

— Vai com Deus, meu filho. Confia em Deus que, mesmo quando tudo tiver ruim, tudo vai estar bom.

Júlio sorriu para o segurança.

Um vento rasteiro mexeu papéis ainda secos debaixo da marquise. Júlio já estava do lado de fora. Uma embalagem de Sonho de Valsa prendeu em seu cadarço.

— Tu confia em mim, filho?

— Confio, Jeová. Confio.

A porta fechou-se, e a rua ficou mais escura.

Júlio sorriu. Acabara de ouvir Jeová falar de Deus. Achou graça da situação, do trocadilho com os nomes.

Empreendeu passos rápidos. Entre um prédio e outro, recebia a garoa na cabeça. A cabeça. Dolorida. Estava cansado. Muito trabalho naquele dia. Problemas demais na cabeça. Pagar a faculdade atrasada. O atraso da namorada. Era novo para pensar em casar. Apertou o passo. Não queria se molhar. A garoa fininha chegava a ser pior que chuva. E aquela estória maluca de neve em Osasco? Vira na TV dias atrás. A avenida dos Autonomistas, a frente do Rhapsody, tudo tomado pela neve. Só faltava nevar ali em Jandira também.

O Landau dobrou a esquina. O contato do pneu com os paralelepípedos fazia um barulho diferente no asfalto. O limpador de pára-brisa varreu o vidro mais uma vez. Um rapaz no meio da rua, caminhando rápido, de cabeça baixa.

Rafael apagou a luz e desligou o carro. Seus olhos acenderam-se para continuar a observar o rapaz com a mesma facilidade. Um grunhido rápido e reverberante escapou da garganta. Todos os vampiros olharam para o garoto. Uma das criaturas, um adolescente de cabelo longo, negro e liso, limpou o excesso de sangue do canto da boca. Estavam fortes e receptivos aos ensinamentos de Rafael. Todos tinham se alimentado. Menos Patrícia, que recusava desde as entranhas sua nova condição vampírica. Estava com o estômago queimando e a cabeça explodindo. Via o olhar pesado de Rafael sobre sua pessoa e sentia medo. Sabia que o vampiro a queria no grupo. Queria que ela tomasse sangue. O cheiro do líquido impregnava suas narinas. Minutos antes, o corpo de uma menina se debatia ali, no banco de trás do Landau, gritando e tentando agarrar-se à vida retirada pelas bocas famintas daquelas criaturas que a chamavam de irmã. Repudiava o sangue. Queria sua vida insípida de volta... ao menos poderia morrer quando desejasse. Como morta-viva, o desejo de morte não poderia ser consumado. As idéias estavam confusas. Acordar naquela caixa fora uma experiência aterradora. Não queria viver daquele jeito.

— Vamos caçar. — disse Rafael.

— Vai ser um novo recruta?

— Não. Vai ser comida. Precisamos de mais força. Soldados buscaremos mais tarde.

Júlio estranhou o Landau estacionado. O carro estava coberto por gotículas, menos o capô, de onde escapava uma rala nuvem de vapor. Passou apressado pelo carro. A rua deserta assustava. Já ouvira muitas histórias de assaltos a quem andava sozinho. A violência crescente dava medo. E as histórias de seqüestro-relâmpago, então? Os assaltantes eram brutos. Pegavam a pessoa no carro, parada no farol ou saindo de um caixa automático, ou na rua, e a colocavam dentro de um veículo roubado para excursionar pela cidade, tentando sacar com os cartões magnéticos das vítimas. O Landau parado era bastante suspeito. Por um temor repentino, Júlio olhou para trás. O coração bateu mais rápido. A porta do motorista estava escancarada, mas não via ninguém, ao menos ninguém tinha descido. Apertou o passo. Talvez não fosse nada. Um carro parado pode não ser nada, mas naquela rua deserta... olhou para trás de novo. As quatro portas estavam abertas e ninguém na calçada. Júlio parou e encarou o carro por alguns segundos. Precisava saber se estava correndo perigo. Torceu para uma viatura da polícia aparecer. Estava há quinze segundos parado, olhando para o carro, o coração batendo forte e uma fina camada de vapor desprendendo da malha molhada e colada ao corpo. Respiração pesada. Um risco d'água desceu pela testa, incomodando o olho, que ardeu ao contato com a água misturada ao suor. Nada. Júlio virou-se. Sessenta metros até chegar à esquina. Caminhava apressado pelo calçamento. Um baque surdo. Eram as quatro portas do carro fechadas num golpe só. Continuou andando, sem olhar para trás. Ao menos uma coisa: não ouvia passos. Um ônibus passou na rua transversal à que se encontrava. Os faróis banharam de luz os paralelepípedos que reluziram por um segundo. Voltou-se. Ninguém. O Landau estava distante, com as portas fechadas. Continuou; estava chegando à esquina. Bufou. Estava tão tenso que o ar escapou involuntário da garganta. Que medo tolo! Um arrepio. Ouviu uma risada às suas costas. Estacou. O que fazer? Era um assalto. Não tinha nada. Ouvira cada história! Quando a gente não tem nada, é pior. Às vezes, eles espancam. Olhou para a esquina. Tinha um homem parado. Um homem com uma jaqueta preta de couro. Outra risada. De outra pessoa. Olhou para o outro lado da rua. Um rapaz, como ele, mas de cabelos compridos. Era ele quem ria e o encarava. Olhou para o Landau. Tinha mais um rapaz vindo dali, ou seja, dois às suas costas. Precisava alcançar a rua perpendicular, onde mais gente passava, onde carros passavam, onde estava o homem de jaqueta preta. Olhou para a esquina e recomeçou a andar. O homem de jaqueta preta estava de costas... um crucifixo vermelho costurado no couro negro. Júlio quase corria.

Ouvia passos cada vez aproximando-se mais. Passos e risadas. Que tipo de gente louca era aquela? O ronco de motor. Uma olhadela para trás. O Landau manobrando. Porra! O cara na esquina, de costas para ele. Um crucifixo vermelho costurado no couro. O homem virou-se. Viu o rapaz correndo. Júlio estendeu os braços. Estava assustado. Por que o seu Jeová não estava vigiando a rua? O homem da jaqueta veio ao seu encontro.

— Me ajuda! — gritou o menino.

Rafael sorriu, exibindo as fileiras de dentes brancos.

— Vem, filho, vem que te ajudo.

Os vampiros pararam. Pararam e riram alto.

Júlio, aproximando-se do homem que julgara um salvador, estava longe de se tranqüilizar. Percebera a pele pálida do estranho de jaqueta. Repúdio.

O Landau parou ao lado dos dois. Júlio estava cercado. O coração batia tão rápido que doía. Sentiu um frio na barriga quando notou o sorriso esquisito do homem de jaqueta. Tinha os dentes caninos longos demais... tão longos que lembravam... um vampiro!

Rafael deu dois passos até alcançar o moleque. Agarrou o pescoço e suspendeu-o no ar.

Júlio deixou cair a mochila com o material universitário. A mão apertava com tanta força que sufocava.

Rafael trouxe o pescoço do rapaz à boca e cravou os dentes.

Júlio começou a se debater, mas as mãos fortes dos outros atacantes o imobilizaram. O garoto gritou a plenos pulmões.

Um outro vampiro saltou do carro. Tinha se fartado de sangue, mas aquele espetáculo escarlate escapando do pescoço era irresistível.

Patrícia, acuada, praticamente sentada no assoalho do veículo, assistia ao ataque. Via o corpo do garoto chacoalhando no ar, preso pela mão de Rafael. Pendendo no pescoço, oscilava, sujo de sangue, um terço com um diminuto crucifixo. A imagem de Cristo, morna pelo sangue. Um grito explodiu dentro de sua cabeça. A palavra misericórdia ribombou no pensamento. Patrícia abraçou os joelhos e deixou lágrimas molharem a calça jeans. Estavam matando o coitado.

Rafael tomou mais uma golada do líquido vermelho. Os outros já não precisavam segurar os braços de Júlio. O jovem não lutava mais. Dali a pouco, se juntaria ao reino dos mortos. Soltou o rapaz. Júlio bateu os pés no chão e cambaleou, arfando. A custo, ficou de pé, dois passos em falso para trás. Um empurrão. Risadas. Um choque. Escorregando com as costas na porta metálica de uma loja, foi ao chão.

— Basta. — disse Rafael. — Sirvam-se vocês e vamos embora.

Os vampiros rodearam o corpo moribundo. Ainda escapava sangue pela jugular, mas faltava forças ao menino, que mantinha a mão colada ao ferimento. A hora chegava.

— Vai morrer... — balbuciou o vampiro de cabelos compridos.

Ele agarrou Júlio e arrancou-o do chão. Abriu a boca voraz e dirigia-se ao ferimento molhado, mas antes de servir-se sentiu um golpe forte empurrando-o para o lado. Patrícia intervinha e tomava o rapaz nos braços. Ainda chorava, mas agora tinha os olhos vermelhos e a expressão de raiva.

— Deixem ele morrer em paz! Deixem ele. — bradou a vampira.

Rafael grunhiu. O que a fedelha pretendia?

Os vampiros, assustados com a súbita interferência, não se aproximavam.

Rafael foi até o Landau e acionou um dispositivo que fez o porta-malas abrir-se. Voltou e agarrou Patrícia pelos cabelos e arremessou-a; em seguida, apanhou o corpo do jovem agonizante, jogou-o por cima de Patrícia e trancou-os no porta-malas.

— Sua vaca! Ou tu come dele ou te deixo apodrecer aí dentro!

Rafael circulou o carro, nervoso. Acendeu um cigarro e tragou encostado na porta do motorista.

— Vai, cambada. Entra no carro. Daqui a pouco vem o Sol, e não quero virar torrada. Mantém essa vaca aí atrás para deixar de ser engraçadinha. Ou toma do sangue ou perece. Tem que tomar... quer ser uma vampira valente, enfrentar meus homens... tem que tomar sangue. Vai aprender, essa vaca.

No compartimento escuro, Patrícia não acreditava: tinha enfrentado o bando. Ganiu baixinho, gemendo. Aquele cheiro de sangue, poderoso, irresistível, a estava enlouquecendo. Gritou e chutou o metal. O estômago queimava. O garoto... estava morto? Não podia sentir o coração do rapaz, mas ainda tinha sangue escapando de seu ferimento. Fraco, mas ainda fluía. Patrícia tapou a ferida com os dedos de uma mão, comprimindo a jugular. Ouvira dizer que um ferimento na jugular era fatal. A morte não tardaria. O corpo ferido estremeceu. Patrícia abraçou-o comovida. Júlio abriu os olhos embaçados. Não conseguia enxergar nada, apenas sentia a presença da mulher. Sabia que ela o retirara das garras da morte. Sabia que ela havia mudado seu destino. Agradeceu com a voz embargada. Virou o rosto, procurando o da vampira. Aproximou sua boca da boca da mulher e beijou-a sofregamente.

— Obrigado... — murmurou Júlio, antes de desfalecer.

CAPÍTULO 50

Tiago caminhava pesadamente. Coturnos bem amarrados. O tecido pesado do sobretudo ondulando a cada passada. Estava triste. Há dias não saía do hotel. Os vampiros permaneciam adormecidos, aguardando seu chamado. Estavam nos fundos de uma velha fábrica abandonada. Toda noite, aparecia para checar se o esconderijo continuava seguro. Uma fábrica de conservas, completamente empoeirada, sem traços de humanos zanzando pelos cômodos. Esconderijo perfeito. Saltou o muro alto, caindo fantasmagoricamente dentro da propriedade, e entrou no prédio. Desceu dois níveis. Câmaras frigoríficas. Uma, arrombada por invasão antiga. Outra, com uma barra enferrujada servindo de tranca. Sempre precisava da força vampírica para removê-la. Adentrou a câmara. Estavam lá. Os cinco corpos. Miguel, Guilherme, Manoel, Baptista e Fernando. Imutáveis. Imóveis. Adormecidos, como ordenara. Servis. Prontos para partir dali e com ele atacar o exército de Sétimo. Atacar Dom Afonso. Dom Afonso! O maldito Lobo! O assassino que levara ao túmulo seu melhor amigo! Culpado por estar afastado de sua amada. Eliana estava internada. Lutava entre a vida e a morte. Chegara em choque ao pronto-socorro. Sem acompanhantes. Hemorragia. Abandonada em uma enfermaria. Tiago passara as últimas noites mergulhado num marasmo absoluto. Entorpecido, deprimido. Não queria mais saber de guerra alguma. Não queria saber de vampiro nenhum. Sétimo que fosse à merda. Ele e o quinteto vindo dos infernos! Ele e Dom Afonso. Tomara a decisão naquele dia. Iria ver Eliana à noite, logo após a missa de sétimo dia encomendada ao amigo César. Iria retirá-la das garras da morte. Não daria mais aquele troféu a Dom Afonso. Não deixaria nunca mais a amada submeter-se às criaturas. Iria tirá-la das sombras do medo. Daria poder a Eliana. Poder de vampiro. Igualaria as coisas. Só assim a teria para sempre. Só assim ela poderia defender-se dos malditos. Ela não suportaria um novo ataque... seu corpo e sobretudo sua mente estavam cansados.

Teria de fazer dela uma guerreira. Não permitiria perder mais um ente querido. Não deixaria que Eliana tivesse o mesmo fim que César. A morte do amigo era por sua culpa.

Lançou mais um olhar para os vampiros imóveis.

— Acordem. — murmurou.

Um arrepio tomou-lhe o corpo: mal terminara de pronunciar a ordem e os cinco vampiros abriram os olhos. Levantaram-se. Calmos. Obedientes. Nem sombra das criaturas sem coração que haviam seqüestrado Eliana. Que haviam dizimado dezenas de soldados. Estavam sob seu comando. Cães de guarda, obedientes.

— Quero que fiquem despertos. Tenho que cumprir uma missão.

— Vais vingar teu amigo? — perguntou Inverno. — Lobo não é um inimigo fácil. Vais precisar de nosso auxílio, ó brasileiro.

— Não vou me bater com o Lobo, vampiro. Não vou me bater com ninguém. Me falta ânimo. César não podia morrer. Não podia. Eu tinha que defendê-lo quando me pediu ajuda. Agora não me restou vontade de lutar. Só devo um aviso para um sujeito.

— Ora, gajo, não diz isso. Tu sempre foste valente. — redargüiu o vampiro mais baixo e corpulento, Acordador, com sua característica voz murmurante.

— Tenho que cuidar de Eliana, mas para cumprir minha missão, preciso que a vigiem. Cuidem dela, pois vou me ausentar por um ou dois dias.

— E Sétimo? Viemos para destruir Sétimo e seu exército. Só estamos aqui para isso; depois, vamos. — argumentou Fernando, o vampiro Espelho.

— Essa é boa. Não amoleças agora, ó pá. Com nossas forças agrupadas vingamos teu amigo e destruímos aquele que quer tomar a Terra. Faço a tempestade vir. Derrubo raios sobre as cabeças de nossos inimigos. Vais ver meu poder! Sinto que estou mais forte. Viu o que fiz quando chegamos? Fiz nevoeiro, fiz tempestade. Abri uma trilha. Estou mais forte.

Os olhos de Inverno acenderam-se. Sua expressão tornou-se mais sizuda e o rosto duro, ameaçador. Caminhou em direção a Tiago.

— Não amoleças, gajo! Tu nos deves isso! Sê valente. Tiraste-nos da beira do rio, tiraste-nos de nossa espera. Queremos nossa luta. — disse Guilherme, com voz sinistra e ameaçadora.

Os outros vampiros interpuseram-se, bloqueando o caminho de Inverno, impedindo que se aproximasse mais de Tiago. Os olhos do quarteto acenderam-se, emprestando ao cômodo uma lúgubre luminosidade vermelha.

Guilherme franziu o cenho, expondo os dentes pontudos.

— Acham que vou atacar o menino? Ah, essa é boa! Sabem que não posso. Me desfaria em cinzas. Atacá-lo seria expor-me ao Sol. Esse foi o aviso. Não temos desejo. — os olhos do vampiro congelante apagaram-se e, lentamente, os dentes voltaram à normalidade. — Sabem que o desejo do mortal é nosso desejo. Mas não quero voltar à beira do Hades sem uma boa briga. Quero deitar as garras no couro de Sétimo. Como tu, ó Baptista, também sinto-me mais forte. Aquele fedelho terá um adversário à altura desta vez.

Tiago abriu o quarteto que o protegia, aparecendo para Inverno no meio do grupo. Tinha os caninos prolongados e a expressão agressiva, apontando um dedo para o rosto do robusto adversário.

— Cala-te, vampiro. Se minha vontade é tua vontade, cala-te agora. Não haverá luta. Não haverá batalha. Nada mais me importa. Graças à tua raça maldita meu melhor amigo está morto e minha amada está nas garras da morte. Não tive chance de fazer a César o que farei a Eliana. Só uma pessoa na Terra iria até o inferno para destruir Sétimo, e essa pessoa não vive mais. Fiquem alerta e defendam a toca. Trarei Eliana para renascer para a vida eterna, pois só assim estará reparado o mal que começaram. Farei dela uma vampira forte e com ela passarei meus dias, longe dos monstros da sua laia. Até que eu mude de idéia, não haverá luta. Serão nossos protetores e, depois de encontrarmos um lugar seguro, serão devolvidos à beira desse rio que falou.

Tiago deu as costas. Os vampiros apagaram os olhos enquanto o rapaz desaparecia atrás da grossa porta.

Inverno grunhiu, insatisfeito.

Gentil abaixou a cabeça e comentou:

— Que passeio chato viemos fazer.

— Como dizes isso, Miguel? Queres confrontar-se com teu irmão!

— Que é desejo nessa condição? Se Tiago diz, fazemos.

Um riso gutural tomou a câmara.

— Do que ris, Manuel? Do que ris?

Manuel caminhou até o centro da roda. Mãos para trás, sobretudo preto, de tecido pesado.

— Rio porque acho essa situação engraçada. Mas não vos aborreçais, amigos. Sei como pôr fim a esse infortúnio. Farei com que Tiago volte atrás em sua decisão. Guardem o covil. Fernando, vem comigo.

— Mas se tu sais, desobedeces ao comando.

— Tiago disse para guardarmos a toca e ficarmos alertas. Com ele assim, confuso e com medo de nos liberar para destruir Sétimo, está colocando a toca em perigo. Se Sétimo descobre que estamos aqui, vem e nos destrói. Vou sair para resolver esse impasse. — explicou o vampiro, fazendo um sinal para Fernando.

Acordador e Espelho saíram. Estavam afastados da cidade. Viam a luz do aglomerado distante. Próximo à fábrica, havia uma encosta recoberta por mata atlântica. Acordador, o baixinho atarracado, de cabelos curtos e ondulados, ergueu as narinas e aspirou fundo o ar da noite.

— Que procuras, Dom Manuel?

— O cemitério, Dom Fernando. O cemitério.

Estavam com as mesmas roupas de quando seus corpos foram vaporizados pela bomba nuclear. Manuel, com um sobretudo recobrindo as roupas escuras roubadas do trem cargueiro, e Fernando, com uma jaqueta de couro preto, justa em seu tórax largo e firme. Fernando era forte, negro, couro cabeludo à mostra; quando fechava a expressão, tornava-se assustador.

— Vem, amigo, vamos ao cemitério.

Tiago passou a missa calado. As palavras proferidas pelo padre chegavam pela metade à sua mente, na maior parte do tempo preenchida por imagens do passado. Momentos com os amigos em Amarração. Momentos de paz. Quando eram adolescentes e brincavam na areia da praia. Olavo, Eliana... César. Quando completaram o curso de mergulho e compraram o primeiro equipamento para curtir o *hobby*. Sonhos, sonhos simples. Então, os vampiros e toda aquela confusão.

Quando a celebração acabou, Tiago, silenciosamente, foi o primeiro a deixar a igreja. O céu estava coberto por nuvens e um vento frio varria o chão. Grânulos de areia subiam, e o cheiro característico do mar chegava ao nariz. Passou a mão pelo cabelo. Rumou para o pronto-socorro da cidade. A decisão estava tomada. Caminhou por cinco longos quarteirões. Tinha bastante gente na rua. Uma garota com perfume adocicado cruzou seu caminho. Cheiro de sangue. Tiago chegou a olhar para trás. Seu lado vampiro estava cada vez mais forte. O perfume desaparecendo, restando apenas aquele recender hipnótico. Sangue. O estômago ardeu. A caçada ficaria para depois.

Manuel e Fernando chegaram ao cemitério. Nenhum vigia. Cheiro forte de parafina queimando. Espelho rompeu a grossa corrente que selava o terreno. Manuel foi o primeiro a entrar.

— Que quer aqui, irmão?

— Salvar-nos do tédio. Queres ficar confinado naquele calabouço empoeirado? Venho fazer o que faço melhor.

Manuel percorreu alguns metros do corredor principal. Ergueu a narina, buscando cheiro de defunto novo. Era hora de acordar os mortos. Caminhando em direção ao odor do defunto, encontrou uma sepultura recoberta por flores frescas. Leu na lápide. Mulher. Não era o que queria. Continuou caminhando. Encontrou outra cova enfeitada; as flores, desta vez, um pouco mais murchas. Leandro de Almeida. Não era o defunto que queria. O baixinho repetiu a operação. Ergueu a narina e aspirou prolongadamente. Caminhou, seguido por Espelho, por duas fileiras. Olhou para algumas sepulturas. Como eram bonitas! A maioria tinha a imagem dos defuntos cravadas em placas de mármore. Encontrou mais uma com restos de flores com o propósito de enfeitar a cova. Estacou em frente ao novo sepulcro. As flores estavam secas, algumas esparramadas e as pétalas perdidas sob os castigos das intempéries. Pôs as mãos, em posição de prece, em frente à boca. Movimentou os lábios. Era hora de chamá-lo. Havia encontrado o túmulo que buscava. O nome grafado na lápide... só poderia ser o homem que procurava: César José Golpin.

Manuel abaixou-se. Verificou a portinhola que trancava a sepultura. Era vazada.

— Acorda, filho, acorda e vem pra fora! — gritou.

Espelho, ao ver o vampiro se levantando, perguntou:

— Só isso? Só um chamado?

— Ora, pois! Até parece que nunca me viste acordando os mortos! Basta um chamado. Um falar alto. Quando estas coisas escutam minha voz, abandonam a Aventura e voltam para a Terra dos vivos.

Espelho calou-se. Fazia tanto tempo que não via Manuel acordando gente que realmente havia se espantado. Suspirou. Lembranças voltando à mente. Tantas aventuras! Tantas escapadas! Sorte que Tobia não haveria de existir mais. Muitos séculos os separavam do último e fatídico confronto, quando, ludibriados inclusive por Sétimo, foram trancados na caixa de prata.

— Escuta! — chamou Acordador, tirando o irmão das lembranças.

Fernando apurou os ouvidos. Um ruído. Um barulho vindo do túmulo. O morto estava acordando.

Tiago adentrou o pronto-socorro. Chamava a atenção pelo porte avantajado, a roupa negra e a pele excessivamente pálida. Caminhou pelos corredores. Por sorte, havia bastante gente precisando de atendimento, e logo esqueceram o rapaz. Encontrou Eliana na enfermaria, com a sonda de soro conectada ao braço. Uma máscara com oxigênio. Olhos cerrados. A pele estava amarelada. Hematomas no pescoço e braços. Visivelmente doente. Que destino! Fugiram de Osasco para se afastar do perigo das crises de Sétimo e, no retiro, vieram parar nas presas de Lobo. Lobo matara César e poderia arrastar Eliana para a cova, tamanha a instabilidade que a mulher apresentava. Tiago arrancou a agulha da veia da moça. Um filete de sangue desceu pelo punho e veio manchar o lençol branco.

Um barulho chamou a atenção da enfermeira de plantão. Ela foi até o meio da enfermaria. Um vento frio e cortante invadia o recinto. As cortinas que separavam os leitos esvoaçavam. Um dos pacientes reclamava do frio. A janela fora destrancada. Como? Se a enfermeira tivesse olhado para fora, talvez tivesse visto um cadeado esmigalhado no chão. Se tivesse examinado com maior cuidado o terreno, talvez tivesse visto um estranho afastando-se com uma mulher no colo. Voltava para sua mesa quando notou o leito vazio. Tomou um susto. O soro vazava no chão. A agulha arrancada. Uma mancha de sangue. Correu de volta à janela, mas nada suspeito, a não ser que estava destravada.

No meio do caminho para a fábrica, Tiago mudou de idéia, abandonando o plano original de levar Eliana para o esconderijo: levaria para o hotel. Faria um bate-volta de táxi. Não era seguro para ela ficar com os vampiros do rio D'Ouro. Apesar de tê-los visto servis e prontos para lutar a seu lado, não podia confiar a vida da amada àquelas feras. Não fazia sentido. Numa rua afastada, deitou-a no chão e, com a unha afiada, desferiu um talho no próprio pulso. Uma quantidade tímida de sangue enegrecido brotou da ferida. Deixou umas poucas gotas pingarem na boca entreaberta da mulher. Debruçou-se sobre ela e beijou-lhe os lábios demoradamente e recostou sua cabeça no chão. Os lábios haviam se contraído, como se ela recusasse o que recebia. Tiago separou-os, pressionou a ferida e extraiu mais sangue. A pele de Eliana arrepiou-se. Tiago tirou o sobretudo: ela deveria estar com frio. Abraçou-a ternamente. Lágrimas brotaram dos olhos do vampiro. Sabia que não mais precisaria temer pela vida da amada. Estariam juntos para sempre de agora em diante. Envolveu-a com o casaco e tomou-a no colo, refazendo o caminho. Desviaria do pronto-socorro. Poderiam ter dado falta da paciente. Era melhor evitar confusão. Rumou para a avenida principal do Guarujá à procura de táxi.

CAPÍTULO 51

O tenente Brites recebeu o novo relatório. As pistas cessavam no Rio Grande do Sul. No entanto, no estado de São Paulo, inúmeras referências sugeriam atividades vampíricas. Estava particularmente obsecado pelos relatórios que vinham das cidades costeiras. Dos centros litorâneos. Ao que tudo indicava, agora o lobisomem trilhava pelas praias. As informações agrupadas tomavam um vulto assustador. A fera não estava sozinha. Relatos de populares afirmavam ter visto uma verdadeira matilha de criaturas estranhas, corpulentas e semelhantes a lobos. Mortes violentas, corpos examinados nos IMLs, boletins de ocorrência e queixas de desaparecidos surgiam em profusão. Isso se repetia em Osasco, cidade da Grande São Paulo, onde, evidentemente, se concentrava outro ninho de vampiros, tão violento e numeroso quanto o verificado no litoral.

— Estamos prontos para partir, senhor.

— Vamos em cinco minutos, soldado.

Brites estava no comando de uma base em Santos. Nos últimos dias, após caçadas e caçadas sem sucesso, dedicava-se ao estudo dos vampiros. Juntou uma verdadeira biblioteca sobre o assunto. Enciclopédias dedicadas às criaturas sugadoras de sangue, tratados, material de gente que caçava essa raça. Brites estava convencido de que teria de dobrar-se aos meios de caça mais arcaicos para conseguir resultado contra os vampiros. Seus homens, antes das caçadas, eram instruídos a ingerir ao menos dois dentes de alho cada um. No início, havia muita brincadeirinha nos corredores. Os soldados novatos não acreditavam naquela história de caçar vampiros. Mas depois do contato mais profundo com Brites e os soldados veteranos, que tinham participado de outras caçadas, as brincadeiras foram perdendo a força. Os soldados passavam ávidos os olhos sobre documentos, sobre corpos encontrados, mortos com ferimentos bizarros, sangue drenado, perfurações no pescoço. Gente que testemunhava ter visto lobisomens. Lobos. Estavam se convencendo, e, quanto mais acreditavam, mais crescia o medo de se defrontarem com as criaturas.

Brites saiu da sala. Os helicópteros estavam com os motores ligados, aguardando o tenente. Brites fez o sinal da cruz e pediu a Deus que colocasse os vampiros em seu caminho. Entrou na aeronave e, assim que se acomodou, deu ordem para decolar. Quatro aparelhos militares deixaram o chão. Assim que ganharam altura, descreveram um semicírculo e embicaram em sentido ao mar. Estavam seguindo para o Guarujá.

CAPÍTULO 52

Tiago não teve dificuldades para encontrar o novo covil de Sétimo. Graças ao pacote de facilidades providenciado pelo estranho homem que lhe aparecera no pesadelo, o vampiro era capaz de sentir Sétimo. Estaria sempre preparado para o inimigo. Mas não iria ao covil para um combate, mas porque devia uma coisa ao amigo César. Já que não podia devolver-lhe a vida, iria fazer o assassino pagar.

Tiago chegou até um muro alto, com sentinelas nas extremidades. Sétimo estava roubando muito dinheiro. Há quanto tempo havia deixado o vampiro? Menos de um mês! E o maldito já havia se instalado numa fortaleza. Certamente, haveria uma mansão do outro lado do muro. Uma mansão e mais soldados. O exército do vampiro. Deveria ter mais de trinta componentes.

O vampiro correu alguns passos e tomou impulso. Saltou para cima do muro e pairou sobre o arame farpado. Pulou para o chão, descendo de forma assombrada. O único som audível era o do farfalhar do pesado tecido de seu sobretudo. Transformou-se em sombra, correndo ligeiro e grudando-se ao muro. Se o homem do pesadelo, o demônio, tivesse lhe dito apenas verdades, Sétimo estava incapacitado de sentir sua presença. Tiago deixou os olhos acenderem. As presas brotaram. Era precaução. Tinha de estar preparado para um confronto. Esgueirou-se por trás de algumas árvores que compunham o bosque particular. Num canto da propriedade havia oito carros, a maioria importados e caros. Exceção era um Landau preto, de vidros filmados, escuros, com um vampiro sentado no capô. Tragava um cigarro e deixava espessas nuvens de fumaça subirem ao céu. A noite estava escura, sem lua, o céu encoberto por nuvens. Frio. Um cutucar em sua testa anunciava que Sétimo estava próximo. Silêncio. As luzes em frente à mansão se acenderam. Sétimo estava acordado. Sentiu uma movimentação leve no cutucar. O vampiro havia desaparecido do capô. Tiago praguejou. Tinha se distraído um segundo. Duas portas de correr ergueram-se junto ao Landau. Eram três compartimentos grandes; pareciam garagens. Uma permaneceu fechada. Das outras, não parava de sair gente. Jovens. Vestidos de negro. Jovens vampiros. Muito mais do que os trinta que imaginara! Muito mais de sessenta! Sétimo estava recrutando jovens com velocidade impressionante. Tiago sentiu a pele arrepiar. Olhos sobre ele. Não podia ver, mas um vampiro o observava. Concentrou-se no vampiro do capô. Um cutucar surgiu na sua nuca. Virou-se rapidamente. Maldito. Ouviu um grunhido, como o de um gato enraivecido. O vampiro saltou para cima de Tiago. Ambos rolaram para o gramado, deixando o bosque e aparecendo para os demais. Tiago se deixara surpreender.

O vampiro que detectara o intruso era Rafael, que após treinamento árduo com Agnaldo e os professores de artes marciais, combatia o invasor com as mãos limpas. Tiago recebeu um chute forte no joelho que o fez dobrar a perna. Em seguida, Rafael aplicou um novo golpe, chutando o adversário no abdome. Tiago caiu encurvado. Tinha que alcançar Sétimo. Viera apenas para isso. Não viera para lutar. Não queria um confronto prematuro. Estava despreparado. Evocou sua força vampírica, e sentiu os músculos enrijecerem. Era hora de mostrar ao novato que tomara sangue dos bons, que era um pouco mais experiente. Pensava nisso quando Rafael o agarrou pelo pescoço e aplicou uma gravata. No entanto, não sentia dor, nem mesmo precisava se preocupar com falta de ar. O vampiro, quando tentou imobilizá-lo daquela forma, provavelmente esqueceu que os de sua raça não mais precisavam de oxigênio. Tiago irritou-se porque, aparentemente, o novato queria apenas exibir-se, subjugando-o na frente do exército de Sétimo. O rapaz sentia a irritação crescer a cada movimento, pois não conseguia livrar-se da incômoda situação. Grunhiu enraivecido. Dezenas de vampiros já rodeavam os dois e riam. Tiago evocou toda sua energia. Incompreensivelmente, desvencilhou-se do braço do oponente sem que ele percebesse ou tivesse afrouxado o golpe, como se algo atravessasse sua carne e seus ossos. Tiago, de imediato, estendeu o braço e agarrou agressivamente o vampiro pela pele do rosto, cravando as unhas afiadas, sem deixá-lo escapar. Com a outra mão, desferiu repetidos golpes no tórax, afundando o punho no peito do adversário, moendo-lhe os ossos. Quando Rafael perdeu a capacidade de reagir, foi ao chão.

Um vampiro desprendeu-se do círculo que havia se fechado ao redor de Tiago e partiu certeiro para cima do intruso. Tiago desviou-se com velocidade e atacou-o pelas costas. Agarrou a cabeça do vampiro entre as mãos e girou, rapidamente desprendendo-a dos ossos do pescoço, pendurada apenas por pele e músculos. O vampiro caiu desfalecido. O golpe, fatal para o ser humano, serviria para tirá-lo de combate por alguns dias.

Antes que outro acudisse o covil e enfrentasse o ousado invasor, um corredor abriu-se no círculo, surgindo a silhueta mirrada de Sétimo. O vampiro estava sem camisa, trajando apenas calça jeans escura.

— Ora, ora, ora, se não é Tiago, meu primeiro e único desertor.

Sétimo parecia ainda mais pálido.

Tiago inspirava prolongadamente, o corpo encurvado, enrijecido, pronto para o combate. Ao se deparar com Sétimo, o corpo estremeceu levemente. Sabia que o obstáculo era intransponível, o único dos sete vampiros arrancados da caixa de prata que tinha o poder de fazê-lo temer o confronto.

— Acho que não veio aqui para destruir os meus, veio?

Tiago meneou a cabeça negativamente. Endireitou o corpo, relaxando. As feições, ainda transmutadas, abrandaram. Os olhos vermelhos apagaram-se. Enfiou a mão numa dobra do sobretudo onde havia prendido uma camiseta rasgada, esburacada, com sangue seco, e arremessou-a para o vampiro.

Sétimo, com expressão indagativa, apanhou no ar o pedaço de pano. Sangue. Apenas para não restar dúvidas levou o sangue seco até as narinas e estremeceu. Os olhos acenderam-se, e o corpo mirrado inchou. O rosto desfigurou-se; as orelhas tornaram-se pontiagudas, semelhantes às de morcegos.

— O que aconteceu com meu pai? — bradou o vampiro, com voz de trovão.

— Foi morto.

Voou para Tiago e empurrou-o com violência. O corpo pesado abriu outro corredor no círculo.

Uma garoa fina começou a molhar o gramado.

— Como?! Por que deixou, general?! Por que deixou que matassem meu pai?! — gritou o vampiro, enfurecido.

Poucos ali tinham tido a experiência de ver Sétimo tão enraivecido, transmutando-se. A maioria temeu a silhueta monstruosa que ia surgindo, mais terrível a cada segundo.

— Diz! Diz quem foi! — rugia o vampiro, aproximando-se do rapaz.

Tiago recolocou-se de pé, arquejante, mas satisfeito. Era isso que queria. A ira de Sétimo. O resultado era até melhor do que o esperado.

— Lobo. Foi ele quem matou César. Não pude impedir. O maldito cumpriu sua promessa. Me enganou.

Sétimo enfiou a camiseta no nariz mais uma vez.

— Pai!

Arremessou o pano ao chão. Deu uma volta sobre o próprio corpo, descontrolado, Tiago viu duas vampiras lindas se aproximarem de Sétimo tentando acalmá-lo. Eram Paola e Aléxia. Paola lançou um olhar penetrante para o intruso.

— Dom Afonso! Maldito! Vou vingar a morte de César. Vou agora! — sentenciou.

Sétimo caiu de joelhos e enrolou-se. Um odor fétido tomou conta do ar. Tiago e os vampiros recuaram alguns passos. A pele das costas do vampiro enraivecido se rompeu, dando lugar a longas asas de morcego. A pele tornou-se escamosa, e o corpo triplicou. Mais uma vez, tomava a forma agigantada, um monstro musculoso que, em pé, chegava a três metros, uma muralha assombrada. As asas se estenderam lentamente e farfalharam repetidas vezes, provocando uma ventania momentânea.

— Não sei o que o diabo me fez, mas não consigo sentir o maldito. Nem mesmo você, Tiago. Leva-me ao assassino do meu pai.

— Vamos, vampiro, te levo até a toca do maldito.

Sétimo abraçou Tiago pelas costas, apertou-o firmemente e decolou.

CAPÍTULO 53

Os helicópteros cruzavam as nuvens em alta velocidade. Os soldados vinham enfileirados, de costas contra as paredes metálicas, pintadas de verde-oliva. Calados, cada qual com seu fuzil. A maioria deles tinha armas adicionais, metralhadoras compactas, muita munição. Alguns mascavam alho. Duas aeronaves eram dotadas de potentes metralhadoras de grosso calibre e outras duas tinham lança-foguetes. Alta tecnologia. Radares sensíveis, equipamento de primeira, quase tudo importado. O tenente Brites conseguira total apoio das Forças Armadas. Tinha uma operação bem montada. Era o oficial de maior experiência naquele assunto, combatendo em campo o inimigo vampiro. O Brasil estivera à parte dos conflitos internacionais por décadas. Há muito os soldados não sabiam o que era guerra. Tinham agora que lidar com um inimigo sobrenatural. Para tanto, fora dado poder ilimitado para a operação. Estavam conectados às polícias militar, civil e federal. Qualquer um que tivesse informação a estava direcionando para o Exército. As piadas acabavam nas delegacias quando os investigadores do Departamento de Homicídios se deparavam com ocorrências muito estranhas. Tudo estava na lista fornecida pelo Exército, a lista que servira de chacota por dias a fio. Perfurações duplas, paralelas, como dentes de cão. Corpos sem sangue. Dezenas. Na região de Osasco, Barueri, Carapicuíba e São Paulo, as queixas de desaparecimento aumentavam. Jovens. Sem razão para tomar chá de sumiço. Adeptos do movimento gótico, na maioria. Tudo era enviado para Quitaúna, que se encarregava de repassar as informações para o tenente Brites. A Grande São Paulo voltara a ter rondas noturnas feitas pelos caminhões do Exército. As patrulhas, até aquele momento, voltavam de mãos vazias, sem ocorrência de vampiros. Sem combate. Os caminhões e as viaturas do Exército não rodavam pelas ruas à caça de gente desde o fim do regime militar. Estavam calados. Apenas o som barulhento do motor do helicóptero explodia em seus ouvidos. O piloto acionou o rádio, tirando todos daquele estado letárgico.

— Temos algo na tela, senhor, aproximando-se rápido.

— O que é?

— Um objeto voador não identificado, tenente. Não é aeronave comercial, nem helicóptero, nem avião.

— Está vindo em nossa direção?

— Sim, senhor.

— Um pássaro?

— Muito grande para ser um pássaro, senhor.

— Quanto falta para o Guarujá?

— Três minutos, senhor.

— E para nos alcançar?

— Cerca de trinta segundos, senhor.

— Que droga é essa, soldado? — inquiriu o tenente, colando o rosto no vidro.

As nuvens dificultavam a visão.

— Baixe a aeronave, saia das nuvens.

O piloto obedeceu. Comunicava-se com as outras aeronaves: também tinham captado o OVNI pelos radares. Estava chegando. Baixaram mais ainda. Saíram das nuvens. Céu escuro. A coisa estava vindo da direita e ia para a frente do esquadrão. Os pilotos conversavam freneticamente. Um certo nervosismo e um burburinho crescia entre os soldados. Alguns vinham para a frente, onde estavam os vidros. Repentinamente, a coisa surgiu. Exclamações de surpresa. A criatura alada não pretendia atingir as aeronaves, pois passou rápido como flecha pelos helicópteros e, por um triz, não causou um acidente. Viram-na brevemente, enquanto foi banhada pela luz dos aparelhos. Um pterodáctilo? Impossível. Era algo assombroso, grande. Os pilotos conversavam com uma torre de controle de tráfego aéreo. Somente os helicópteros captavam a criatura. Era algo pequeno para os aparelhos de controle terrestre.

— Deus do céu! Que foi aquilo? — perguntou o tenente.

— Um monstro. Pássaro é que não era.

— Podemos segui-lo?

— Talvez, senhor. Ainda o temos no radar, mas tão rápido como apareceu, pode desaparecer. O *range* do aparelho é pequeno, ainda mais tratando-se de captação de OVNIs. Isso aqui foi feito para equipamentos, não para bichos.

— Desvie; você vai atrás daquilo. As outras aeronaves sigam para o destino e procurem pousar.

— Senhor..

— Vai logo, sargento, isso pode sumir.

O piloto orientou as demais aeronaves e começou a perseguir a criatura. Os soldados tomaram seus assentos, prendendo os cintos de segurança.

— Pode ser um vampiro. — murmurou o tenente.

O helicóptero ganhou aceleração. O motor rugia mais alto. Os holofotes estavam apontados para frente e a luz tentava alcançar a criatura. Por um breve instante, puderam novamente visualizá-la: a envergadura era inacreditável. O piloto acreditava que alcançaria o objetivo quando, repentinamente, a criatura fechou as asas e deixou o corpo despencar, desaparecendo da vista dos homens.

— Desça! — gritou Brites, empolgado.

O piloto obedeceu incontinenti.

Não viam a criatura, mas prédios e luzes de antenas se aproximando.

— Tenho que subir, tenente. Estamos chegando ao perímetro urbano.

— Vamos perdê-lo.

— Não podemos detê-lo, tenente.

— Desça mais.

— Impossível, tenente!

As luzes da cidade ficavam cada vez mais próximas, e já era possível notar o chão. Estavam a cerca de cinqüenta metros de altura.

— Desça ou vamos perdê-lo!

— Não posso, senhor.

Continuavam em linha reta. A criatura ganhava distância na escala do radar. Os primeiros agrupamentos de casas nos bairros da periferia do Guarujá começavam a surgir.

— É uma ordem, desça esse helicóptero!

— Desculpe, mas vou desobedecer, senhor. Não vou arriscar a vida de civis nem dos homens desta aeronave.

Enquanto respondia ao tenente, o piloto foi obrigado a dar uma guinada violenta para fugir de uma árvore.

Brites calou-se. Estava nervoso. Queria esclarecer aquela aparição. O que seria? Era um deles! Só podia ser. Coisas estranhas, ultimamente, estavam relacionadas aos vampiros.

A criatura desapareceu da tela do radar.

— Vamos, junte-nos aos outros. Qualquer bolinha que piscar nessa tela, você me avisa, sargento.

Brites encarou o pelotão.

— Preparem o novo kit caça-vampiros com que presenteei vocês. Vamos ver se aprendemos algum truque bom naqueles livros malucos.

Balas de prata matam lobisomem e machucam feio os vampiros. Era nisso que estávamos em desvantagem. Prata é também o único metal que o vampiro não consegue destruir com as mãos. Por isso, o governo está gastando uma pequena fortuna com esses brinquedinhos aqui. Hoje vamos matar esses calhordas para honrar as calças que vestimos.

Os soldados responderam com um grito, entusiasmados pelo tenente. Preparados para pousar, a maioria checou as armas e as munições pela enésima vez. O coração batia disparado no peito dos jovens. Para poucos era a primeira vez com Brites. Os outros já estavam acostumados com as fortes emoções... e com as baixas também.

CAPÍTULO 54

Afonso levantou-se da beira da fogueira. Sua matilha estava ao redor do fogo. Aguardavam Hélio e mais dois vampiros com o resultado da caçada. Estavam um pouco afastados do Guarujá. Depois de ter liquidado o maldito humano, esperava o ataque vingativo de Tiago. Havia se instalado em local estratégico, com um paredão de pedras às costas, impossibilitando um ataque sorrateiro pela retaguarda. No entanto, com o passar dos dias e a ausência do inimigo para reclamar seu morto, os vampiros, aos poucos, relaxavam e desciam a guarda. Tanto que, em nenhum momento naquela noite, Afonso se lembrou de Tiago, saboreando calmamente a escuridão entre as árvores silvestres. Fechando os olhos, via-se nas cercanias do castelo, à beira do D'Ouro. Afonso despertou do sonho rápido ao ouvir um veículo se aproximando. Era a *pick-up* com seus pupilos. Traziam comida. Traziam humanos para ser servidos ao bando. Nenhum deles estava transmutado em lobo. Logo seria noite de lua cheia, e todos seriam pegos pela transformação involuntária. Precisavam reabastecer os corpos com sangue e energia vampírica. As luzes dos faróis brilharam na estradinha. Não demoraria. O bando, notando a aproximação do veículo, se alvoroçou. Aos poucos, foram levantando e formando um semicírculo onde uma picada desembocava. Era por ali que os vampiros chegariam, com a refeição viva e o sangue quente.

Gritos. Mulheres chorando. Protestos.

Hélio surgiu no início da trilha, arrastando duas garotas. Outros dois vampiros vinham atrás, cada um com duas vítimas. Eram cinco mulheres e um rapaz, desacordado.

Passava um pouco das três horas da manhã. Caía uma garoa fina, com gotículas que flutuavam ao toque suave do vento, leves e gélidas. Talvez o pavor fosse tanto que os gritos das mulheres cessaram. Elas choramingavam, olhando para o bando sinistro que se agrupava logo à frente. Olhavam para a fogueira e para aquela gente estranha. Começaram a gritar quando os olhos brilharam, vermelhos, e dentes longos surgiram nas bocas daqueles esquisitos. Eram vampiros!

O grupo fechava o cerco sobre as vítimas, mas foi interrompido. Afonso pediu silêncio.

— É Tiago. Ele está aqui.

Uma das vampiras adiantou-se aos capturados. Com um rolo de fitilho, começou a atar os pulsos das mulheres para que não escapassem.

Um par de brasas incandescentes surgiu no alto de uma árvore. As folhas compactas impediam delinear o vulto. Repentinamente, passou a flutuar. O homem saltou da árvore, fazendo os galhos estalarem. Tocou o chão com suavidade. Era Tiago. O vampiro estava sizudo, de cara fechada. Movia-se lentamente. Olhou para o grupo capturado. Seriam o banquete. Tiago notou que vários pares de olhos acenderam-se. Os filhotes do Lobo tornaram-se ariscos, rosnavam ameaçadores. Leonardo manteve-se afastado. Era o lobo mais forte e poderoso depois de Afonso e esperava a oportunidade certa para acabar com o líder e tomar conta do bando. Iria conduzi-los à sua maneira. Era sua vingança contra o vampiro português que o retirara de sua saudosa vida ordinária. Se Lobo confrontasse o forasteiro e levasse desvantagem, Leonardo faria com que os demais não interferissem.

Tiago retesou os músculos e cresceu desafiadoramente aos olhos dos vampiros. Concentrou-se: lá estava Dom Afonso. Fechou os punhos tão rigidamente que os ossos estalaram e doeram. Sabia que o adversário era especialmente perigoso e que tomava a forma de lobisomem. Tomando por base o último confronto, Afonso era maior que os pupilos. E mais forte. Sabia também que não moveria um músculo. A cabeça do vampiro não lhe pertencia. Só viera até a matilha para que Afonso soubesse que fora ele quem providenciara sua morte. Tiago apontou o dedo desafiadoramente. Afonso rugiu, os olhos ardendo como brasas.

— Tu mataste meu amigo. Isso não vai ficar barato, vampiro.

— Quem é você para me desafiar? Todos os vampiros têm medo do Lobo. És um guerreiro, gajo, mas esqueces que sou assassino feroz! — gritou Lobo, com pêlos espessos surgindo na pele e a boca se agigantando, iniciando a transmutação.

— Quem sou? Eu não sou ninguém, vampiro, mas trouxe alguém que gostava do meu amigo.

No meio da transformação, a expressão do Lobo era indagativa.

Um barulho intenso desprendeu-se das árvores em que Tiago estivera alojado. Um farfalhar de asas encheu a noite.

— Na verdade, tu mataste o pai de um amigo meu, um vampiro que dispensa apresentações.

Diante dos olhos incrédulos dos vampiros e também dos olhos esbugalhados de Dom Afonso, asas gigantescas escaparam da copa das árvores. Uma criatura assemelhada a um morcego, uma sombra bizarra, pousou no meio da clareira.

As mulheres raptadas começaram a gritar descontroladamente. Que demônio era aquele?!

Tiago deu lugar ao vampiro alado.

— Sé... Sétimo? Não... não pode ser... — murmurou Afonso, com a voz afetada pela transformação.

Enquanto Sétimo tocava o solo, o vampiro terminava sua mudança, caindo de quatro patas no chão, o corpo peludo e agigantado.

Tiago cortou o fitilho que prendia as mulheres e ordenou que fugissem. Os olhos continuavam chamejantes, provocando medo nas vítimas, mas elas não hesitaram em levantar e correr. O homem desmaiado continuou no chão. Se tivesse sorte, acordaria na manhã seguinte acreditando ter sofrido o pesadelo mais estranho de sua vida. Correu até a picada para certificar-se de que nenhum vampiro seguia as mulheres. Antes de embrenhar-se na mata, olhou para trás. Sétimo desferia seu primeiro soco. O golpe acertou Lobo lateralmente, arremessando-o metros adiante. Sua missão estava cumprida. Iria tirar as mulheres dali e abandonar Sétimo para trás. Tinha deixado Eliana no hotel, poupando-a do desconfortável translado até São Paulo. Queria estar ao seu lado quando ela despertasse.

Sétimo grunhiu de maneira assustadora, gingando o corpo lateralmente até alcançar o lobo caído. Ouviu urros. Tinha mais três lobisomens ao seu redor. Apanhou Lobo com as mãos.

— VOCÊ MATOU MEU PAI!!! — gritou.

Decolou e cerca de vinte metros acima, soltou Lobo.

O lobisomem bateu contra o chão, ganindo de dor. Os lobos afastaram-se quando Sétimo voltou ao solo.

— Vingança, gajo. Vingança é a coisa mais querida pelo meu coração maldito. Tu e aqueles desgraçados me entregaram ao diabo. Espero, de coração, que tua morte seja dolorosa.

Lobo levantou-se cambaleando. Tinha ossos quebrados. Evocou energia para autocurar-se e tomou uma postura ameaçadora. Sétimo abaixou-se, contraiu um dos braços e arremessou-o contra a fera, descrevendo um arco na altura do queixo do adversário. Lobo estacou e silenciou. Foi algo tão súbito, tão repentino que todos os lobos ao redor ficaram paralisados, pressentindo que algo estava errado. Lobo levou as garras ao pescoço. Com os dedos, tentava conter o sangue que esguichava de um extenso ferimento. Estava morrendo. Os vampiros deram um passo para trás. Leonardo observava tudo atentamente, silencioso. Sabia que o líder perecia. Lobo soltou um som estranho, engasgado, com a garganta cheia de líquido. Avançou para atacar, então o corpo caiu pesadamente em direção a Sétimo, e sua cabeça de lobo rolou pelo chão enlameado. Sétimo agarrou a cabeça e tomou-a na mão, exibindo-o aos membros da matilha de Afonso, urrando vitorioso. Abaixou o troféu, mantendo-o preso entre os dedos. Desejava ter torturado muito mais o maldito, mas o ódio era tamanho que tomava conta de seus movimentos. Ponderou sobre o passo seguinte: não mataria os vampiros. Eles morreriam sozinhos. Eram novatos. Pereceriam nas mãos dos caçadores que haveriam de surgir. Enfraqueceriam dia após dia. Logo bateriam à porta de seu covil pedindo proteção. Sétimo abriu e farfalhou as asas. Os vampiros em forma de lobo afastaram-se mais. Decolou levando a cabeça transmutada de Afonso, garantia de que o inimigo permaneceria morto. Passou rasante por cima da clareira mais uma vez. Onde estava Tiago? Tinha desaparecido. Dirigiu-se rapidamente ao mar. Transpôs cerca de dois quilômetros de água, sobrevoando, e largou a cabeça da fera, que afundou, desaparecendo no oceano. Sétimo alinhou o curso. Estava voltando para casa.

CAPÍTULO 55

Não tinha completado três minutos desde que Sétimo desaparecera no céu negro quando, ainda assustado e perdido, o grupo de vampiros lobisomens ouviu o ronco forte que fez o ar tremer. Cinco estavam investidos da forma de lobisomem, quatro estavam no meio da clareira, com a aparência humana, enquanto outros permaneciam protegidos pelas árvores, tentando localizar o vampiro Tiago, que evadira levando as mulheres. O som aumentava, vibrando os tímpanos. Luzes sobre as árvores. Dois helicópteros surgiram acima da clareira. Fachos de luz varriam o chão e demoravam-se nas criaturas. Um terceiro aparelho girava em círculos acima dos dois primeiros. As feras uivavam, desafiando as máquinas, erguendo agressivamente as patas dianteiras, ganhando altura intimidante.

Leonardo embrenhou-se ainda mais na mata. Não era hora de agir. Era hora de assistir. Os cinco vampiros transmutados eram os mais fiéis ao vampiro Lobo; eram agressivos, talvez os únicos que poderiam causar problema ou disputar a liderança do grupo dali em diante. Sua visão permitia enxergar claramente mesmo àquela distância. Apurou os ouvidos. O som produzido pelas aeronaves atrapalhava bastante, mas seu poder vampírico permitiu ouvir o som cadenciado, passadas, botas estalando gravetos no chão. Leonardo eriçou-se. Olhou em volta e detectou o inimigo. Soldados. Deixou o esconderijo. Queria que os cinco lobos fossem destruídos pelos invasores, mas não deixaria que os demais fossem também, do contrário, não teria um grupo para ajudá-lo em suas pretensões. Alcançou o primeiro parceiro e instruiu que se afastassem, que comunicassem aos demais. Deveriam apenas assistir. Tinha mau pressentimento a respeito daquela força organizada que se aproximava. Olhando para cima, viu um helicóptero pairado a poucos metros. Como temia! Era o Exército brasileiro. Olhou para trás. Luzes vasculhavam a mata. Lanternas de fachos poderosos. Estavam sendo caçados!

Brites fez um sinal para o soldado que empunhava a metralhadora, e o garoto firmou a mão na empunhadura. O helicóptero estava estabilizado e deslizava lentamente para a esquerda. Um lobo rugia feroz, valente. Apertou o gatilho. Explosões repetidas encheram de som a aeronave. Bam! Bam! Bam! Bam! Bam! O lobo tombou, sangrando, estremecendo. Brites sabia que aquele resultado era temporário. Os demônios tinham uma capacidade fenomenal para se regenerar. Seriam detidos apenas quando os soldados em terra os alcançassem e alvejassem os malditos com as balas de prata. Respondendo em sincronia, um grupo de soldados surgiu à beira da clareira. Estavam em diferentes pontos, cercando os vampiros. De cima do aparelho, disparos de fuzil para dar cobertura à equipe de terra. Os soldados no chão, com os alvos em mira, abriram fogo. Em menos de um minuto, sete criaturas jaziam. Cinco, em forma de lobo, não esboçaram reação alguma. Estavam mortas. Duas, ainda em forma humana, tombaram com os primeiros disparos, vivas, gemendo e gritando. As balas de prata provocavam extrema dor. Os ferimentos eram feios, e demoraria muito mais para o dom vampírico regenerar a carne. O local onde a bala de prata ficasse alojada não teria reparo nunca mais, a não ser que se removesse o metal do corpo. Eram vampiros novatos. Eram fracos. Estavam fracos. Praticamente, não sabiam o que fazer. Tiago impedira que reabastecessem o corpo com líquido quente que tomariam das veias das mulheres apanhadas por Hélio. Não sabiam o que estava acontecendo. Julgavam-se indestrutíveis, não se intimidando com a presença ameaçadora dos helicópteros. Não tinham mais o vampiro-líder para organizar a retirada ou, melhor ainda, organizar o contra-ataque e a destruição dos insolentes. Nem mesmo Leonardo apresentara-se para socorrê-los. Estavam morrendo.

O coração do soldado batia disparado. Aqueles lobisomens estavam mortos. Imóveis. Graças a Deus! E graças às balas de prata! Estava assustado. Tinha certeza de que acertara o branquelo no peito duas vezes. Contudo, o homem continuava vivo. Era um vampiro mesmo! Deu dois passos para frente, cauteloso. Disparou o fuzil repetidas vezes, atingindo a criatura na cabeça. O corpo do vampiro tombou pesado, imóvel. Estaria morto?

Brites comandava o batalhão em terra via rádio. O helicóptero circulava a clareira. Usava um binóculo com visão noturna. Acabara de ver um soldado alvejar um vampiro na cabeça. O rapaz estava desesperado, pois acertara mais de cinco disparos no mesmo ponto. O bom é que o vampiro permaneceu estático. Uma vampira tentava escapar. Avisou pelo rádio.

Fabrício recebeu o comunicado do tenente Brites. A mulher arrastava-se para a mata. Os disparos haviam cessado. Fabrício ergueu a arma. Não era um fuzil. Nem metralhadora. Era um cano, assemelhado a um rifle, de grande diâmetro. Tão largo, que o punho de um homem entraria com facilidade. O soldado esperou a vampira arrastar-se um pouco mais, distanciando-se dos outros vampiros. Era uma garota bonita, de rosto atraente e pele excessivamente pálida. Ela encarou o soldado e soltou um rugido rouco. Fabrício arrepiou-se. Viu os olhos da garota tornarem-se vermelhos, como injetados de sangue em toda sua órbita. Era assustador. Empunhou a arma. Quando a vampira se levantou, fazendo menção de atacá-lo, ele disparou. A criatura gritou e foi ao chão. Uma nuvem de fumaça escapou pela boca da arma. Fabrício portava um lança-redes. A trama, larga o suficiente para abraçar um homem grande e gordo, envolveu o corpo da garota. Os fios eram de prata pura, especialmente projetados para aquele equipamento. Por mais força que a vampira fizesse, não conseguia romper a peça que a envolvia. Sua pele era marcada quando ela forçava e pequenos fios de sangue desprendiam para se livrar do trançado argênteo.

Os outros vampiros, temporariamente desacordados, foram presos por algemas de prata nos pés e nas mãos. Cinco soldados envolveram os lobisomens em grossos fios de prata. Tudo que sabiam era isso: a prata era o único material indestrutível contra os vampiros.

As criaturas foram enlaçadas em dois grupos e presas ao bojo dos helicópteros. As quatro aeronaves sobrevoavam a área. Uma desceu e pousou na clareira para recolher a equipe de soldados.

Brites deixou um sorriso escapar. Estavam aprendendo. Estavam completando a primeira missão bem-sucedida. De agora em diante, aquelas criaturas tinham muito o que temer. Brites torcia para que estivesse ali o total dos vampiros capazes de se transformar em lobo. Esperava que, dentre eles, se encontrasse o mais agressivo, que atacara a delegacia em Roda Velha. Manteria o controle de patrulhas a distância. Seguiria agora para Quitaúna, onde submeteria as criaturas capturadas a estudos a fim de combater a atividade dos vampiros que se concentravam na Grande São Paulo, mais precisamente na área compreendida entre Osasco e Barueri.

CAPÍTULO 56

Dimitri sentou-se na conhecida e confortável poltrona classuda do escritório.

Sofia entrou na sala envergando um elegantíssimo *smoking* preto, adequado às suas avantajadas proporções.

Dimitri era um dos poucos funcionários do mafioso de Osasco que podia ficar à vontade na presença do chefe. Tantos anos de trabalho ao seu lado era um dos segredos daquela descontração. Além disso, bastava não fazer piadinhas com o nome feminino do chefão que metade das coisas já iriam bem.

Uma fragrância adocicada entrou junto. Sofia parecia relaxado... isso era estranho. Sentou-se em frente a Matador.

— Dimitri, sabe que não posso falar muito ao telefone, especialmente esta semana. O assunto nem será tão demorado, mas me vejo obrigado a comentá-lo. Há quantos anos trabalha para mim, Dimitri? — inquiriu o corpulento chefe do crime, inclinando-se para frente e sorrindo.

— Quase quinze anos.

— Você sabe que nesse nosso negócio o que conta é a informação... não importa de onde venha. Só me basta confiar na fonte que nada mais me interessa. Ouço de tudo nas ruas, Dimitri. Inclusive sobre esse seu novo passatempo... pensei em lhe interrogar a respeito, mas justamente me peguei pensando em quanto tempo você trabalha para mim. — Sofia passou o lenço na testa e no nariz e prosseguiu o discurso. — Sabe o que me assusta mais? O que me assusta é que você nunca pisou na bola, Dimitri. Nunca fez nada de errado, nada que eu sequer reprovasse e mantivesse oculto em favor da união do grupo. Nada. Você sempre foi perfeito. Nunca me aporrinhou, nunca pediu aumento. Nada. Isso assusta, cara. Assusta. Esse seu novo trabalho...

— Se o senhor...

— Não interrompa, Dimitri. Estou te elogiando. Não interrompa. Sabe a que conclusão cheguei?

— ...

— Você sempre foi perfeito. Que se foda o que está fazendo. Não vou te perguntar nada. O problema é seu. Tinha até desencanado desse assunto quando ontem, para me tirar a tranqüilidade, fiquei sabendo de uma outra coisa relacionada a esse seu *hobby*. Sinceramente, essa atividade paralela não é da minha conta, mas começa a envolver gente da pesada. Quando ouvi os primeiros comentários, até achei graça. Achei que fosse um passatempo qualquer, cada coisa que inventam... mas... lembra do Danilo Cabelo?

— Traficante. O da fortaleza naquele condomínio bacana depois de Barueri.

— O próprio. Tem gente de dentro dizendo que ele ficou estranho. Não anda mais durante o dia... além de não andar no Sol, comprou um caixão... isso te diz alguma coisa? Está investindo o dinheiro para sustentar um grupo, digamos assim, de hábitos igualmente pitorescos. Está comprando mais armas também. Ele está se preparando para alguma coisa grande. — Sofia fez uma pausa como se tentasse adivinhar alguma coisa. — Os negócios do Danilo não são da minha conta. Mas, ao que parece, passaram a ser da sua conta. Só peço que tome cuidado, cara. O aviso é esse. O Danilo se meteu com aquela turminha que está te tirando o sono. Se isso te ajuda, faça bom proveito. Se precisar de mim, estamos às ordens. Só não vai me enrolar com esse Danilo. A conversa foi pouca, mas importante. Agora, deixe-me ir ao bendito municipal.

Sofia apertou a mão do funcionário sem ouvir um pio da boca de Dimitri além do sussurrado agradecimento. Conduziu o rapaz até a porta e encerrou-se dentro da casa com seu reluzente *smoking*. Sofia era assim, surpreendente.

CAPÍTULO 57

Aléxia apanhou a chave do Landau. Sétimo chegara quase ao raiar. Ainda estava envolto num casulo viscoso e espesso, abandonando a forma monstruosa, recuperando a aparência frágil. Ouviu nos corredores da mansão que alguns vampiros não tinham retornado. Eram tantos que circulavam pela casa, que chegavam a assustar a mulher. Aléxia vestia uma calça agarrada ao quadril voluptuoso. Como sempre, estava sexy, atraente, uma arma fatal. Usava um top rendado colado aos seios fartos. Os olhos verdes luziam brilhantes. Onde estava Agnaldo? Por que o general não mantinha os vampiros agrupados? Um exército deveria ser organizado. A casa, naquela noite, estava uma bagunça, uma algazarra. Som alto, com Charlie Brown Júnior ecoando pelos corredores. Risadas altas. Choro em alguns cômodos. Muitos vampiros novos. Sentia-se fraca. Precisava de sangue. Procurou Paola com os olhos. Nada da amiga. Juntou alguns vampiros. Rafael não reclamaria se ela usasse o carro, pelo menos nas próximas semanas. O ferimento que o forasteiro causara era sério. Estava desacordado ainda. Serviram-lhe sangue na boca. O rosto estava deformado e o tórax, afundado. Outro vampiro ferido tinha a cabeça pendendo no corpo. Foram recostados no fundo do covil. Protegidos. Rafael era um soldado forte, merecia ser bem tratado.

O motor roncou potente. Engatou a primeira marcha e saiu. Cinco vampiros no carro. Fez um sinal com os faróis para os seguranças que fechavam o portão frontal da fortaleza de Danilo, o traficante providencialmente vampirizado por Aléxia. Os guardas dos portões eram de uma empresa privada. A fortaleza ficava sempre vigiada por eles, que controlavam os acessos e os muros que cercavam a luxuosa mansão. Danilo contava também com um segundo time de seguranças. Eram os soldados do tráfico. Homens inescrupulosos, armados até os dentes, prontos para detonar qualquer invasor. As brigas entre as facções do tráfico eram selvagens e violentas, e as ações mais ousadas sempre terminavam em chacinas.

Desses homens, poucos permaneceram na fortaleza. Danilo queria seu negócio lucrativo de drogas funcionando bem, não queria colaboradores expostos aos vampiros; precisava que a organização continuasse sem prejuízo humano ou financeiro.

Aléxia apertou as mãos no volante, e o obstáculo moveu-se automaticamente, libertando os caçadores noturnos para mais uma investida. O carro alcançou o asfalto. Mais uma vez, a noite pedia segurança. O carro ganhou velocidade até alcançar uma estrada estreita. Uma arma. Avançava com as luzes apagadas. Um carro preto, sem luz, uma emboscada sobre rodas. Os ocupantes eram dotados de olhos vampiros, não precisavam de auxílio para enxergar as imperfeições do caminho. Não fosse o ronco do poderoso motor, passariam despercebidos na rua. Escondidos. Escutando. Espreitando. Matando. Mais dez minutos e estariam na rodovia Castelo Branco. E mais meia hora, em São Paulo. Na noite, misturados ao gado, à comida fácil. Os humanos se deixavam seduzir pelos vampiros. Os homens, em particular, eram presas fáceis para Aléxia, que esbanjava beleza e atração. Os que resistiam aos olhos verdes, rendiam-se às curvas sensuais. Batiam os olhos em seu corpo escultural e perverso e no instante seguinte já estavam entregues à sorte amarga como fel. Aléxia tornara-se uma das caçadoras mais eficientes graças a esse dom natural, a sedução. E a cada gota de sangue ingerida, sua beleza parecia aumentar. O corpo tornava-se cada vez mais rijo, cada vez mais lindo. Tomava sangue, e os olhos ficavam ainda mais esmeralda, mais profundos, hipnóticos. Aléxia enchia-se de prazer ao se saber desejada. Um desejo infinito corria em seu corpo. Era a vampira de Sétimo, o líder dos vampiros, mas não conseguia negar o instinto, a vontade de ser secada pelos olhares famintos. Alimentava-se daquilo. Rendia os homens. Servia-se deles e então lhes tomava do sangue. Muitos julgavam estar indo para a melhor noitada de suas vidas, quando, na verdade, dirigiam-se para as garras da morte. Aléxia sentia-se muito diferente de Paola. Apesar de parelhas em beleza e parceiras do mesmo vampiro, não havia rivalidade entre as duas. A única disputa que Aléxia alimentava era atrair os olhares dos soldados e dos homens do mundo. Sentia-se muito mais bela que Paola, muito mais desejada. Sentia-se poderosa e irresistível. Talvez por isso, uma segurança altiva resplandecia em seu olhar e aprisionava os homens que ousavam encará-la. Paola era mais sutil, menos exibicionista, de certa forma... até mais doce parecia; contudo, também conquistava a atenção dos homens por onde passava, deixando ver seu corpo de formas igualmente generosas.

Minutos depois o carro descia a rua da Consolação, passando sob a praça Roosevelt, tomando o rumo da Zona Leste. Quinze minutos percorrendo a radial sem trânsito, avistaram um galpão grande, com uma agitação tremenda e jovens aglomerando-se à entrada, tomando parte da pista.

Os vampiros entreolharam-se, e o carro encostou. Um manobrista aproximou-se. As quatro portas do Landau abriram-se simultaneamente, e as criaturas ganharam a rua. Ninguém acendeu os olhos nem os caninos brotaram. Infiltraram-se discretamente. Assim era melhor. Os rostos pálidos não chamaram a atenção. A pele fria não fora tocada. Os corações mortos buscavam sangue e sabiam fazê-lo com eficiência. Aléxia estava sendo uma excelente professora.

Os cinco vampiros adentraram a danceteria. O som explodindo nos ouvidos com ritmo e excitação fazia com que os corpos dos humanos requebrassem de forma cadenciada. Estavam na noite, em busca de diversão. Em busca de beijos, bebidas e alegrias. Em busca de aventura e excitação. Pura diversão.

Os vampiros separaram-se. Votos de boa caçada. Queriam mais força, mais poder. E só encontrariam alimentando-se do sangue quente e vivo extraído da fonte. Do coração pulsante de humanos desprevenidos, que nem ao menos sabiam da existência daquelas criaturas sombrias, de pele fria e olhar magnético. Estavam à mercê de assassinos instintivos, criaturas que desbancavam a raça humana do topo da cadeia alimentar.

Duas horas depois, os vampiros voltavam ao carro. Aléxia foi a última a chegar. Cedeu a direção a um dos companheiros.

— Vamos embora. Vamos para casa.

A maioria tinha o canto da boca sujo de sangue. Todos estavam com a pele ligeiramente corada, infestada pela energia do sangue fresco.

Até as três da manhã, a casa continuava lotada. Os cantos escuros, onde luz alguma batia durante a festa, recebiam eventualmente uma ou outra inspeção dos seguranças. Diego, um dos funcionários, passava por uma das áreas menos iluminadas. Fazia vista grossa aos casais enroscados. Aquilo era parte da festa. A única obrigação era retirar os fornecedores de entorpecentes do recinto. Tráfico de drogas não era tolerado pelos sócios-proprietários. Notou em um dos sofás, apesar da luminosidade precária, que um rapaz alisava os seios fartos de uma garota animada. No passo seguinte, tropeçou num homem embriagado. Caiu, enfiando um joelho no chão. Xingou alto. Bêbado filho da puta. Olhou com mais atenção.

Só então percebeu que era um casal. Deveriam ter enchido a cara até desmaiar abraçados. Levantou-se, com o joelho latejando. Limpou a calça, dando tapas onde o pó se fixara. Estava de saco cheio daquele trabalho. Sempre terminava a noite carregando bêbado para fora do salão. Uma amolação. Tropeçara na perna do cachaceiro com tamanha violência que o homem caíra debruçado no sofá. Poderia estar em coma alcóolico. Se vomitasse, morreria sufocado. Meio a contragosto, Diego voltou ao sofá e agarrou o homem pelo colarinho, recostando-o ao lado da mulher desacordada. Então, notou que no sofá do lado tinha mais dois casais, todo mundo junto, imóvel, desacordado.

— Porra, será uma cambada de maloqueiros tudo nóia? — reclamou, soltando a gola do pinguço.

O rádio chiou. Era o chefe da segurança contatando.

Diego sentiu a palma da mão umedecida, um líquido viscoso entre os dedos. Cheiro acre, ferrugem. Não conseguiu distinguir o que era.

— Porra! Só falta ser vômito. — reclamou, correndo para o banheiro mais próximo.

Chegando à luz, examinou a mão. Um frio percorreu a espinha. Sangue!!!

Correu ao casal desmaiado. O pescoço do bêbado estava ferido. Estava com hemorragia ou coisa parecida. Facadas?! Temeroso e sem raciocinar direito, examinou a mulher. O pescoço estava limpo, mas ela estava gelada, o corpo começando a enrijecer. A mulher estava morta! Olhou para o braço. O sangue tinha escapado por um ferimento na altura do pulso. Suor brotava da testa do segurança. Diego levou o rádio à boca e acionou o *speaker*, contatando o chefe.

— Fabiano... a gente tá fodido. Tem uma porrada de presunto aqui embaixo.

CAPÍTULO 58

Tiago, logo após o confronto que culminou com a morte de Lobo, retornou ao hotel. Eliana ainda jazia inerte na cama. A pele empalidecera. Perdera o viço apaixonante de sempre. O perfume natural não se desprendia mais do corpo. Tiago sentou-se e passou a velar o sono da amada. Sabia que ela estava viva. Vivia as horas de transição. Era humana e, lentamente, caminhava para o mundo vampiro. Logo passaria a ser eterna. Criatura da noite. Tiago sabia que teria de ser forte. Estaria ao lado da amada para o que desse e viesse. Não a deixaria se desesperar; a prenderia nos braços. Poria sangue em sua boca. Evitaria matar para se alimentar nos primeiros dias. Sabia que ela repudiaria aquela condição. Sabia que ela se desesperaria. Temia. Tomou uma das mãos de Eliana. Pousou um dedo no pulso da mulher. Batidas fracas e lentas impulsionavam seu sangue. Estava morrendo. Tiago sentia-se triste, mas fora o único recurso para garantir a vida da querida Eliana. Tirá-la do jugo dos malditos vampiros. A mulher lutaria, daquele momento em diante, de igual para igual.

Tiago foi até a janela e empurrou as pesadas cortinas de veludo, observando a arrebentação. Um barulho ritmado chamou sua atenção. Helicópteros. Vários. Cruzando o céu. Jogando luz para baixo. O que seria aquilo pendurado num deles? Mesmo com os olhos de vampiro, não foi possível determinar. Parecia gente. Mal pressentimento. Que seria?

— Tiago... — murmurou a mulher, voltando à consciência.

O vampiro voltou-se rapidamente. Correu até a cama. Acariciou os cabelos de Eliana. A mulher abriu os olhos.

— Tiago... pensei que tinha morrido.

Ele beijou-a na boca. Eliana correspondeu, entreabrindo os lábios e deixando a língua do vampiro passear na sua. Sentiu dor no peito quando o coração parecia bater mais rápido.

O vampiro percebeu o incômodo e afastou a boca da mulher. Olhou-a fixamente. Era hora de contar.

— O que aconteceu? Cadê o Cesão?

— Os lobisomens... eles tentaram matar você.

— Eu ingeri alho... eles não conseguiriam.

— Te deixaram com uma hemorragia. Séria. Você foi para a UTI. Vagou no vale da morte... resistiu. Eu tive medo, Li.

— Cesão...

— Ele não conseguiu, Li. Os lobisomens mataram ele.

Eliana, muda, deixou um par de lágrimas descer pelo rosto.

— Eu já comecei a vingança. Sétimo matou Afonso, o Lobo. Agora, eles estão sem guia. Não vão durar. Caso ouça sobre eles, volto e acabo com o resto com minhas próprias mãos. Não permitirei que matem mais ninguém de quem eu goste.

— Onde ele está?

— No cemitério.

— Quero vê-lo.

— Agora? É noite e garoa.

Eliana levantou-se. Parecia espantosamente forte, restabelecida. O sangue vampiro já teria se instalado?

— Quero ir lá. Quero vê-lo.

Tiago não disse nada. Examinou a mulher. Como era linda! Estava de pé. O sangue vampiro agira bem. Ela não morreria mais. Tinha que convencê-la a tomar do sangue. A selar aquela passagem.

Eliana foi até a janela.

— Pensei ter ouvido helicópteros. — disse.

— Tem uma coisa que não contei.

— O quê?

— Você não teve alta. Você estava morrendo.

Eliana voltou-se para Tiago. Sentiu o rosto enrubescer. Um arrepio cruzando o corpo.

— Eu estava desesperado, Li. Entenda. Não ia permitir que os vampiros ganhassem mais um troféu de batalha. Dei-lhe de meu sangue. Transformei você em uma criatura eterna. Seu sangue não serve mais para eles. Nunca mais irão rasgar tua pele. Nunca mais precisará temê-los.

— Vampira... — balbuciou a mulher, olhando para fora, dando as costas a Tiago.

O rapaz cruzou o chão acarpetado. Abraçou a mulher.

Eliana apoiou as mãos no parapeito da grande janela e arqueou o tórax. Soluçava. Chorava. Mas nada disse. Deixou as lágrimas descerem pelo rosto, juntarem-se no queixo e pingarem no chão. Ao mesmo tempo que odiava a condição vampira, adorava Tiago. Ele tomara uma decisão extremada para salvar-lhe a vida. Ela estava contente por ainda viver. Se alguém tinha culpa nisso tudo, eram os vampiros, não Tiago.

— Você imaginava que tudo isso pudesse acontecer quando me procurou no Departamento de História da USPA? — perguntou, virando-se para encarar o vampiro.

Tiago balançou a cabeça negativamente.

— Quero ver o túmulo do Cesão. Não quero deixar outro amigo para trás sem me despedir.

Tiago concordou.

Logo que ela estava adequadamente vestida, deixaram o hotel. Caminharam lentamente, cerca de quarenta minutos, conversando amenidades, até chegar aos muros do cemitério. Procuraram uma parte onde a rua fosse mais escura, sem gente que os flagrasse entrando às escondidas. Tiago ajudou a mulher a saltar o muro alto e começaram a andar entre os jazigos. O vampiro guiou a namorada. Concordava: Eliana tinha o direito de despedir-se de César, o amigo valente que lutou por ela, que enfrentou os vampiros. Não poderia ficar sem uma homenagem. Sem um tchau. Andaram por mais duas fileiras inteiras. Tiago estacou. Apurou a audição. Parecia ter ouvido passos. Olhou para trás. Nada. Porém, ao virar-se, uma sombra passou ligeira entre as covas. Eliana olhou para a silhueta das estátuas que se erguiam sobre os túmulos. Crucifixos. Anjos. Mão clamando ao céu. Era um ambiente triste. Escuro. Cheiro de vela. O peito doendo. O amigo tinha partido. Estava morto. Tiago parou em frente a uma sepultura. O rosto duro. Algo errado. Fez sinal para que a mulher esperasse. Adiantou-se alguns passos. Algo errado. O túmulo... com a portinhola aberta. Pegadas no chão. Alguém tinha estado ali. Que queriam com César? Tiago abaixou-se, tocando um dos joelhos no chão. Um arrepio percorreu-lhe o corpo. Olhou para Eliana. Esgueirou-se agilmente para dentro da tumba. A sepultura de César estava violada. Os tijolos, revolvidos e espalhados pelo chão da cova. Os olhos acenderam. Podia ver melhor. O caixão vazio. As tábuas laterais do esquife arrebentadas. César havia abandonado a sepultura. Eliana olhou para dentro do sepulcro. Na tumba escura, somente Tiago, com um par de olhos vermelhos como brasas, olhando-a fixamente. Aquela figura macabra no túmulo escuro assustou-a. Os olhos vermelhos eram sinistros. Mas o que fez sua pele eriçar e um tremor repentino cruzar suas pernas e braços foi o nome balbuciado pelo amado vampiro.

Tiago, após ter analisado o cenário inusitado chegou a apenas uma conclusão. Encarou Eliana, que espiava pela portinhola, e deixou o nome escapar:

— Acordador...

CAPÍTULO 59

— Como, assim? Acordador está morto!

Tiago se deu conta do erro. Ainda não havia prevenido Eliana a respeito do retorno dos malditos. A diferença é que agora estavam do seu lado. Como fazê-la entender?

Tiago impulsionou o corpo para fora do sepulcro.

Eliana estava olhando para trás, pensando ter ouvido passos.

Tiago aproximou-se.

— Tenho que te contar algo, Li.

Ela o encarou.

— Os vampiros... eles voltaram.

A moça, mais uma vez, sentiu a pele arrepiar-se.

— Como? O que está dizendo?

— Os vampiros... Acordador, Gentil, Espelho...

— Inverno?

Tiago aquiesceu.

Eliana levou as mãos ao topo da cabeça. Sentou-se num túmulo. Estava tonta.

— Inverno... como?

— O demônio... ele me apareceu num sonho. Disse que os enviaria para me ajudar.

— Ajudar? Como aqueles desgraçados podem ajudar? São uns demônios, malévolos, viciados no mal... não ajudam ninguém. O único que se preocupou e lhe estendeu a mão foi Gentil.

— Sei disso, Li. Mas acho que não preciso te explicar muitas coisas. Sabe que toda essa história, desde o começo, é incrível. Mais uma loucura, menos uma, não vai fazer diferença.

— Não acredito. Aqueles malditos... eles me maltrataram. Ainda tenho marcas na pele por causa daqueles vampiros.

— Eles estão diferentes, Li.

— Diferentes? Quero eles mortos! Você vai destruí-los, não vai?

Tiago não respondeu. Deu dois passos em direção a outro túmulo. Alguém espreitava. Voltou-se para Eliana.

— O demônio que vi no sonho, o diabo, ele disse que eles seriam enviados para me ajudar a destruir Sétimo. Eles estão... parecem hipnotizados. Ficam imóveis, aguardando meu comando.

— Você os mandou aqui tirar César da cova?

— Não. Não ordenei isso.

— Então, não estão imóveis.

— Estamos tirando conclusões precipitadas. Não sei se Acordador esteve aqui. — argumentou apenas para acalmá-la, mas já admitindo para si próprio que aquilo só poderia se tratar de uma intervenção do vampiro que acordava mortos.

— Ainda estou traumatizada, Tiago, não sei o que vai acontecer se um deles tentar me atacar.

— Eu mato. Vai ver como estão diferentes. Estranhos. Não parecem os mesmos. São como robôs...

Tiago saltou agilmente para cima do túmulo. Uma pessoa se movia no corredor paralelo. Os dentes pontiagudos de Tiago saltaram e seu poder vampírico foi evocado. Pulou para cima do homem e agarrou-o pelos braços. Estava assustado. Tremia. Abaixou-se choramingando quando Tiago o interpelou. Chorava. O terno de listras tinha um rasgo no ombro. Tiago compadeceu-se diante da figura.

— Que faz aqui?

— Não sei. — respondeu o homem, choroso. — Eu tava num caixão. Não sei o que faço aqui. Tava tudo escuro. Me colocaram lá.

Um zumbi. Um morto-vivo. Acordado por Manuel.

— Eu tava no hospital. Tudo ficou escuro... agora acordei aqui. Ai, meu Deus... me diz, moço... eu tô morto?

— Estava.

O homem voltou ao pranto. Tiago, pego de surpresa, largou o ex-defunto e foi ao corredor onde deixara Eliana, tomou a mulher pela mão e saíram do cemitério.

— Foi Acordador. — disse, enquanto andavam.

Chegaram ao frigorífico desativado. Tiago guiou Eliana pelos corredores empoeirados segurando firme em sua mão. Olhou-a nos olhos, preparando-a, como se dissesse estou aqui para o que der e vier, agüenta firme. Empurrou a pesada porta. Lá estavam eles, recostados à parede, mãos cruzadas sobre o peito, em pé. Tiago puxou Eliana pela mão. Lançou um olhar do tipo: viu? estão imóveis. Um homem acocorado no canto do compartimento parecia dormir. Tiago soltou Eliana e caminhou até o meio da câmara.

Olhou para o homem. Tinha o tamanho do amigo. Só podia ser.

— Cesão?

Ele ergueu a cabeça. Passou a mão na face, como se limpasse uma sujeira. Tinha chorado.

— Tiago... Eliana...

A jovem aproximou-se de Tiago, trocaram um olhar e foram juntos até César. Eliana ajoelhou-se e tocou o amigo.

— Li... ele me matou... aquele desgraçado me matou.

— Ele já está morto. — sentenciou o vampiro.

— Lobo?

Tiago afirmou com a cabeça.

— E os outros?

— Estão lá.

— Quero destruí-los! Quero lutar enquanto puder! Não vou deixar barato!

Eliana beijou o rosto do morto-vivo. Estava gelado. Isso não era problema, gelado também estava o dela. Um calafrio deslizou pelo corpo. Um pensamento provocou aquela reação. Dava-se conta de que todos, naquela sala, de alguma forma, estavam mortos. Todos mortos. Mortos que caminhavam.

— É hora de cortar o mal pela raiz. Já eliminamos um dos mais poderosos. Lobo. Agora é a vez de Sétimo ser destruído. Sem líderes, esses vampiros ficarão mais fracos. Tornarão nossa cruzada mais fácil.

— Concordo. — disse uma voz desconhecida.

Tiago e Eliana viraram-se repentinamente.

Um vampiro estava parado na porta da câmara frigorífica.

Tiago acendeu os olhos mais por reflexo do que por precaução. O cômodo escuro ganhou um espectro vermelho.

Eliana também sentiu calor no peito, vontade de lutar e o cômodo escuro clarear. Era como se uma luz mágica tivesse sido acionada. Seus olhos estavam vermelhos como brasas.

— Bá, eu vim em paz. Não precisa disso.

— Quem é você?

— Sou Leonardo. O primeiro humano convertido em vampiro e lobo por Dom Afonso.

— O que quer? — quis saber a mulher, estranhamente impetuosa.

— Desde que fui capturado por Lobo, planejava escapar. Nunca quis participar disso. Alimentava ódio contra o bandido. Me tirou a vida. Me tirou de meus pais. Como posso voltar para casa assim? Meus pais vão querer me matar.

— A coisa não vai ser fácil, guri. Quer mesmo encarar Sétimo e todos os outros vampiros?

— Vi o mal que o vampiro fez, o mal que embutiu em meu coração. Quero me livrar disso. Quero extravasar minha ânsia por destruição contra os vampiros que tentam espalhar o sangue envenenado pelo planeta.

Tiago adiantou-se e estendeu a mão para o rapaz: não precisava ouvir mais nada.

— Bem-vindo ao grupo.

CAPÍTULO 60

As criaturas urravam descontroladas. Brites passava ordens pelo alto-falante. Estavam em um barracão, assemelhado a um hangar, no quartel de Quitaúna.

— Tragam a cela para o centro. — ordenou o tenente ao microfone.

Ele e alguns oficiais graduados acompanhavam a operação de uma sala em outro prédio. Observavam tudo graças a um moderno sistema de circuito fechado.

Os vampiros capturados na mata serrana, próximo à cidade de Guarujá, foram mantidos vivos. Seriam estudados. Tinham de aprender com os espécimes. Eles lhes diriam como destruí-los. Uma das primeiras lições fora tirada da caixa de prata. Sabiam que os vampiros não podiam destruir o metal. As redes compostas de fios de prata mostraram excelente resultado. Assim, as celas com barras do mesmo metal surtiriam o efeito esperado, seguras para mantê-los presos, vivos em cativeiro, sem chance de escapar até serem mortos.

Um soldado, pilotando um pequeno carro elétrico, guinchou para o meio do galpão uma grande jaula, encoberta por uma lona verde-oliva, de onde provinham urros selvagens e ferinos.

O local estava propiciamente escuro para que os vampiros pudessem ser estudados. Sabiam que o Sol era um limitante para eles. Em todos os filmes, em livros e toda a crença rezava que o encontro de um vampiro com a luz do Sol resultaria na morte da criatura, mas até então nunca tinham visto acontecer; seria o experimento do dia.

O carro elétrico desconectou-se da jaula e se afastou. Outro soldado se aproximou. Às suas costas, surgiram mais três. Um empunhava um lança-chamas de cuja ponta desprendiam pequenas gotas incandescentes que iam ao chão e ardiam brevemente, apagando-se. Outros dois empunhavam rifles carregados com balas de prata. O soldado que chegara perto da jaula parecia um pouco assustado com o barulho agressivo que os monstros faziam. Estava reticente, parado.

— Retire a lona, soldado! — ordenou Brites pelo alto-falante.

O soldado obedeceu, sem responder verbalmente, tamanho era seu receio em aproximar-se tanto da jaula. Preferia botar a mão na boca de um leão a ser pego por vampiros. Segurou firmemente o tecido pesado e, num puxão só, arrancou a proteção. As criaturas estavam presas em duas peças individuais atreladas uma à outra. O Exército brasileiro, depois de presenciar o perigo real daqueles seres, não estava poupando despesas para combatê-los. As jaulas reluziam, pois eram de prata pura, prata polida. O soldado estava embasbacado e só despertou quando a vampira mais próxima saltou contra as barras e jogou o braço na direção do jovem. Tamanho susto fez o soldado cair sentado. Os outros três, atentos, deram um passo à frente, com armas empunhadas e mirando a garota. Por mais que ela se arremessasse contra a cela, não conseguiria atravessar a prata pura. O rosto e os braços da mulher-vampiro estavam cobertos por hematomas negros. Ambos gritavam desesperados, descontrolados.

Mais dois soldados entraram em cena, trazendo cada qual um pequeno tripé. No topo da peça, introduziram um microfone e acionaram um botão. Imediatamente, os oficiais começaram a ouvir os gritos medonhos. Era assustador.

A vampira caiu de joelhos abruptamente e abaixou a cabeça, encostando-a nas barras. O vampiro continuou bradando, como se quisesse afastar os soldados a grito.

— Hélio... não agüento mais... — murmurou baixinho a vampira. Repentinamente, colocou-se de pé e estendeu o braço tentando alcançar os soldados que ajustavam os microfones. — Preciso de sangue!!! — gritou desesperada.

Um dos rapazes recuou, assustado.

— Preciso de sangue!!! — urrou, voltando a balbuciar nervosa. Estou fraca... não consigo me transformar... meu estômago dói. Parece que meu coração vai voltar a bater... estou enlouquecendo, Hélio.

Transpirando gotas frias, ele voltou-se para Janaína, a parceira-vampira e namorada. O peito doía. Queria sair de lá. Era um vampiro poderoso. Sentia que as reservas iam-se em velocidade assustadora. O estômago queimava. Precisava de sangue como nunca. Se assumisse voluntariamente a forma de lobo, gastaria toda sua força. Teria de lutar contra os soldados. Como? Se não conseguisse abocanhar um imediatamente à transformação, os soldados nem precisariam das armas, pois ele tombaria inanimado, sem condições de mover o corpulento lobisomem.

Metal maldito. Por que não conseguia envergar aquelas barras? Eram finas. Não importava quanta força vampírica despendia: elas não se moviam um centímetro. Eram mágicas. Sossegou. A cada esforço, mais energia queimava. Logo não sobraria o suficiente para manter-se em pé. Se ao menos um daqueles soldados chegasse perto da cela... bastaria um descuido. Penetraria a carne humana com as unhas de vampiro. Abriria um talho. Traria sangue à boca. Se tivesse sorte e o humano tombasse próximo à jaula, mais que algumas gotas, poderia sorver alguns goles. Antes que socorressem o companheiro, com a força renovada pelo sangue quente e fresco e investido da forma de lobo, Hélio pensava partir as barras feitas de manteiga. Mas os desgraçados estavam atentos. Não chegavam muito perto, sempre com um segundo vigiando. Armas apontadas. Bandidos! Hélio recostou-se, caindo sentado num canto. O galpão tornou-se silencioso, perturbado apenas por um choramingar de mulher.

— Separem as celas. — ordenou o tenente.

Cuidadosamente, o soldado aproximou-se do engate que ficava entre as peças. Com um bastão longo, acertou a trava. Um clic. Nas extremidades das jaulas havia correntes, empunhadas por dois soldados de cada lado. Afastaram as jaulas.

Os vampiros só voltaram a se levantar quando os compartimentos se distanciaram. Estenderam os braços um para o outro.

— Deixem a mulher. Leve o outro para trás da risca.

Os vampiros estavam cansados. Apenas olhavam-se.

Janaína, lentamente, sentou-se.

A jaula foi arrastada até uma marca amarela no meio do galpão.

— Abrir.

O soldado foi até a parede oposta àquela onde Hélio se encontrava. Apoiou a mão num dispositivo e abaixou a chave. Um ronco. Os vampiros olharam para os lados. O que estava acontecendo? O ronco aumentou. Barulho de correntes arrastando-se. O telhado começou a abrir. Hélio arrepiou-se. Janaína olhou para cima. Estava bem debaixo da fenda que surgia no teto. O barulho sumiu quando a abertura alcançou dez metros de largura. Um ar frio invadiu o galpão. O céu estava cheio de nuvens, e uma claridade modesta anunciava o alvorecer. Era tamanha a apreensão de Janaína que, se possuísse um coração pulsante, estaria disparado. A claridade aumentou sensivelmente em poucos minutos. A luz direta do Sol não invadia o recinto, mas, embora mínima, incomodava as criaturas. Hélio levou as mãos aos olhos, que começaram a lacrimejar. A garota também sentia os olhos ardendo. Um zumbido estridente teve início. Uma peça retangular deslizou sob o telhado do galpão. O mesmo soldado alinhou-a abaixo da abertura, e um pesado tecido branco desprendeu-se do artefato, revelando um imenso espelho. O objeto subiu através de guias metálicas, ocultando o céu, cada vez mais claro e luminoso.

— Sol. — ordenou a voz metálica do tenente.

— Não!!! Janaína! Jana! — gritou Hélio, estendendo o braço e arremessando repetidamente o corpo contra as grades.

— Hélio! Me ajuda! Me ajuda... — gemeu a menina-vampiro.

Os olhos de Janaína estavam completamente vermelhos, e lágrimas escarlates desciam pela face. Jana apertou os olhos e inspirou fundo, lentamente, num esforço sobrenatural para tentar afastar o medo. Lembrou-se de tempos atrás. Da Lagoa dos Patos. Do acampamento. Ela entregando-se para Hélio. Seu namorado. Felicidade...

O espelho começou a inclinar-se e subir um pouco mais. Alinhava-se para capturar a luz direta do Sol. Após um minuto, a luz do Sol, instantaneamente, jorrou para dentro do galpão.

A vampira, ao ser atingida pela luz, gritou e espremeu-se contra o piso metálico da jaula. Não podia sequer deitar-se, pois não havia espaço. Manchas avermelhadas brotaram na pele.

— Aaaaaaaaah!!! Hééélioo!!!

Os soldados afastaram-se carregando para longe a jaula de Hélio, até ficar completamente submersa nas sombras, escondida da luz.

Quando a vampira estendeu os braços, desprotegendo os olhos, os globos oculares, totalmente escarlates, explodiram, e um líquido espirrou para frente, estendendo duas tiras vermelhas borbulhantes no chão. A vampira gritou ainda mais de dor.

Hélio deixou os caninos brotarem e urrou furioso.

— Janaínaaaaa!!!

A vampira enrolou-se. Chamas desprenderam de suas costas e ela ficou imóvel. Os gritos cessaram. As chamas intensificaram-se, enchendo o galpão de fumaça e cheiro de carne queimada. Lentamente, o fogo extinguia-se. Da vampira, sobrara apenas a forma humana encaracolada no chão, cadavérica e negra, carbonizada. Janaína fora destruída.

— Encerrar experimento. Tempo de exposição ao Sol: cinco minutos e trinta e dois segundos.

O zumbido agudo se repetiu quando o espelho começou a baixar. O teto começou a fechar, misturando o zumbido agudo ao ronco de correntes. O cheiro de carne queimada recendia. Os soldados tapavam o nariz, evitando como podiam.

O vampiro estava calado, transbordando em lágrimas. Tinham matado sua namorada. Hélio secou o rosto. Era isso que acontecia, então. Vampiros jamais poderiam se expor ao Sol. Não duravam um minuto sequer. Sua cela foi atrelada ao carro elétrico mais uma vez para ser levado de volta ao galpão vizinho através de um corredor subterrâneo, vedado. Ia juntar-se aos demais espécimes. A jaula passou próximo à da vampira. Uma espécie de estátua negra, da qual ainda escapava fumaça, tinha as mãos cadavéricas agarradas às barras de prata. Mais lágrimas brotaram nos olhos da criatura.

— Janaína! — murmurou o vampiro.

CAPÍTULO 61

Tiago, logo após dar as boas-vindas ao novato, preveniu os demais:

— Vou chamá-los. Os vampiros estão mudados. Estão servis... mesmo assim, quero que tomem cuidado.

Eliana passou as mãos pelos braços cruzados, como se tivesse sido acometida por um frio repentino.

— Despertem... — murmurou Tiago.

Os cinco abriram os olhos simultaneamente. Estavam vermelhos, brilhantes o suficiente para iluminar a câmara frigorífica.

Leonardo sentiu um arrepio percorrer-lhe o corpo. Tiago não tinha dito nada, mas aqueles eram os terríveis vampiros das ricas histórias contadas por Afonso. Um era capaz de congelar as coisas; outro, de mudar as feições, imitar o rosto de qualquer ser humano. Havia o que evocava as tempestades, e aquele capaz de parar o tempo. O mais baixinho, o único que conseguira discernir pela insistente descrição, era Acordador, o acordador de mortos.

De olhos abertos, deram um passo à frente e franziram o cenho, expondo dentes pontiagudos contra Leonardo, o vampiro recém-chegado.

— Alto, vampiros! Ele se aliou ao nosso grupo!

— Ora, gajo, como pode ser?!

— Esse aí fede como um lobo. — disse Fernando.

— És cria de Dom Afonso? — questionou Manuel.

— Ele é. E está conosco.

— Se dizes que podemos confiar...

Tiago aquiesceu.

Os dentes foram recolhidos. Os vampiros se calaram.

Manuel encarou César, satisfeito. Estava vivo o amigo de Tiago. O empecilho. Sabia que por causa dele Tiago deixara se abater, e sem ele não queria lutar. Pressentia que a idéia tinha mudado: Tiago estava cheio de energia.

Não temos tempo a perder. Vamos para São Paulo, vamos acabar com Sétimo o quanto antes. Eliminando o líder, o restante vai ser mais fácil.

— Sétimo quer cobrir a terra com vampiros. — emendou Inverno, caminhando para perto de Tiago, desfazendo a linha em que se dispunham os cinco.

Inverno circulava. Fitou Eliana. A mulher sentiu o corpo gelar, como se tivesse sido capturada pelo frio sobrenatural do vampiro. Medo. Fúria. Cerrou os olhos, apertou-os e, ao abri-los, ardiam. Abriu a boca e grunhiu, olhos nos olhos do vampiro. Inverno sorriu.

— Mãe.

Tiago e César se espantaram com Eliana, que costumava proteger-se atrás de seus corpos musculosos. Daquela vez, peitava o olhar desafiador do vampiro.

— Não sou mais sua mãe, vampiro. Nem pense nisso.

Inverno deixou sua assustadora risada preencher a câmara frigorífica.

Tiago encarou os cinco vampiros. Eram diabólicos. Devastadores. Poderosos. E estavam sob seu comando. Sétimo não poderia pressenti-los. Sétimo não se dava conta do perigo. Não teria como se proteger. Tiago estivera em sua nova toca. O vampiro estava preocupado em proliferar seu exército. Crescia. Mesmo numerosos, Tiago não encontrara nenhum vampiro que representasse perigo. Teria que cair como raio em cima de Agnaldo, do general, que era um dos vampiros mais velhos e melhor preparado para dar seguimento às atividades de Sétimo quando de sua ausência. Havia também aquela vampira linda, de olhar penetrante. Os olhos verdes e frios pareciam anunciar o mal. Seria prudente saber mais sobre ela. Da outra, que o encarou no encontro com Sétimo, a belíssima vampira de corpo esguio e cabelos negros, não emanava tanta perversidade, mas certamente não seria menos perigosa que a primeira. Sétimo carregava a sina da traição. Mais uma vez, os irmãos se juntavam para detê-lo. Gentil, mesmo que trazido pelo demônio, vinha engrossar o grupo.

Tiago guiou todos pelos corredores da velha fábrica, saindo um a um. Para a rua. Exceto César, todos trajavam negro. Pesados sobretudos, e a maioria com coturnos de cano alto.

Passariam pelo hotel. Tiago, Eliana e César tinham de apanhar seus pertences. Apanhar o dinheiro. Precisariam para a viagem. Como conseguir transporte àquela hora da noite para tanta gente?

Quando deixavam a fábrica de conservas, Leonardo despediu-se.

— Preciso agrupar os lobos perdidos. Nosso líder foi morto. Alguns amigos foram levados pelo Exército. Temo que os soldados voltem para capturá-los. Vou formar um grupo. Sigo em separado. Dom Afonso me ensinou a sentir um vampiro. Alcanço vocês assim que tiver controle sobre os lobisomens restantes. Acredito que, juntos, poderemos ser um excelente reforço para seu exército, Tiago.

Ele concordou com a cabeça.

— Boa sorte, piá. Vamos precisar.

CAPÍTULO 62

Tobia ajoelhou e orou. Pediu que Deus iluminasse seu caminho. Que Deus fizesse sua pontaria certeira. Haviam espreitado a fortaleza onde os vampiros fizeram morada. A propriedade era imensa. Segundo Dimitri, pertencia a um traficante. Então, encontrariam, além de vampiros, vasto poder de fogo dos soldados do tráfico. Entrariam no covil. Invadiriam a fortaleza. A tarefa não era fácil, e não sabia se viveria para voltar para casa. Alisou o carpete. O apartamento luxuoso. Depois que abraçara seu destino, seu propósito, tudo aquilo perdera a importância. Havia despedido duas empregadas por quebrar suas preciosidades domésticas. Um vaso raro. Um tapete persa. Pertences. Não sabia se voltaria ao seu conforto. Levantou-se. A armadura rilhou, as placas metálicas assentaram. Por baixo do tórax de prata havia prendido o colete à prova de balas. Na cabeça, envolvendo e protegendo crânio e pescoço, uma cota de prata. Na mesa baixa, em frente ao sofá, uma peça de tecido enrolada. Tobia abriu a manta portuguesa: uma espada embainhada. Prendeu-a na cintura e desembainhou a arma. A lâmina prateada tinha brilho impecável. O cabo de marfim desenhado trazia a legendária inscrição: Tobia, caçador abençoado. Tobia beijou a empunhadura com deferência. Vestiu o sobretudo marrom, cobrindo a armadura prateada. Debaixo do braço, o capacete de soldado real português. Desceu pelo elevador. Na garagem do subsolo, Dimitri aguardava a bordo do Comodoro. Vendo o caçador de vampiros se aproximar, acionou o motor. Tobia sentou-se no banco de couro. Quando o carro ganhou a rua, enfiou a mão no bolso do sobretudo e retirou um crucifixo dourado.

— Toma, Matador. Pra te trazer sorte.

Dimitri apanhou a peça e examinou-a na palma da mão. Era avesso a religiosidade. Não freqüentava igrejas. Fechou a mão. Um arrepio percorreu-lhe a espinha.

— Obrigado. — disse, colocando o crucifixo no pescoço.

Quarenta minutos depois, aproximavam-se da mansão de Danilo, o covil de Sétimo e seu exército. Não tinham idéia de quantos vampiros encontrariam. Só pensavam em exterminar as criaturas desgraçadas. Evitar que se espalhassem ainda mais. Só conseguiriam se dessem aquele passo. Se enfrentassem aquele desafio. Dimitri experimentava um misto de excitamento e medo. Pela primeira vez, não estava certo do êxito. Pela primeira vez, suas armas poderiam não ser suficientes. Não estava certo de sua integridade. Era isso que mais o atraía. Finalmente, inimigos de qualidade. Inimigos que não caíam ao primeiro tiro.

Dimitri tirou o carro da estrada e deixou o celular no porta-luvas. Destravou o porta-malas e foi para a traseira do veículo. Prendeu duas pistolas no tórax. Granadas. Enroscou uma metralhadora no pescoço. Um rifle compacto. Munição. Bombas incendiárias. Muito peso significava muita ação. Por um instante, invejou a armadura prateada de Tobia.

O companheiro também apanhou suas armas prediletas. Manteve a espada embainhada. Respirava rápido, nervoso. Tinham visto seguranças armados nos portões e nas torres laterais. Não estavam esperando um ataque. Era a única vantagem. Logo após a invasão, teriam de localizar o ninho, incendiar os vampiros e atirar, atirar até escapar. Por causa dos seguranças e das câmeras de circuito fechado, Dimitri decretara que a invasão teria de ser durante a noite. À luz do dia, seria impossível transpor o muro e ter tempo hábil para encontrar as feras adormecidas. Chegando em silêncio, durante a noite, ganhariam minutos valiosos.

Embrenharam-se no mato alto que circundava a propriedade. Nenhum barulho. Rastejaram até encontrar um ponto fraco. Junto ao muro, dentro do terreno da mansão, várias árvores tinham crescido e galhos frondosos escapavam da muralha. Seriam eles os responsáveis e os auxiliares da invasão.

Dimitri sacou uma corda fina do sobretudo, com uma peça metálica na extremidade. Girou a corda flexível e arremessou-a ao ar. O gancho fixou-se num galho grosso, e ele puxou com força para medir a resistência. O galho balançou suspeitosamente. Teriam de arriscar. Gesticulou para Tobia. Queria que ele fosse primeiro, o mais fraco e menos experiente. Que fosse a cobaia.

Para surpresa de Matador, Tobia transpôs o obstáculo com desenvoltura. Podia não ser um assassino profissional, mas tinha o corpo e a obstinação de um atleta. Assim que Tobia desapareceu, usando a árvore para descer, Dimitri escalou. Fios de alarme. Colocou óculos para visão noturna. Sorte. Tobia não havia danificado nenhum. Os fios não carregam tensão, mas quando são partidos acionam o alerta na central de controle. Se Tobia tivesse rompido algum, os guardas já estariam no encalço deles. Dimitri puxou o cordão resistente e arremessou. Desceu em seguida, acocorando-se ao lado de Tobia. Apontou um guarda com lanterna fazendo a ronda no meio do gramado e outro vindo rente ao muro. A propriedade era tão grande que, na velocidade em que o vigia vinha, levaria cerca de dez minutos para chegar ao pequeno bosque onde se escondiam.

— Escuta. Não temos idéia de quantos vampiros vamos encontrar nessa casa.

— Covil. — corrigiu Tobia.

— Casa, covil. Que seja! Podem ser bem mais de vinte. Bem mais. É noite. Estão despertos. Dois carros saíram há pouco.

— Saíram? Quando?

— Não me interrompe. Vou te dar uns toques. A coisa é séria. Te ensinei muito, mas, aqui, pressinto que pode ser tudo diferente e tudo o que sei pode ser pouco. Mato gente; com você, matei poucos vampiros. Ainda não dá para sair dando aula.

Tobia calou-se. Respirava rápido. Estava doido para atirar. Estava com raiva daquelas criaturas. Todo dia, nos noticiários, mais gente desaparecida. Tinha que pôr um basta. Era sua missão. Seus ancestrais inflavam sua alma, faziam ferver seu sangue. As palavras de Dimitri pareciam possuir eco. Era a tensão fazendo jorrar adrenalina na corrente sangüínea.

— Vamos trabalhar. Vamos matar o maior número possível de vagabundos em dez minutos. Nem mais, nem menos. É um serviço. É entrar, atirar, sair. Não é para pensar. Todos são inimigos. Aqui não tem gente. Tem alvo. Não avalie se um é mais fraco, se outro é mais preto. Todos são iguais. Dedo no gatilho. Olho para frente. Só não vai enfiar bala no meu rabo. Não se preocupa comigo. Eu me preocupo com você. O mais importante de tudo: dez minutos. Cronometra essa porra! Vou deixar um negócio aqui no muro. É por aqui, pelas árvores que vamos sair.

Tobia viu Dimitri ajustando o cronômetro num artefato pouco menor que uma caixa de sapatos. A roupa negra do Matador tinha camuflado a bomba atada em sua coxa. Dimitri desprendeu a bomba do corpo e vasculhou o muro, andando de cócoras até encontrar o que procurava: a manilha de escoamento, que adentrava o muro na altura do chão. Perfeito. Se a bomba fosse presa ao muro, provocaria uma explosão dos diabos, sem dúvida, mas talvez não chegasse a abrir um buraco para saída. Agora, se estivesse enfiada no meio do muro através daquela tubulação, aí sim, o resultado seria o esperado. Tobia ouviu três apitos eletrônicos. A bomba estava armada. Seu coração começou a bater mais rápido quando viu Dimitri rosqueando o silenciador à metralhadora. Tobia imitou o professor, que levantou-se majestoso. Estava fazendo o que melhor sabia: matar. Andando para matar. Os óculos para visão noturna estavam guardados. Não ia precisar. Não faria as coisas sorrateiramente, apenas com a cautela necessária.

O guarda que caminhava no meio do gramado levou o rádio à boca.

— Ô Paulinho, já tem café pronto?

Alguém rindo respondeu.

— Tá pronto, PC. Cê vem pra cá para ver o jogo? O Corinthians tá dando uma goleada! Você que é Fiel, tem que ver.

— Sou Fiel, mais tenho dois filhos pra criar. Vou dar a última volta e troco com o Zé Carlos.

— Tá certo, PC. Tamo aqui na escuta.

O guarda prendeu o rádio no peito. Sorriu. Fazia tempo que não assistia a um jogo do Corinthians. Como o filho da mãe do Marcelinho jogava bem! Ergueu a lanterna. O facho poderoso alcançou a casa. Casa esquisita. Odiava pegar plantão naquele serviço. Ultimamente, a mansão estava se entupindo de gente estranha. Gente que só andava à noite. Voltou o facho para o chão. Um frio na espinha. Surpresa. Dois homens, que não estavam ali antes, cruzavam rapidamente o gramado. Dois homens suspeitos. Não pelos casacos. Todos na mansão esquisita usavam roupas como aquelas. Até as mulheres. Todos de negro. Mas aqueles dois apontavam armas para ele. O coração disparado. Levou a mão ao cabo do trinta e oito. Um brilho vinha da arma do homem de gorro preto. Não escutou disparo. Não houve explosão. Seu corpo estava leve. Largou a lanterna. Bateu com as costas no chão. Não houve explosão. O homem de gorro não tinha atirado. Por que doía tanto? Viu os estranhos passando a seu lado, sem nada poder fazer. O coração doendo mais. Os músculos não obedeciam. Gosto de sangue na boca. Escuridão.

Dimitri passou pelo guarda. Não precisou olhar para o alvo. Sabia que fora preciso. O inimigo não conseguira sequer sacar a arma. Os disparos silenciosos não despertaram os demais vigias. A barra, por enquanto, estava limpa. Um Landau estacionado do lado de fora da garagem, sobre um cimentado. Tirou do bolso interno do casaco um pequeno aparelho e acionou-o. Um *led* verde acendeu. Abaixou-se, observado por Tobia.

— Que é isso?

— Um localizador. Se algum filho da mãe escapar e fugir nesse carro, a gente acha ele.

Tecnologia. Dimitri surpreenderia qualquer matador. Conhecia o mercado e seu trabalho.

Tobia viu o parceiro afastar-se do carro e correr até uma das entradas nos fundos da mansão. Dimitri recostou-se no batente da porta lateral. Devia ser a cozinha. Abriu a porta e gesticulou para o outro caçador de vampiros.

Tobia cruzou a porta. Era uma área de serviço. Duas máquinas de lavar. Secadoras de roupa. Tábua de passar.

— Psssiu!

Dimitri entrou. Agora Tobia estava recostado à outra porta e lhe gesticulava com a cabeça. Aprendia rápido, o caçador.

Dimitri chutou a porta e entrou. Cozinha. Um rapaz estava com a cabeça apoiada na mesa. Parecia bêbado. O morador notou o intruso. Abriu a boca, dentes pontiagudos. Dimitri puxou o gatilho da metralhadora. Oito disparos na cabeça. Silenciosos. O vampiro tombou inconsciente.

Tobia retirou uma estaca do sobretudo e afundou no peito da criatura. Ficaria imóvel até morrer queimado.

Sétimo abriu os olhos. Saía do transe. Cheiro de sangue. Invasores. Ao seu lado, nuas, repousavam as mulheres. Suas deusas. Cada qual dona de beleza deslumbrante. A cada noite, a cada gota de sangue, mais lindas. Sétimo beijou a boca de Paola. A vampira acordou e deu um sorriso.

— Me quer agora, Sétimo?

— Mais tarde, meu doce. Agora, quero que desça pela janela. Vá até o covil e desperte os guerreiros que estiverem dormindo. Quero Agnaldo e Danilo aqui. Teremos um breve treinamento.

Paola vestiu apenas uma camisola transparente e desapareceu, saltando pela janela.

Sétimo voltou-se para a exuberante Aléxia, sua vampira mais selvagem. Ela, sim, apreciaria trucidar os invasores, desfiando-os a unha. Paola era fiel, mas ainda carregava muita bondade humana no coração. Poderia pôr tudo a perder. Vacilar. Sétimo, pelo faro, sabia que os invasores eram um presente especial, os mesmos que tentaram dizimar seu exército da outra vez. Pagariam com a vida pela audácia. Nem cogitava transformá-los em vampiros. Seriam devorados vivos por seus homens. Despertaria a fera de olhos verdes para iniciar o castigo dos humanos. Tocou a testa da vampira e deslizou suavemente os dedos até tocar o seio direito da amada. Inclinou o corpo e beijou-a no pescoço. Aléxia abriu os olhos. Com o passar dos dias de sua existência vampírica, eles ficavam cada vez mais lindos e profundos, donos de um brilho perigosamente hipnótico. Até Sétimo começava a temê-los. Aléxia sorriu.

— Tem homens nessa casa, gata-vampira. Tem homens querendo me destruir. Quero que você degole os dois. Quero que você os destrua.

Aléxia levantou-se e rapidamente colocou a roupa. Iria caçar para seu amo.

Tobia recostou-se no batente. Não havia uma folha de porta ali. Deixaram a cozinha e cruzaram um extenso corredor. A mansão tinha acabamento simples, mas o tamanho impressionava. Ignoraram as portas laterais, pois ouviam vozes e risos mais adiante. Uma sala gigantesca. Luz de um televisor. Até os vampiros tiravam uma hora de telinha para descontrair. Tobia contou cinco e abriu a mão na direção de Dimitri.

Cinco, pensou Dimitri, arrancando do colete uma bomba incendiária.

Matador puxou o pino e começou a contar mentalmente. Entrou na sala sem cerimônia, deixando o coturno estalar contra o chão de mármore caro.

Os vampiros olharam para o homem que arremessava um cilindro ao chão, provocando ruído grave conforme rolava. Ainda estavam boquiabertos quando a bomba explodiu.

Dimitri já havia procurado abrigo. O fogo se espalhou pela sala rapidamente. Contou o vulto de quatro vampiros correndo, com o corpo em chamas. Um deles voou contra o vitrô da sala, espatifando os vidros, caindo para fora da mansão. Os outros trombavam contra móveis, espalhando ainda mais o fogo pegajoso que aderira em suas roupas e os fazia tochas ambulantes.

O quinto vampiro, que escapara graças à experiência e à velocidade vampírica, era Agnaldo.

Dimitri abriu fogo contra os que corriam pela sala e derrubou todos. O cão estalou contra a carga vazia. Dimitri, agilmente, fez o municiador vazio voar longe e inseriu um novo.

Tobia adentrou a sala com a pistola engatilhada. Fumaça começava a se formar com a combustão do mobiliário. Apontou uma escada para Dimitri. Tomavam aquela direção quando um vulto estacou na frente dos homens.

Dimitri ergueu a metralhadora, mas antes que disparasse no vampiro, o monstro desapareceu de sua frente. Um golpe forte atingiu sua mão, e a arma voou para o outro lado da sala, perdendo-se nas chamas. Combate vampírico. Hora de começar a usar os brinquedinhos especiais.

Tobia viu quando o vulto tornou-se maciço. Apontou a pistola e disparou. Uma bala atingiu o ombro da criatura.

Agnaldo arqueou o corpo e desviou dos disparos seguintes. Estava forte. Abastecido. Sorriu. O corpo musculoso ganhou tamanho. Os olhos acenderam-se. Grunhiu, mostrando os longos dentes.

Dimitri sentiu um torpor. Um vampiro poderoso na sua frente. Um rapaz forte, inumano. Enfiou a mão no colete e desprendeu o próximo truque. Adrenalina esparramada pelo corpo. Uma vampira descia as escadas. A coisa estava ficando difícil. Adversários sobrenaturais. Se morresse, era assim que queria, no palco, na luta. Entretanto, o jogo ganhava tempero, pois não queria morrer, não naquela noite. Naquela noite queria ganhar. A mão demorou para voltar com o cilindro do tamanho de uma caneta e uma agulha na extremidade. Demorou tanto que o vampiro mais uma vez virou sombra.

Tobia sentiu um impacto contra o peito. Voou pelo corredor, arrastando-se até retornar para a cozinha. Levantou cambaleante. O vulto negro ia em direção às costas de Dimitri, que ainda não se dera conta do que acontecia.

Dimitri recebeu uma gravata firme. Dor.

— Ainda não! — vociferou Aléxia. — Ele é meu!

Dimitri notou que a vampira que descia as escadas era a mesma que vira num Landau nas rondas rotineiras. Realmente, era tão linda quanto imaginava. Sem o adversário perceber, Dimitri já tinha na mão o pequeno artefato. Não sabia o que provocaria, mas tinha que colher um resultado dos bons, do contrário, ficaria sem um osso inteiro na coluna cervical. A interrupção oportuna da vampira distraiu o oponente por um segundo, tempo mais que suficiente para Dimitri evocar sua habilidade marcial. Flexionou os joelhos e desceu o quadril abaixo do quadril adversário. Com o traseiro, somado a uma pontente cotovelada, ergueu o corpo pesado de Agnaldo, que, pego de surpresa, folgou um pouco a gravata. Assim que obteve resultado, finalizou o golpe, levando a mão livre para o topo da cabeça, agarrando Agnaldo pela gola. Todas as forças somadas e sincronizadas fizeram o vampiro voar por cima do oponente.

— Ippon! — gritou Dimitri, vitorioso.

Ato contínuo, enfiou a agulha no pescoço do vampiro. Apertou um botão na extremidade do objeto de aço escovado e ouviu um ruído de liberação de ar-comprimido. Atordoado pelo sufoco, cambaleou para trás. Onde diabos estava Tobia?

Agnaldo grunhiu, com a boca cheia de saliva. O maldito ia pagar por aquilo. Virou-se rapidamente.

Passos no corredor. Tobia voltava correndo para a sala. Atrás dele, Dimitri contou oito vampiros. Afundou as duas mãos no sobretudo. Uma sacou seu segundo brinquedinho: a pistola automática carregada até a boca com balas de prata. A outra, uma granada. Retirou o pino no dente e arremessou o explosivo para o outro extremo da sala. Tinha que distrair as criaturas. A coisa ia ficar feia. Se iam continuar brigando, tinha que ser lá fora, a céu aberto. Ali havia portas demais, e ele não fazia idéia do que poderia sair de trás de cada uma.

Agnaldo levantou-se, mas tombou desorientado. O que estava acontecendo? O estômago queimava, e sentia vontade de vomitar. Os músculos perderam a força e a coordenação. Estava envenenado!

Aléxia terminou de descer os degraus. Os olhos tornaram-se vermelhos como sangue, brilhantes.

— Você é meu, matador de vampi...

Antes de completar a frase, Dimitri acionou a pistola. Três tiros no peito fizeram Aléxia arriar. A dor era infernal. A mulher gritava atônita. Que munição era aquela? Sétimo lhe dissera para não temer as armas mortais, pois as balas não poderiam detê-la. Tentava arrastar-se para as escadas, mas faltava força.

Sétimo, com expressão de dor, surgiu na escadaria. Olhos acesos. Sua fêmea, tombada, ferida. Ela haveria de se levantar, haveria de se curar com o sangue do malfeitor. Saltava para o piso de mármore da sala quando um deslocamento poderoso de ar o fez perder o equilíbrio.

Uma explosão. Estilhaços de madeira e gesso voaram para todos os lados. Tobia, que acabava de voltar à sala, caiu assustado.

Dimitri adorava o poder das granadas. Apanhou o parceiro pela mão e correu para fora através de um buraco criado pelo explosivo.

Sétimo, arremessado contra o chão, perdeu os invasores de vista. Seu susto durou um segundo. Os malditos eram bons. Eram fodidamente bons! Que humano duraria dois minutos dentro de um covil infestado de vampiros? Era um excelente treino para os soldados novatos. Sétimo atravessou as chamas e os escombros do que restou da porta frontal da mansão. Sorriu. Os humanos corriam pelo gramado. Onde estava Danilo e seus capangas? Aqueles seguranças particulares eram um bando de bananas!

— Puta que pariu! Que foi isso?! — espantou-se Zé Carlos.

— Que foi isso, meu Deus?!! — emendou o companheiro, também assustado com a repentina explosão.

— A casa, Paulinho! A casa tá pegando fogo!

— Chama o PC no rádio! E o André!

A explosão trouxe os homens de volta à vigília. Se aquele estrago não fosse resultado de um acidente doméstico, na manhã seguinte, por certo, estariam no olho da rua.

— O PC não responde! — gritava Zé Carlos, atrapalhado.

— Tenta o André! Tenta logo, porra!

Dimitri corria. Tobia tentava acompanhá-lo, mas a pesada armadura de prata atrapalhava.

— Precisamos alcançar o muro.

— Pra quê? Se vamos morrer, pelo menos que a gente esteja descansado para enfrentá-los.

— Tem muito vampiro nessa merda, Tobia. Tem muito vampiro. Se ficarmos aqui no meio, quem vai cobrir nossas costas? Se chegarmos no muro, temos que olhar para a frente e para os lados, só. E, acredite, chapa, isso ajuda pra caralho!

À direita, estava o pequeno bosque. A bomba.

— Quanto tempo?

— Cinco minutos. Temos que resistir mais cinco minutos.

— Não vai dar, Dimitri. Não vai dar.

Encostaram-se no muro. Dimitri soltou o peso do corpo contra o concreto gelado. O peito subia e descia rápido. O ar queimava os pulmões. Os vampiros ainda estavam na frente da mansão. Talvez ainda aparvalhados com a súbita invasão. Estavam se juntando. Dimitri torcia para que fossem no máximo trinta, mas os olhos viam muito mais.

— Quatro minutos! Caralho!

— Nunca te vi tão boca-suja, Tobia. Contenha-se!

— Mas você também nunca me viu morrendo, caralho! Porra! Vampiros filhos duma puta! Que merda de bisavô que eu fui arrumar! Que ódio!

— Cale a boca, Tobia. Tem que ser forte. Morra com honra. Pra que carrega essa espada na bainha? Seja valente! Honre teus ancestrais!

Ao lado da mansão, três portas de correr foram levantadas. Dezenas de olhos vermelhos acenderam-se na escuridão. Dezenas de vampiros andaram vagarosamente para fora. Caminhavam lentamente e dirigiram-se para a mansão.

— Fodeu... — balbuciou Matador.

— Agora você xinga, né? Cadê esse papo de honra... de não falar palavrão?

Ignorando os comentários do parceiro, Dimitri despiu-se do sobretudo negro. Baixou o gorro, deixando só os olhos à mostra. Intimidação. Retirou o silenciador da metralhadora. Era hora de fazer barulho. Tudo o que pudesse intimidar deveria ser posto à mesa. Quatro minutos. Tinha que enrolar quatro minutos para tentar fugir. Envolveu-se no preparativo das armas. Dispôs cinco granadas e separou uma para Tobia. Não sabia o que os vampiros planejavam, mas o tempo era bem-vindo.

Tobia imitou Dimitri. Ao contrário do parceiro, ao despir-se do sobretudo marrom, tremia. Tremia tanto que a armadura tamborilava. Retirou o fuzil do pescoço e depôs aos pés. Desatou as tiras que prendiam o colete e deixou-o cair pesadamente. Retirou o estojo amarrado na coxa, contendo várias lanças coniformes, de prata, que terminavam em hastes curtas e raiadas para serem parafusadas. Colocou a primeira no lado direito do peito e atarraxou à armadura. A segunda foi parafusada no lado esquerdo. Depois, uma para cada ombro. Duas peças pequenas, uma em cada cotovelo.

Dimitri, quando se deu conta do que o amigo fazia, ficou surpreso.

Os vampiros estavam agrupados na entrada da mansão. Pelo rádio, Sétimo havia dado ordem à guarda para que impedisse que os invasores passassem pelo portão. Se os dois não voltassem, que os deixasse em paz. Mesmo assim, Sétimo sabia que não era bom dar tempo aos caçadores, pois eram ótimos criadores de temíveis artimanhas. Aprendera duramente quando ele e seus irmãos foram caçados durante séculos pelo exército de Tobia. Caçadores, mesmo humanos, quando obstinados, eram um perigo. Por isso, aguardava apenas seu exército se reunir para liberar o ataque.

— Soldados! Esses dois miseráveis ousaram adentrar nossa casa. Mataram vossos irmãos. Para esse crime, só há uma paga. Matem os malditos.

— Senhor! Senhor! — berrava o soldado à porta do alojamento.

Brites levantou-se assustado.

— Que é, soldado?

— Uma ocorrência, senhor! Primeiro, chamado para o corpo de bombeiros. Incêndio. Depois, uma explosão e disparos de arma de fogo.

Brites abriu a porta e encarou o soldado.

— Onde?

— Região entre Itapevi e Jandira, senhor. — antecipando-se, o soldado prosseguiu. — Vinte minutos de carro. Quatro de helicóptero, senhor. Posso dar a ordem?

— Todos os soldados de O.E. Vamos de helicóptero, mas avance tropas por terra. Pode ser algo grande. Se estivermos enganados, mandamos os moleques de volta do meio do caminho.

Duas lanças prateadas sobraram nas mãos trêmulas de Tobia. Estendeu-as para Dimitri.

— Pode colocá-las nas costas, por favor?

Matador fixou-as rapidamente.

Tobia repassou os ensinamentos mentalmente. Faltava o toque final. Nos punhos da armadura, vinham duas pequenas tiras de couro. Tobia segurou a primeira com firmeza e puxou-a com força. A tira estendeu-se e, na peça do antebraço prateado, surgiram pequenas e afiadas lâminas. Repetiu a operação no segundo braço. Abaixou-se, apanhou o rifle e olhou para Dimitri, que ainda o observava boquiaberto.

— Por que eu não tenho uma dessa?

Tobia deu de ombros.

Olharam para frente. Como um pelotão organizado, de maneira uniforme e sombria, os soldados de Sétimo avançavam.

— Tô lembrando de uma coisa. — disse Dimitri.

— Do quê?

— Aquele magricela que apareceu na escada. Ele é vampiro.

— Não o vi. O que é que tem?

— Ele era o cara da moto no dia que invadimos a primeira casa.

— Não pode ser. Vampiros não andam na luz do dia.

— Aquele andou.

— Ele pode ter virado vampiro agora.

— Pode ser. — concordou Dimitri.

Olhos vermelhos. Dezenas. Escapar seria impossível. Tobia sentia o coração acelerado. Olhos vermelhos. Olhos que já tinha sentido sob sua pele. Olhos do passado. Um escarpado. Um cerco. Sentiu uma tontura repentina. Uma zonzeira. Apertou os olhos.

— Preparar...

Uma cena. Um garoto loiro em cima de um cavalo tordilho. O cavalo empinava. Chuva forte.

— Apontar...

Tobia abriu os olhos. Os vampiros vinham mais rápido. Fechou novamente. Escuridão. Tempestade. O garoto loiro. Um vampiro. O castelo coberto de neve. Tobia olhou para os lados, não tinha medo. Seus homens estavam ali. Todo o seu exército caçador de vampiros estava ali. No meio da chuva, no meio da neve, em frente aos vampiros. Todos os seus homens estavam ali. Apoiando. Indo ao inferno, se fosse necessário. Ele era um Tobia. Um caçador de vampiros. E aquele era seu mundo.

— Fogo!

Dimitri apertou o gatilho.

Tobia abriu os olhos. Serenidade. Apertou o gatilho.

Explosões repetidas. Os vampiros gritavam. Tinham a carne atingida. Pedaços desprendiam de seus corpos. Munição especial. Dor excepcional.

Os vampiros marchavam para cima dos dois oponentes. Para que tanta gente? Dois sujeitos acuados. Que perigo representariam? Marchavam. Os mais experientes na frente. Um erro e tanto. Se Agnaldo estivesse consciente, na certa teria organizado melhor a manobra. Os veteranos devem seguir atrás. Por causa desse erro e dessa presunção, os mais fortes foram os primeiros a tombar. Os humanos empunhavam metralhadoras. As balas, quando acertavam o corpo, abriam e fragmentavam-se, levando carne e ossos, aleijando. Os vampiros mais fortes, mais ligeiros e combativos, foram atingidos na primeira linha. Os vampiros ilesos grunhiram raivosamente. Aceleraram a marcha. Os veteranos se curariam com o sangue daqueles ousados invasores.

Quando a munição acabou, Dimitri jogou a metralhadora para o lado. Apanhou as granadas e removeu os pinos, um a um, e arremessou-as contra a multidão vampira à frente. Apanhou o rifle carregado e começou a atirar mais uma vez. Mirava a cabeça. Sabia que assim tirava os vampiros mais fracos de combate por um bom tempo. Não os eliminaria, mas ele e Tobia continuariam vivos. Vivos para um novo combate. Tobia também teve que mudar de arma quando ficou sem balas. Os vampiros apertavam o cerco, fechavam em cima deles. Quatro explosões clarearam a noite. Diversos vampiros tombaram vitimados pelos estilhaços, porém, muitos continuavam marchando. Estavam próximos. Mais alguns segundos, e o combate seria corpo a corpo. Tobia apanhou uma pistola com balas de prata e desembainhou a espada afiada. Mesmo com a escassa iluminação, a lâmina reluzia. Estendeu o braço e iniciou os disparos. Os soldados tombavam. Um após o outro. As aulas de tiro com Dimitri mostravam sua valia. Cada bala era uma jóia que não poderia ser desperdiçada. Mais perto.

— Tempo?

— Dois minutos e meio. Falta pouco. Pensei que ia ser pior. Agüenta firme, caçador.

Júlio, na linha de frente, era um dos vampiros mais novos. Cabelos compridos amarrados para trás. Sabia que lutaria ao lado de Sétimo, mas não imaginava tão cedo. Via os vampiros mais velhos tombando e sua coragem diminuía. Por que temer, se ele agora era um ser imortal? Cravaria os dentes no homem de armadura. Não daria a ele a chance de abater mais nenhum irmão. Júlio ainda não aprendera nem tinha energia para empreender velocidade vampírica. A força que tinha era a de dois homens. Precisava tomar muito sangue e acompanhar muitas caçadas para desenvolver seus dotes. Contudo, combateria os adversários. Era parte de seu treinamento. Estava ávido por sangue. Se fosse ele o tal que desarmasse o maldito humano, subiria seu conceito dentre os veteranos. Seria bajulado.

Cercaram os atiradores como uma onda. Eram cerca de sessenta vampiros.

Tobia, empossado do espírito de seus ancestrais, perdera o medo. Uma voz rouca soprava-lhe ao ouvido. A espada. Use a espada. Tobia empunhava a arma cortante com as duas mãos. Um garoto cabeludo destacou-se da multidão e correu em sua direção. Tobia recuou o pé de apoio e ergueu a espada. Respiração contida. Desenhou um arco para a frente. O rapaz não conseguiu alcançá-lo. A cabeça foi ao chão; o corpo cambaleou. Recuperou o equilíbrio e caminhou até bater contra o muro. Dimitri atirava com a pistola. Tinha muito mais munição, mas aquele era o último cartucho de balas de prata. Estavam cercados. Sem escapatória. A decapitação do primeiro vampiro causou certo impacto no grupo. Em vez de investir simultaneamente, olhavam espantados para o corpo decepado do vampiro Júlio. Estaria morto? Recuaram um passo. Muitos rosnavam nervosos. Ninguém queria ser o próximo. Dimitri aproximou-se de Tobia, que apontava a espada para a multidão. Costas quase no muro, ia para a esquerda, aproximando-se das árvores. Aproximando-se da bomba. Tentavam calcular uma distância segura, mas que ao mesmo tempo causasse dano ao bando. Outro vampiro destacou-se da multidão. Seu ato bravo despertou a coragem em muitos. Cinco deles engalfinharam-se com Tobia, que caiu desequilibrado. Dimitri voltou a disparar. Costas no muro de concreto. Morreria. Morreria, mas não com um golpe pelas costas. Jamais! Queria olhar seu assassino nos olhos. Suor frio. O fim chegando. Vampiros avançando.

Tobia enfiou a espada de prata no abdome de uma criatura. O outro, agarrado ao seu antebraço, teve os dedos decepados, num brusco puxão, pelas lâminas de prata afiada. Levantou-se gritando. O terceiro caiu por cima de Tobia com o peito perfurado por uma das lanças de prata e também afastou-se gemendo. Os ferimentos causados pela prata geravam dor indescritível. Outros vampiros saltaram por cima de Tobia.

Entendiam que ele era o mais perigoso. Tinha o corpo prateado. O outro, o atirador de capuz, seria fácil de exterminar. Mesmo assim não o ignoravam. Duraria apenas o tempo que durasse sua munição. Alguns vampiros atingidos pelas balas comuns já se recolocavam de pé, diminuindo ainda mais o temor ao encapuzado. Tobia posicionou as pernas de forma que pudesse se levantar. Jogava o corpo contra os vampiros, espetando-lhes a carne com a lança. Um tentou enforcá-lo, mas a armadura era implacável. Os vampiros não conseguiam dobrar a prata, então, não quebrariam seu pescoço. Passou a espada, sem ver onde golpeava, mas sentia a lâmina penetrar os adversários. Aos poucos ia se desvencilhando. Um dos malditos tentava cravar os dentes em sua jugular, mas o metal mágico protegia-o da investida mortal. Bendita cota prateada! Os disparos da pistola de Dimitri embalavam seu ouvido. Tobia estava cego. Uma nuvem de mãos e braços cobriam sua visão. Uma criatura comprimia seus olhos desprotegidos. Um ponto fraco. Dor. Queriam esmagar sua cabeça. Ele se debatia, tentando provocar lesões nos vampiros que o tocavam. Dor insuportável! O crânio estava sendo comprimido contra o chão. Novamente, a visão do menino de cabelos longos empinando o tordilho. Um vampiro poderoso. Dentes pontiagudos. Ali, no jardim, pisavam em sua cabeça. Estendeu o braço para cima. Pedia ajuda. Dimitri não podia. Os vampiros iriam agarrá-lo em instantes. Estavam tão colados a ele que, assim que o municiador se esvaziasse, estaria perdido sem tempo de recarregar a arma.

— BUMMMMMMM!!!

A bomba explodiu. Poderosa, deslocando o ar. Tobia, livre, colocou-se de pé. Dor de cabeça. Sua espada varreu a frente e os lados. Duas cabeças de vampiro rolaram. Abriu espaço no raio de alcance da lâmina. Estilhaços do muro ainda choviam do céu. Vampiros gemendo. Socorreu Dimitri quando um vampiro deitava-lhe o braço. Decepou o membro e, num segundo e preciso golpe, arrancou a cabeça da criatura, protegendo Dimitri às suas costas. Desferia golpes contínuos, arrancava cabeças. Gritava feroz, cobrindo a prata com sangue enegrecido. Sangue estagnado. O bravo guerreiro afastou, mais uma vez, a turba vampiresca. Inúmeros e mais poderosos... estavam com medo.

Sétimo, da frente da casa, percebeu o rombo no muro. A dor inexplicável que assaltara seu peito cedia. Grunhiu nervoso ao ver que os caçadores ainda não estavam mortos.

— Vamos, Paola, eles não podem fugir!

Tobia e Dimitri corriam em direção ao portão construído pela bomba. Com muita, muita sorte, escapariam.

Experiente, Dimitri corria e recarregava a arma ao mesmo tempo, não percebendo o vulto passar na sua frente. Nem o pé no caminho. Perdeu o equilíbrio e a arma.

Paola, com uma perna flexionada, sentada sobre o próprio calcanhar, havia derrubado o humano com uma rasteira. Levantou-se rapidamente e chutou o tórax do homem caído. Novatos eram burros! Um humano! Como o deixaram dar tanto trabalho? Dimitri, golpeado nas costelas, decolou e caiu cinco metros à frente. Pneumotórax. Lesão. Costelas partidas. Dor. Levou a mão, involuntariamente, ao ferimento. Perdição.

Sétimo, empossado de velocidade vampírica, bloqueou a passagem de Tobia. O homem de armadura, chocando-se contra o nada, caiu para trás, desengonçadamente.

Sétimo gritou. Levou a mão ao peito ferido. Sangrava. A armadura do humano possuía lanças!

— Malditos! Quem pensam que são? Acham que escaparão com vida?

Os vampiros reagruparam-se. Mais de sessenta. Os feridos estavam recuperando os sentidos. Até Agnaldo, ainda afetado pelo alho, engrossava a multidão vampírica.

Tobia colocou-se de pé, estufou o peito e empunhou a espada.

Sétimo sentiu um arrepio percorrer o corpo. Não podia ser!

— Cala-te, vampiro! Abra caminho se quiser viver mais um dia!

— Como ousas?

— Cala-te, vampiro! Retira teus homens e deixa-me ir. É o último aviso. — engrossou Tobia.

Sétimo suava frio. Nenhum ser humano lhe causava medo. Nenhum tinha esse poder. Nenhum poderia dirigir-se a ele naquele tom. Exceto... exceto... Tobia!!!

— Maldito! Como vieste parar aqui?! És de fato Tobia? — perguntou Sétimo, furioso.

— Sim. Esse é meu nome. Sai agora!

Mediante o espanto e o estarrecimento do líder, os vampiros pararam. Quem era aquele que causava tal reação em Sétimo?

Paola empurrou o homem para o meio da roda. Todos estavam atônitos. Esperavam ver Sétimo trucidando o cavaleiro de armadura, mas não era isso que acontecia.

— Droga! Que fazes aqui? Impossível! Como ainda existes?! Não creio! — esbravejava Sétimo.

— Acaba com ele, Sétimo! Acaba com ele! — gritou um vampiro.

Sétimo recuou dois passos. O peito doía bastante. Sangue.

— Calem-se! Calem-se, malditos inúteis!

A turba silenciou.

— Tobia...

O caçador de vampiros manteve a postura altiva. Sabia que estava diante de um vampiro poderoso, descrito em minúcias em vários combates nas crônicas das caçadas deixadas pelos ancestrais. Sétimo! O mais sanguinário. O mais traiçoeiro. Um selvagem. Tobia não contava que o vampiro também o reverenciava. O temor de Sétimo demonstrava respeito. Tobia manteve a espada em riste, pois o vampiro poderia atacá-lo. Precisaria de sorte e, se tivesse a sorte de liquidá-lo na frente dos discípulos, a guerra estaria acabada.

— Vamos matá-lo! Agora! — vociferou Sétimo, acendendo os olhos e exibindo os caninos.

Os vampiros entenderam a mensagem. Precisavam ser um só. Um exército. Atacar simultaneamente aqueles que deveriam perecer. Imitando o líder, acenderam os olhos e partiam para cima do alvo quando um ronco poderoso irrompeu na propriedade. Quatro fachos de luz atingiram o gramado. Os vampiros tiveram de proteger os olhos com os braços.

Sétimo, solitariamente, investiu contra Tobia, imaginando que os soldados o acompanhariam. Por isso, o homem teve como se defender, e o embate resultou em nova ferida. Sétimo olhou para cima. Para proteger-se, transmutou os olhos do vermelho para o negro absoluto e rugiu irritado. O que era aquilo agora?!

— São vampiros, senhor! São vampiros.

— Abrir fogo! Atacar! Atacar! — ordenou Brites.

Dos helicópteros, com as portas laterais abertas, os soldados disparavam, derrubando o que viam pela frente. Todos tinham balas de prata.

Sétimo, com um novo rasgo no braço, doloridíssimo, encarou Tobia.

— Hoje tu escapas, caçador, mas não contes com tanta sorte no próximo encontro.

Tobia partiu para cima do vampiro, mirando seu pescoço. A espada cortou o vazio. Sétimo tornara-se sombra e já estava ao lado do bando.

— Para o covil. Apanhem as armas de fogo; vamos defender a toca.

Tobia correu pelo gramado até alcançar Dimitri. Não podia colocar o parceiro no ombro. A lança não permitia. Passou o braço forte do Matador por cima do pescoço e correu com ele em direção ao buraco. Um facho de luz os acompanhava, clareando o caminho. Tiros às costas. Dimitri foi atingido, soltando-se das mãos do companheiro. Tobia jogou-se no chão. O helicóptero fez uma manobra e parou acima de suas cabeças. Tobia apanhou uma pistola presa à cintura e começou a revidar. O helicóptero, surpreendido, teve que manobrar para escapar dos tiros. Foi o suficiente para ele apanhar Dimitri e fugir da propriedade. O rapaz estava mudo, mas ainda dava passadas, aliviando o peso do pescoço de Tobia. Sobre o colete à prova de balas do Matador, balançava como um pêndulo o crucifixo. Dimitri levou a mão à peça e segurou-a com firmeza. Atravessaram o muro e ganharam a mata. Se chegassem ao Comodoro, escapariam com vida.

Os helicópteros, com o gramado livre de vampiros, desceram sincronizados até certa altura e pararam. Cabos negros foram arremessados pelas laterais e, com agilidade, os soldados desceram pelos fios. No chão, apenas as criaturas atingidas por balas de prata.

Uma das salas da casa do traficante era um verdadeiro arsenal. Os vampiros começaram a se armar. Sétimo ordenara um ataque de mãos limpas contra os primeiros invasores para servir de treinamento. Agora, com soldados do Exército invadindo a propriedade, o jogo seria duro.

— Fogo pesado. Vocês são vampiros. Se tomarem bala, logo saram. Os filhos da mãe lá fora são homens! Se tomam bala, morrem. Defendam a toca!

Os vampiros gritaram excitados. Queriam combate. Sétimo deixou que apanhassem as armas. Em trinta segundos já ouvia disparos. Os militares pareciam cometer o mesmo erro dos vampiros contra os dois caçadores: subestimaram o inimigo. Haviam descido, estavam em campo aberto.

Sétimo apanhou uma pistola. Era poderoso ainda. Tão forte que as feridas causadas pela prata não doíam mais. As cicatrizes, entretanto, eram demoradas. Iria para o gramado. Usaria sua velocidade vampírica para dizimar os militares. Mataria um a um. Aqueles soldados não usavam armaduras de prata. Enquanto os humanos estivessem lutando, preocupados em subjugar o exército da noite, ele ceifaria suas vidas, sem que eles se dessem conta do que acontecia.

Do helicóptero, Brites viu quando os inimigos começaram a revidar.

— Onde estão as tropas de reforço? — berrou ao rádio.

A resposta veio de um sargento a bordo de um caminhão que subia uma curva fechada, chegando às marginais da Castelo Branco, na altura do bairro do Tamboré.

— Estamos a caminho, senhor. Pelo navegador, devemos chegar em quinze minutos.

Os soldados, enfileirados, sentados um de frente ao outro, ouviram os disparos pelo rádio. A voz nervosa do tenente os assustou. Eram jovens demais e nunca haviam combatido. Principalmente seres sobrenaturais.

— Acelerado, sargento! Não quero perder meus homens aqui por causa de demora. — replicou a voz chiada.

Cinco caminhões verde-oliva ganharam a Castelo Branco em alta velocidade, cada um com trinta homens a bordo.

Vários soldados foram pegos de surpresa. Ao ver a debandada dos vampiros do gramado, acharam que tinham ido esconder os rabos dentro da vistosa mansão. Muita fumaça escapava pela porta frontal. Não viam chamas, mas aparentemente um pequeno incêndio ocorrera há pouco. Pensavam entrar vitoriosos na casa, abrindo fogo com as armas carregadas com projéteis de prata e vencer a batalha com facilidade. Capturariam vampiros, se possível, para dar seguimento aos testes com espécimes vivos. Foram pegos de surpresa pelos primeiros disparos. Artilharia pesada. Vários soldados tombaram com tiros no peito, com dor; talvez ossos quebrados. Os coletes à prova de bala eram da melhor qualidade, mesmo assim o coice do balaço não era fácil de agüentar. O soldado Djalma, com o tórax dolorido, olhou para o lado. Dois soldados caídos. Ouviu um gemido. Ainda estava atônito. Virou de bruços. Mais tiros em sua direção. Erraram. Ficou imóvel. O companheiro ao lado parecia optar pela mesma tática. Estava quieto. Ali perto, outro que fora atingido no peito: três ao mesmo tempo. Metralhadora. Só podia. O soldado Franco ajoelhou-se, ficando apenas um entre ele e Djalma. Mais tiros. Em outra direção. Gritos. Mais homens descendo dos helicópteros. Uma das máquinas abriu fogo contra a fachada da mansão. Os vampiros esconderam-se e os tiros cessaram por um instante.

— Está bem, Franco?

— Acho que sim.

Djalma olhou para o outro, que ainda estava deitado.

— Pode levantar. Vamos nos proteger em outro lugar.

O soldado continuou parado. Djalma abaixou-se e virou o corpo do soldado com o rosto escondido. Estremeceu. Era o soldado Almeida. Faltava um pedaço do rosto do Almeida!

— Ele morreu... — murmurou Djalma.

Franco gritou. Um tiro na perna.

Djalma, abobalhado, nem se mexeu. Estendeu a mão para evitar a queda de Franco. De repente, como saindo de um transe, colocou-se de frente para a mansão e abriu fogo contra um dos atiradores. O vampiro escondeu-se.

O último helicóptero descarregou seus homens. Havia sessenta soldados no gramado, quase um pra um. Ainda não tinham como avaliar as baixas, mas a maioria havia levado apenas um susto. Estavam agora se posicionando melhor para invadir a mansão e liquidar a batalha.

Os vampiros começaram a saltar pelas janelas e avançar pelo gramado. Os atingidos tombavam gritando. Os ilesos buscavam um alvo e disparavam na cabeça dos soldados.

Sétimo deixou a mansão e pulou para cima do soldado mais próximo, que não notou o vampiro postado às suas costas.

Djalma acompanhou tudo, mas não teve tempo de avisar. O vampiro ergueu a pistola e encostou o cano na nuca do soldado. Apertou o gatilho, fazendo dentes e sangue voarem do outro lado. Djalma perdeu a ação. Sentiu vontade de vomitar, tamanho o nervosismo que se apossou de seu corpo. O soldado Marcelo parecia desfalecer em câmara lenta. Mais um amigo morto. Djalma soltou o fuzil pendurado ao pescoço e ergueu o lança-redes. Disparou contra Sétimo, mas antes que a rede envolvesse o alvo, o vampiro desapareceu. Djalma deu uma volta sobre os pés. Onde estava o maldito?

Sétimo viu que alguns soldados imobilizaram os vampiros inconscientes com algemas de prata nos pés e nas mãos e sentiu o perigo que aqueles artefatos representavam. Os humanos aprendiam rápido. Mataria todos.

Lúcio, um dos mais experientes, também usava velocidade vampírica para atacar. Tinha aniquilado três soldados e partia para o quarto. Correu e arremessou os pés contra o soldado, torceu o braço até ouvir o osso quebrar. Carregava uma faca e ia enterrá-la no coração humano quando um soldado surgiu às suas costas portando um lança-redes. Não temeu; ele seria o próximo assim que acabasse com aquele que tinha nas mãos. Mal concluiu o pensamento, um segundo soldado abriu fogo contra ele. Balas de prata! Cambaleou para trás, e, antes de cair, o primeiro soldado lançou a rede com fios argentinos. O vampiro foi ao chão, gritando desnorteado, capturado.

Os helicópteros circundavam a propriedade. Os soldados com as metralhadoras procuravam dar a melhor cobertura possível para os companheiros.

Em terra, a melhor arma era o lança-redes, pois, uma vez capturado, o vampiro estava fora de combate.

Sétimo cumpria sua promessa. Fizera muitos soldados encontrarem a morte, mas pressentia o perigo. Aquelas redes de prata... aquilo não era bom.

Uma explosão no portão. Caminhões invadiam o local, despejando uma avalanche de soldados. Problemas!

Sétimo voltou ao casarão. Sua vampira, ferida. Tinha que salvá-la. Aléxia não se encontrava na sala. Estaria se regenerando, certamente. Seguiu o instinto para localizar Paola.

— Vamos; temos que evacuar o covil. Não será produtivo persistir nesse confronto. Ajuda-me a escolher os melhores homens.

O vampiro reuniu um pequeno grupo. Não encontrou Aléxia, o que começava a incomodá-lo. Ordenou que os vampiros fossem para o subsolo secreto e se escondessem. De lá, escapariam levando muito dinheiro, armas e vida para reorganizar o exército. Dispensou o grupo e concentrou-se em Aléxia. O cutucar levou-o de volta ao gramado. Ao sair da casa, uma saraivada de balas recebeu-o à porta, sacudindo-lhe o corpo. Balas comuns misturadas às de prata. Sétimo rastejou para dentro. Esses miseráveis não perderiam por esperar. Estava pleno de energia. Poderia assumir a forma monstruosa, mas queria o trunfo na manga, queria pegá-los de surpresa. Pagariam pela afronta e principalmente pelo desrespeito em capturar sua mulher de olhos verdes. Sua vampira amada. Pagariam na hora certa. Vingança era sempre uma delícia quando apanhava o inimigo de surpresa. Não deixaria a paixão prevalecer sobre a razão. Ainda considerava seu exército e o desejo de conquistar o mundo mais importantes. Teria tempo para ir atrás de Aléxia.

Os soldados cercaram a mansão e avançavam passo a passo. Não sabiam quantos vampiros havia lá dentro. Após cinco minutos de quietude, sem tiros adversários, o sargento ordenou a invasão. Não sabiam quantos vampiros havia no interior da mansão, mas, após baterem cômodo por cômodo, não encontraram nenhum.

CAPÍTULO 63

Tiago conduzia uma Grand Cherokee serra acima. Em menos de duas horas, estariam em São Paulo. O carro não fora comprado. Fora roubado. Isso o fizera incluir um bilhete em sua memória: cuidado com o que fala aos vampiros. Enquanto caminhavam pelo calçadão do Guarujá, comentara que precisava de um carro grande o mais rápido possível. Inverno, imediatamente, adiantou-se. Com passadas largas, alcançou o motorista de uma *pick-up* parado na porta do veículo, flertando com uma garota. Inverno agarrou o rapaz pela garganta e o arremessou para a areia, caindo desacordado. Tiago não teve tempo de protestar. Imediatamente, os oito entraram no veículo. Tiago e Eliana torciam para que o rapaz não estivesse morto, que ficasse desmaiado por um bom tempo, apenas.

A noite estava escura, e o céu, encoberto por nuvens negras que tapavam a luz da lua crescente. Os faróis da *pick-up* iluminavam o caminho, varrendo o asfalto. A placa indicava: São Paulo – 160 km. Estavam em alta velocidade. Tiago queria chegar, por motivos mais que óbvios, bem antes do Sol raiar. Precisava achar um pouso seguro. Iria para a velha casa, o covil abandonado nos arredores do bairro do Novo Osasco. César, como os vampiros, estava calado. Rodaram mais meia hora. Haviam vencido a serra, e agora a estrada parecia retilínea. A viagem estava monótona, mas algo o tirou do torpor. Longe, luzes no meio da pista. Duas viaturas da polícia rodoviária fechavam o caminho, obrigando os carros a passar um por vez. Não havia saída lateral. Não poderia dar ré; chamaria a atenção. Teriam sorte se passassem despercebidos. Com um carro roubado? Será que estavam procurando a Cherokee? Reduziu a velocidade.

— Problemas... — sussurrou.

Todos abriram os olhos. César percebeu logo o que acontecia. Um bloqueio. As luzes dos giroflex iluminavam o asfalto.

— E agora, Titi? — afligiu-se Eliana.

— Todo mundo quieto. Deve ser operação de rotina. Estão procurando documentação irregular. Não param todo mundo, selecionam por amostragem. Com sorte, a gente passa batido.

Estavam tensos. Tiago não queria confusão logo na chegada. Não que temesse um confronto, pois confusão teriam demais quando encontrassem o vampiro Sétimo. Queria chegar em silêncio, surpreender a criatura, sem dar chance para que o maldito se preparasse para a tormenta. Não queria pedir a Gentil que usasse o poder de parar o tempo... o vampiro só poderia fazê-lo uma vez a cada ciclo lunar. Certamente, haveria oportunidade mais nobre para gastar esse trunfo.

Os policiais pediam que os carros passassem, lentamente. Alguns tinham o interior examinado pelas lanternas. Quatro policiais com cara de poucos amigos. Uns nove carros na frente. Um Corsa sedan foi para o acostamento. O motorista foi abordado por um dos policiais e passou pelo vidro os documentos e a habilitação. Os cinco carros da frente passaram lentamente. O policial rodoviário notou a Cherokee. Tiago manteve a expressão normal. Era só mais um usuário da estrada. O guarda levou a mão à arma e andou rapidamente para perto do segundo. Ordem para os carros passarem. Inspecionada a documentação, o Corsa prosseguiu. O guarda se deslocava rapidamente. Tirou a arma do coldre.

— Acharam-nos... — balbuciou Tiago.

— Vão nos delatar para as autoridades. Vai ser problema. — emendou César.

— Calma.

Os policiais dispuseram-se estrategicamente. Dois de cada lado.

— Abaixem os faróis.

Tiago obedeceu.

— Saiam do carro! Saiam já desse carro! — gritava um deles, enérgico.

Entreolharam-se. Os guardas não tinham noção do risco que corriam. Imaginavam ter encontrado uma simples Cherokee roubada, no entanto...

— Mão na cabeça! Mão na cabeça!

Os olhos acenderam-se.

— Pai do céu?! Que é que é isso? — espantou-se um deles.

Tiago desceu vagarosamente.

Inverno foi o segundo a tocar o asfalto. Eliana saltou do lado do passageiro.

— Devagar... devagarinho!

— Vocês estão presos sob acusação de roubo de carro. Estamos agindo sem violência. Encostem no carro. Vamos algemá-los. Vocês têm direito a um advogado...

Um relâmpago cortou o céu.

— Virem-se.

Tempestade desceu. Raspou o chão com o solado do coturno, arrastando pedriscos. Olhou para as nuvens e sorriu.

Um trovão poderoso ribombou.

Um policial olhou para cima. O coração estava disparado. Não era todo dia que entravam em ação. Era sempre perigoso lidar com esse tipo de assaltante. Quem rouba um carro potente desses nem sempre é um simples ladrão de carro. Ainda mais com a *pick-up* cheia. Poderiam ser assaltantes de banco.

Acordador desceu. Estava com as armas na cintura. César carregava a doze dentro do carro. Deixou-a no assoalho: não ia precipitar as coisas. Tiago que tomasse a decisão; ele estava no comando da ação. O vampiro Fernando, ao seu lado, adiantava-se para descer.

— Encostem no carro! Já falei! — gritava o soldado, assustado com a quantidade de gente saindo. Tinha medo de perder o controle. Apontava a arma para a cabeça de Tiago.

O rapaz virou-se para o capô. Outro relâmpago acendeu o céu. Olhou para Tempestade e aquiesceu.

Tempestade encostou-se na Cherokee. Um segundo policial aproximou-se e algemou-lhe as mãos às costas.

Trovões.

Do outro lado do carro, um dos rodoviários aproximou-se do veículo. Tinha dois homens sob mira. Um rapaz bem apessoado, de feições muito bonitas. Poderia ser um modelo ou algo assim. Que merda estava fazendo com aqueles bandidos? O outro, um homem negro, com um metro e noventa aproximadamente, e forte como um touro. O tipo de homem que dá medo de peitar, até com arma na mão, de tão grande. Olhou o interior da Cherokee. Estranhava o fato daquele outro homem demorar para descer. Ficou mais nervoso. Os suspeitos somavam o dobro dos policiais.

Gotas grossas de chuva começaram a cair. Esparsas, quentes... um instante. Trovões. Relâmpagos.

Os policiais não desgrudavam os olhos do bando. Poderia cair o mundo.

A chuva virou tempestade. Em poucos segundos, o céu parecia desabar, violento. Repentinamente, formou-se uma enxurrada, levando água para o acostamento.

Tiago, Inverno, Acordador, Tempestade e Eliana ergueram os olhos para os policiais, e o brilho vermelho voltou.

Do outro lado, César descia do carro, mãos na cabeça, acalmando o guarda. O homem estava muito nervoso, pois Miguel o encarava e Dom Fernando olhava para sua jugular pulsante. A chuva forte derrubou seu quepe, que a água arrastava. Miguel abaixou-se para pegá-lo.

— Parado! — gritou, apontando a arma para a cabeça do vampiro.

Fernando franziu o cenho, expondo os dentes protuberantes.

Tiros!

A tempestade intensificou-se. Os policiais não estavam enxergando direito. Os suspeitos desapareceram num relance! Como?!

Somente o algemado continuava encostado na *pick-up*.

Baptista, o vampiro Tempestade, avançou um passo. O policial continuava apontando a arma. Os outros três acorreram ao amigo que disparara o revólver. Do outro lado da *pick-up*, a cena era a seguinte: Fernando no chão, de joelhos e encurvado, com um tiro na barriga. Gentil e César, estáticos, encaravam o atirador.

— Os dentes dele... os dentes dele são de vampiro... — murmurou o soldado para o sargento.

Baptista separou os braços, como se as algemas fossem feitas de papel. Sorriu para o policial, que disparou a arma. Antes que o fizesse novamente, Inverno chegou por trás e quebrou-lhe o pescoço.

Os guardas do outro lado começaram a atirar. Estavam fugindo ao controle. Precisavam eliminar aquele bando antes que acabassem todos mortos.

Miguel, mesmo com dois tiros no peito, ergueu um policial pelo pescoço, arrancou a arma e cravou os dentes. Os tiros agora incomodavam menos do que antes. Tinham voltado mais fortes.

César pulou para dentro da *pick-up*. Não queria ser baleado. Ainda não sabia o que aconteceria caso fosse atingido.

Eliana permaneceu escondida no mato que crescia beirando a estrada. Assistia a tudo, sem participar da matança.

Tiago aplicou um chute na virilha de outro policial, fazendo que o mesmo parasse de atirar. Acordador aproximou-se, calado, e girou a cabeça do homem. Mais um policial morto.

O último pereceu nas mãos de Dom Fernando, que sugou-lhe o sangue com velocidade, tornando a pele da vítima tão pálida quanto a de Miguel.

— Todos para o carro. Vamos dar o fora daqui antes que chegue mais gente.

Rapidamente, colocaram os cadáveres dentro das viaturas, acomodaram-se na Cherokee e seguiram viagem.

Eliana não havia provado do sangue. Ainda não lhe apetecia a idéia, mas o maldito cheiro impregnava suas narinas e fazia arder o estômago.

Não demoraria muito e estariam seguros na velha casa em Osasco. O que ia mudar para a mulher é que não poderia descansar no confortável quarto de casal... teria de juntar-se aos demais e repousar no covil, como qualquer outro vampiro.

CAPÍTULO 64

Brites reassistia à invasão ao covil. Câmeras instaladas nos helicópteros e também acopladas à indumentária de alguns soldados permitiam que muitos detalhes fossem resgatados. Identificar vampiros fugitivos era um dos principais objetivos. Sua atenção se voltou especialmente para a figura de dois que corriam para fora do terreno da mansão. Um, trajando vistosa armadura metálica que refletia ao ser atingida pela luz dos helicópteros, carregava o outro, com uma touca cobrindo a cabeça. O de armadura atirou contra as aeronaves. Um grupo de soldados também analisava as gravações. Com programas de computador, identificavam cada um dos vampiros. Eles eram fichados digitalmente, disponíveis para futuras pesquisas. Seriam destruídos. Um a um. No meio deles, um garoto pálido e de corpo franzino destacava-se. Os cabelos eram lisos, quase louros e longos. O rosto reto, de traços fortes, mas os olhos vermelhos causavam calafrios. Assassino dos mais experientes, flagrado em dois momentos atacando soldados. Vinte e dois homens abatidos do mesmo modo: tiro na nuca. Certamente, executados pelo mesmo assassino. O garoto de cabelos longos.

— Imprima o rosto desse vampiro.

Brites cansou-se do vídeo e desceu para o galpão onde as criaturas capturadas continuavam nas jaulas de prata. Trazia o rosto do vampiro impresso numa folha de sulfite. O Sol ainda estava no céu. O entardecer avançava lentamente. Os homens treinavam com armas e ouviam palestras. Alguns sentinelas permaneciam no cativeiro, vigiando atentamente. Ao pôr-do-sol, com o despertar das criaturas, o número de soldados triplicava.

Brites olhou para os vampiros. Olhos cerrados. A maioria de pé, recostada às grades, mãos cruzadas sobre o peito, como se o protegesse de uma possível estacada. Logo daria fim àquele grupo de vampiros. Eles se acumulavam no galpão e começavam a constituir perigo. Apesar das câmeras, dos sentinelas e do quartel fortemente armado, vampiros agrupados eram como um barril de pólvora: assassinos velozes. Entretanto, o Exército aprendera e ainda aprendia a combatê-los. Seriam mantidos até se cumprirem mais algumas experiências. Olhou demoradamente para a fotografia do vampiro de cabelos longos. Caminhou entre as celas, deixando o coturno estalar suave contra o assoalho. Olhava para os vampiros adormecidos. Procurava o assassino. O maldito não fora capturado. Estava à solta. Livre para matar. Matar mais soldados. Matar mais inocentes. Para Brites, a prioridade era capturar o vampiro perigoso. Quando os malditos despertassem, iriam lhe dizer quem era aquele da foto. Iriam dizer onde encontrá-lo. Diriam ou morreriam.

Seis horas e quarenta minutos da tarde. Sol poente. A troca de turno já acontecia. Os novos sentinelas adentravam o galpão e prestavam continência ao superior, o tenente Brites.

— O Sol está descendo, tenente, eles já vão acordar. — disse um soldado, aproximando-se.

Fora os corpos sacrificados à luz do Sol e dos decapitados e queimados pelos lança-chamas, restavam dezoito vampiros. Entre eles, Hélio e Aléxia. Talvez o par mais poderoso. Cada qual, sem conhecer um ao outro, com seu plano de fuga.

Os vampiros abriram os olhos. A primeira coisa que viram foi a fileira de sentinelas armados logo à frente. Alguns grunhiram, franzindo o cenho. A maioria despertava pela primeira vez após a captura. Parte dos novos prisioneiros atirou-se contra as grades, chacoalhando nervosamente as barras de prata. Dois ou três soldados, ainda espantados com a fúria, deram um passo para trás, recebendo de Brites um olhar reprovador. O tenente, de rosto duro e expressão decidida, aproximou-se de um dos vampiros mais revoltados. Sacou a pistola e disparou contra a cabeça da criatura, que tombou inanimada. Retirou do bolso da camisa verde-oliva o sulfite dobrado em quatro e exibiu aos vampiros, observando suas expressões. A maioria sorria. Passou pela fila de garotos e garotas até conseguir o que queria.

— Sétimo! — exclamou um deles.

— Vocês estão fodidos... cambada de alfaces. Sétimo virá nos salvar! — gritou o outro.

Os vampiros explodiram em gritos de aprovação.

— Calados! — gritou Aléxia. — Calem-se...

Brites deu as costas ao bando, voltando com passadas firmes para uma das paredes do galpão. Virou-se de frente para os prisioneiros.

— Bem... começamos bem. Ao menos, um nome eu tenho. Sétimo. Um vampiro chamado Sétimo.

Brites gesticulou para uma dupla de soldados.

Eles engancharam um caibro numa das celas prateadas e arrastaram para o centro do galpão, sobre um quadrado amarelo pintado no chão.

Dentro, um dos recém-capturados na abordagem ao covil.

— Onde eu encontrarei Sétimo? — perguntou Brites, aproximando-se do vampiro.

— Acha que sou dedo-duro, capitão?

— Acho que antes de ser vampiro, você é um brasileiro. Esse Sétimo está disseminando essa doença... propagando essa raça assassina. Não posso permitir.

— Sétimo é nosso líder. É nosso pai. Por que ajudaria a destruí-lo?

— Ajuda ou morre.

— Ah! Ah! Ah! Cê é engraçado, ô capitão! — o vampiro fez os olhos acenderem e os dentes brotarem. — Tira-me dessa cela de prata que te ensino o que é a morte! — gritou, rugindo como um gato eriçado.

Brites afastou-se. Estalou o dedo.

Um estampido. Dois lança-chamas acesos. Os soldados avançaram. Os vampiros sacudiram as celas tentando entortar as barras, mas era impossível. Queriam o sangue de Brites. O sangue daqueles soldados insolentes. Apenas seis vampiros não participavam da agitação: quatro que pertenciam ao grupo remanescente do decapitado Dom Afonso, mais Aléxia e Patrícia, debilitada. Desde sua vampirização, lutava contra aquele estado. Rejeitava ter se tornado uma criatura da noite e evitava o sangue. Nunca sugara um corpo humano quente e a única vez que recebera alimento, fora contra sua vontade. O resultado era sua fraqueza. Assistia àquela cena com esperança de ser a próxima. Ela mesma não tinha coragem de acabar com a vida. Ao tentar queimar-se com a luz do Sol, jogando-se para o dia, perdeu o controle do corpo, tamanho o desespero, voltando a esconder-se nas sombras, chorando horas a fio.

Os jatos de fogo queimaram o vampiro. Ao contrário do Sol, a morte nas chamas era lenta. Os gritos do monstro sugador de sangue tomaram conta do galpão. As outras criaturas, aos poucos, se aquietaram. Carbonizado o corpo, a cela foi arrastada para um canto do galpão.

Brites gesticulou com a cabeça, e a dupla de soldados repetiu o trabalho. Dentro da cela, a criatura empertigou-se. O vampiro também fora capturado na mansão. Mesmo que quisesse, não conseguiria delatar o líder, pois os vampiros mais novos ainda não haviam desenvolvido o poder de sentir. Não poderiam localizar Sétimo, um vampiro que estivesse em contato com o líder. Não o faria. Preferia as chamas a trair Sétimo.

Brites chegou perto do vampiro, um rapaz negro, mas de pele ligeiramente empalidecida. A criatura arremessou-se contra as grades e estendeu o braço, tentando agarrá-lo pelo pescoço. Brites sorriu.

— Não são poderosos quanto pensam, vampiros. Não são indestrutíveis. São mortais.

— Não se mata o que já está morto. — grunhiu a fera.

— Diz isso para aquele churrasco de vampiro ali no canto.

Ele não respondeu.

— Onde encontro Sétimo?

— Cê quer morrer, não é? Mano, cê não tem idéia de quem Sétimo é. Se você topar com ele, morre.

— Não vai dizer onde ele está?

— Ah! Ah! Ah! Prefiro pegar um bronze.

Brites afastou-se e estalou os dedos.

Os soldados com lança-chamas foram para perto da cela, dispararam o fogo e, mais uma vez, o ritual de gritos começou.

Aléxia contraiu as pálpebras. Se tivesse chance, uma chance, iria destruir aquele tenente de meia-tigela. Estava exterminando os soldados de seu amado. Sabia que o cárcere não ia durar muito tempo. Sétimo cairia como um raio sobre o quartel maldito. Acabaria com os soldados e a libertaria. E aos demais também, mas viria, sobretudo, por causa dela. Se conseguisse escapar, seria fácil localizá-lo. Bastaria sentir Paola. Chegando à amiga, chegaria ao vampiro.

Quando os gritos cessaram e a grade foi juntar-se ao primeiro queimado, Brites voltou a estalar o coturno contra o chão, caminhando até o quadrado amarelo. Olhou para a fila. Um haveria de temer a destruição. Um haveria de abrir a boca. O olhar de Brites parou sobre uma garota ajoelhada, com o rosto colado nas grades, chorando. Quando percebeu o tenente, a vampira ergueu um dedo. Parecia debilitada, exausta... o elo fraco que procurava. Brites aproximou-se devagar. Abaixou-se até ficar perto da moça. Ela ergueu a cabeça. Olhos lacrimejantes, avermelhados... sem dentes alongados, pele pálida. Uma vampira.

— Eu te levo... te levo onde Sétimo está.

Brites voltou-se para os soldados:

— Desatrelem a cela.

— Ela está muito fraca! Não vai conseguir! — interferiu outra vampira.

Brites virou-se para as criaturas. A vampira estava no bloco de trás. Loira, cabelo nos ombros, olhos verdes cintilantes. Brites sentiu-se hipnotizado pela sensualidade da mulher. O coração disparou. Cerrou os olhos e concentrou-se. Era linda! Um perigo! Manteve a expressão dura e retomou o controle. Não estava olhando para uma mulher. Estava olhando para uma vampira. Um monstro.

— Eu levo você até Sétimo. Eu posso encontrá-lo.

— O que te difere dela?

— Ela está fraca... e está blefando. Não sabe como encontrar Sétimo. Quer escapar daqui.

Patrícia soluçava. Estava triste e sem forças sequer para rebater os argumentos da vampira. Sabia o que Aléxia estava tramando.

— Por que vou confiar em você?

— Você é quem está procurando Sétimo, não eu. Você está matando todos e quando encontra um que quer levá-lo vai querer destruí-lo também?

— Tenho impressão que não posso confiar em você.

— Estou presa, soldado... o que posso lhe fazer?

— Por que pode encontrar Sétimo e ela não?

— Sou uma vampira mais desenvolvida que esta aí. Posso sentir Sétimo. Posso levá-lo ao vampiro. Tenho esse poder.

— Por que quer entregar Sétimo?

— Porque não quero ser queimada. Sou linda. Sou uma jóia. Não quero minha pele marcada! Não vou me arriscar por causa de Sétimo.

Brites sabia que ela poderia estar falando a verdade, pois parte do mistério que intrigava os militares era como Inverno tinha encontrado os vampiros removidos para Porto Alegre. Só podia ser um dom. O dom de seguir um ao outro mentalmente. Encontrá-los mediante um sentir.

— Desatrelem a cela. Coloquem a vampira loira no helicóptero. Quero decolar em sete minutos.

Brites voltou para a sala de comando. Os soldados técnicos em informática continuavam cadastrando as criaturas capturadas pela câmera filmadora. Tinham cerca de cinqüenta vampiros catalogados. Pelos cálculos, vinte e sete foram destruídos no combate, todos incinerados no local. Outros treze foram expostos ao Sol assim que o astro-rei despontou no horizonte. Do grupo capturado na clareira, os lobisomens, quatro foram destruídos, e dois queimados naquele dia. Ao todo, noventa e seis vampiros. Os malditos estavam se proliferando como lebres! Era preciso, mais do que nunca, localizá-los e destruí-los. Sua proposta de instaurar toque de recolher, *a priori* descartada pelos superiores, teria de ser reavaliada. Urgia colocar a Grande São Paulo em quarentena. Revistar cada canto escuro. Cada buraco abandonado. Bueiros. Tudo que pudesse abrigar a merda de um vampiro. Fogo e prata. Só assim conseguiriam livrar o mundo daquele mal.

— Quero um relatório da última hora.

Seis soldados correram aos telefones. Um conferiu o aparelho de fax. Outro começou a buscar nos sites de notícias da internet. Todo e qualquer indício de atividade vampírica deveria ser investigado.

— Quatro policiais rodoviários foram degolados, senhor.

— Onde?

— Rodovia Piaçagüera, que fica no litoral sul a São Paulo.

— Guarujá é no litoral sul?

— Sim, senhor.

— Busque detalhes, soldado. Mande um pelotão de Operações Especiais para lá. Mande o sargento Tavares. Eu vou sair com tropas para encontrar o tal do vampiro Sétimo. Quero todos os soldados de O.E. disponíveis, fora o pelotão do sargento Tavares, no pátio. Acelerado!

Brites tinha pressa. Principalmente porque sabia que aquele nome, Sétimo, era um dos sete grafados na caixa de prata. Era um dos malditos do rio D'Ouro. Interrogando os vampiros, descobrira que Lobo fora destruído por uma fera alada... alguma coisa lhe dizia que a aparição de Sétimo tinha algo a ver com aquela oportuna limpeza. Sabia que Sétimo era poderoso como os irmãos e que sua captura e destruição ia requerer muito cuidado e fogo pesado.

Aléxia encarava Patrícia quando separaram sua cela prateada. Sorria para a vampira antes de desaparecer de seu raio de visão. A fraca Patrícia não encontraria Sétimo, mas poderia ter a sorte de causar algum prejuízo. Aléxia queria preservar a integridade do amado vampiro. A cela chacoalhou quando foi içada para dentro da aeronave. Ela nunca os levaria a Sétimo. Nunca. Mas teria de dar algo se não quisesse se ver vítima do próprio ardil. Daria a eles um vampiro intrometido. Um vampiro que invadira o covil e desaparecera em companhia de Sétimo, transmutado em fera alada. Daria a eles o vampiro chamado Tiago.

CAPÍTULO 65

Logo após a invasão de seu covil, Sétimo reunira-se com os vampiros sobreviventes. Eram quase cinqüenta, metade do exército. Seus pensamentos eram puro ódio. Os malditos e estúpidos caçadores haviam lhe pregado uma peça. Tobia! Implacável Tobia! Caçador maldito! Desrespeitara-o na frente de seus vampiros. Isso não continuaria assim. Ficara tão surpreso na ocasião que baixara a guarda. Agira por impulso. Tinha duas feridas ainda doloridas causadas pela prata. Iria trespassar a muralha prateada que constituía a armadura de Tobia. Conseguiria. Não fosse a intervenção das tropas do Exército, teria eliminado Tobia no primeiro encontro. Maldito! Precisava se proteger. Descobrir onde estava o atual castelo do caçador. Para combater os militares, teria de fortalecer seu exército, tirar a atenção sobre seu covil. Espalhar o mal vampírico. Causar terror. Descentralizar suas forças. Tornar-se um tormento. Um assassino mais terrível ainda. Ordenou aos vampiros mais experientes que saíssem à noite. Que fizessem mais vampiros, mas que não os trouxessem à proteção do covil. Que os deixassem no seio da família. Que enlouquecessem. Que trouxessem o pânico. Os brasileiros iriam pagar pela afronta!

O Exército, mesmo após o calor da batalha, não encontrou a entrada secreta para os pisos subterrâneos da fortaleza do traficante Danilo. Sétimo podia conversar em paz com os seus, mas os subterrâneos não eram mais seguros. Soldados do Exército circulavam na superfície, em vigilância constante. Talvez a campana durasse dias. Provavelmente, estavam assegurando que a mansão não abrigasse mais vampiros.

Sétimo remoía-se de ódio. Onde estava Tiago? Ele saberia guiá-lo naquela situação! Por que renegara o império que ele estava arregimentando? Pagaria. Pagaria como os demais. Se não estava com ele, estava contra ele. O covarde vampiro desaparecera logo após o confronto que exterminara Dom Afonso. Um pressentimento incomum cortou seu peito. Tiago tramava contra ele. Tiago fugira. Tiago o levara para destruir

Dom Afonso. Desaparecera sem dar uma palavra, uma explicação. Isso cheirava mal.

— Agnaldo!

O general apresentou-se.

— Senhor.

— Agnaldo... saiam essa primeira noite. Tomem cuidado com os soldados. Estão por toda parte. Apanhe uma moto para você. Criem vampiros. Amanhã, me encontrem aqui se conseguirem se aproximar da entrada do esconderijo com segurança. Quero Danilo. Quero armas. Amanhã, vou buscar Aléxia.

— Entendido, senhor.

— Como está Rafael? Quero ele bem. É um vampiro forte.

— Ainda está machucado, mas pronto para lutar.

Quando tiveram essa conversa, ainda estavam no subterrâneo da mansão. Ali ficava o laboratório de refinamento da droga do traficante. Estava desativado; os técnicos estavam de férias havia uma semana. Os cômodos eram de concreto liso. Sem poeira. Bem iluminados. No entanto, os vampiros não usavam luz. Andavam no escuro, com os olhos acesos. Sétimo apanhou uma camiseta preta e colocou sobre o tórax magro, de músculos bem delineados. Por cima, jaqueta preta, com um crucifixo vermelho nas costas. O crucifixo era igual ao de Paola, com as pontas terminadas em linhas retas agudas, uma cruz sugerindo quatro pontas afiadas. Sétimo pedira que a mulher encomendasse uma dúzia. Após o ataque, distribuiu aos seus melhores homens. Ordenara que os demais procurassem jaquetas iguais. Seria uma espécie de identificação. Um sinal. Um clã maldito. Agora que os vampiros se espalhariam pela cidade, a jaqueta negra com o crucifixo indicava que ali ia um seguidor, um membro direto da gangue do vampiro Sétimo.

Sétimo viu quando os vampiros deixaram o esconderijo, entrando para o corredor estreito que terminava cerca de trezentos metros além dos muros. Longe dos olhares dos soldados. Longe dos holofotes. Levaram quatro motocicletas esportivas, com ordem para acionar somente dois quilômetros dali. Duas ficaram na toca, mas ele e Paola usariam uma só. Sétimo encheu uma bolsa de lona com dinheiro, e Paola colocou armas em outra. Ele buscaria uma toca segura para a linda morena vampirizada. Sua fiel parceira. Sua vampira adorada. Quando o Sol raiasse, sairia às ruas. Encontraria o esconderijo onde mantinham Aléxia em cativeiro. Estudaria a casa do inimigo e, durante a noite, reforçado por seu exército noturno, recuperaria seu outro amor. Sua outra parte. A vampira de olhos verdes e de corpo enfeitiçado.

Sol a pino. Como planejado, após deixar Paola em uma toca segura e dar descanso ao próprio corpo, Sétimo saiu. Pensava retornar ao casarão, mas não achou prudente. Já havia sofrido um ataque; ja era conhecido dos caçadores. Porém, evitando o antigo covil não imaginava estar ajudando o grupo de Tiago, que naquele momento lá se entocava na companhia dos vampiros enviados para ajudar a destruí-lo.

Sétimo deixara Paola num conjunto residencial abandonado próximo a um rio fedorento de tão poluído. De uma das janelas, via o centro de Osasco e um complexo de viadutos. O prédio escolhido foi batido cômodo a cômodo, e o vampiro só sossegou quando constatou que estava completamente deserto, provando ser seguro o suficiente para uma hibernada.

Pouco antes do meio-dia, a rua fervilhava de humanos alheios ao mau vampiro. Sétimo deixou a toca provisória pelas escadarias, saltou do terreno e tirou os papelões que protegiam a moto. Pegou a chave no bolso e enfiou na ignição. Suspirou fundo, concentrando-se nos olhos verde-esmeralda da amada Aléxia. Montou e disparou pela avenida. Subiu em alta velocidade um viaduto, cruzando por cima da linha do trem, e ganhou a avenida Maria Campos. Passou pela frente do Rhapsody, dobrou à direita e chegou ao viaduto metálico, cartão-postal da cidade, subindo para a avenida dos Autonomistas. O cutucar estava quase na testa. Acelerou. O sinal fechou. Sétimo pousou o coturno no asfalto. Os olhos estavam negros como piche para proteger o vampiro do incômodo da luz solar. Um grupo de garotas com uniformes do Vicente Peixoto passou pela faixa de pedestres. Sétimo, que não portava capacete, exibindo os cabelos longos e lisos e o rosto atraente, sorriu para as garotas, que retribuíram com risinhos e olhadelas. O sinal abriu. Voltou à feição sisuda, acelerou a máquina e imprimiu velocidade para cruzar a avenida. Orientava-se pelo cutucar. Estava no caminho certo. Desceu a avenida, passando em frente a uma praça com várias bandeiras hasteadas, tremulando ao vento. No mastro mais alto, encontrava-se, naturalmente, a brasileira. Sétimo continuou. Em dois minutos, chegou ao ponto onde o cutucar mudava de direção. Contornou no semáforo seguinte e estacionou na calçada. Soldados. Do outro lado da avenida também. Os inimigos não lhe davam bola; era só mais um moleque parado nas redondezas. Percebeu que inúmeros garotos se concentravam num portão ali perto. Vira na televisão. Talvez a aglomeração fosse produto do serviço militar obrigatório. Só podia. Ele tinha aparência de adolescente: não desconfiariam dele parado na avenida dos Autonomistas. Notou que do outro lado era a entrada de uma fortificação, o castelo do inimigo. Um quartel. Cutucar na testa. Era ali que ousavam manter Aléxia presa. Vários caminhões carregados de soldados entravam e saíam. Jipes. Homens fardados. Tropas a pé na rua. Estavam alertas. Sétimo cuspiu com ódio. Acionou o motor e disparou, retornando à toca provisória. Precisava cuidar de Paola. Não sabia como viveria se perdesse a outra mulher. Era bom mesmo que os soldados estivessem de sobreaviso. Poderiam se proteger como fosse, mas naquela noite não escapariam de um ataque. Sétimo os pegaria de surpresa. Nunca imaginariam que ele tivesse a coragem de entrar no quartel para resgatar seus homens e sua adorada Aléxia.

A noite demorou a chegar. Mal Paola abriu os olhos, foi agarrada pelo punho por Sétimo.

— Vamos.

— Onde?

— Encontrar Agnaldo. Pedi que ele arranjasse as coisas. Vou buscar Aléxia.

CAPÍTULO 66

Tobia atou com um nó o sobretudo marrom. Era reserva. Mais curto que o primeiro, abandonado na invasão ao covil. Olhou para Dimitri. Haviam descansado apenas na parte da manhã. Dimitri não queria saber de convalescença. Precisavam aproveitar o bom momento. Discorreram sobre o tema horas a fio. Deviam se valer da desorganização dos vampiros, enfraquecidos. Tinham visto o líder fraquejar frente a Tobia. Era a hora certa da imposição. Surpresa era sempre um bom soldado, uma vantagem indiscutível na arte da guerra. Não podiam esperar um mísero par de costelas quebradas fixar novamente. Não podiam se dar a esse luxo. Depois que eliminassem os mais fortes, quem sabe, Dimitri tiraria alguns dias de descanso. Durante o dia, Matador mantivera contato com aquele que chamava de chefe e que tinha o nome mais estranho que já vira num homem: Sofia. Se era o chefe do submundo osasquense, como poderia ter um nome daqueles? Sofia! Meia hora depois, chegou o médico e a enfermeira. Fizeram curativos e enfaixaram firme o tórax de Dimitri, o matador de Sofia. O médico descartou pneumotórax, que poderia matar. Recomendou que Dimitri ficasse de repouso por um mês. As costelas fraturadas estavam soltas. Repouso era o remédio. Preencheu uma guia para ele fazer uma ressonância eletromagnética o mais rápido possível. O pulmão estava em ordem, mas outros órgãos poderiam ter sofrido com a agressão.

— Que foi isso, Dimitri? Nunca te vi de surra tomada. Já tirei bala do braço. Fratura de dedo. Pontos de mordida de cachorro... mas nunca te vi apanhar. Tá ficando velho?

— Foram vampiros, doutor. Vampiros.

O médico riu gostoso.

— Vampiros! Tá de sacanagem! Tá ficando velho mesmo. Velho e gagá. Eu é que tenho cabelos brancos e é você quem caduca?

— Estou falando sério, doutor. E te dou um conselho. Em Osasco, durante a noite, não saia de casa neste mês e no outro. Deixe tudo trancado e quietinho. Se achar um filho da puta desses querendo entrar... passa fogo! Ainda tem aquela P.T. que te dei?

O médico aquiesceu. Sorria.

— Vou te passar o telefone de um amigo meu. Cê tá trabalhando demais — disse o médico sério. — te ligo mais tarde. Fica com Deus, filho.

Dimitri abriu a porta do luxuoso apartamento de Tobia para que o médico e a enfermeira saíssem. Não esperou o elevador chegar, fechando a porta e abandonando a dupla no hall escuro.

— Aposto que é um psiquiatra. — resmungou Tobia, de um canto, limpando a pistola.

— Psiquiatra?

— É. O tal amigo que ele vai te dar o telefone.

— Puff...

— Quem manda tagarelar? Agora agüenta. Psiquiatra...

— Médico filho da puta. Acha que eu tô louco? A gente tem que enfrentar uma pá de neguinho com dente pontudo... pra ser chamado de louco?!

— Médico filho da puta.

Dimitri vestiu uma blusa de lã preta justa. Até que tinha o corpo muito bem feito para um homem que passava dos quarenta.

Passaram a tarde aprontando as armas. Dimitri deu uma única saída para comprar, no Top Center, na avenida Paulista, um casaco que fosse de seu agrado. De couro, pesado, com bolsos internos. Era caro, mas era seu material de trabalho. Não se importava de gastar quando se tratava de trabalho.

À noite, foram ao subsolo e apanharam as motocicletas esportivas. Precisavam de veículos mais dinâmicos, com os quais empreendessem fuga rápida. Ainda mais se o Exército pintasse na parada novamente. Desgraçados. Haviam atirado contra eles. Sorte que Dimitri estava com um colete à prova de balas. A bala do soldado quase transfixara a proteção. Talvez fosse a mancha negra nas costas que preocupasse tanto o doutor. Um calombo composto de sangue estagnado e pele macerada. Doloridíssimo. No colete, o projétil. Sorte que o Exército também estava estudando a matéria. Balas de prata. Poderia ajudar na eliminação das criaturas satânicas. Quem sabe, um dia, até unissem forças, pensava Tobia. Dimitri achava impossível. Ele era um fora-da-lei. Jamais se juntaria ao Exército. Era como água e óleo. Não se misturavam. Outras forças até cediam ao dinheiro, mas não o honrado Exército brasileiro. Era osso duro de roer.

Ligaram o localizador. Tobia lembrou-se do emissor de sinal plantado pelo parceiro no Landau negro. Dimitri sorriu e acenou para o caçador: o emissor estava funcionando. Com o auxílio de um G.P.S. logo chegariam ao veículo-vampiro. Subiram a alameda Joaquim Eugênio de Lima lentamente, com as motos roncando impositivas, sob o olhar dos transeuntes. Uma atmosfera enigmática parecia transbordar daqueles dois. Do interior do capacete do homem de sobretudo marrom, surgia uma corrente prateada que terminava em enorme crucifixo da mesma cor. O semáforo abriu, e as motos ganharam a avenida Paulista. Eram quase nove horas da noite. As calçadas forradas de gente. A noite começando para os que buscavam diversão naquela sexta-feira. A noite começando para os que iam ao encontro da morte. O coração de Tobia pulsava rápido, já sentindo o efeito da adrenalina ao rememorar o marcante combate da noite anterior. Inesquecível. Aquilo fortalecia os dois. Tinham penetrado o covil de Sétimo, o vampiro mais perigoso, e tinham escapado com vida, embora emocionalmente afetados. Tobia sentia a coragem sucumbir ao terror sempre que se lembrava do apuro. Mas depois vinham as recordações daquele momento, como se tivesse tido o corpo possuído, enfrentando as criaturas apenas com sua espada. Havia destruído muitos deles. A decapitação com lâmina de prata, segundo o livro dos Tobias, era o método mais eficiente de eliminar um vampiro. Prático, limpo e rápido. O correto era carregar as cabeças e jogá-las em água salgada, mas não houvera tempo. Nem os vampiros tiveram chance de apanhá-las e costurá-las nos corpos dos parceiros. Somente assim, e com muita sorte, o vampiro sobreviveria. Mesmo assim, a vida não estava garantida, e a recuperação poderia levar anos! Graças ao poder mágico da prata!

Embicaram na avenida Rebouças, passando pelos fundos do Hospital das Clínicas. Um bip. O localizador dava uma pista! Os vampiros estavam no *range*. Dimitri reduziu a velocidade para examinar o aparelho. Ao que parecia, os vampiros vinham ao encontro deles. Coincidência? Talvez. Desceram mais devagar, tentando precisar o trajeto das criaturas. Entravam numa rua perpendicular à avenida Rebouças; não vinham atrás dos caçadores. Seriam pegos de surpresa. Os dois entraram na avenida Faria Lima para contornar em frente ao prédio da CardSystem.

— Acho que eles estão no Eldorado! — gritou Dimitri, acelerando e disparando.

Tobia acelerou para seguir Matador. Era hora de ação.

CAPÍTULO 67

Lusco-fusco. Tiago foi o primeiro vampiro a despertar. Estava no porão, nos fundos do sobrado.

César havia removido a barricada da porta e deixado o cômodo. Tiago deu um passo, desencostando-se da parede. Simultaneamente, os vampiros acordaram e o encararam, inclusive Eliana.

— Vamos para a batalha.

— Precisamos nos alimentar, Tiago. — retrucou Baptista.

— Precisamos de sangue. — emendou Fernando.

— Tem razão. Tem razão. O sangue dos policiais não foi suficiente para restabelecer nossa força. Precisaremos de todo o poder vampírico que conseguirmos.

— Temos nossos dons. Será mais que suficiente. — disse Miguel.

— Assim espero, Gentil. Aquele vampiro não é nada fácil.

— Sétimo já era. — sentenciou Inverno. — Quero tomar-lhe o sangue, quebrar-lhe os ossos. Vou congelá-lo.

— Não dá para congelar vampiros. Resistimos. — murmurou Manuel, com sua característica voz baixa.

— Estou mais forte.

— Por que não acabamos com isso logo? Gentil usa seu poder. Paramos o tempo e destruímos Sétimo sem que ele nos veja.

— É? De que valerá toda nossa força? Assim é muito fácil. — reclamou Inverno. — Eu quero luta, quero arrebentar todos aqueles soldados. Se ele tem um exército, nós temos o nosso. Se paramos o tempo, é covardia. Ele tem que ver com os próprios olhos que quem está destruindo suas crias, quem está afastando seus sonhos, somos nós, os vampiros do D'Ouro.

— Covardia? Discordo, gajo. Isso é esperteza. Gentil pára o tempo. Nós vamos lá e cortamos a cabeça de Sétimo. Esperteza. Não precisamos nos afligir. Se queres brincar, brincamos com os restantes, mas não podemos brincar com Sétimo.

— Devemos usar meu poder na hora certa. Como sabem, ele é limitado: uma única vez até que cada ciclo da lua se complete. Uma única vez. Precisa ser na hora certa. — disse Miguel.

— E será. — sentenciou Tiago. — Vamos usar nossos poderes primeiro. Caso não bastem, que seja dessa forma. Que seja covarde, mas que seja. Ele não poderá nos vencer.

— O diabo te presenteou com nossa companhia e servidão, ó pá, mas isso não te dá o direito de sentir-te um de nós. — protestou Inverno.

Um silêncio estranho tomou conta do covil.

— Que quer dizer, Inverno?

— Não és um vampiro da nossa estirpe. Não nasceste no rio D'Ouro. És um reles novato. Nós vamos liquidar Sétimo e não será graças a ti. Não gosto de ti. Por tua causa, fui destruído e não mais andarei por esta terra após a destruição do vampiro.

— Não sou da tua estirpe? Dou graças!

Os olhos de Inverno acenderam-se.

Imediatamente, os dos demais também. Os dentes brotaram, mas logo postaram-se ao lado de Tiago, encarando o vampiro que congelava o ar.

— Insolente. Sou obediente e não posso te atacar porque estou enfeitiçado. Se eu mover um passo à frente para esmigalhar tua traquéia entre meus dedos, viro pó no mesmo instante. Não fosse isso, faria engolir essas graças. — resmungou o vampiro, apagando os olhos.

— Se não me engano, eu fui um dos poucos que quebrou tua cara, vampiro... ainda como ser humano. E para te refrescar a memória, lembrarei que mordi teu pescoço e tomei do teu sangue. Sou tão bravo quanto tu se diz ser.

Inverno franziu o cenho, grunhindo, imóvel.

— Pra que tanta amolação, ó gajo? — quis saber Baptista.

— Serei um vampiro guerreiro ao lado de Tiago, mas não preciso gostar dele. Nem permitirei que ele queira ser um de nós.

— Ora, pois! Mas ele não é um vampiro também!?!

— Mas disse algo que não me agradou.

— O que foi? — perguntou Acordador.

— Disse: vamos usar nossos poderes primeiro! Quem é ele para ter poder? Que poder tem o novato?!

— Além do poder sobre vocês cinco? Isso já seria o bastante, mas tenho meu dom também.

Os vampiros se voltaram para Tiago, afastando um passo. Olhavam seu corpo de cima baixo, tentando adivinhar.

— Quando tive o sonho com o homem solitário na relva, quando ele me disse que traria vocês, disse que me daria um dom também. Demorei para descobrir qual era, mas tomei ciência em meu último combate.

— Bá, mas que dom é esse? — quis saber Eliana.

— É, homem! Diz! Que dom ganhaste? — perguntou Dom Fernando, animado e curioso.

Gentil também pediu a revelação, ajudado por Baptista.

— Diz, gajo! Diz qual é.

— Primeiro vou mostrar outra coisa.

Tiago foi para o meio do quarto e baixou a cabeça.

Uma névoa fria começou a entrar pela porta. Frio sobrenatural.

— Inverno! Pare! Não esfrie o ar. Vai quebrar a concentração do novato! — reclamou Baptista.

— Não fiz nada, gajo. É ele.

Tiago levantou a cabeça e ergueu a mão. Uma crosta fina de gelo cobria seus dedos.

Eliana levou a mão à boca, espantada.

Inverno voltou a acender os olhos.

— Roubaste meu dom.

— Consigo esfriar o ar, mas não tanto quanto você. Mas esse ainda não é o dom com o qual fui presenteado.

— Qual é, então?

— Inverno, tu que está tão furioso, ordeno que venha e me ataque. Me mate.

Inverno não precisou ouvir segunda ordem. Era como se grilhões invisíveis fossem desatados. Voou para cima de Tiago que, apesar de ter mandado, foi pego de surpresa. Inverno era o vampiro mais forte do grupo. Tiago acendeu os olhos. Sentiu os músculos mais rijos, duros como rocha. Havia se dado conta de que, de fato, fora agraciado com um dom. O diabo não tinha mentido. Não percebera porque era um poder sutil. Estava tão confiante que não se apavorou quando Inverno o arremessou contra a parede. O espaço era pouco para a luta, mas ótimo para que todos percebessem. Guilherme fechou as mãos no pescoço de Tiago. Iria trucidá-lo. O novato, contudo, não demonstrava medo. Deixou Inverno acreditar que estava preso, sem escapatória. Faria com ele o que havia feito contra o vampiro Rafael, como fizera no confronto contra os lobos de Dom Afonso: o lobo fechara a boca sobre seu braço, e Tiago acreditava que teria o membro amputado. Porém, fora justamente em momentos de pressão como aquele que o poder o salvara milagrosamente. Só depois de muito repassar aqueles momentos em sua cabeça, o dom lhe fora revelado. O lobisomem Hélio fechara a boca, certeiro, mas não levara seu braço. Concentrou-se. Evocou seu dom. Agarrou-se aos punhos firmes de Inverno, que o erguia pelo pescoço e batia sua cabeça contra o teto. Os vampiros não intervinham. Tirou sua garganta das mãos de Inverno, que mantinha os dedos fechados com firmeza. Com rapidez vampírica, abaixou-se e socou o abdomem do adversário que, surpreso, recuou dois passos, descomposto, sem entender como Tiago havia esvaído pelas mãos, como se fosse água. Não tinha aliviado em nada a pressão contra a garganta do rapaz, mas ele havia escapado. Tiago virou-se de costas, girou a cabeça, estalando o pescoço e provocando o vampiro. Inverno voou e aplicou-o uma gravata, prendendo a cabeça do rapaz no seu braço. Tiago impulsionou o corpo para frente e, sem que Inverno afrouxasse o golpe, o rapaz se fez livre. Tiago virou com agilidade e aplicou um soco no peito de Inverno, que foi contra a parede. Estacou na frente de Inverno: deixaria que todos entendessem o que se passava. Colocou as mãos na cintura e encarou o vampiro, com as pernas separadas, olhos nos olhos. Guilherme grunhiu. Os olhos acenderam-se. Queimava em ódio. Voou certeiro para cima de Tiago, mas quando alcançou o objetivo, viu seu corpo mergulhar no vulto do inimigo e bater desequilibrado na parede oposta. Sentou-se, virando para encarar Tiago, que também já mudara de posição para ficar de frente. O vampiro caído passou as costas das mãos na boca, limpando a saliva.

— Fantasma... — murmurou incrédulo.

Tiago abriu um sorriso e estendeu a mão. O vampiro rejeitou, colocando-se de pé num salto.

— Pare, Inverno. — ordenou Tiago. — A demonstração foi suficiente.

Os olhos de Guilherme apagaram-se.

Os vampiros estavam boquiabertos. Tinham um novo irmão! Alguém dotado de poder concedido pelo mesmo que os presenteara no passado. Mais uma vez, o poder conspirava contra Sétimo, pois fora auferido para destruí-lo.

— Consigo fazer meu corpo passar através da matéria. Através de meus adversários.

— Fantasma. — resmungou Inverno.

— É... é como um fantasma.

Eliana saiu. Queria falar com César, queria ver o amigo, contar-lhe a novidade. Estava na varanda, cabisbaixo.

— César.

— Eli. Todos acordaram?

— Rum-rum.

— O que esperam? Vamos logo. Quero encontrar vampiros. Quero destruí-los.

Eliana olhou para César. O amigo estava estranho. Estava morto. Morto-vivo.

— Não sei quanto tempo continuarei aqui. Não sei quanto tempo dura esse feitiço. Quero acabar logo com tudo. De preferência, com vampiros-lobo.

Eliana aproximou-se e afagou a cabeça fria de César, como o resto de seu corpo de pele acinzentada.

Tiago apareceu.

— Vamos. Vamos atrás de Sétimo. Desta noite, o vampiro não passa.

Logo, o grupo de sete vampiros mais um zumbi subia a rua larga que dava na avenida principal do Novo Osasco. Tiago abdicara à Grand Cherokee. Era roubado. Um problema a mais. Iriam de ônibus. Transporte público. Não chamariam a atenção dos adversários no meio da multidão. Teriam tempo para conversar, para se preparar para o combate. Poderiam ser aquelas as horas derradeiras do grupo.

Ao chegar ao fim da subida, tomaram a esquerda. Apesar de não ser tão tarde e as ruas estarem cheias de gente, nenhum ônibus passava.

Tiago percebeu uma viatura de polícia vindo lentamente. Problemas. Todos de negro, pareciam uma gangue. Afastaram-se a passos lentos, evitando contato visual com os policiais. Após cerca de vinte minutos, chegaram a um ponto onde a avenida se encontrava com outra. Avenida Internacional. Desciam. Estavam em frente a um muro de colégio quando um ônibus apontou.

— Vamos. — disse Tiago, fazendo sinal para o coletivo.

Linha 001. Destino: Vila Yara.

Subiram. Não teve uma pessoa que não levantasse os olhos na direção do grupo. Comentários. Risadas no fundo.

Inverno fechou a cara, enfezado. Cabelos longos. Peito largo, pálido, passou altivo pelo corredor, estalando o coturno no piso metálico.

Os humanos estranharam. Que grupo macabro! Todos de aparência soturna, pele branca, calados, sérios. Pareciam defuntos ambulantes!

Tiago fez o pagamento. Abraçou Eliana, entregando-se ao balançar do coletivo. Encostou o nariz nos cachos aloirados da mulher. Ela estava fraca. Precisava de sangue. Não sabia se ela concordaria, mas se queria participar daquele confronto, se queria partilhar da eternidade vampírica, teria de tomar sangue humano. Teria de fortificar-se.

Eliana retribuiu o afago. Ergueu os lábios e beijou suavemente Tiago. Abraçou-o forte. Estava ansiosa. Estava com medo. Não sabia o que aconteceria naquela noite. Não sabia se estaria viva no dia seguinte. Só sabia que queria acompanhar Tiago. Queria estar com ele, fosse o que fosse, pois devia a ele sua vida.

Tiago concentrou-se em Sétimo. Um cutucar disparou na testa, na parte direita. Sentia que iam em direção ao objetivo. Aquele ônibus certamente os colocaria mais próximos de Sétimo. Se tivesse um coração humano, tinha certeza de que estaria disparado. Apesar de não externar, estava cada vez mais ansioso, mais preocupado com o desfecho daquele encontro. Sabia que, mesmo liquidando Sétimo, o trabalho não estaria terminado. O maldito, sem dúvida, havia ampliado seu exército, e seus soldados não deixariam barato o fim do mestre. Nunca mais teria a vida pacata que abandonara no Rio Grande do Sul. Nunca mais seria o velho Tiago.

CAPÍTULO 68

A viatura de polícia encostou logo atrás do microônibus. Um frentista relatava uma cena suspeita. Oito pessoas vestidas de preto tinham descido do coletivo, mas o veículo permanecia parado, com as portas fechadas, estacionado junto ao canteiro central da alameda. O frentista não tivera coragem de abordar o veículo, mas sabia que tinha coisa estranha ali. O microônibus, como todos os outros, deveria circular na avenida Vital Brasil. Nenhuma linha da empresa passava por aquela alameda. A rua, perpendicular à Vital Brasil, era escura e de pouca movimentação. Na esquina com a avenida ficava, de um lado, uma churrascaria; do outro, o tal posto de gasolina. No meio da alameda, canteiros arborizados. Escuro. Estavam próximos à entrada do Instituto Butantan. O frentista vira bem as pessoas. Sete homens, uma mulher. Todos muito pálidos. Bastante esquisitos. Então, reparara que o microônibus estava abandonado. Não eram os donos do ônibus; o veículo pertencia a uma viação de Osasco. Poderia ser roubado! Naquele instante, acionou a polícia.

Os militares tinham verificado na Himalaia. Nenhum veículo desaparecido. Nenhum roubo. Tudo em paz. Entretanto, nenhum microônibus deveria estar parado fora da rota, muito menos abandonado. Os policiais foram acionados para abordar o veículo e verificar a ocorrência. A viatura, um Land Rover Defender, permaneceu com o giroflex ligado quando os policiais desceram, cautelosos. As luzes giratórias banhavam a lataria do ônibus. Silêncio. Quatro policiais. Um chegou na porta de embarque e desembarque e forçou. Ela não cedeu. Apontou a lanterna para o vidro. Estava embaçado, nada pôde ver. Estranho. Um policial lançou luz no painel do itinerário. O ônibus ia para o Itaim. Um terceiro, vendo que o amigo não conseguira abrir a porta, forçou uma janelinha corrediça no lado do motorista e colocou a mão para o lado de dentro. Alcançou o botão que abria a porta e ouviu o ar comprimido escapar dos pneumáticos. Os policiais sentiram um frio avassalador penetrar na pele.

— Virgem santa! — exclamou um.

A nuvem de vapor escapou do coletivo, embaçando a visão. Lanterna em punho, subiu no ônibus. A névoa foi se desfazendo. Tinha gente. Gente e gelo. Uma pessoa aqui, outra ali. Frio em todo lugar. Algo macabro ocorrera, sem dúvida. Tinha certeza. Tinha certeza de que atendia a ocorrência mais estranha de sua vida. Talvez pelo gelo, talvez porque todos estavam mortos.

Mãe e filho atravessavam a passarela em frente ao Shopping Eldorado. O filho, de treze anos, ia na frente, ajudando a mãe cega.

— Rafa, cê trouxe blusa?

— Trouxe, mãe.

— Dá pra mim. Tá esfriando muito.

— Tá mesmo, mãe, mas espera a gente chegar do outro lado, tá? Assim, a gente sai logo desse vento.

O vento aumentou, chegando a fazer barulho.

— Falta muito, Rafa?

— Falta não, mãe. Mas anda logo. Que vento da peste!

— Ai, que frio!

O menino puxou a mãe e começou a descer a passarela após ter cruzado sobre a Rebouças.

— Corre, mãe! Vamos entrar no shopping! Tá frio pra danar!

— Frio do inferno. Começou de repente. Dá-me a malha, menino. — reclamou a mulher.

Naquele instante, Rafa começou a bater o queixo, tremendo. Puxou a mãe para os portões do shopping; mais quinze metros estariam protegidos. Lá dentro procuraria a blusa da mulher. O menino estava assustado. Outras pessoas corriam para dentro do shopping fugindo do vento congelante.

O policial chegou ao último banco. Mais um cadáver. Uma mulher com a boca aberta e os olhos embaçados. Uma camada fina de gelo recobria todo o corpo. Um ferimento no pescoço e uma mancha de sangue na pele.

Jorge benzeu-se. Virou e saiu.

— Jorge! Vem aqui! Você tem que ver isso aqui fora! — gritou um dos parceiros.

O policial balbuciou para si mesmo: vocês precisam é ver isso aqui dentro...

Sufocado, correu para a rua. Outra surpresa. A pele arrepiou-se com o frio súbito. Parecia mais frio fora da geladeira sepulcral do que dentro. E que merda era aquilo caindo do céu?

— Neve? — perguntou em voz alta, espantado, olhando para os flocos, que desciam arredios contra a luz do poste.

— Mãe, eu queria que a senhora pudesse ver isso! — exclamou o menino.

A mulher, mais aquecida, colocava a blusa rapidamente.

— Ver o quê, Rafinha?

Nos intervalos do abrir e fechar automático da porta, o garoto entrevia os flocos brancos flutuantes, descendo ora lentamente ora revoando agitados pelo vento forte e repentino.

— Acho que é neve, mãe. Acho que é neve.

— Menino doido. Mas também, com esse frio dos infernos... não duvido nada...

✠ ✠ ✠ ✠ ✠ ✠

Eliana limpou o sangue que escorria do canto da boca com as costas da mão. O queimar intenso no estômago desaparecera. O zumbido na cabeça sumira. Estava alimentada. Não se sentia bem. Não queria aquilo. Mas era o jogo, e ela estava ali para jogar. Não podia ser meio-vampira.

Minutos atrás, Tiago dissera que se aproximavam de Sétimo. Que a briga era iminente.

Inverno fora o que mais ingerira sangue. Trazia os olhos acesos e um sorriso no rosto. Tinha se fartado de líquido humano e estava completamente recarregado. Sua força estava maior do que nunca. Explodindo. Deixou seu frio sobrenatural fluir. Sétimo encontraria um adversário como nenhum outro. Guilherme sentia-se tão poderoso que achava-se capaz de enfrentar Sétimo sem o reforço dos irmãos. Extravasou seus poderes de congelar. Era hora de dar a São Paulo o seu sobrenatural cartão de visita.

Tiago notou o frio mágico emanando do vampiro. Atravessavam a ponte sobre o rio Pinheiros para chegar à avenida Rebouças. Sentia que Sétimo estava adiante. Muito perto, pois o cutucar movia-se de um lado para o outro com rapidez. Estava no Shopping Eldorado! Só podia ser. Não se incomodou com o frio. Que Sétimo tivesse uma chance de ser avisado.

César vinha calado. Trazia a doze com balas de prata embaixo do sobretudo. Levaria quantos vampiros fosse possível para o inferno antes de retornar para sua cova. Sabia que a prorrogação providenciada por Manuel não haveria de ser duradoura. Sua mente permanecia ocupada por esse desejo de vingança contra os vampiros, sem sobrar vontade para mais nada. Não pensava na morte, não pensava no amanhã. Pensava em matar vampiros.

Os oito cruzaram a ponte sobre o rio Pinheiros. Antes que atingissem a Rebouças, flocos de neve começavam a cair do céu.

CAPÍTULO 69

Dimitri e Tobia desceram das motos e estacionaram a alguns metros do Landau negro. Viram dois vampiros deixando o veículo enquanto um ficava dentro, vigiando. Vestiam jaquetas negras, com um crucifixo rubro nas costas. Pareciam uniformizados.

Dimitri sacou um cilindro metálico do sobretudo. Era pequeno, com uma agulha na ponta. Retirou o plástico protetor da agulha e, com Tobia, avançou para o Landau. O vampiro, presunçoso e confiante demais, não se importou com a aproximação dos humanos. Grande erro. Em segundos, tinha uma agulha no pescoço injetando, graças à força do gás comprimido, extrato de alho no corpo. O vampiro gritou. Seus olhos tornaram-se vermelhos. Quando abriu a porta e colocou um pé para fora, Dimitri desferiu-lhe um soco no rosto. A fera, debilitada, caiu. De dentro do sobretudo, Dimitri retirou uma espada curta, com lâmina de prata, e, agilmente, separou a cabeça do vampiro do resto do corpo. Sinalizou para Tobia. Tinham que entrar no shopping e procurar rápido. Com sorte, voltariam a se deparar com Sétimo. Não podiam perder tempo. Usariam outras injeções de alho. Estavam aprovadas no teste. Tinham que tomar muito cuidado com as câmeras de circuito fechado e com os seguranças. Caso notassem os exóticos apetrechos, certamente causariam problema.

Entraram pelo subsolo. Shopping cheio. Uma droga. Não pretendiam ver inocentes feridos. Tobia estava especialmente preocupado. Se quisesse permanecer incógnito, teria de abdicar das lanças que atarraxava na armadura, e seria mais fácil de ser agarrado. Se colocasse as lanças, teria de tirar o sobretudo e expor totalmente a armadura. Seria um alvoroço. Sobre o couro do casaco vinham, além de duas armas de fogo curtas e algumas granadas, a espada de prata. Se Sétimo surgisse na sua frente, ficaria sem cabeça.

Apanharam a escada rolante para subir ao térreo, saindo em frente a um parque temático. Mônica e Cebolinha estavam representados por bonecos gigantes suspensos no ar. Era a primeira vez que Dimitri passava por aquela parte do shopping.

— Acho que vi algo. — disse Tobia, puxando Matador.

Atravessaram a frente de um supermercado, atingindo o *hall* de entrada principal. Crianças divertiam-se em uma Playland. Gritaria dos que passeavam numa pequena montanha-russa.

— Lá! — gritou Dimitri, apontando o dedo para cima.

Tobia viu dois homens de costas através de um vidro grosso. Subiam pelo elevador panorâmico. Não viam o rosto dos vampiros para constatar sua clássica palidez, mas as jaquetas de couro com a cruz eram inconfundíveis. Vampiros!

Esperaram o elevador parar. Terceiro piso. Subiram apressados pelas escadas rolantes. No primeiro andar, entraram no elevador panorâmico oposto, chegando onde estavam os vampiros. Saíram atentos. Dimitri, com a touca cobrindo a cabeça de cabelo curtíssimo. Passos seguros. Olhos espertos. As pessoas passavam por eles e muitas voltavam o rosto para observá-los. Dois homens grandes. Sobretudo. Um com peças de prata aparecendo na canela. Eram suspeitos. Um ou outro segurança já tinha botado os olhos nos dois, mas o que poderiam afirmar? Nada. Eram só clientes estranhos iguais aos que os olhos cruzavam às dezenas todos os dias. Não podiam abordá-los alegando que eram estranhos.

Foi Tobia quem descobriu os vampiros graças às jaquetas e à cruz. Avançaram rápido.

Dimitri observou-os. Pôs a mão no peito de Tobia, fazendo-o diminuir a velocidade.

— Calma. Vamos segui-los com calma. Acho que nos levarão a Sétimo ou a algo importante.

— Como sabe? E se perdermos os caras de vista...

— Veja. Eles não estão passeando. Estão indo. Indo encontrar alguém ou alguma coisa. Não olham para os lados, não se distraem com nada. Andam rápido. Subiram direto para cá. Só vem direto para cá quem tem fome ou quer ir ao cinema. Eles estão andando reto, sem parar. Sabem onde querem chegar.

— Espero que encontrem o que querem e comecem a sair. Prefiro atirar no estacionamento. Aqui tem muita gente... muita gente inocente. Se nós não tomarmos cuidado, eles vão revidar como quiserem. Podem pôr todo mundo em perigo.

— Umm.

Deixaram a distância aumentar entre eles. Observavam os vampiros. A dupla de jaquetas chegou à praça de alimentação.

Sétimo, acompanhado por Agnaldo, viu Rafael se aproximar com Danilo. Rafael ainda tinha o rosto bastante machucado devido ao último encontro com Tiago.

— Demoraram. Disse que os queria aqui o mais rápido possível. — repreendeu o vampiro.

— Trânsito, Sétimo. Trânsito. Ainda bem que agora sou eterno... assim, não me preocupo com o tempo perdido nesse trânsito infernal de São Paulo.

— Falei para ele vir por Carapicuíba. A Castelo engarrafada... não pago aquele assalto de pedágio da Castelo Branco nem fodendo. Sacanagem.

— A gente discutindo o futuro de nossa raça e você discutindo mesquinharias! — reclamou Agnaldo.

— Calma lá, general. Não é mesquinharia. É inteligência. Não sei como os políticos deixam fazer aquilo. Conivência. Não pago. Viemos por Carapicuíba, tem buraco, mas tem dignidade também.

Danilo, cabelos encaracolados e barba, riu do comentário de Rafael. Um vampiro consciente! Preocupado com o preço proibitivo praticado nos pedágios da Castelo Branco.

— Quieto, vampiro. — ordenou Sétimo. — Temos coisas mais urgentes para discutir.

Rafael deu de ombros, calando-se.

— Onde estão os outros soldados? Pedi que trouxesse meus homens, Danilo.

— Estão a caminho, Sétimo. Precisaram roubar um furgão para trazer as armas. É coisa pra caramba! O que você tá querendo? Começar uma guerra?

— Terminar uma guerra. — sentenciou o líder.

— Precisamos resgatar Aléxia. — emendou Agnaldo. — Se não a devolverem por bem, vão devolver por mal.

— Espera... se ela foi pega pelo Exército... ela deve estar em um quartel. Quitaúna, muito provavelmente. Tá querendo dizer que vamos estourar um quartel?!

— Tá com medo?

Danilo riu.

— Adorei! Adorei, Sétimo! Eu nunca estourei um quartel. Tem arma pra cacete, mas não sei se basta. Os caras têm um puta arsenal. Soldados treinados...

— Temos armas, somos vampiros, vocês têm a mim... isso basta.

— Sétimo, você é louco, cara. — completou Danilo, dando um tapinha nas costas do vampiro de aparência adolescente.

Os quatro se levantaram.

— Quantos homens temos?

— Não sobrou muita coisa, Sétimo. O ataque do Exército foi pesado. Levaram um monte de gente que não deu mais notícias. Podem estar mortos.

— Aléxia não está.

— Contando com a gente, temos uns quarenta e oito vampiros prontos para lutar. Tem mais dezesseis que ainda estão precisando se recuperar dos ferimentos... você é que pode avaliá-los... um, dois dias de recuperação, com sangue em abundância.

— Deixe-os em paz. Vamos com esse time. Quando chegam?

— Combinamos que eles também estacionariam no shopping. Evita chamar a atenção dos gambés. Tem arma a dar com pau, Sétimo. Coisa da guerra do tráfico. Assalto a banco. Cê vai gostar.

— Vamos encontrá-los.

— Falou. Te levo ao lugar combinado.

Estavam em frente da Gelateria Parmalat, passos cadenciados, botas pesadas.

— Olhos humanos... — murmurou Sétimo, pressentindo a vigília.

Os outros entreolharam-se sem entender o comentário.

Passaram pelo cinema e desceram a escada rolante.

Luz. O piso era maravilhosamente iluminado. Apesar de Sétimo estar acostumado com a vida cosmopolita, com o desenvolvimento arquitetônico e tecnológico, sempre se surpreendia com os locais fartamente iluminados. Em nada lembravam Lisboa, sua cidade natal, diferentemente do irmão, nascido no campo. Os pais estavam em viagem quando a mãe deu a luz ao sétimo filho na cidade de Lisboa, que ainda não era a grandiosa capital portuguesa, mas já era conhecida como centro urbano de referência. Luz elétrica? Nem em sonhos. Sétimo, depois de retirado da caixa, ainda se espantava com o poder da luz. Calma, serenidade. Um bem. E quando eram coloridas? Como era divertido observá-las! Queria viver mais mil anos para ver onde os homens iriam parar! Criavam coisas curiosas, dia após dia, numa constante evolução. A luta pela vida. A luta pelo poder. A luta pelo dinheiro. Perdido em pensamentos, o burburinho do Shopping center voltou aos ouvidos. Estavam num átrio circular. Lojas de perfume. Enervou-se. Os vampiros tinham parado porque Danilo havia entrado em uma loja. Momento inoportuno! Vampiro insolente! Quando terminasse essa fase da guerra, assim que usasse e abarcasse as conexões de Danilo, Sétimo iria descartá-lo. A menos que o vampiro se corrigisse.

— Danilo! — chamou Sétimo, elevando a voz, assustando algumas pessoas ao redor.

Dimitri e Tobia desciam a escada rolante. Viram Danilo saindo da loja de lingerie. Sétimo gesticulava, impaciente. Danilo, com as duas mãos, pedia calma. Estavam os quatro vampiros juntos, distraídos com a discussão, alheios à chegada furtiva da dupla. O momento certo!

Matador gesticulou para Tobia. Adrenalina. Coração batendo rápido. Tudo entrando no efeito câmera lenta. Os sobretudos abrindo-se, movimentando-se. Armas surgindo nas mãos dos caçadores. Dimitri erguendo a metralhadora. Tobia sacando duas pistolas negras. Gritos. Gente desistindo da escada rolante, dando meia-volta, correndo para cima, nadando contra a maré. Agnaldo erguendo os olhos para a escada rolante. Barulho das travas sendo desativadas. Os quatro vampiros olhando para cima. Sétimo acendendo os olhos.

— Filho da puta! — gritou Danilo, tombando com um tiro de prata no peito, quase no ombro.

O vampiro rolou no chão e escorou-se numa pilastra.

Agnaldo saltou sobre Sétimo, abraçando-o e recebendo os disparos nas costas. Para sua sorte, a munição de prata estava escassa; a metralhadora tinha balas comuns.

— General... — murmurou Sétimo, surpreso com a demonstração de fidelidade.

Rafael, caído, com disparo na cabeça, parecia sem vida.

Agnaldo ergueu-se com Sétimo nos braços e correu em direção ao mezanino, por onde chegariam rapidamente ao piso térreo.

Danilo juntou-se à dupla. Só precisavam ganhar o estacionamento frontal do shopping. Os caçadores iriam ver o que é bom pra tosse!

Sétimo desvencilhou-se de Agnaldo e pôs-se de pé.

— Rafael... — murmurou.

— Balas de prata, Sétimo! Ele já era.

Sétimo franziu o cenho e urrou. Estavam próximos do mezanino. Lá embaixo, alheios aos disparos, os gritos vinham da montanha-russa cheia de crianças e papais. Ao seu encontro, corria Tobia e seu soldado. Pagariam. Sétimo reconhecia-se infinitamente superior àqueles homens. Não temeria o ataque.

Disparos. Sem interromper a corrida, Dimitri acionou a metralhadora. O vampiro desapareceu. Só via os outros dois correndo. Onde estava Sétimo?

— As armas, Sétimo! Temos que pegar as armas e salvar Aléxia! — gritou Danilo.

Tiros voavam pelo ar. Vidros da arrojada estrutura arquitetônica do shopping eram destruídos pelos projéteis. Cacos iam para fora, outros vindo para dentro, ameaçando os consumidores.

Gritos. Pânico tamanho que os seguranças nem sabiam o que procuravam. Tiros! Tiros!

Sétimo, lembrando-se das armas e de Aléxia, desistiu do ataque. Voltou para Danilo e Agnaldo a tempo de vê-los desaparecendo no ar, saltando do mezanino.

Os três vampiros pareciam voar. Danilo aprendera o truque com Agnaldo. Sabia o que estava fazendo.

Os homens de jaqueta preta, mais o rapazinho de sobretudo, eram mágicos. Desceram com os cabelos esvoaçando, mas quando tocaram o chão, pareciam pluma. Levantaram-se e se entreolharam, sorrindo, diante do espanto da platéia. Como era bom ser vampiro!

Sétimo estava sisudo. Os vidros do teto, quebrados. Não que os eventuais estilhaços lhe dessem preocupação. O que ele não estava gostando era daquele fenômeno que presenciava. Sabia que era impossível, mas acontecia. Neve descendo em flocos leves. Frio intenso. As pessoas que se dirigiam ao estacionamento pareciam congeladas. O clima no Brasil não propiciava tal espetáculo... o vampiro Inverno, sim, seria capaz.

— Maldição! Não é possível! — reclamava Sétimo.

O vampiro concentrou-se em Inverno. Nada! Não poderia ser Guilherme. Os vampiros, os cinco, foram consumidos no fogo da bomba nuclear. Estavam destruídos. Estavam destruídos! O demônio! O diabo! Era isso! Ele estava interferindo. Só podia ser. O demônio não queria ver o exército do vampiro sobre a Terra. Ele havia prometido que traria os irmãos de volta à vida... filho da mãe!

Sétimo viu Danilo e Agnaldo saindo através de uma porta deslizante. Iam para o estacionamento. Iam encontrar-se com as armas e com os vampiros. Na confusão, gente entrando, querendo se proteger do frio que tomara a noite, chocava-se com gente saindo assustada com os disparos. Sétimo precisou se abaixar, fugindo de tiros de metralhadora que vinham em sua direção. Esgueirou-se rápido para fora. Os idiotas achavam que eles estavam fugindo! Mas estavam indo para as armas!

Iriam revidar. Com armas de fogo. Tão poderosas quanto as deles. E aquela neve maldita? De onde provinha? O que significava? Farejava problemas no ar. Um cenário improvável. Tobia, o fodido descendente dos caçadores portugueses, em sua cola. E gelo. Gelo caindo do céu. A noite, outrora negra, ganhava um chão branco. Os flocos caíam grossos, porém leves, dançando ao sabor do vento fustigante. Não queria perder tempo ali. Mil coisas na cabeça. Salvar seu exército noturno. Espalhar o terror. Recuperar sua deliciosa Aléxia. Manter-se vivo. Tomar a Terra.

Dimitri alcançou o térreo. Gesticulava para Tobia acompanhá-lo mais rápido. O Playland estava vazio. Cacos de vidro ainda teimavam em desprender do alto, fazendo barulho. Uma das máquinas de jogos havia entrado em curto-circuito. Estalos e fagulhas fugiam da tela partida. Gente escondendo-se, abaixando-se, evitando os loucos com armas. Os seguranças começavam a se organizar. Armas surgiam em suas mãos.

— Vamos para fora. — comandou Matador.

Tobia obedeceu. No primeiro passo em direção ao estacionamento, o coração disparou. Arrepio. Neve. Desembainhou a espada prateada.

— Inverno...

Dimitri caminhava rumo aos carros. Os vampiros tinham avançado cerca de cem metros. Ergueu a metralhadora e começou a atirar. No final do corredor, quando o homem barbudo tombou, um furgão azul-escuro surgiu. Com uma freada brusca, derrapou na neve espessa, colocando a porta lateral de frente para o corredor. Boa coisa não era. Rapidamente, Dimitri sinalizou para Tobia, que caminhava empertigado, peito aberto, destemido.

— Proteja-se.

Mal concluía o aviso, a porta lateral correu. Três homens empunhando fuzis surgiram e começaram a disparar.

Dimitri caiu para um lado e Tobia para o outro, protegendo-se nos carros estacionados.

Abriram o corredor, deixando o caminho livre para as balas cruzarem o ar e atingir os primeiros seguranças que corriam para interceptar os atiradores. Disparos no peito, pernas e braços, fizeram a maioria tombar. Gritos. Gemidos. Medo. Os seguranças não entendiam o que estava acontecendo. Era um ataque terrorista sem precedentes em área pública no Brasil. O sangue começou a macular a neve branca, misturando-se ao gelo.

Helicópteros passaram em vôo rasante sobre o estacionamento. Eram das Forças Armadas.

— Merda! — exclamou Dimitri, lembrando-se do caroço dolorido no peito provocado pelo impacto da bala de um soldado. — O Exército de novo.

— Vamos continuar. Temos que acabar com Sétimo. É agora ou nunca. Não vamos ter outra chance tão cedo! — gritou Tobia, do outro lado.

Movimentavam-se atentos. Mais tiros perfuravam a lataria dos veículos estacionados. O frio aumentava. A neve chegava às canelas. Precisavam de um tiro certeiro. Colocar Sétimo no chão e separar a cabeça do corpo. Precisavam de sorte.

Tiago e os vampiros terminavam a travessia da ponte. Lá de cima, sentiu o cheiro podre do rio Pinheiros. A neve descia em grande volume, depositando-se no asfalto com rapidez. Os motoristas passavam embasbacados e já trafegavam com velocidade ultra-reduzida. A neve causaria sérios transtornos para os que dirigiam. Atravessaram em frente ao prédio do Unibanco, que escondia o Shopping Eldorado às costas. Transpunham o calçamento, aproximando-se da grade do shopping. Tiros!

Entreolharam-se rapidamente. Sabiam que a hora da ação tinha chegado.

— Eliana, César, procurem se proteger. O confronto não vai ser fácil. — advertiu Tiago.

Miguel segurou o rapaz pelo braço.

— Quando quiser meu poder, é só avisar.

Tiago aquiesceu.

Helicópteros passaram sobre suas cabeças.

— O Exército, Titi! — exclamou Eliana.

— Boa sorte para eles; vão precisar.

Tiago liderou o grupo até as grades do estacionamento. Saltaram de forma mágica, pairando e equilibrando-se no alto da proteção metálica. Dom Fernando e Baptista ajudaram César a transpor o obstáculo. Assim que César caiu no chão forrado de neve, os seis vampiros postaram-se lado a lado no alto da grade. Podiam ver o tiroteio. Vampiros, com armas pesadas, disparando de dentro de um furgão. Duas pessoas, no meio dos carros, revidando o fogo. Uma contenda.

— Queremos Sétimo, só isso essa noite. Não se distraiam com os demais. Quem entrar na frente, morre. — orientou Tiago.

Os seis saltaram com leveza e partiram em passos decididos ao encontro do furgão. O cutucar era preciso. Vinha do meio da testa. Sétimo estava naquele carro.

Os helicópteros deram meia-volta. Vinham de frente para os seis vampiros. Abriram fogo. Explosões potentes expeliam projéteis de artilharia antiaérea contra o chão. Antes de atingirem o furgão, dois carros estacionados explodiram, rodopiando no ar, como se estivessem no meio de uma guerra.

O furgão moveu-se rapidamente, escapando da linha de fogo. Os helicópteros vieram para cima dos seis vampiros, como se o grupo fosse o alvo principal. O bloco vampiresco teve de se desfazer para escapar das balas.

Tiago, caído sobre Eliana, gritou:

— Tempestade!

Baptista levantou-se. Bateu contra o sobretudo negro, livrando-se do gelo. Olhou para o céu. Os insetos se encontravam além do rio e faziam a volta. Ergueu os braços.

— Retornem! Retornem a toda! — ordenou Brites, dentro do helicóptero principal.

O piloto fazia a volta. Tinha duas aeronaves na escolta, uma à direita, outra à esquerda. Completaram a manobra, sincronizados.

— A equipe terrestre, onde está?

O piloto falou no rádio.

— Marginal Pinheiros, senhor!

— Chegada?

— Três a quatro minutos.

— Acerte aquele furgão também! Não erre desta vez.

— A neve está atrapalhando a visibilidade, senhor. Se aumentar, vamos ter de descer.

— Não podemos descer antes do apoio de terra chegar. Eles não podem sair de nossa vista. Quero Sétimo destruído nesta noite. Ele é o líder. Ele tem que morrer.

— Entendido, senhor.

Brites silenciou um instante e recostou-se na parede metálica da aeronave. Estava nervoso. Estava enjoando. Rajadas de vento tripudiavam, fazendo a aeronave chacoalhar demais. Não podiam cair. Apertou os olhos e, ao abri-los, encontrou os da vampira. Aléxia sorria, achava graça no medo do tenente.

— Não era isso que queria, tenente? Encontrar o vampiro? Ah! Ah! Ah!

— Ri, maldita. Ri o quanto quiser. Se a gente cair, você morre também.

— Já estou morta, tenente. Não tenho medo.

— Fogo também mata vampiros...

— Quando Sétimo me encontrar, vai te comer vivo.

— Você me trouxe até o maldito! Eu vou comê-lo vivo.

Aléxia riu. Riu mas não sabia que seu engodo servira para colocar Sétimo na fogueira. Havia levado o Exército até Tiago, mas Tiago viera atrás do líder dos vampiros assassinos. O cenário estava montado... começava ali o espetáculo mais bizarro da terra.

Dez caminhões verde-oliva cruzavam a marginal Pinheiros em alta velocidade. Em cada um, trinta soldados vinham aferrados a seus fuzis e orações. Quase metade deles participara da invasão ao covil. A outra metade ouvira as histórias. Sabiam que a missão não seria fácil. Os motoristas já enfrentavam o primeiro obstáculo sobrenatural. Neve cobrindo a pista. Aproximando-se de Pinheiros, o gelo aumentou, a velocidade desceu. Carros de passeio, pegos de surpresa, perdiam o controle. Dificuldade. Um, dois, três, quatro acidentes. Enormes engavetamentos. O piloto do primeiro caminhão conduzia assustado; era experiente, mas nunca vira aquilo, nunca dirigira sobre o gelo. Reduziu ainda mais a velocidade. Um Renault Clio entrou na frente, tentando sair da marginal. O soldado pisou no freio. Deslizou. Soltou o freio. Coração disparado. A mulher do Renault rodou, o militar precisou desviar rápido, e o caminhão escorregou de lado. Retomou o controle. Uma explosão. Olhou no retrovisor. O caminhão que vinha atrás, mesmo advertido pelo rádio, não conseguiu evitar e acertou em cheio o Renault. Os dois carros pararam danificados. Ele não podia parar. Tinha vampiros para caçar e um tenente furioso berrando dentro do helicóptero. Santo Deus... Eram nove caminhões agora. Reduziu antes do Jockey Club, entrou devagar, passando o posto de combustível logo na esquina. O primeiro, o segundo, o terceiro, tudo bem. O quarto caminhão perdeu a curva e colidiu contra o poste, rodando no meio da marginal. Um carro de passeio bateu atrás enquanto os outros adentravam a rua. O primeiro da fila já escapava para ganhar a ponte Eusébio Matoso. Os carros de passeio pararam, assustados com a quantidade de veículos do Exército que escapuliam da rua. A neve cessou. O soldado acabava de notar que uma gota d'água atingira o pára-brisa. Depois outra e mais outra. Tempestade! Trovões rugindo. O cenário era horroroso. O céu escuro, com nuvens que engoliam o topo do prédio do Unibanco. Só dava para saber que o resto do prédio estava lá porque, no explodir de um relâmpago e outro, era possível acompanhar a silhueta do prédio com a claridade. A chuva engrossou e, mesmo com o limpa-vidros acionado em máxima visibilidade, pouco se via à frente. A Rebouças também ganhara sua cota de acidentes. Aqui e ali, carros engalfinhados, com pisca-alerta ligados, abandonados à própria sorte. Nas sarjetas, fortes enchurradas formavam-se instantaneamente. Aquela chuva... aquela chuva não era natural... Como a neve, aquela chuva fora trazida pelo demônio.

Os três helicópteros tinham subido quando a tempestade começou. O piloto insistia com o tenente que tinham que abandonar a missão, pelo menos tinham que deixar a área. A tempestade trouxera ventos inconstantes e ferozes que empurravam os aparelhos para baixo. Voando àquela altitude, a situação tornava-se extremamente perigosa.

— Não, não vou abandonar meus homens lá embaixo!

— Não é uma questão de escolha, tenente. Não posso colocar a vida de todos aqui em risco. Se quer ficar com teus homens, eu desço e tu salta, mas estes soldados aqui não merecem morrer.

— Se perdermos Sétimo...

— Se perdermos Sétimo, esprememos essa vadia mais uma vez e a obrigamos a nos colocar na cola daquele demônio de novo.

Os três helicópteros voavam em círculos sobre as nuvens espetaculares. Conforme ganhavam altitude podiam notar que as nuvens giravam exatamente sobre o Shopping Eldorado. Era uma visão fantástica. Relâmpagos explodiam de dentro delas, iluminando o espetáculo satânico. Era assustador. As nuvens estavam extremamente baixas, fora do comum. Sabiam que lidavam com um inimigo sobrenatural. Brites estava confuso. Neve e tempestade. Se não tivesse presenciado os vampiros explodindo junto com a caravela, apostaria que era obra daqueles demônios. Talvez Sétimo fosse capaz de criar mais monstros daqueles. Era essa sua teoria.

— Os homens estão entrando no shopping, senhor.

Brites correu para o rádio.

— Façam um cerco. Acuem os filhos da mãe contra a grade. Derrubem o máximo. Não poupem munição. Coragem. Já vamos descer.

Brites largou o rádio e ordenou ao piloto que baixasse. O piloto bufou.

— Vamos descer, mas sozinhos. Não precisamos derrubar todos os helicópteros da corporação. Se a coisa continuar feia eu volto para cima. Se o senhor quiser, pode pular.

— Rápido, sargento. Pára de melodrama e desce essa merda.

— Sim, senhor.

Ensopados, Tiago e os seis vampiros assistiam à batalha. Vampiros saíram do furgão e de mais duas *pick-ups* que se aproximaram. Iriam liquidar os dois caçadores de vampiro, pois era isso que aqueles bravos pareciam, revidando o fogo forte e, ora ou outra, derrubando um vampiro. Tiago notou que os que caíam não se levantavam de imediato. Ou eram muito fracos, recém-criados, ou os combatentes usavam munição especial.

— Cuidado com aqueles dois... — murmurou Tiago, apontando para Dimitri e Tobia, que acabava de se levantar e atirar.

Cerca de quarenta vampiros tomaram conta do estacionamento. A chuva caía pesada, colando os cabelos à testa, atrapalhando a visão. Espalhavam-se rapidamente, montando um cerco que se fecharia em cima dos dois caçadores em questão de minutos.

— Vamos aproveitar a confusão, senhores. Divirtam-se!

Simultaneamente, os olhos dos sete vampiros acenderam-se. César tirou a doze escondida no sobretudo: também queria diversão. Separaram-se e caíram sobre os vampiros. Tempestade levantou um braço e estalou o dedo. Os insetos voadores tinham ido embora. Não precisaria derramar mais chuva.

Tobia percebeu a estratégia. Estavam sendo envolvidos pelas criaturas perversas. Dimitri também estava exultado.

— Precisamos recuar um pouco, proteger nossa retaguarda.

Dois corredores os separaram das criaturas. Se demorassem muito para responder, seriam liquidados.

Tobia atracou-se com a primeira leva que se abateu sobre eles. Surpreendeu dois vampiros com sua espada de prata, amputando-lhes o braço. Saltou para cima do capô de um Celta, espantando os vampiros próximos e deixando o sobretudo marrom cair por terra. A chuva diminuía de intensidade, o que era bom. Puxou as tiras de couro no punho, e as lâminas pequenas apareceram no metal do antebraço da armadura. Não tinha tempo de montar as lanças sobre o corpo; usaria os truques possíveis. Precisava manter-se atento.

Dimitri atirava contra os mais afoitos. O alvo sempre era a cabeça, dava tempo e aumentava as chances. Quando tinha espaço, atirava contra o furgão, o arsenal móvel do bando e onde Sétimo tinha ido esconder o rabo.

O vampiro-líder, percebendo que tiros ainda penetravam a lataria do veículo, impacientou-se.

— Ainda não destruíram esses filhos da puta?

Levantou-se num salto, voltando para o asfalto. Estava seco. Protegera-se da tempestade. Queria que seu exército crescesse em experiência mas irritava-se com a demora na eliminação de dois míseros caça-vampiros. Sujeitos perigosos. Era bom meter o bedelho e acabar logo com aquela contenda. Apenas tocou o chão, sentiu a mão forte fechando em sua garganta. Assustou-se. Não podia ser.

— Ora, ora, ora, se não é nosso irmão mais feio! — disse Inverno, suspendendo o vampiro.

Sétimo desvencilhou-se da mão ousada, voltando a tocar o chão.

— Inverno! Que fazes aqui?

— Vim comer teu fígado, gajo.

Os olhos de Sétimo acenderam-se, e os dentes brotaram mais uma vez. Afastou-se e preparou-se para a briga.

Baptista surgiu ao lado de Inverno.

— Coisa feia, pá. Acabamos de chegar, vê se nos convida para um chá.

Sétimo voou sobre os dois, socando-os com violência. Para sua surpresa, os vampiros mal perderam o equilíbrio, recuando dois passos. Em geral, o golpe arremessaria o vampiro inimigo a cinco metros.

Sincronizados, Inverno e Tempestade revidaram, atingindo o peito do irmão com um soco potente.

Sétimo foi ao chão, deslizando sobre o gelo dissolvido pela água. Incrédulo...

Naquele momento, caminhões verde-oliva irromperam no estacionamento. Imediatamente, as portas traseiras desabaram, e uma onda de soldados escapou de cada um. Os rapazes eram treinados e sabiam o que fazer. Atirar para matar. Uma saraivada pegou Inverno e Tempestade desprevenidos, que tombaram atingidos no peito por diversas balas.

— Arrrgh! — gritou Inverno.

Por sorte, as balas daquela tropa não eram de prata.

O ronco cadenciado de um helicóptero passou zunindo sobre a cabeça dos vampiros. Para piorar, as nuvens dissipavam-se, facilitando o retorno de outras aeronaves.

Tiago e Manuel atracavam-se com os vampiros que tentavam socorrer o mestre. Tinham que se acautelar contra os soldados também. Os caminhões não paravam de chegar, o que causou receio em Tiago, pois, de cada um, descia uma avalanche de soldados armados com fuzis devastadores.

Os vampiros que confrontavam Tiago não entendiam. Ele parecia feito de água, pois, toda vez que agarravam seu braço ou o prendiam pelo pescoço, o vampiro escapava, se desvencilhava, atravessando seus ossos como fantasma. E sempre, após a escapada, eram açoitados por golpes duros e bem aplicados, que os afastavam momentaneamente da briga. O cenário estava semelhante à disputa entre torcidas. Pancadaria para todo lado. Vampiros arremessados contra os carros estacionados. Ossos quebrados. Balas perdidas. A maioria dos vampiros sem noção do que tinham que fazer. Combater os caçadores, o grupo de vampiros adversários que atacavam Sétimo ou matar os soldados?

Os vampiros que controlavam o arsenal junto ao furgão recuperaram-se do susto depois que alguns tombaram. Protegiam-se e, para surpresa do Exército, revidavam o fogo com artilharia pesada.

Dimitri e Tobia agradeceram a oportuna intromissão, pois, assim, podiam proteger a retaguarda e combater dois ou três vampiros por vez. De novo, estavam sendo salvos por tropas do honrado Exército brasileiro.

Momentos antes, logo após ordenar a descida do helicóptero, Brites já preparava seus homens a bordo. Um ficaria de olho na vampira chamada Aléxia; e os demais, com munição especial, saltariam para liquidar Sétimo.

Assim que adentrou as nuvens, a aeronave começou a chacoalhar violentamente, e o som do motor tornou-se inconstante. Os soldados benzeram-se. Brites apertou os olhos. Aléxia voltou a sorrir. Percebendo o deleite da vampira, Brites apontou-lhe a arma carregada com prata.

— Pare, vampira! Estouro seus miolos.

Aléxia moveu-se insinuante até colar o corpo todo na grade.

— Para que essa violência, tenente? Você pode fazer coisa muito mais interessante comigo do que estourar meus miolos.

Aléxia comprimiu os seios entre as barras de prata e estendeu a mão para o tenente, encarando-o com os olhos esmeralda.

Brites baixou a arma. Como aquela mulher era bonita! O corpo bem feito, os olhos hipnotizantes... era um demônio! Virou-se para frente; não podia encarar aquele rosto um segundo mais.

— As nuvens estão se desfazendo, tenente. Parece ser seu dia de sorte.

Tiago, percebendo que o incontável número de soldados crescia, disparou para cima de Sétimo. Não tinham um segundo a perder; precisavam voltar ao foco original. Aquela situação fugiria do controle em instantes. Era hora de Miguel usar seu poder... seu poder de parar o tempo.

— Miguel! Miguel, te prepara que está chegando a hora.

O vampiro de feições doces e cabelos encaracolados, aquiesceu. Protegia-se, com Eliana, contra a descarga de tiros que vinha dos soldados naquele exato instante.

Atravessou o estacionamento, correndo em direção ao furgão. Arrastou Guilherme e Manuel para fora da linha de tiro. Ainda gemiam, mas as feridas, inúmeras, cicatrizavam a olhos vistos. Em dois minutos, estariam voltando ao combate. Sétimo deixava o furgão empunhando um lança-granadas. Disparou contra a turba de soldados, e, em resposta, tiros choveram contra o veículo, que explodiu, lançando fogo e destroços para o ar. Vampiros em chamas corriam, procurando poças d'água para aplacar o fogo. A granada lançada por Sétimo detonou no meio dos soldados, provocando baixas imediatas, além de rebuliço e corre-corre. Os soldados perderam a concentração, e o medo brotou dentro deles, espalhando-se pelo estacionamento, como o cheiro do sangue que alimenta o vampiro. O jogo ia virar. A maioria das criaturas levantou-se dos esconderijos, atiçada pelo medo que era servido. Os soldados estavam perdendo a força e não sabiam o porquê. Tiago correu mais um pouco e alcançou Sétimo, no chão e bastante ferido. Arrancou-o debaixo de um carro e o arremessou para um vazio do estacionamento, perto da saída dos automóveis. Os tiros voltaram a espocar. Os soldados estavam se organizando e começavam a se espalhar, formando um cerco. Tiago só precisava separar a cabeça de Sétimo do resto do corpo.

— Tu, ó general! Nunca pensei que fosses um dia me trair.

Tiago, com as mãos fechadas no pescoço do vampiro, esmoreceu. Sétimo aproveitou para livrar-se de Tiago e mandá-lo ao chão com um golpe...

— Queres me matar? Trouxe à vida meus irmãos? Aposto que foi com ajuda do diabo, a quem os fracos recorrem na hora do aperto.

— Não recorri a ele... ele veio a mim.

— Balela. Isso é o que você pensa... ele farejou teu medo. Farejou tua fraqueza... ele só vem para os fracos... eu sou forte; vê se ele vem a mim?

Desarmado, disparou para cima de Tiago. Os soldados já tinham avançado bastante. Os vampiros voltavam a se proteger, apoiados aos carros. Era impossível transitar sem ser atingido.

Dimitri e Tobia também se resguardavam, evitando a aproximação de qualquer vampiro. A quantidade de soldados era incontável, e os helicópteros voavam insistentes. Se não fossem pegos pelos vampiros, seriam pegos pelo Exército.

Sétimo tentou socar Tiago, mas o vampiro usou seu dom, deixando a mão de Sétimo varar seu corpo momentaneamente impalpável. Tiago colocou-se às costas do adversário e voltou a materializar-se, agarrando e tentando imobilizar o oponente. Sétimo ficou preso. Tiago postou-se em campo aberto, bem sob a mira dos soldados, que começaram a atirar. Tiago deixou que as balas atravessassem seu corpo etéreo, atingindo exclusivamente o vampiro.

Sétimo gritou. As balas provocavam uma dor ligeira, mas penetrante. Seu corpo ia esfarelando, e logo estaria em apuros.

— Larga-me, associado do cão! — bradou o vampiro.

Tiago sustentava o vampiro na linha de tiro, pois conseguia manter o corpo como o de um fantasma e apenas os braços ainda materializados.

Sétimo, evocando seu dom, triplicou sua força rapidamente e largou-se das mãos de Tiago. Acocorou-se enquanto um tiro ou outro ainda o atingia. Tiago, para recuperar o fôlego e voltar ao ataque, precisou proteger-se um instante. Correu para os carros, onde os tiros eram bloqueados pelo metal. Estalos de balas perfurando os automóveis. Fogo. Veículos de clientes continuavam a explodir quando tinham os tanques perfurados e a gasolina inflamada. O estacionamento parecia uma praça de guerra. Ergueu os olhos e percebeu Sétimo transmutando-se. Ele não poderia tornar-se aquele monstro. Se o combate já estava difícil, mais difícil ficaria. Era hora de intervir.

— Miguel! Miguel! Faz agora!

Gentil levantou-se. Fosse ainda o velho Gentil, talvez não compactuasse com aquele golpe sujo. Com o tempo parado, Sétimo não teria como se defender. Seria uma nova traição. Mas ele não era o velho Gentil. Era um boneco enviado pelo demônio, subserviente a Tiago. Pararia o tempo.

Os três helicópteros baixaram, pairando sobre as marginais. As portas corrediças abriram, e mais soldados postaram-se com armas apontadas para o estacionamento do shopping. Os vampiros estavam cercados por todos os lados. Naquela noite, não sobraria nenhum.

Os estampidos não cessavam. As armas não davam descanso, os vampiros estavam sendo sistematicamente empurrados para o centro da armadilha, obrigados a recuar mais e mais. Um deles, afastado do cerco, parecia agonizar, encaracolado no chão... Sétimo.

Gentil encheu os pulmões para vibrar as cordas vocais.

— Páaaaaara!

O tempo parou. O silêncio inundou o mundo. As explosões cessaram. Os soldados não disparavam. O ronco cadenciado dos helicópteros foi suspenso. Era mágica.

Tiago e seu grupo, pelo desejo de Miguel, permaneceram soltos, livres para apreciar o encanto.

Os helicópteros, pairados no ar, os soldados a bordo, com expressões duras, prontos para disparar.

César girou a cabeça. Um carro em chamas estava suspenso no céu. Aproximou-se da coisa bizarra. O fogo não ardia nem crepitava, mas as chamas, imóveis, conservavam o calor. Pressentia que se a tocasse, queimaria o dedo.

Tudo seria silêncio, não fosse um gemido repetido. Voltaram-se. Sétimo continuava enrolado no chão, mas movia-se. Movia-se! Seu corpo se agigantava e em alguns segundos estaria transformado em fera alada.

Tiago olhou para Gentil. O vampiro de cabelos encaracolados encolheu os ombros, com a boca aberta de espanto. Não pretendera manter Sétimo liberto de seu poder. Tinha como fazer essa seleção. Era para o vampiro estar imobilizado, como os demais.

Em segundos, o gemido foi se tornando rugido. Sétimo colocou-se de pé. Três metros de altura. Urrou furioso. Estendeu as asas. Olhos em forma de brasas.

Os vampiros ainda estavam aturdidos. Confusos.

Manuel abandonou a proteção dos carros. Fernando andava lentamente, olhando para os lados. Baptista olhava fixamente para Sétimo. A verdade era aquela. Sétimo não fora capturado pelo feitiço de parar o tempo. Teriam que confrontá-lo.

Eliana, com os dentes vampíricos expostos, externou um grunhido involuntário, como um gato surpreendido por um caçador. Detestava Sétimo. O maldito tentara tomar seu sangue. Fora a razão de terem deixado Osasco, deixado a vida que tentavam iniciar. Sabia que era novata naquele mundo. Sabia que sua força, comparada à dos vampiros do D'Ouro, era nada, ridícula, mas aprendera com o bravo Tiago que não temer os vampiros e enfrentá-los como iguais valia muito e chegava a equilibrar a briga, pois os vampiros se alimentam de sangue e medo.

Sétimo farfalhou as asas gigantes, criando uma corrente de vento, obrigando os inimigos a proteger os olhos com os braços, enchendo aquele mundo paralisado com um som de trovão.

— Ah! Ah! Ah! Quem arrumou esse exército para você, Tiago? Foi o Diabo? Ah! Ah! Ah!

Sétimo começou a bater as asas, elevando-se dois metros.

Estou livre, maldito! Achou que o Diabo lhe daria a vitória de mão beijada? Ele não é flor que se cheire, Tiago!

Voou até os soldados paralisados e passou as garras nas gargantas daqueles que estavam ao alcance.

— Ah! Obrigado, irmão maldito! Agora acabo com estes soldados e logo acabo com vocês.

— Inverno, congele-o! Rápido!

O vampiro obedeceu, estendendo o braço. Nada. Inverno baixou e levantou o outro. Concentrou-se, mas nada aconteceu.

— Não posso, vampiro. Nem sempre conseguimos usar os poderes quando o tempo está parado.

Sétimo começou a andar. Já tinha rompido a garganta de vinte soldados.

— Vamos, vamos acabar com ele. Vai ter que ser no braço mesmo!

— Ó pai, ó pai! — gritou Baptista, correndo. Sabia que Sétimo era poderoso, ainda mais investido da forma monstruosa.

Tiago tentou cercá-lo; o vampiro alado alçou vôo.

— Ah! Ah! Ah! — gargalhou com voz poderosa. — Posso ficar aqui em cima toda a eter...

Antes de completar a frase, uma explosão súbita.

Sétimo despencou das alturas com um tiro na barriga.

Os vampiros voltaram-se.

César estava com a espingarda erguida, o cano fumegante apontado para a criatura.

— Bala de prata. — balbuciou. — Era a última.

Os vampiros correram para cima de Sétimo.

Fernando cravou os caninos no pescoço de couro enegrecido do monstro, roubando-lhe sangue.

Inverno desferiu um chute na ferida que Sétimo tentava proteger.

A criatura estendeu as asas, derrubando os agressores. Estava ferido, mas ainda estava forte.

Sentia o ferimento queimar. Prata! A dor o consumia persistente. Era como se a carne voltasse a ser humana. Precisava aquietar-se e dedicar-se à cura ou iria piorar. Precisava se concentrar no ferimento. Extrair a prata. Precisava de um médico. Concentrou o poder vampiresco para obter um mínimo de melhora. Quando Fernando se aproximou, Sétimo agarrou-o e arremessou-o contra Tiago. Decolou e voltou para o meio dos soldados. Iria destruí-los. Enfraquecê-los. Depois, aproveitaria a paralisação para resgatar Aléxia. Talvez tivesse tempo de tirar Rafael de dentro do shopping. Os olhos injetados. Furioso. Mataria Tiago. O maldito que engendrara tudo aquilo. Começou a ferir mortalmente mais soldados. Quando o tempo voltasse, cairiam mortos. Sem chance de salvamento.

Tiago, impotente diante da fera, enervou-se. Sétimo era capaz. Um guerreiro experiente. Viria atrás deles um por um. Estava matando os soldados. Reduzindo os inimigos. Poderia ficar voando por horas, dias e anos fora de seu alcance. Precisava da confusão instaurada. O vampiro só seria pego de surpresa. Aquele ataque parecia naufragar. O demônio pregara-lhe uma peça tornando Sétimo imune ao dom de Gentil.

— Miguel! Faça o tempo correr. Estamos perdendo esse jogo.

— Volte. — murmurou Gentil.

Explosão. Gritos. Lamentos.

O carro foi ao chão, espalhando fogo líquido para os lados.

Os helicópteros voltaram a roncar.

Soldados caíram esguichando sangue. Desespero. Sétimo alçou vôo, surpreendido.

— Debandar! — gritou Tiago.

Os vampiros agruparam-se e Tiago organizou a retirada. Corriam ao encontro dos helicópteros. Eliana deu a mão para César... o amigo não conseguia correr muito. Os muros do Shopping center. Tinham de refazer o caminho sobre a ponte e desaparecer daquele lugar enquanto Sétimo debatia-se preso entre os soldados.

Os militares estavam assustados e incrédulos com aquele monstro gigante bem no meio da formação. De onde surgira?! Desesperados, começaram a disparar, arrancando urros e carne de Sétimo.

Do helicóptero, Brites viu a criatura. Estavam todos confusos. E os vampiros que há um segundo atrás estavam na sua frente?

— Não atirem! Vão acertar nossos homens!

— Vampiros às seis horas, senhor. — avisou um soldado.

Brites olhou para baixo.

— Holofotes.

Os helicópteros balançaram e afastaram-se. A luz foi jogada para baixo. Oito pessoas correndo. Roupas negras. Uma mulher olhou para cima. Pele pálida. Brites arrepiou-se. O rosto... parecia familiar.

O tenente passou ordens pelo rádio. Os helicópteros afastaram-se mais ainda.

— Fogo!

Os fuzis começaram a trabalhar, disparando repetidas vezes, expelindo projéteis furiosamente.

Os vampiros estavam quase na grade.

Tiago recebeu um tiro de raspão, tirando pele do braço. Jogou Eliana no chão.

— Balas de prata! — gritou, com a mão na ferida, estranhamente dolorida.

Os vampiros protegeram-se num muro baixo de concreto. Acreditavam que bastava pular a grade e estariam livres daquela cena.

Tiago viu que Sétimo ainda se confrontava com os soldados. Um enxame verde-oliva formou-se ao redor do monstro. Sorte os soldados serem tantos. Mal concluiu o pensamento, Tiago viu Sétimo decolar carregando quatro soldados nas patas. Um animal violento. Iria recuar apenas um instante para se recuperar do susto e deixar que o Exército mandasse para o inferno alguns deles. Antes do nascer do Sol, atacariam Sétimo novamente.

O muro de concreto esfarelava a cada rajada de fogo enviada pelo helicóptero. O Exército, mais uma vez, tentava acabar com ele. Blocos de pedra e pó caíam sobre suas cabeças curvadas.

— Inverno...

Guilherme compreendeu e ergueu a mão para o céu. Fechou os olhos. Instantaneamente um vento frio tomou conta da noite. A garoa fina desapareceu dando lugar a pesados flocos de neve. Tudo muito rápido. Estavam mais fortes.

Os pilotos das aeronaves começaram a trocar mensagens. A nevasca ganhava força e dificultava a navegação. Precisaram se afastar devido ao vento.

Aléxia, atenta aos comentários, ficou excitada quando ouviu as palavras monstro e asas. Não conseguia olhar para fora, mas sabia que Sétimo estava nas redondezas. Começou a rir.

— Você está perdido, tenente! Sétimo vai matar todos vocês!

Seus gritos não ganhavam a atenção de quase ninguém. O som ensurdecedor dos disparos dos soldados era muito mais poderoso. Suas palavras só chegavam aos ouvidos de Brites, que se irritava profundamente. Flocos de neve invadiam a aeronave. Mais nada faltava acontecer.

Sétimo soltou os soldados das garras e deixou-os encontrar a morte no chão. Em seguida, disparou atrás de Tiago. Ele seria a próxima vítima. Aquele verme matreiro podia rastreá-lo. Não escaparia com vida. Desceu rápido como bala. Surpreendeu os vampiros quando pulavam a grade do Shopping center e caíam na marginal Pinheiros. Agarrou Tiago no alto da grade. Subiria e o atiraria contra as hélices de um helicóptero. Se sobrevivesse, terminaria o serviço sem dificuldades.

Os vampiros de Sétimo imitavam o grupo de Tiago. Cerca de trinta remanescentes corriam para o gradil dos fundos, a fim de ganhar a marginal Pinheiros. Não havia outra escapatória. A saída de automóveis estava sob a mira de um grupo de aproximadamente duzentos soldados armados.

Dimitri e Tobia olhavam incrédulos para a criatura alada. Conheciam aquele monstro. Era a forma mais cruel, a manifestação satânica de Sétimo. Tinham visto representações traçadas a lápis no livro dos ancestrais de Tobia. Era inconfundível. Sabiam que quando Sétimo assumia aquela forma tornava-se um assassino invencível, por essa razão decidiram investir contra os vampiros que corriam em direção ao muro. Se tinham sobrevivido até ali, sobreviveriam até o fim daquela batalha. Antes que Tobia saísse correndo, Dimitri segurou-o.

— Deixe os soldados irem primeiro.

Como antevendo o próximo passo, Dimitri assistiu a nuvem verde-oliva correr no encalço dos vampiros que tentavam fugir.

Olhando para a grade, Tobia viu Sétimo descer e agarrar um dos vampiros em cima da cerca.

— Ele vai matar você, tenente! Ele vai matar todos vocês!

— Cale a boca, vampira! — gritou Brites.

Aléxia gargalhou alto e continuou a gritar, como que possuída.

Brites aproximou-se da jaula.

— Ele vai matar todos vocês, tenente. Vocês estão fodidos!

Brites ergueu a pistola e disparou. O tiro acertou em cheio o coração de Aléxia, que tombou instantaneamente. Se não tomasse sangue, o ferimento poderia ser fatal.

Tiago foi agarrado de surpresa por Sétimo. Tão subitamente que não lembrou-se sequer do poder de desmaterializar-se para escapar. Mas o poder nem foi necessário. Sétimo havia subido nove metros quando largou-o tão repentinamente quanto o agarrou. Os dois tombaram pesadamente sobre o asfalto da marginal Pinheiros. Para sorte de ambos, as pistas estavam intransitáveis, por causa do gelo que cobria o chão. Eram poucos os carros que se arriscavam, mesmo assim em velocidade extremamente reduzida. Tiago colocou-se de pé com agilidade. Uma fisgada incômoda no joelho. Dor. Estava fraturado. Sétimo, para sua surpresa, gemia no chão, levantando-se com dificuldade.

O vampiro-monstro levantou-se, esquecido de Tiago, com lágrimas de sangue escorrendo pelo rosto. Um buraco estava aberto no seu peito e sangue vertia do ferimento.

— Aléxia... amada Aléxia... — murmurou a criatura.

A nevasca se intensificou. Ventos fortes.

Tempestade levantou a mão para o céu, na direção de um helicóptero. Um relâmpago riscou o firmamento, quase acertando a aeronave e fazendo faíscas saltarem quando o raio atingiu a água do rio. A tempestade ocasionada anteriormente fizera o leito do rio subir assustadoramente e a água quase chegava à linha de trem que corria paralela ao rio.

Os helicópteros dançaram, afastando-se, dando meia-volta para reposicionar e voltar a atirar. A nevasca poderosa diminuía a dirigibilidade das aeronaves.

— O monstro alado! Acertem o monstro alado! — gritava Brites.

— Não podemos sustentar as aeronaves, senhor! O vento é demais. Vamos cair.

— Desçam na pista. Os soldados lá embaixo são muitos, mas estão desprotegidos! Dentro das aeronaves estão nossos melhores homens. Sustentem os pássaros até chegarmos ao chão. O grupo de Operações Especiais tem que descer!

— Vou tentar, puta que pariu, senhor! — gritou o piloto, agarrado ao manche, tentando dominar a aeronave.

Um vento ascendente jogou os três helicópteros para cima. Os pilotos manobraram, ganhando altura rapidamente. Os motores chiaram, sobrecarregados. Difícil estabilizar. Os pedais dançavam e a cauda era jogada de lá para cá. Um helicóptero passou com as hélices quase decapitando os atiradores da aeronave de Brites.

— Afastar! Afastar! Porra! — gritou o piloto pelo rádio. — Vamos acabar indo para corte marcial por essa teimosia!

— Se alguém for a julgamento serei eu, piloto! Garanto o meu rabo e o seu, mas faça o que estou falando! Agora!

Sétimo concentrou-se em Aléxia. O cutucar surgiu em sua cabeça, quase no topo. Indo da esquerda para a direita. Ergueu os olhos completamente vermelhos. A dor no peito provinha da amada. Seu amor era tanto pela cria, que sofria quando ela sofria. Aléxia estava em apuros. Morreria se não recebesse sangue. O ferimento em seu peito de fera já tinha fechado, mas o sangue e a dor continuavam lá. Percebeu que o cutucar dançava junto com o helicóptero central. A vampira estava a bordo!

— Aléxia!!! — urrou o vampiro.

Brites sentiu os pêlos do corpo arrepiarem. Apesar do som ensurdecedor do motor, podia jurar que tinha ouvido o monstro gritar o nome da vampira. Ato contínuo, espichou a cabeça, vencendo o frio e a neve, e viu a fera decolar.

— Soldados! Vida ou morte! Atirar.

Os soldados, presos por cintos de segurança, penduravam-se na porta do helicóptero. Viram Sétimo vindo rápido de encontro ao helicóptero.

— Estabilizar! — gritou Brites para o piloto.

O motor roncava. A aeronave jogou para lá e para cá. Os soldados começaram a atirar.

Isabel e Joel assistiam aquela cena, incrédulos. Estavam na plataforma da estação de trem Hebraica, agarrados um ao outro, tamanho frio, na esperança de que um trem aparecesse para levá-los para casa. Já teriam abandonado a plataforma se Isabel não tivesse implorado para Joel ficar, caso contrário ela ficaria sozinha. Isso foi quando ouviram tiros vindo do shopping e logo em seguida perceberam os helicópteros chegando. Ou será que decidiu quando a neve começou a despencar? Ou quando uma tempestade repentina açoitou a plataforma? Tantas coisas inacreditáveis que ela simplesmente se recusava a deixar de assistir tudo aquilo. Dali a quarenta anos seria a avó com a história mais incrível para contar para os netos. Mas aquela nova surpresa fê-la tremer dos pés à cabeça. Um demônio alado voava em direção a um dos helicópteros. Só podia ser um demônio! Um morcego gigante!

Tiago, do outro lado da pista local da marginal, após saltitar para longe de Sétimo, sem condições de combatê-lo, virou-se para a grade do shopping. Dezenas de vampiros vinham em seu encalço e uma onda de soldados corria logo atrás. Olhou para os lados. Nenhum lugar para fugir. Precisavam continuar em frente. Escapar dos soldados. Refazerem-se para tramar e encurralar Sétimo em nova armadilha. O feitiço do tempo, que seria o curinga decisivo, estava descartado e aquilo deixara-os completamente abalados. A neve descia forte e já chegava quase no joelho. Nenhum carro passava. Seria impossível. Olhou para Sétimo, que voava enlouquecido de encontro ao helicóptero. Tiago viu quando as explosões começaram. Os soldados estavam atirando. Sétimo tinha perdido a razão. Repetira o nome Aléxia duas vezes, com o peito sangrando, sem que tivesse recebido tiro algum. Não entendera aquilo, mas talvez a tal amada, Aléxia, estivesse naquele helicóptero. Os tiros crivaram o corpo da criatura. Os sete vampiros se reuniram, reforçados pela presença de César. Viram Sétimo ser acertado pelos projéteis de prata e sofrer. Despencou velozmente em resultado aos ferimentos sem número e submergiu, desaparecendo nas águas negras e podres do rio Pinheiros. Os olhos de Tiago brilharam.

— Inverno! O rio!

Guilherme entendeu. Estendeu a mão à frente e gritou, emanando seu poder vampiro.

Enquanto Inverno exalava frio, o grupo transpôs a pista expressa, chegando ao *guard-rail* oposto e encontrando um muro que os separava da linha de trem. Precisavam saltar e se afastar da turba de vampiros que vinham naquela direção.

Os vampiros do grupo de Sétimo, a grande maioria com as jaquetas com o crucifixo rubro às costas, estavam no meio da pista, quase alcançando os vampiros, quando viram o mestre cair e sucumbir nas águas do rio. Estavam danados. Precisavam ajudar o líder.

— Procurem Sétimo! Procurem Sétimo! Ele vai voltar à tona! — bradou Agnaldo.

O vampiro general procurava reestabelecer o controle sobre o grupo, mas mal concluíra a ordem, seus olhos depararam-se com algo inacreditável.

Joel deixou o queixo cair. Isabel parecia querer deixar os olhos saltarem das órbitas. Estava escuro, mas aquilo não passou despercebido. Estalos sinistros vieram do rio, como vidro trincando. O barulho era ensurdecedor. Repentinamente o som da correnteza cessou e tudo ficou muito quieto. Havia o vento, havia o motor dos helicópteros... mas o som do rio sumiu. O rio Pinheiros... o rio Pinheiros estava congelado!

Tiago tinha se desconcentrado. A noite estava escura. Piscou os olhos e deixou-os chamejar. A escuridão desapareceu. O rio Pinheiros estava imóvel.

— Vamos! Sétimo está no fundo! Ferido, espero que morra. Se tivermos sorte está preso no gelo. Vamos deixar seus vampiros para o Exército.

Saltaram as grades anexas ao *guard-rail*. Passaram sobre a linha do trem e transpuseram a plataforma, saltando o espaço entre uma e outra e voltando ao chão.

Dois jovens, abraçados, combatendo o frio, assistiram incrédulos à passagem dos vampiros.

Tiago, indo à frente, guiava a escapada. Iriam fugir, atravessando sobre o rio congelado e chegando ao outro lado.

— Livrem-se dos helicópteros.

— O rio congelou, tenente! O rio congelou! — gritava um dos soldados, perplexo, diante do facho de luz que varria o gelo.

— Temos que sair agora, tenente. O vento está aumentando.

— Desça, agora!

— Senhor?!

— Aterrisse sobre o rio! Temos os vampiros em nossas mãos. Não vou desistir agora!

— No gelo?!

— No gelo.

— ...

— Desça, raios! Desça!

Tiago e os vampiros alcançaram o rio. Mesmo congelado, o rio Pinheiros continuava fétido e turvo. Os coturnos deslizavam um pouco e era preciso concentração para manterem o equilíbrio. Os helicópteros dançavam à direita. O chão parecia firme o bastante para escaparem. Inverno fizera a superfície do rio tornar-se uma chapa espessa de gelo.

Os vampiros de Sétimo, logo à frente, também chegavam ao leito e, atrás deles, gritando e atirando, vinham os soldados do Exército. Um novo tiroteio começou, com os vampiros tentando revidar o fogo.

Mesmo com a nevasca intensa e os ventos cortantes, os helicópteros desafiavam a intempérie e pareciam descer ameaçadoramente. Um deles virou-se para o grupo de Tiago e começou a atirar. Vários soldados, munidos de prata, queriam derrubar Inverno, Acordador e os demais.

Manuel rolou pelo gelo, desviando-se das balas. Os vampiros mais uma vez se separaram.

Um helicóptero conseguiu pousar. Outros dois continuavam lutando contra o vento irregular trazido pela nevasca. Os soldados espalharam-se pelo gelo fétido, lanternas na ponta das armas. Grupo de Operações Especiais. Só uma idéia na cabeça: matar vampiros!

— Corram! Rápido! — gritou Tiago.

Os soldados, momentaneamente, atiravam contra os homens de Sétimo, que encontravam-se em desvantagem estratégica, tendo de combater soldados pela frente e por trás. Os soldados vindos do shopping procuravam não descer ao gelo, ficando no alto da borda do rio, atirando de cima para baixo.

Estavam todos no calor da batalha quando uma parte do gelo rompeu, bem embaixo da ponte, e um urro veio da escuridão. Os disparos pararam por um instante e todos viram o vulto de Sétimo rasgar o ar em direção ao helicóptero.

Os vampiros aproveitaram o susto e reverteram a desvantagem, derrubando vários soldados, encorajados pelo ressurgimento do líder.

Sétimo arremessou o próprio corpo contra o fundo do helicóptero. A aeronave perdeu a estabilidade e tombou descontrolada. Bateu contra o gelo, fazendo a água solidificada rachar e placas soltarem-se. O bico afundou rápido e a aeronave incendiou-se.

— Aléxia!!! — urrou Sétimo.

A tropa no chão abriu fogo, ajudada pelos homens à beira do rio. Acertavam ao demônio descontrolado.

Sétimo gritava de dor, com o corpo perfurado pela prata mística.

O helicóptero não afundou completamente graças ao gelo que o prendeu pelas ferragens. A água invadia com velocidade e os soldados procuravam escapar como podiam. O pânico estava instaurado. Piloto e co-piloto, presos ao cintos de segurança, tinham se afogado. Brites estava preso pela jaula com a vampira morta. Ouvia tiros. Uma explosão! Fogo dentro do helicóptero, chamas na porta. Os homens não podiam vê-lo. Estavam ocupados demais salvando o próprio rabo.

Molhados e desesperados, os jovens soldados correram para a grama molhada que ficava na beira do rio. Três deles foram mortos pelos vampiros no fogo cruzado. Gritavam desesperados. Fogo no helicóptero. Se houvesse alguém lá dentro, esse alguém estaria morto.

Brites sufocava com a fumaça e mais ainda com o cheiro fétido da água imunda que chegava em sua barriga. Não conseguia livrar-se da jaula da vampira. A água podre subia rapidamente e Brites, desesperado, parecia tomar consciência de que encontrava-se a meio caminho de sua tumba.

O terceiro helicóptero pousou próximo ao grupo de Tiago e impediu-os de cruzar o rio, empurrando os vampiros para o meio do gelo. Estavam em maus lençóis, pois, ao contrário do estacionamento, o leito congelado não oferecia meios para se esconderem e protegerem os corpos das balas de prata. Desviavam como podiam. Inverno estendeu o braço para um dos soldados, que foi envolto em um bloco de gelo. Mas a imobilidade para realizar o ato custou-lhe um tiro no peito, que fê-lo tombar. Mais balas vinham pelas costas.

Sétimo tombou seriamente ferido. Os olhos estavam nublados. Queria levantar-se, mas não podia. Prata em seus órgãos internos. Os soldados tinham-lhe acertado em cheio. Aléxia...

Agnaldo rastejou até junto ao líder. Sétimo estava sem forças. Trazia pelo colarinho um soldado, agarrado quando fugia do helicóptero de Brites. Agnaldo arrancou a cabeça do humano e enfiou o pescoço aberto na boca de Sétimo. Com a ajuda de outros vampiros arrastaram o pesado corpo para baixo da ponte, onde estaria menos exposto às balas.

Tiago e seus vampiros pareciam cercados. Miguel só podia congelar o tempo uma vez a cada ciclo, não poderia agora tirá-los daquela enrascada.

O cerco apertava quando, do outro lado do rio, um rugido varou a noite. Uma matilha de lobisomens surgiu, espantando os soldados, que recuaram alguns passos.

— Leonardo! — exclamou Tiago, aliviado.

A nevasca havia cessado quando Inverno fora atingido. Manuel também tinha ferimentos e Fernando recebera quatro tiros ao proteger Eliana.

Inverno, concentrando-se mais uma vez, vendo soldados abrindo fogo e aproximando-se lentamente, estendeu o braço. Evocou o frio e construiu diante deles um muro de gelo. Sem perder tempo, o grupo rastejou e deitou, protegendo-se como podiam. Lascas de gelo saltavam quando as balas atingiam o grosso muro. Inverno perdeu as forças. Era poderoso, mas a prata era ainda mais. Conseguira minar-lhe as energias. Precisava urgente de mais sangue.

Os lobos, agigantados, postaram-se ao lado dos vampiros. Três das criaturas caíram sobre os soldados, distribuindo bocadas perigosas nos homens do Exército.

— Montem! — gritou Tiago.

Os vampiros entenderam e fizeram dos lobisomens montaria. As criaturas dispararam para fora do rio. Tiago erguia Inverno e acabava de colocá-lo em cima de um lobo quando um dos soldados aproximou-se e disparou com uma arma de tubo largo. Tiago viu seu corpo envolto por uma rede. O lobo disparou com Inverno em seu dorso, levando-o para cima, para a marginal do outro lado, próximo ao Jockey Club.

— Tiago! — gritou Eliana, vendo o parceiro amado ficar para trás.

— Debandar! Debandar! — gritou Agnaldo, tentando agrupar o que restava de seu grupo.

Precisa preservar bons vampiros, do contrário não restaria nenhum para um novo combate.

Enquanto um dos helicópteros preparava-se para decolar, Dimitri e Tobia atravessavam o rio congelado correndo. Dimitri aproximou-se do helicóptero que afundava lentamente. Um grito. Havia um soldado lá dentro.

— Vai Tobia. Me espera lá em cima.

Dimitri arrastou-se pelo gelo, até alcançar a porta da aeronave em chamas. Não sabia se o gelo suportaria o peso do próprio corpo. Pedaços do gelo sujo balançavam conforme se mexia. O metal estava quente e ele precisou de coragem para entrar. Pôs o pé em cima de uma cela. Tinha uma mulher morta lá dentro. Uma vampira. Um homem no fundo. Com a água imunda quase no pescoço.

— Me dá a mão, soldado!

Brites abriu os olhos. Ardiam por causa da fumaça. Um homem de sobretudo preto. Um vampiro!

— Não quero ser salvo por vampiro nenhum! — retrucou.

— Não sou vampiro, imbecil. E se fosse? Preferia morrer?

Brites não respondeu.

— Estende a mão!

— Vai embora vampiro!

— Estende a mão, maluco! Não tem muito tempo!

Brites ergueu a mão, mas quando tirou-a da água na ponta vinha a pistola. Estava tonto e entorpecido. Acreditava-se morto. A água gelada...

Dimitri tomou-lhe a arma com rapidez e arremessou-a para o gelo.

— Não sou vampiro!

Dimitri abriu o sobretudo e colocou os dois pés dentro da aeronave. Tossiu por causa da fumaça. A estrutura rangeu e afundou um pouco mais. A água podre chegou ao queixo de Brites, que resfolegou, parecendo voltar a sentir o frio e o medo. Não poderia ingerir uma gota que fosse daquela água podre. Dimitri debruçou-se o máximo que pôde. Apanhou a mão de Brites e colocou-a em seu peito.

— Não sou vampiro, soldado. Sou homem. Meu coração bate.

— Vai embora, vampiro! Me deixa morrer!

Dimitri desistiu. Agarrou o braço do imbecil e puxou com toda força. Conseguiu arrancá-lo debaixo da cela e arrastou-o para fora. Mal deitou o soldado no gelo, desmaiado, o helicóptero afundou um pouco mais.

— Maldito... — balbuciou o resgatado, ameaçando levantar, mas batendo a cabeça no chão.

— De nada, tenente. — respondeu Dimitri, observando a patente do homem.

Dimitri caminhou com rapidez para fora do rio. Quando juntou-se ao caçador, olhou para trás. O helicóptero terminou de afundar, ficando apenas um pedaço de menos de um metro da cauda para fora. No gelo, afastado uns dez metros, jazia o militar.

Instantes atrás, logo ao ser capturado, Tiago ficara surpreso. Os lobisomens se distanciavam e o grupo parecia não notar que ele fora agarrado pela rede prateada. Logo lembrou que era capaz de atravessar a matéria, mas, numa montanha-russa de sensações, decepcionou-se ao notar que era como um vampiro qualquer... não podia atravessar a prata. Fora capturado.

No alto, na marginal, os lobisomens pararam, com os vampiros nas costas, servindo perfeitamente de montaria, dado o tamanho agigantado das feras.

— Tiago! — gritou Eliana.

— Temos de libertá-lo! — gritou Fernando.

— Vão, fujam! Fujam e peguem Sétimo! Eu vou escapar!

Os vampiros, obedientes como deveriam ser às ordens de Tiago, foram impelidos a disparar.

Eliana reteve-se, ameaçando fazer a besteira de voltar sozinha.

— Levem Eliana! É uma ordem! — comandou Tiago.

Dom Fernando retornou e barrou a vampira.

— Tiago! — gritou a mulher.

Tiago debateu-se procurando se soltar. Era impossível. Não conseguia mover-se um centímetro. Foi arrastado pelo gelo e teve uma extremidade da rede presa a um cabo de aço e fixada a um helicóptero.

Viu a matilha de Leonardo batendo em retirada, levando embora os vampiros e Eliana. Melhor assim, ter a amada a salvo do que nas mãos do Exército, que já os traíra no passado, quando eram humanos. Daria um jeito, sabia que daria. Outros vampiros foram capturados e presos no helicóptero. Em minutos a aeronave decolou, suspendendo-o e açoitando-o com o vento frio.

Sétimo abriu os olhos. Seu peito não se movia. Não precisava respirar. Precisava de Aléxia. O céu ficara estranhamente límpido. Via as estrelas. Identificou uma constelação que vira no céu, quinhentos anos atrás. Para que lembrar-se disso agora? Estava sendo carregado. Os soldados-vampiros conseguiram improvisar uma maca proporcional ao seu tamanho de morcego-monstro. O sangue estava agindo. Logo os ferimentos seriam vencidos. Aléxia! Lutou para manter os olhos abertos. As energias faltaram. Aléxia! O peito era o local que mais doía. Queria sua mulher. Sua vampira. Ainda percebia tiros cruzando o ar. Não queria os soldados. Não queira saber dos vampiros. Queria apenas aliviar a dor que queimava em seu peito. O único ferimento realmente fatal. As energias faltaram. Os olhos do monstro se fecharam. Não sentia-se agora um monstro tão poderoso assim...

Os soldados examinaram Brites ainda deitado. Não sabiam o que tinha acontecido ao tenente. Estava fedendo à água podre do rio. Sujeira recobrindo seu corpo até o queixo. Uma massa podre estendida no chão. Teria fraturado algum osso importante? Coluna?

— Estou inteiro, soldados... — balbuciou o tenente, como adivinhando o que os homens pensavam.

— Vamos tirá-lo daqui, senhor. Já pedimos um helicóptero ambulância.

— Quero a vampira.

Um dos homens precisou curvar-se para ouvir, mas era difícil manter-se com o nariz próximo ao superior.

— Quero a vampira. — sussurrou mais uma vez.

— Que vampira, senhor?

— Ela ficou dentro do meu helicóptero. — disse o tenente, apontando com dificuldade para o mínimo pedaço de calda ainda exposto para fora do gelo.

O soldado aquiesceu, mas sem muita convicção no olhar. Encarou o rabo do helicóptero. O tenente estava falando sério? Poderia estar delirando.

CAPÍTULO 70

— Não podemos deixá-lo sozinho! — reclamava Eliana.

Já tinham voltado para a casa em Osasco. Inverno fizera a nevasca voltar, forte e de abrangência nunca antes experimentada.

Os lobisomens, seis no total, já possuíam forma humana. Precisaram saquear uma loja de roupas para poderem transitar pelas ruas sem chamar mais atenção do que suas silhuetas pálidas chamavam por natureza. O frio não chegava a incomodar demais. Vampiros eram infinitamente menos sensíveis que os humanos.

— Ele pediu que a protegêssemos. Tiago não precisa de proteção, já conseguiu nos derrotar, há de se livrar do Exército. — redargiu Inverno.

— Mas ele foi preso. Preso pela prata. Está cativo. Nem vocês sete juntos escaparam da caixa de prata, ele está só! Ele está só.

— Tiago é um guerreiro valioso. Sétimo continua vivo, é uma ameaça para todos nós. Talvez, sem Tiago, seja impossível detê-lo. — participou Leonardo, o líder dos lobisomens.

— Humpf! — expeliu Inverno, contrariado, não queria ceder, queria sentir-se ainda mais forte que o vampiro Tiago.

— Podemos senti-lo. Podemos segui-lo. Onde quer que coloquem o vampiro, vamos encontrá-lo. — interveio Manuel, com seu sotaque português e voz gutural.

— Temos que aproveitar agora, o Exército teve baixas, Sétimo matou muitos soldados.

— Estamos fracos. Empregamos nosso poder... precisamos descansar.

— Ainda é cedo, Inverno, demora o Sol raiar. — redarguiu Baptista.

— Precisamos descansar. Estamos mais fortes. Não duvido disso. Viu tua tempestade?! Que coisa linda! E a nevasca que fiz cair! Mas viu o que aconteceu com Gentil? Não podemos confiar no diabo! Temos que descansar.

O covil tornou-se silencioso. Os vampiros vindos com Leonardo não interferiam na discussão. Eliana estava agoniada e andava de lá para cá. César estava acocorado a um canto, apenas olhando para os vampiros.

— Temos que descansar, mas temos que salvar Tiago. Eu tenho um plano. — disse Fernando, rompendo o silêncio.

O vampiro negro caminhou para fora da casa chegando à varanda. Não caía mais neve. O céu estava limpo e estrelas, tímidas, brilhavam. A lua crescente refletia a luz do Sol, chegando a projetar a sombra do vampiro robusto para dentro da casa. A rua estava coberta por uma capa de neve.

— Fiquem aqui. Protejam a mulher como pediu o mestre. Eu tenho um plano. Vou tirar Tiago da prisão.

CAPÍTULO 71

Há algumas horas os caminhões tinham retornado ao quartel. Agora os portões encontravam-se lacrados. Os sentinelas, protegidos do frio, agasalhados e evitando o vento gelado que varria a avenida dos Autonomistas, tentavam manter os olhos abertos.

Um dos helicópteros trouxera os vampiros aprisionados na batalha. Criaturas malévolas, com sangue vertendo pela boca, contrastando com a face pálida. Outros imóveis, silenciosos, cadavéricos.

O último helicóptero partira para o Hospital das Clínicas, levando a bordo soldados feridos ou desmaiados. Dentre eles, o tenente Brites, que mantinha os olhos esbugalhados. Estava isolado num canto da aeronave. Coberto por uma peça de náilon, que servia para aquecê-lo e abafar o odor fétido que o uniforme absorvera ao encharcar-se com a água podre do rio Pinheiros. O tenente batia o queixo, a água gelada parecia ter infiltrado em seus ossos e congelado seus músculos, fazendo as juntas doerem de forma indescritível. Brites não sabia se fora salvo por um homem ou por um vampiro. Chegou a ceder quando o homem lhe estendeu a mão. A água do rio ameaçava alcançar sua boca. Se ingerisse uma gota daquela água envenenada, não demoraria a encontrar seu fim. O homem não o teria retirado do helicóptero sozinho. Cedera. Não sabia se era içado por um maldito vampiro. Um inimigo. Fora fraco. Lembrava que o homem pusera a mão de Brites em seu peito. Mas o tenente não recordava de sentir um coração batendo. Lembrava da pele fria. Mas com aquela neve por todo lado. Sua mão quase congelando no rio enfeitiçado... fechou os olhos e pousou o queixo nos joelhos, sobre a capa de náilon verde-oliva. Fora salvo. Era isso que importava. Fora salvo.

No quartel, a polvorosa instalada pela chegada dos homens de Brites começava a amenizar. Nos alojamentos dos soldados, as histórias começavam a se espalhar. Versões fantásticas eram contadas. Encantavam na mesma razão que apavoravam. Os soldados sabiam que amanhã muitos caixões iriam para o solo enterrando na terra muitos colegas. Os vampiros eram inimigos perigosos. Nas crônicas contadas de boca em boca, o destino de Brites era incerto. Poucos sabiam o que tinha acontecido ao tenente. Uns afirmavam que Brites continuava comandando tudo, que apenas levara os soldados para o hospital. Algumas versões diziam que o tenente fora sugado pelas águas pardacentas do Pinheiros. As informações vinham desencontradas e ninguém sabia ao certo onde estava o tenente.

Para os sentinelas nas guaritas externas as horas arrastavam-se pesadamente, a ponta do nariz parecia pronta para partir e cair diante de seus olhos. Régis, um dos sentinelas mais friorentos, que batia os dentes descontroladamente, tinha um desejo crescente formando-se em seu pensamento. Riu sozinho. Serviu para despistar o desconforto por uns segundos. Se encontrasse aquele vampiro que diziam capaz de fazer nevar, sabia como fazê-lo derreter aquela neve de uma vez só. Se tivesse a chance, se colocassem o filho da mãe numa jaula de prata, seria o primeiro soldado da fila a importuná-lo. Enfiaria um molotov no rabo do bastardo e faria-o arrotar fogo e cuspir calor. Queria vê-lo bancando a geladeira ambulante depois disso. Certamente fora a ação dele, o vampiro congelante, que rendera o apelido à aquela cidade que surgira no Fantástico... como era mesmo? Geladeira do Diabo. Era isso. O rádio chiou e a voz do colega Everaldo chegou pelo rádio.

— Ei! Régis, fica esperto, tem um cara chegando.

Os olhos de Régis varreram a avenida forrada por um tapete branco de gelo. Como não tinha visto aquele sujeito antes? Um homem negro, de sobretudo, e mãos enfiadas nos bolsos, caminhava devagar, em direção ao portão. Estabanado, Régis, ergueu seu binóculo. Um homem negro, pele ligeiramente desbotada. Seria o frio? Levou o rádio à boca.

— Fica atento, Everaldo. Fica atento. Não tá me cheirando coisa boa.

Régis bateu na trava do fuzil, deixando-o pronto para a ação. Enfiou o cano pelo espaço de tiro.

— Alto lá. — berrou.

— Ó de cima! Cá estou, pronto para entrar.

Sotaque luso. Um português. Não era coincidência. Impossível. Aquele homem não estava ali por acaso.

— Alto lá! — repetiu o soldado.

Everaldo alertou as demais sentinelas pelo rádio. Em segundos, um alarme disparou no quartel de Quitaúna. O grupo de Operações Especiais, mal libertara-se dos uniformes pesados, se via obrigado a recolocá-los. Aquele alarme só podia significar uma coisa: vampiros!

Como o homem de sotaque luso não parava de caminhar em direção ao portão, Régis disparou três tiros. Viu o homem tombar, afundando na neve alva. Holofotes foram acesos iluminando o corpo caído. Régis sentiu o estômago embrulhar. Era a primeira vez que acertava um homem. O mal-estar deu lugar ao nervosismo quando viu o homem levantar-se. Não era um homem qualquer. Ninguém levantava depois de ser atingindo em cheio por um fuzil. Era um vampiro!

Fernando deixou os olhos acenderem. Bateu a neve de seu sobretudo. Com os olhos chamejantes olhou mais uma vez para a sentinela. Seria a última chance do garoto escapar com vida daquela situação.

— Ó, brasileiro! Abre o portão e me deixa passar!

Fernando sorriu quando viu seu pedido atendido. Os portões verdes abriram-se em conjunto. Deu o primeiro passo quando foi surpreendido por dezenas de holofotes acesos ao mesmo tempo, ofuscando-lhe a visão. Foi obrigado a fazer os olhos vermelhos voltarem ao negro, filtrando mais luz. Quando tirou o braço da frente dos olhos, percebeu o que acontecia, seu plano estava funcionando, mas corria para um desfecho doloroso. Centenas de disparos cadenciados. Dezenas de balas cruzando o corpo. Fernando gritou. A prata queimava a carne e a dor era enlouquecedora. Um tiro entrou pelo olho e estourou parte de seu crânio. Fernando apagou naquele exato momento, não sentindo a cabeça bater forte no chão, desfalecendo completamente, com um hemisfério cerebral espalhando-se pela neve branca da avenida.

CAPÍTULO 72

Tiago estava sentado no chão apertado da cela de prata. Um bom número delas estava vazio; duas, num canto, guardava corpos de dois vampiros carbonizados. Era bom que desse um jeito de escapar do cativeiro ou aquele seria seu fim.

O cheiro do rio podre parecia persegui-lo até o galpão do quartel, pois sentia o odor por toda parte.

Alguns vampiros capturados na batalha partilhavam do mesmo galpão. Apesar das celas vazias, uma ou outra abrigava dois vampiros. Uns gritavam, outros conversavam. Ouvia o nome de Sétimo vez ou outra. Em certos momentos, o galpão quedava-se silencioso por dois ou três minutos, depois voltava à algazarra.

Guiado pelo olfato, Tiago viu uma cela completamente enegrecida e recoberta de sujeira. Era dali que vinha o cheiro do rio Pinheiros. Provavelmente estivera a bordo do helicóptero abatido e fora resgatada, jogada ao fundo, com um braço suspenso para fora do gradil. Podia ver o corpo de uma mulher. A vampira estava estranhamente imóvel.

A porta frontal do galpão correu, deixando o ar da noite entrar com o frio e espantar um pouco o fedor. Junto com o vento, o cheiro de sangue. Todos os vampiros acordados olharam para a porta.

Os soldados, com o auxílio de um cabo metálico engatado à nova cela, traziam o corpo de um vampiro. Apesar de parecer inteiro, o corpo estava retalhado, destroçado, moído por balas. Um trilho largo de sangue enegrecido formava-se à passagem do novo capturado. As rodinhas da cela rangiam e os soldados faziam muita força para carregar o homem grande, forte e de pele negra. Depositaram a cela ao lado do vampiro da ponta.

Tiago, boquiaberto, evitou demonstrar surpresa, mas o espanto era grande. Acompanhava os soldados encostarem junto à sua cela o corpo de dom Fernando. O que o vampiro fazia ali? Estava desfigurado, mas podia reconhecê-lo. Um cutucar na testa servia para confiar que ainda existia vida no moribundo. Por quanto tempo? Tiago não fazia idéia.

A cela era pesada e de difícil manuseio. Os soldados desatrelaram o cabo de ferro o mais rápido que puderam, protegendo o nariz contra o cheiro ruim que exalava da cela da vampira imunda. Assessorados por um sargento, deixaram o galpão rapidamente.

Tiago notou a pressa dos soldados. Agradeceu pelo destino conspirar a seu favor. A ânsia dos soldados e a dificuldade em lidar com o peso de Fernando foram tamanhas que não tomaram o cuidado de deixá-lo longe de Tiago, pois bastou o vampiro estender o braço para alcançar a grade do parceiro. Usando força vampírica, aproximou as celas e abaixou-se o quanto pôde. Os vampiros faziam algazarra. Vários ferimentos no braço de Fernando. Tiago conseguiu colocar o braço do vampiro dentro de sua cela e tomou o sangue que escapava. Precisariam de muita energia para fugir dali, se é que isso seria possível. Tinha de ajudar Fernando a se recuperar. Tiago sentiu os olhos acenderem-se. Agarrou a cabeça de Fernando e colocou a boca inerte junto à grade. Foi sua vez de invadir a cela vizinha com seu braço forte. Criou um talho no próprio punho e deixou o sangue descer para a boca do vampiro até sentir-se fraco. Alguma coisa lhe dizia que Espelho precisaria muito mais daquele sangue do que ele mesmo. Tiago afastou um pouco as celas, mas cuidou para que a distância não fosse demasiada. Ao levantar-se, cambaleou um passo e bateu as costas contra as grades. Caiu de joelhos, pendendo a cabeça para frente. Apagou. Mesmo desacordado, o ferimento no punho fechou como mágica. Não perderia mais sangue por ali.

Na cela ao lado, o vampiro semimorto continuava imóvel. Contudo, se alguém olhasse com atenção, veria que o buraco na parte posterior da cabeça, por onde uma das inúmeras balas saiu, fechava. O ferimento fora provocado pela prata. Normalmente, levaria semanas para a completa cicatrização. Entretanto, Espelho estava longe de ser um vampiro comum.

CAPÍTULO 73

Anoitecia. Chegava a primeira noite após a batalha. Sétimo refugiara-se com outros tantos no subsolo da mansão, ainda secreto, não descoberto pelo Exército. Durante o dia, não pusera os pés para fora. Não teria forças para enfrentar o Sol. Paola desobedecera seu aviso de não deixar o covil provisório, no amontoado de prédios próximos ao centro de Osasco, e juntara-se ao bando. Contudo, o vampiro ferido tinha gostado da ousadia. Podia estar com a vampira para que ela aplacasse seu sofrimento. Rompera o casulo no final da tarde, quando recuperara sua forma humana. Como de costume, logo após a transformação, estava fraco e vulnerável. Não poderiam ser descobertos agora. Não conseguiria combater. O corpo estava com as feridas fechadas. As balas de prata haviam castigado o couro e a carne dura de sua forma de morcego, trazendo dor para sua forma humana. Precisava de sangue. O covil estava silente. Os vampiros, apagados, exceto Agnaldo, que vigiava. As baixas foram muitas. O ódio ainda o consumia. Os irmãos tinham voltado para traí-lo novamente. Para buscá-lo. Levá-lo ao Vale Negro. Viver sua última Aventura. O ódio o consumia também pelo fato dos petulantes soldados manterem Aléxia cativa. Seu peito doía. O que era aquilo? Como se apaixonara tanto pelas duas? Nunca acontecera antes. Uma ferida surgira em seu peito, e sentia o corpo sofrer junto com Aléxia. Era assustador! Essa paixão estava lhe fazendo mal. Que danassem os irmãos! Estava cego de ódio! Queria Aléxia de volta ao covil! Vampira maldita! Turvava-lhe o pensamento! Não teria paz enquanto não beijasse aqueles lábios carnudos e não sentisse novamente o gosto de sua pele. Aléxia era sua! Ninguém jamais o afastaria de suas vampiras! Foi ao cômodo ocupado por Paola. Encostou a porta de metal pesado. A vampira estava adormecida no chão de concreto frio, coberta apenas por um lençol branco. Podia ver o contorno sensual do corpo feminino. O que estava acontecendo? Nunca se apaixonara assim pelas mulheres! Tão forte! Tão arrebatado! Tão... carnal. O que tinham aquelas malditas brasileiras de tão encantador? Eram bruxas! Tinham enfeitiçado sua mente e o dominavam... ou teriam ganho do diabo o dom poderoso da sedução? Só podia ser isso! Puxou o lençol de cima do corpo de Paola. Jogadas no chão, peças de roupa da mulher, entre elas uma jaqueta negra com o característico crucifixo vermelho. A vampira estava nua. Estranhamente, apesar de não suscetível ao frio, a pele contraiu, arrepiando-se. Sétimo abaixou-se e beijou o ventre da vampira. Subiu lentamente o lençol até cobrir o corpo da mulher. Beijou-a suavemente nos lábios. Como era linda! Os cabelos longos cheiravam bem. A pele, apesar de empalidecida, tinha uma cor especial. Paola...

A vampira abriu os olhos e respirou fundo.

— Sétimo...

— Preciso de você, Paola.

Envolveu o mestre com os braços e apertou-o contra seu corpo, sentindo a pele fria do vampiro. Beijou-o.

Duas horas depois, Sétimo abandonou o quarto, seguido por Paola. Todos os vampiros tinham acordado e aguardavam instruções. Estavam agrupados a um canto, alguns ouvindo música em alto volume, outros prestando atenção à TV, onde era reproduzido o filme Drácula, com o ator Gary Oldman no papel preferido dos espectadores. Os olhos atentos acompanhavam o jovem Jonathan Harker adentrar o castelo e ser recebido pelo mórbido conde. O ser humano sempre foi fascinado pela figura assassina do vampiro. Agora, os humanos viam seus medos tomando corpo e forma selvagem em atos executados no palco da vida real.

— Vamos resgatar Aléxia. — disse Sétimo, fazendo os vampiros voltarem-se para ele. — Vamos trazê-la para o covil custe o que custar.

Sétimo andou até o centro do salão de concreto.

— Somente com Aléxia ao meu lado terei paz para lutar. Depois de Aléxia, destruiremos os vampiros que nos atrapalharam na última noite. Aqueles estúpidos não são de nada. Têm medo de mim. Vamos eliminá-los um a um.

Sétimo chamou Agnaldo, Paola e Danilo para organizar o ataque. Paola estava sendo recrutada também, pois as baixas foram tantas que se fazia necessário todo e qualquer reforço.

Danilo ficou encarregado de contatar os soldados do tráfico e tantos mercenários quanto fosse possível. Sétimo estava disponibilizando todo o dinheiro do covil para aquela investida. Muitas armas se perderam no Shopping center com a explosão do furgão. Entretanto, ainda tinham muitas no subsolo da mansão, e os soldados contratados trariam armamento pesado. Danilo havia dito que não seria fácil ajuntar homens para enfrentar o Exército, mas conhecia um punhado de loucos que iriam adorar atirar contra os repolhos. Outros malucos faziam qualquer coisa por um bom dinheiro. Chegariam como loucos, fartamente abastecidos de sangue antes do confronto. Seria tudo ou nada.

CAPÍTULO 74

No covil da City Bussocada, os vampiros também despertaram. Miguel foi o primeiro. Correu os olhos pelo cômodo escuro. Fernando não tinha voltado. Sentiu. Ao menos, estava vivo. Vivo e com Tiago, pois o sentir provinha da mesma direção onde encontrariam o brasileiro. Provavelmente estavam juntos. Presos, mas juntos. Retirou as madeiras que bloqueavam a porta e deixou o ar da noite entrar. Estrelas no céu. Lua cheia. A lua cheia preocupava. A luz do Sol refletida em esplendor reduzia os poderes vampíricos. Por sorte, eram dotados de poderes ainda mais fantásticos. Lamentou seu dom não ter aprisionado Sétimo. Aquela confusão toda poderia ter chegado ao fim. Seu coração, a cada segundo da prorrogação dada pelo demônio, se contaminava pelo arrependimento. Não era o mesmo Miguel de antes da explosão. Não tinha vontade para muitas coisas. Só queria seguir Tiago, mas as lembranças iam crescendo em sua cabeça. Traição. Sétimo era seu irmão, porém deveria matá-lo. Era sua missão. Sétimo queria disseminar os vampiros pelo mundo. Queria destronar o rei das trevas. Queria ser mais que o demônio. Queria ser o mal caminhando pela noite. Estavam lá para detê-lo.

Eliana despertou junto com os demais vampiros. Tinham aguardado Fernando até o último segundo. Adormeceu involuntariamente, na esperança de que ele chegasse com sucesso, trazendo Tiago ou, pelo menos, boas notícias.

— Ele não voltou. — disse César, retornando da casa.

Os vampiros acenderam os olhos.

— Temos que buscar Tiago. Só com ele poderemos confrontar Sétimo. — disse Miguel.

— E como pretendes apanhá-lo, gajo? Achas que é só pedir que o Exército te dá? — provocou Inverno.

— Tua lábia é notória, Gentil, mas não basta. — comentou Acordador. — Precisamos de um plano.

— Concordo com a mulher. — disse Baptista.

— O que precisamos é de soldados. Vistes quantos homens tinha o Exército? Vistes quantos vampiros tinha o grupo de Sétimo? Precisamos de reforço.

— Não podemos sair por aí fazendo vampiros, Manuel. Eles nascem fracos. Precisam no mínimo de duas a três noites para aceitar que são vampiros. — reclamou Baptista.

— Deixai-me no cemitério mais próximo que faço soldados. Basta minha voz para que os mortos se levantem. Acordam e me obedecem. Serão nosso batalhão.

CAPÍTULO 75

Desceu do carro branco e postou-se no calçamento público. O sobretudo negro de tecido grosso ondulava conforme o vento açoitava suas costas. Inspirou fundo. Sorriu. Grama molhada. Árvores secas. Muro branco. Portões largos e... abertos. Bom sinal. Não tinha provado ainda toda a amplitude de seu poder. Tivera pressa da última vez. Não ficara para ver o resultado. Caminhou em direção à entrada do terreno. Um corredor amplo. Vento frio. Tristeza. Velas crepitando. Era grande aquele um. Cruzes erguidas para o céu. Umas poucas estátuas. Era feio. Sem muitos anjos. Mas o que realmente importava é que era grande. Sabia que podia levantar os que tinham se deitado há até sete dias. Mas notara que os irmãos estavam mais fortes. Estaria ele também? O homem de baixa estatura caminhou entre as covas por cerca de quatro minutos, até o meio do cemitério. Seu cabelo esvoaçava. Estalou os lábios, preparou a garganta. O grito retumbou pelas redondezas. Centenas de olhos se abriram. Ele sentou-se em um túmulo. Logo, os resmungos tomariam conta do lugar. Era só esperar que eles quebrassem os caixões, atravessassem os tijolos ou removessem a terra. Tinha que ter paciência. Seu exército estava acordando.

Perto dali, uma enfermeira com os olhos esbugalhados caminhava cambaleante. Um nó no estômago. Tanta gente em volta. Tanta gente querendo ver o médico. Bateu na porta. Entrou atrapalhada, trêmula.

— Doutor Alexandre, você precisa vir aqui.

— Espera eu terminar, Ana.

A enfermeira, sempre educada e amigável, arrancou o estetoscópio da mão do médico e agarrou-o pelo jaleco.

— Você-precisa-vir-aqui! — disse nervosamente, batendo os dentes e lançando um olhar psicótico para ele.

Alexandre desvencilhou-se da enfermeira, notando o olhar perturbado e o resmungo. Deveria ser algo muito importante para tirar a mulher do sério. Ela estava em pânico.

Saíram sem explicar nada à paciente que estava deitada aguardando o exame. Sua dor de ouvido teria de esperar.

A enfermeira recostou-se à porta de uma sala.

— Você entra aí, doutor. Esse homem precisa de um remédio. De alguma coisa. — disse a mulher, com as primeiras lágrimas caindo.

— Esse paciente morreu, Ana. Você viu.

— Eu vi. Eu vi, doutor. — a mulher arrastou as costas na parede afastando-se da porta e caindo sentada no chão, cobrindo os olhos com as mãos. — Eu vi ele morrendo. Mas entra lá e cuida dele, pelo amor de Deus.

O doutor Alexandre impacientou-se. Era jovem, compreensivo, sensível, mas estava há doze horas naquele P. S. dos infernos com doente escorrendo pelo ladrão. Não tinha saco para surtos psicóticos ou coisas assim. Um calafrio cortou repentinamente o corpo do homem. Barulho de uma bacia metálica indo para o chão dentro da sala.

— Tem mais alguém com o defunto?

A enfermeira, com lágrimas ainda caindo, meneou negativamente a cabeça, deixando escapar um gemido de choro.

O médico girou a maçaneta. Que droga era aquela?! O morto... ou melhor, o paciente estava acocorado num canto da sala. Expressão de lunático. Tinha tirado a roupa. Dera entrada com enxaqueca. Fazia uso de drogas fortes para controle psiquiátrico. Era um doido varrido que precisava ser internado... ao menos até melhorar. A enfermeira preparava a medicação para aliviar a dor de cabeça quando o homem teve uma parada respiratória repentina. O médico não conseguiu controlar. Óbito. Agora, o paciente dado como morto estava ali, acocorado, olhos abertos, balbuciando coisas inaudíveis. Alexandre ficou surpreso de início, mas recuperou a calma. Poderia ter havido algum engano. O estetoscópio. Entrou.

— O senhor pode sentar nessa cama, por favor. Preciso repetir a ausculta. Senta aqui, por favor. — disse o médico, estendendo a mão para o homem.

O ex-defunto balançou a cabeça. Queria ficar ali, nu, acocorado no chão.

O doutor aproximou-se devagarinho. Abaixou-se, levando o estetoscópio até o peito do paciente. O homem fez menção de impedir, mas resolveu colaborar, tirando os braços da frente. O médico vasculhou o tórax. Levantou-se e se afastou rapidamente, olhando fixo para o paciente. Impossível! O homem não tinha um coração batendo! Estava morto!

A neve congelante cobria a cidade de Osasco. Acordador chegava agora ao cemitério da Bela Vista. Seus mortos-vivos seguiam-no lentamente, aglomerando-se junto ao muro da parte mais baixa. Devido à neve que começava a subir, atrapalhando a condução dos veículos, o número de carros diminuíra drasticamente.

Os vampiros do rio D'Ouro olhavam impassíveis para o exército de gente morta que seguia Acordador. Esperavam que o vampiro juntasse mais soldados, invadindo aquele novo cemitério. Dali, partiriam para o lugar onde Tiago e Fernando estavam cativos. Com os mortos-vivos ajudando, executariam a libertação. Quando Tiago estivesse de volta ao grupo, poderiam de novo investir contra Sétimo e pôr fim naquela jornada.

Acordador escalou o muro com facilidade. Ser vampiro tinha dessas vantagens. Os olhos varreram o cemitério, um pouco menor que o primeiro, mas abundante em túmulos e cheiro de morto novo. Do alto do muro, viu a cruz iluminada por um espectro azul em cima de uma grande igreja. Outra, no chão, no lado oposto da rua, com um monte de velas crepitando e saudando mortos e santos. O cemitério era menor, porém mais belo. Anjos enfeitando as tumbas. Peças negras de mármore sobre os túmulos. Crucifixos apontando para o céu. Imagens de Jesus por todos os lados. Saltou, tocando o chão cimentado. Caminhou pelas alamedas, farejando o ar.

Do outro lado da rua da Saudade, em frente ao cemitério, apesar da neve fria e da noite assombrada, uma multidão se juntava dentro do complexo do velório municipal. Um trágico acidente automobilístico vitimara três pessoas de uma mesma família na rodovia Raposo Tavares. Os infelizes eram muito populares, donos de uma tradicional casa comercial. Choros de irmãos, primos e toda sorte de amigos e parentes ouviam-se pelos quatro cantos do velório. Outros caixões, de outras famílias, ocupavam as demais salas, daí a razão daquela aglomeração excepcional de gente coberta por abrigos pesados e lamentações. Uns conversavam, tomando café quente, outros choravam, quando o grito horrendo chamou-lhes a atenção.

— Credo em cruz! — benzeu-se uma senhora na marquise. — Veio lá do cemitério.

Trinta metros para baixo, no quarteirão seguinte ao velório municipal, ficava o IML de Osasco. Na recepção, pessoas de duas ou três famílias aguardavam a liberação de corpos. Numa das salas o legista de plantão realizava o exame de um cadáver. Um policial assassinado. Tinha de identificar a *causa mortis*. O ventre do examinado, aberto. O legista analisava as vísceras. Pinçou um vaso sangüíneo. Não podia perdê-lo. Com a outra mão, apalpava a mesa de instrumentos ao lado, debruçado sobre o cadáver, sem desviar os olhos do examinado. A mão dançava apressada sobre as ferramentas, sem localizar pelo tato a que queria. Outra mão estendeu-lhe o aparelho. Era semelhante a uma tesoura, mas, em vez das lâminas, trazia garras nas pontas.

— Obrigado. — disse o legista, ainda debruçado.

Executou o que queria. Passou as costas da luva na testa. Precisaria submeter a vesícula a um estudo mais detalhado. O fígado também. O policial não fora morto por tiros. Pensava nessas coisas quando, mordido pela curiosidade, ergueu a cabeça. Um arrepio subiu pela coluna. A sala estava vazia. A porta mantivera-se fechada. Ninguém tinha entrado, muito menos saído. Quem havia lhe dado o instrumento? O legista ficou ereto. Novo arrepio. O defunto levantava a mão e lhe estendia outra ferramenta. Um grito escapou da garganta.

O legista saiu correndo. Tropeçou, caindo espalhafatosamente, dando-se conta de que uma batucada infernal enchia o corredor. Abriu a porta de mais uma sala. Levou a mão à boca. Como, por Deus, era possível?! As portas das geladeiras de conservar cadáveres... elas... elas estavam sendo empurradas! Empurradas de dentro para fora!!!

Quem passasse naquele momento pela rua da Saudade, fosse em seu próprio carro, fosse a bordo da linha 61, a bordo do Guapiuva, ou qualquer outra linha da Viação Osasco, encontraria um cenário insólito. Gente fugindo, correndo como louca, subindo em direção à C. Costa, enfrentando a neve, abandonando o velório aos berros. Se espichasse o pescoço veria que a cena se repetia no prédio do IML. Viaturas da guarda municipal derrapavam no gelo e batiam contra o muro do cemitério. E da porta do cemitério... se reparasse bem, poderia notar que gente, com roupas livres da neve, forçavam os portões, tentando fugir do local assombrado. Se prestassem atenção nos gritos dos fugitivos desvairados, talvez não entendessem:

— Fujam! Fujam! Os mortos... os mortos acordaram!!!

CAPÍTULO 76

Um vento frio revolveu o cabelo de Tiago. Os olhos abriram-se lentamente. Gritos de mulher em seus ouvidos. Por um instante, lembrou-se de Eliana, mas aquela voz não era a dela. Colocou-se em alerta. A porta do galpão estava aberta. Poucos soldados, mas armados até os dentes. Riam. Divertiam-se com os gritos da mulher. Um deles empunhava uma grossa mangueira de incêndio, esguichando um jato forte contra a vampira.

Aléxia debatia-se, enraivecida. Sentia-se fraca. O peito ferido doía. Sentia a carne arder. A afronta a enlouquecia. Não tinha forças, mal conseguia manter-se em pé. Um odor fétido exalava da própria pele. Uma casca enegrecida desprendia-se de seu corpo e da jaula de prata turvando a enxurrada que corria pelo chão. Estava sendo limpa.

Tiago olhou para os lados. Dom Fernando ainda estava apagado. Imóvel. As feridas, porém, estavam fechadas, e parecia estar de novo com os dois olhos inteiros. Notou que alguns vampiros transpiravam, tremiam. Estavam aferrados às grades, alheios à tortura impingida à vampira.

Aléxia sentia parte da roupa rasgar. A jaqueta de couro continuava íntegra, mas a camiseta estava em frangalhos. As peças pareciam dissolvidas por aquela sujeira podre e fedorenta colada à sua pele. Despiu-se, deixando a água limpar o corpo. Precisava de sangue. O estômago ardia. Queimava. Estava sem energia. Queria escapar. Queria ver Sétimo.

O soldado interrompeu o trabalho e olhava para a vampira de corpo exuberante. Estava hipnotizado. A maldita tinha olhos de um verde impressionante. Não conseguia desviar o olhar. Soltou a ponteira metálica, e a mangueira bateu no chão. Deu um passo em direção a Aléxia, que o encarava de forma sensual, encostando o corpo nas grades, dando a entender que poderia tocá-la sem perigo. Assim que o soldado estivesse ao alcance de sua mão, seria morto para servir-lhe sangue.

Tiago percebeu. Deixou um sorriso brotar discreto no canto dos lábios. Era um vampiro. Apesar de saber que a vampira pertencia ao grupo de Sétimo, queria ver o soldado estúpido perder a vida. Um pouco de confusão viria a calhar.

O soldado deu um segundo passo. O sargento, adentrando o galpão e notando a malícia no olhar da vampira que mantinha o soldado fisgado, aproximou-se. Viu que o rapaz nem notara sua presença. Quando o soldado avançou mais um passo, desferiu-lhe um tapa na cara. Surpreendido, encurvou-se, olhando assustado para o sargento, com a mão em cima da pele dolorida.

— Assim que o Sol nascer, ao primeiro raio de luz, destruam essa vampira!

O militar se deslocava com o peito estufado, batendo o coturno no assoalho, encarando os soldados. Parou. Virou-se. Fitou Aléxia. A mulher era linda. Um perigo.

— Cubram-na.

Os soldados obedeceram. Com a ajuda de hastes metálicas, envolveram a cela com uma lona.

Antes que a vampira fosse encerrada, Tiago notou algo interessante. Um ferimento no peito da mulher indicava que ela estava fraca. Estava ferida. Talvez não fosse um grande problema. Problema seria o novo confronto com Sétimo, pois o vampiro não poderia ser pego pelo poder de Miguel. Teria de tramar. Repetir a façanha de Tobia. Aprisioná-lo em uma caixa de prata. Destruí-lo. Daria um jeito de roubar um lança-redes. Perseguiria o vampiro, implacavelmente. Mais cedo ou mais tarde, Sétimo seria subjugado.

Os soldados engataram as barras de metal e arrastaram para o quadrado amarelo a cela da mulher. Acionaram um mecanismo. O telhado do galpão abriu-se, deixando o ar da noite invadir ainda mais o ambiente. Estrelas no céu. Um cheiro de chuva chegando, mas nenhuma nuvem. A luz da lua iluminou timidamente o interior do cárcere. Uma placa deslizou e foi içada para fora. Um espelho. Serviria para refletir a luz do Sol assim que o astro-rei despertasse. O destino da vampira parecia selado, mas ainda faltava muito para o nascer do Sol... muito, pois ele mal havia se deitado.

Tiago viu um vampiro próximo transpirando, com a cabeça encostada na grade. Os soldados deixaram o galpão, ficando apenas dois. A porta corrediça foi fechada. A mão de Fernando tremeu. O vampiro estava despertando. A água que banhara a mulher escorria para fora, murmurante. Tiago esfregou o rosto. Sabia que seus vampiros também já teriam despertado e certamente tramavam para resgatá-lo. Ele e Fernando estavam precisando de ajuda.

✠ ✠ ✠ ✠ ✠ ✠

A noite avançava sem que Tiago conseguisse desenhar um plano de fuga. As horas arrastavam-se, e o desejo de que seus vampiros estivessem próximos só aumentava. O galpão continuava vigiado por dois soldados e pelas câmeras de segurança. Os vampiros estavam estranhamente calados. Tiago pressentia uma atmosfera perturbada. O ar esfriava rapidamente. Logo começaria a nevar. Inverno estava se movendo. Sabia que seu grupo estava a caminho.

Hélio contorcia-se, silencioso, no fundo da cela. Percebia que a vampira de olhos verdes, encoberta pela lona, o observava por uma fresta. O vampiro-lobo encurvou-se ainda mais. Duas gotas grossas de suor desprenderam-se de sua testa. O telhado aberto deixava ver a lua cheia despontando. Primeira noite de lua cheia do ciclo. A luz do Sol refletida de forma poderosa. A pele dos vampiros ardia suavemente, mas a de Hélio e de alguns outros vampiros lobisomens, queimava. A força vampírica era reduzida na primeira noite de lua cheia. A fera sedenta de sangue falava mais alto. Não conseguiria conter a mutação. Temia apagar. Seu estômago estava seco. Não colocava uma gota de sangue para dentro do corpo havia dias. Não resistiria muito mais tempo. Nem ele nem os outros.

O vampiro Espelho abriu os olhos. Estava vivo. Estava infiltrado. Seu plano estava dando certo. Levantou-se. Sua roupa de couro parecia uma peneira. Abaixou-se, olhando para Tiago. Não queria que seu corpo imponente despertasse a atenção dos soldados. Os dois rapazes conversavam sobre futebol; estavam, por assim dizer, descontraídos.

— Obrigado pelo sangue, cara.

Tiago sorriu. Cara... ele também estava se misturando à atualidade.

— Aquelas balas de prata não são brincadeira.

Dom Fernando inspirou prolongadamente. Soltou o ar devagar. A dor, praticamente, desaparecera.

— Olhe! — espantou-se Tiago.

Flocos de neve desciam pela abertura do teto. Inverno! Estavam vindo!

— É lindo, não é?

Tiago concordou com o vampiro.

— Sabe, Tiago... até hoje me espanto com isso. Esse nosso poder... por que somos assim, malditos? Devíamos ser deuses. Por que somos dominados por essa força do mal? Gostamos de matar...

Tiago nada respondeu. Temia aceitar, mas o que Fernando dizia parecia verdade... até mesmo a doce Eliana participara do banquete sanguinário no microônibus da Himalaia.

— O vampiro tem que fazer o que todo vampiro deve fazer, Tiago. Essa é nossa natureza. Foste salvo da morte, mas o preço a pagar é alto.

A cela que guardava Aléxia começou a cobrir-se de neve. Os flocos entravam bailando ao sabor do vento.

Como Tiago continuava calado, Fernando continuou:

— E tu? Foste pego pela prata também? Não podes atravessar com aquela tua mágica?

— Não. Estou preso. Meu corpo não passa pelas barras.

Um militar desceu as escadas, vindo da sala de controle. Era um sargento. Aproximou-se sorridente dos sentinelas.

— Novidades.

— Senhor?

— Acabo de saber que o tenente Brites está a caminho. Teve alta hospitalar agora há pouco. Uma aeronave já foi destacada para apanhá-lo o mais rápido possível no HC. — informou o sargento Tavares.

Fernando observou-o. Notou que ele era superior aos soldados, pois estes o tratavam com deferência. Certamente estivera presente ao ataque que o derrubara na noite passada. Um alvo perfeito. Caso se aproximasse da jaula, seria trucidado.

A neve espalhou-se pelo piso do galpão. O sargento Tavares subiu as escadas e fechou-se na sala de controle, onde ficava também o centro de processamento de dados.

Pela porta entreaberta do galpão, viram caminhões passando acelerado. Uma sirene ecoou pelo quartel, colocando os soldados de sobreaviso. Alguma coisa séria estava acontecendo.

Tiago levantou-se, atento. Pela neve sobrenatural que despencava, não era difícil concluir que Inverno se aproximava. Olhou para os lados. Fernando também estava alerta. Olhava fixamente para os soldados. O vampiro tramava algo. Parecia esperar uma distração. Tiago assustou-se ao ver os outros vampiros... aqueles que se contorciam. Pareciam sofrer alguma dor, ainda açoitados por arma invisível. Vários tinham os braços recobertos de pêlos longos e escuros. Eram lobisomens! Um frio percorreu-lhe a espinha. Um ribombar chamou sua atenção. Algo havia se chocado contra a porta do galpão e deslizado. Puderam ver o caminhão descontrolado que ia em direção ao outro lado da rua. Um choque e uma explosão. A porta do galpão estava danificada, retorcida, mas de pé. O caminhão patinara na neve e batera em algo grande. Os dois soldados correram para o calçamento externo, pois os amigos poderiam estar em apuros, visto que havia fogo na frente do veículo. Os ocupantes saltavam pela traseira assustados, afobados. Estavam partindo em missão, mas, pelo visto, permaneceriam no quartel. Alguns escorregavam no gelo e caíam, levantando desengonçados, tentando limpar a roupa e o fuzil. Os dois soldados do galpão notaram que o fogo já se extinguira e que os envolvidos no acidente eram orientados por outro sargento. Gritos de pavor chamaram a atenção. Algo acontecia no galpão! Voltaram correndo, destravando as armas, prontas para o tiro. Aquela voz conhecida era do sargento Tavares!

— Seus imbecis! Como abandonaram a guarda?! Querem ir à corte?!

Os soldados paralisaram: o sargento estava histérico, gritando e chacoalhando a cela.

— Rápido! Rápido! Ele fugiu e me trancou aqui! O vampiro negro! O maldito está fugindo! Eu arranco a cabeça de vocês se isso acontecer!

O soldado mais alto correu para a parede onde ficavam as chaves da cela. Já voltava com elas quando o sangue gelou ao ouvir um urro descomunal.

Dentro de uma cela debatia-se um lobisomem, comprimindo-se contra as grades, com garras afiadas escapando e cortando o ar.

— Rápido, sua tartaruga! Quer ver-me fatiado por essa fera?

O soldado voltou a correr, enquanto o colega erguia o fuzil em direção ao lobisomem. O soldado colocou a chave na fechadura. O sargento chacoalhava a jaula apavorado.

— Vamos, menino! Vamos, liberta!

Pelo que o soldado lembrava, a cela estava ocupada por um vampiro de pele negra e de compleição avantajada, extremamente debilitado. Como conseguira enganar Tavares? Como escapara da prata?

— Anda, soldado! Anda! Ele está fugindo! Temos que capturá-lo!

O soldado girou a chave.

Na sala de controle, junto aos monitores, Tavares estava distraído, observando a tela que mostrava o acidente com o caminhão e a correria externa. Quando voltou às telas que exibiam o cativeiro sentiu um arrepio, um frio crescer em sua barriga. Acionou o microfone e gritou:

— Afaste-se, soldado! Afaste-se!

Via um rapaz muito próximo à cela do último vampiro capturado, o que tentara invadir o quartel. O vampiro tinha se recuperado e chacoalhava incansável a jaula de prata. Novo arrepio percorreu o corpo do sargento Tavares quando viu o soldado introduzir a chave na tranca da cela. Estava libertando! Em outras, dois lobisomens se debatiam. As barras de prata poderiam não agüentar.

— Não abra a cela! Não abra!

O soldado assustou-se, pensando ter ouvido os gritos do sargento Tavares chegando pelos alto-falantes. Era uma confusão mental, certamente, pois o sargento estava ali, na sua frente, diante de seus olhos, trancafiado na cela de prata, enganado por um vampiro.

O soldado abriu a cela, deixando a grade ir para a frente. Podia ver o corpo todo do sargento, que, mais calmo, deu um passo para fora, silencioso e esquecido da agonia e dos gritos.

— Os lobisomens, senhor! Devemos atirar?

— Dá o molho de chaves! — disse o homem, estendendo a mão.

Estranhando, o soldado obedeceu.

O sargento começou a rir. Um riso sereno, que foi crescendo.

Os soldados, assustados, recuaram vendo o sargento dirigir-se para a cela de um lobo.

— Cuidado, sargento!

— Seu maluco! O que você fez?! — berrava o sargento Tavares, descendo com mais três soldados armados.

Os dois de guarda olharam para as escadas, incrédulos. Como podia ser?! O sargento estava ali, na frente deles, aproximando-se da jaula do lobisomem!!!

— Disparar! Disparar! — ordenou Tavares da escada.

Os soldados, ainda aturdidos, ouviram o clique da cela sendo destravada.

O sargento Tavares ria junto à cela. Os vampiros começaram uma balbúrdia infernal, enquanto o lobisomem saía lentamente da prisão prateada, babando, com o cenho aguçado, os dentes expostos na direção dos soldados paralisados pelo medo.

— Mandem logo esses reforços para o cativeiro! Alerta geral! Os vampiros estão escapando! — gritava o sargento pelo rádio.

Fernando, com velocidade vampírica, desapareceu da frente dos soldados e entregou a chave para Tiago, correndo para a saída. Com sua força sobrenatural, empurrou a porta pesadíssima, impedindo a entrada de reforços.

Os soldados saíram da letargia tarde demais. Quando abriram fogo o lobisomem saltou, cruzando o espaço entre eles e, com duas patadas rápidas, desarmou os dois.

Dom Fernando transformou-se no vampiro de pele negra. Queria o sargento. Atravessou o galpão correndo e, quando o sargento chegava ao chão, pronto para o ataque, surpreendeu-o com a mão poderosa fechando sobre a garganta do militar.

Hélio, o lobo liberto, fazia o braço de um soldado desaparecer em sua mandíbula. O garoto se arrependeria de ter nascido.

Tiago abriu a cela. Notou que Aléxia havia retirado a lona que encobria a sua e presenciava os acontecimentos.

Soldados batiam na porta do galpão. Só podiam ouvir os tiros, inertes, incapazes de entrar.

Tiago decidiu tornar o cenário ainda mais perigoso para os humanos, destrancando a cela de outro lobisomem. A fera saltou e foi juntar-se a Hélio. Caso os soldados entrassem, teriam de enfrentar muita dificuldade. Tiago deu a chave para uma vampira com cara cansada. A garota parecia ter chorado muito nas últimas horas. Patrícia sorriu timidamente para ele.

Fernando ainda sugava o sangue de Tavares. Tiago correu e ergueu o vampiro, conduzindo-o para o fundo do galpão.

Explosão junto à porta. A fumaça cedeu e vários soldados começaram a invadir o cativeiro. Eram do Grupo de Operações Especiais e vinham com fuzis carregados de balas de prata. Perigo.

Quando os primeiros disparos acertaram a parede dos fundos, Tiago evocou seu dom, puxando Fernando pela mão.

— Vamos embora, vampiro.

— Tiago, a porta é pra lá.

— Eu sei... mas pode vir. Essa parede não é feita de prata.

Os dois vampiros, incógnitos, desapareceram, atravessando a parede como se fossem dois fantasmas.

CAPÍTULO 77

Tiago e Fernando arrastaram-se até uma pilha de caixotes. Pelos disparos, a coisa não estava calma do lado de fora. Puseram-se a observar o cenário. Soldados corriam em pequenos grupos. A maioria com cara assustada. Um enxame verde-oliva, calças estampadas e blusas grossas para suportar o frio da noite, parecia se aglomerar no portão. Um helicóptero passou baixo, tentando aterrissar. Certamente era Brites. Com a chegada dele, o combate aos vampiros ficaria mais organizado. Tiago escutou o uivo de um lobo. Não sabia se estavam deixando o galpão, mas ainda sobreviviam ao ataque do pelotão, que na certa estaria sendo espicaçado pelos dentes dos monstros. Apesar de serem adversários, lobos e vampiros libertos representariam ajuda momentânea. Preocupado com a quantidade de soldados que fortificava a entrada do quartel, Tiago sentiu os vampiros. A sensação vinha da esquerda. Provavelmente, estavam distantes. Eliana estava com eles, pois vinha da mesma direção. Então, que vampiros estavam ali na frente? Sétimo?! A sensação vinha um pouco da região à direita, quase na testa. Um cutucar insistente, delator. Era Sétimo quem estava ali! Por quê? Viera atrás dele? Não era possível. Talvez... a vampira. Aléxia! Era isso! Era esse o nome que Sétimo chamava quando perdera a força no ar, quando tentava matá-lo. Algo tão sinistro que o vampiro maldito chegara a perder o interesse por Tiago. Deveriam manter um elo muito forte. O vampiro, com o rosto aturdido, afastara-se de Tiago e clamara por Aléxia. Ele tinha vindo atrás daquela vampira! Um ponto fraco! Sétimo tinha um ponto fraco!

— Sétimo veio atrás da vampira que está no galpão! Achei um ponto fraco. Se não podemos congelá-lo no tempo... talvez possamos usar a mulher para atingi-lo. — comentou com Fernando.

O vampiro aquiesceu.

Precisamos de armas, Espelho. Precisamos derrubar alguns soldados e roubar as armas. Vamos ficar perto do galpão. Sétimo há de vir buscar a vampira. Não se arriscaria a combater um quartel inteiro atrás do meu couro. Será pego de surpresa.

Fora dos muros do quartel de Quitaúna, Sétimo e seu séquito preparavam-se para a invasão. Um grupo de vampiros já tinha aberto fogo, derrubando dois soldados de sentinela na frente do quartel. Um alvoroço formara-se, e não foram necessários dois minutos até alguma organização se fazer e os soldados começarem a revidar o fogo. A neve descia farta, mais uma vez cobrindo e tomando a avenida dos Autonomistas.

Antes dos primeiros tiros, por estratégia, haviam tomado a vida dos soldados externos. Assim, não teriam chance de prevenir o quartel sobre a invasão iminente.

Do lado direito de Sétimo estava Agnaldo e alguns vampiros que liderariam pequenos grupos durante a invasão. Do lado esquerdo, junto a seu ombro, estava Danilo e o grupo contratado para a afronta.

Os mercenários sabiam que estavam na companhia de vampiros, mas achavam graça na revelação secreta de Danilo e não acreditavam muito nisso, posto que até o momento não tinham tido a chance de presenciar nenhuma demonstração vampiresca. Achavam que estavam na companhia de uma cambada de malucos que pagava uma bolada para cometer loucuras feito aquela. Os soldados do tráfico viam uma vantagem além do pagamento. Forçariam a entrada no quartel. Aproveitariam a confusão toda e assaltariam o arsenal. Armas do Exército valiam uma grana no mercado negro. Claro que sabiam que era perigoso, mas eram mercenários. Eram pagos para isso. E ações ousadas como aquela valiam para abrilhantar seus currículos entre a bandidagem.

Isac, o líder dos soldados do tráfico, repartia um baseado do bom com dois parceiros. Riam, esperando pela ordem do garoto de cabelos loiros, compridos e escorridos, o manda-chuva do pedaço. Um garoto. Vê se pode! O baseado servia para aliviar a tensão pré-invasão. Os três davam tragadas longas e exalavam uma densa nuvem de fumaça. O frio apertava na razão em que a neve caía.

Holofotes foram colocados do outro lado da rua, além do portão. O Exército começava a se organizar. Há pouco, um helicóptero tinha passado baixinho e parecia decolar novamente.

— É a hora. — disse Sétimo, levantando-se.

O vampiro saltou por cima da *pick-up* que servia de proteção e parou no meio da avenida dos Autonomistas. Disparos vinham do portão do quartel. Os traficantes revidaram. A neve aos pés de Sétimo começou a ser arremessada para cima, conforme os tiros se aproximavam. O vampiro urrou, fechou os braços e abaixou-se. Os tiros passaram sobre sua cabeça. Um dos mercenários, desatento, teve o crânio atravessado por um balaço de fuzil. O sangue começou a espalhar-se pela calçada. Dois vampiros aproximaram-se e começaram a tomar o sangue do mortal.

Isac viu a cena de soslaio e continuou atirando. Repentinamente, parou. Viu a pele do garoto loiro mudar de cor. Viu o garoto tirar a camiseta e asas de morcego começarem a brotar de suas costas; uma pele grossa agarrava-se aos braços. Isac olhava para os parceiros ao lado. Os homens também estavam com os olhos esbugalhados. Isac tirou o baseado da boca e jogou na sarjeta.

— Porra, mano... essa merda é da boa!

Os traficantes começaram a rir e sentaram o dedo no gatilho, mandando chumbo grosso para cima dos portões da base militar.

Luzes vermelhas acenderam próximas ao portão do quartel e um sinal sonoro começou a tilintar. Um trem de passageiros se aproximava e cruzaria a linha de tiro.

Brites decolou no helicóptero. O tenente havia deixado o hospital contra ordem médica, que pedia observação por período maior. No entanto, ele pressentia que não tinha tempo a perder e via naquele momento um de seus maiores temores se concretizar. Os vampiros estavam abrindo fogo contra o Exército. Os vampiros estavam tentando destruir todos os soldados de um quartel. Se vencessem o Exército brasileiro, não haveria mais fronteiras. O Brasil seria dominado por aquelas criaturas malditas, de dentes afiados e pontiagudos, assassinas por natureza. Assim que a aeronave ganhou altitude, podia ver como se desenhava o ataque ousado dos pretensos invasores. Eram burros, e essa era sua sorte. Eram assassinos, mas nada sabiam da arte da guerra. Estavam concentrados na frente dos portões. É verdade que tinham a vantagem da surpresa e localizavam-se no topo de um ligeiro aclive, mas a estratégia não tinha mais pontos a favor. Juntos, num bloco só, de costas para um muro, não tinham chance de escapar. Seriam esmagados.

— Sargento Santos, quero fogo forte contra esses imbecis, sem interrupção. Destaque dois pelotões pelos flancos; saltem o muro, avancem lateralmente pela avenida. Vamos espremê-los e destruí-los. Metade dos soldados de cada pelotão deve ser de O.E., com armamento especial, sem equipamento de captura... não quero prisioneiros.

Sétimo concluiu sua mutação. Estendeu as asas de morcego e exibiu o corpo musculoso. Abriu a boca de dentes afiados e rugiu para os soldados.

— Aléxia! — urrou.

A vampira Aléxia, dentro do galpão, protegida pelo corpo do lobisomem Hélio, não fora atingida por um disparo sequer. Repentinamente, seus pêlos arrepiaram-se. A voz de Sétimo chegou a seus ouvidos. O amado viera para fazê-la livre. Hélio indicou as escadas. Deu proteção para que ela se aproximasse de um soldado agonizante e dele fizesse uma refeição. Ela precisava de energia. Os soldados eram derrubados velozmente pelos outros lobisomens e vampiros, mas sempre que achavam que poderiam escapar pelo buraco aberto pela explosão anterior, mais soldados surgiam pela abertura, disparando incansavelmente. Não poderiam ficar ali a noite toda... com o avançar da madrugada, o Sol chegaria e seria o fim de todos os vampiros.

Distante dali, Tobia e Dimitri abasteciam as motocicletas num posto Texaco em frente ao viaduto metálico de Osasco. A neve assombrada cobria toda a paisagem, tornando o bulevar da prefeitura uma passarela branca. Poucos carros aventuravam-se pelas ruas. Os dois insistiriam na patrulha, pois, se a neve descia do céu, Inverno estava solto e aprontando. Cedo ou tarde, encontrariam mais pistas da atividade vampírica. Uma viatura da polícia militar, um Land Rover, terminava seu abastecimento. Devido ao silêncio da madrugada, foi possível aos caçadores de vampiro escutarem a transmissão que chegava. Não estava muito clara, mas parecia algo como um tiroteio em frente ao quartel de Quitaúna. Foi o suficiente para a dupla trocar olhares significativos e deixar o posto o mais rápido possível. Tobia entrou na loja de conveniência com seu novo sobretudo, preto, igual ao de Dimitri, e pagou o combustível. A viatura já tinha deixado o posto com as sirenes ligadas, brigando com a neve para não ir parar na guia.

Os caçadores de vampiro subiram nas motos e ganharam o asfalto escorregadio. Dimitri ia em velocidade reduzida. Suas costelas doíam à beça, e os analgésicos já não faziam efeito. Não poderia ficar de molho em casa com aquela guerra sombria aumentando em proporção a cada dia. Ou acabava com Sétimo, ou os vampiros acabariam com ele. Gemeu, passando a mão na lateral do tórax. Estender-se sobre o tanque de combustível da motocicleta era extremamente dolorido. Era hora de sugerir a volta do bom e velho Comodoro negro.

O soldado estava a postos na metralhadora do helicóptero. No entanto, Brites hesitou em abrir fogo: não podia ouvir o tilintar do aviso de trem aproximando-se, mas viu as luzes vermelhas acendendo alternadamente junto à cruz de Santo André. Indicou ao piloto.

— A essa hora, tenente, se for um trem de passageiros, estará vazio.

— Mas tem o maquinista, no mínimo! Estou cansado de ver gente inocente morrendo.

— Compreendido, senhor.

O helicóptero descreveu uma curva no céu. Avançou rápido e, após cruzar a linha de tiro, desceu o máximo que pôde.

— Não vamos conseguir, senhor. Ele não vai parar.

Brites viu o trem correndo sobre os trilhos.

— Baixe! Baixe mais!

— Impossível, senhor!

Brites deixou o assento e foi para o compartimento traseiro do helicóptero, juntando-se ao soldado da metralhadora. Prendeu um cinto e conectou-o a um cabo de aço.

— Abaixe devagar; tenho que ficar na frente do trem; se chegar até a linha, melhor. Você consegue, filho. — orientou ao soldado, que já deixava o assento da metralhadora.

O motor elétrico começou a funcionar, e Brites sentiu o corpo descendo, solto no ar. Um vento congelante batia contra seu rosto e as luzes do trem aproximavam-se em alta velocidade. O helicóptero balançava, fazendo o cabo de aço oscilar como um pêndulo. Seria boa idéia o piloto tomar cuidado com fios de eletricidade que alimentavam a linha; do contrário, ele sairia do cabo de aço para a cova. O soldado soltou mais o cabo, e Brites finalmente alcançou o chão. O trem estava a pouco mais de trezentos metros, rápido e crescendo diante dos olhos do tenente, que acenava com os braços erguidos. Podia ter muita gente dentro da composição. Queria evitar mais uma tragédia por culpa daqueles vampiros assassinos. Estava farto de mortes inúteis.

O maquinista, desatento, levou quase um minuto para erguer a cabeça e perceber o homem no meio da linha. Acionou a buzina imediatamente. O coração disparou. Que droga era aquela? Um helicóptero logo acima da cabeça do homem! Buzinou novamente. O maluco não ia sair da linha. Era um suicida! Estava a cem metros. Não conseguiria frear. Acionou o freio manual, reduzindo lentamente. Não iria descarrilhar o trem por culpa daquele idiota. As travas produziram faíscas, retinindo contra o ferro dos trilhos. Um som agudo, penetrante, escapava da composição. Não haveria tempo: se o homem não desistisse naquele instante, seria estraçalhado.

Brites estava hipnotizado pela máquina que se aproximava. O maquinista não parecia disposto a interromper a marcha. Em segundos, o trem passaria por cima dele. Continuou, aflito, brandindo os braços. Tinha que ser visto. Um som agudo. Fagulhas voando debaixo do trem. O maquinista estava freando. O trem estava muito próximo. Para que lado correr? Brites parecia colado à linha. Estava atônito, sem ação por um instante, um instante que poderia custar sua vida.

O piloto do helicóptero esperou até o último segundo. Deu uma guinada no manche para a direita, fazendo a aeronave deslizar em alta velocidade. O cabo de aço estendeu-se e Brites foi arrastado para o ar, escapando por centímetros do acidente fatal. Chegou a sentir o deslocamento de ar provocado pelo trem embaixo dos pés. No instante seguinte, estava sobrevoando o quartel. O cabo de aço estava sendo içado. Irritou-se. Quase perdera a vida e, pelo que via, o trem não conseguiria parar a tempo.

As tropas que Brites mandara organizar já estavam de prontidão nos muros de Quitaúna. Era hora do ataque-surpresa. Uma viria pela direita; outra, pela esquerda. A tropa da esquerda se posicionaria de forma estratégica para evitar o fogo cruzado, servindo apenas para encurralar definitivamente o ousado grupo de vampiros. Estava em superioridade bélica e estratégica. Os vampiros nem aparentavam ser muitos. Pareciam aqueles pilotos de caça Zero, kamikazes, que estavam ali para fazer barulho e, fatalmente, perder a vida.

Um sinal pelo rádio. O sargento Santos ordenava o ataque.

Rapidamente, em ambas as tropas, um soldado ocupou-se de erguer uma escada estreita, porém resistente, por onde os soldados saltariam o muro sem perda de tempo. A vitória era certa.

— Preparem a chave! Preparem a porra da chave ou vamos morrer aqui fora! — protestou Danilo, colado à *pick-up*, abaixado, evitando as balas que vinham do quartel.

— Irrrrá! — gritou Isac, excitado. — Se vamos fazer alguma coisa, já tá na hora. Eu tô fervendo, doido pra apagar esses filhos da puta!

Agnaldo, o general de Sétimo, havia traçado sua estratégia. Esperaria o máximo de soldados se aglomerar no portão frontal do quartel. Se tinham de entrar, entrariam matando o maior número de inimigos possível. Sabia que a invasão não seria boiada. Seria ferrada. Os soldados, reunidos na entrada, pareciam trancá-lo com o próprio corpo. Para destrancar, precisavam usar a chave certa, de tamanho certo.

— Manda vê, macacada! — gritou Agnaldo, levantando-se e abrindo fogo contra os militares. — Somos vampiros, não vamos morrer com esses tiros! Vamos entrar! Manda a chave!!!

Cinco vampiros saltaram sobre a *pick-up* e fincaram um dos joelhos no chão. Fuzis israelenses cuspiam furiosamente uma rajada de tiros contra o portão do quartel. Em resposta, os disparos penetravam o muro e a *pick-up*. Não demorou muito para que os bravos invasores fossem atingidos, caindo imobilizados... depois de instantes, bons vampiros que eram, começaram a se arrastar de volta à *pick-up*. Precisavam de algum tempo para voltar à ação.

Um dos mercenários levantou-se e, coberto pelos parceiros, abriu a traseira da *pick-up* Toyota. Com a ajuda de mais dois homens, trouxe um equipamento para a calçada. Protegidos pela lataria da *pick-up*, que esfarelava a cada rajada do Exército, começaram a montar o aparato. Um tripé surgiu. Um cilindro foi acoplado. Uma caixa de madeira, aberta, revelou doze pequenos foguetes. Com agilidade, municiaram a chave.

Um som estridente chamou a atenção. Um trem interpunha-se a eles e o quartel de Quitaúna. Não haveria intromissão mais oportuna.

As tropas, que acabavam de saltar o muro para aproximar-se sorrateiramente do bando de vampiros franco-atiradores, viam-se encurraladas pelos vagões intermináveis do trem.

— Dêem a volta. Contornem o trem! Eles podem tentar fugir!

Os soldados obedeceram ao comando do sargento Santos, que integrava a tropa que saía à esquerda do quartel e que também apanharia os vampiros por aquele lado. Dispararam em corrida, cada qual querendo alcançar a extremidade correspondente para vencer o obstáculo. Os fuzis pesados balançavam nas mãos dos homens. Nuvens de vapor escapavam de suas bocas e enfeitavam o caminho. Frio dos diabos!

Santos corria junto com seus homens. Estavam próximos da dianteira do trem. Só falta vencer a máquina da ponta e estariam em condições de avançar e fechar o cerco sobre os atiradores, dando fim àquela estúpida tentativa de invasão ao quartel de Osasco.

Instantes atrás, logo após passar pelo apuro do maluco na linha, o maquinista, ainda com o freio acionado, se inteirou do tiroteio. Sem tempo de pensar em nada, atirou-se ao chão da sala de controle. Tiros estilhaçaram os vidros frontais e laterais. Cacos desabaram sobre sua cabeça e uma enxurrada de vidro tomou o piso. O maquinista gritou. Ouviu mais disparos. Balas batendo no ferro, dentro da cabine. Ricocheteando e batendo no chão. Um tiro feriu seu braço. Deitou-se completamente. Sangue enchia o chão da cabine. Os vidros estavam entrando em sua pele, furando a roupa, cortando a nuca. Ajoelhou-se, ainda gritando, e acionou a máquina. Lentamente, o trem voltou a mover-se. Desespero.

O braço, o peito e a perna doíam do lado direito, num misto de dor e entorpecimento. O maquinista desmaiou.

Leonardo vinha na frente em forma de lobo. Quando queria, movia-se sobre duas patas, mas vinha garboso, imponente, sobre quatro. Às suas costas, seis lobisomens o acompanhavam lentamente. A neve recobria o asfalto. Carros eram raridade àquela hora da madrugada. Os poucos que se aventuravam na neve ficavam no meio do caminho, atracados a um poste ou outro obstáculo qualquer, assim que os proprietários perdiam o domínio da direção. Atrás da matilha vinham os vampiros do rio D'Ouro, Eliana e César, além de um cortejo de sinistras criaturas sob o comando do vampiro Acordador. Andavam devagar, como caminhavam os zumbis. Tinham abandonado também a Cherokee após a direção tornar-se impossível. César sabia que precisava envolver os pneus em correntes para continuar a dirigir, mas não tinha tempo para fazer isso. Precisavam avançar rumo a Quitaúna. Marchavam cercados por um exército incontável de mortos-vivos levantados das tumbas. Acordador visitara os cemitérios do Santo Antônio e da Bela Vista. Seu poder realmente tinha se ampliado, não se restringindo aos mortos de sete dias. Dom Manuel estava satisfeito, poderoso o suficiente para despertar mortos de até sete semanas. Os zumbis, como esperado, obedeciam com docilidade. A tarefa havia consumido boa parte da noite, pois, após acordar os mortos no Santo Antônio, tiveram de marchar até o cemitério da Bela Vista e de lá extrair precioso reforço para a contenda que se avizinhava. Iam para Quitaúna, para espalhar o horror sinistro, para criar confusão, para matar soldados com roupa verde-oliva, para atracar-se com os vampiros do time oposto, pois pressentiam a presença de inimigos. A legião acordada compunha-se de crianças, jovens e velhos... todos com rostos tristes e, a maioria, em marcha claudicante, alguns já em avançado estado de decomposição. Outra melhora que se observava em relação ao dom de Acordador era que os mortos acordados dentro de sete dias não pareciam mortos-vivos; eram ágeis e praticamente normais. Bastava observar César: quando acordado, só faltava ter o coração batendo. Movia-se normalmente e não se queixava de dor. Estava apenas muito mais silencioso e reservado do que o comum. Parecia sempre ocupado em pensar, abstraído, tramando algo. Era estranho. Fora isso, era o velho Cesão de Amarração. Um quase-vivo.

O exército assombrado dos vampiros do rio D'Ouro passava em frente a um posto de abastecimento. Já se aproximavam da vila militar e ouviam os disparos. Os lobos, na dianteira, viram o trem que passava vagarosamente, deixando a frente do quartel. Os olhos lupinos e vampíricos enxergaram os soldados, que se moviam sorrateiramente, deixando o muro da base militar em dois pontos, prontos para cercar o grupo de vampiros inimigos. Problemas.

O último vagão a bloquear o campo de batalha aproximava-se e logo cruzaria a frente do quartel, liberando o ataque. Agnaldo achara a intromissão mais que oportuna, perfeita. Os mercenários arrastaram o tripé para fora da proteção da *pick-up*. Assim que o vagão deixasse o caminho livre, mandariam a chave.

Inadvertidamente, ansiosos e sem um comando coeso, os soldados aglomeravam-se às centenas junto ao portão. A grande maioria nunca se envolvera num incidente daquela proporção. Queria participar. Resultado: a confusão e agitação de jovens loucos por aventura começaram a tumultuar e transformar o que estava organizado numa baderna incontrolável. Sargentos gritavam, tentando conter os homens. Estava ficando perigoso. Rapazes bradavam gritos de guerra. A confiança entre os jovens agigantava-se. Eram centenas, enquanto os do outro lado da rua mal passavam de duas dúzias. A chance de morrer era pequena. Imaginavam que, caindo como uma onda, os arruaceiros não teriam chance. Nenhum vampiro resistiria a um ataque maciço. Sentiam que chegava a hora de abrir o portão e partir para o combate.

Antes que o último vagão saísse da frente dos portões do quartel, Agnaldo deu voz de ataque. Queria que o atirador do lança-foguetes tivesse cobertura. Uma saraivada de balas bateu contra os soldados. Os protegidos safaram-se, enquanto uma dezena tombava. O armamento dos mercenários rugia feroz, explodindo repetidamente.

Os soldados respondiam, procurando estraçalhar o que restara dos veículos, o que restara de proteção.

— Lá vai a chave! — gritou um do tráfico, puxando o gatilho.

Uma explosão maior retumbou.

Por um instante, a balbúrdia formada pelos inexperientes soldados calou. Tiveram um único segundo para aquele silêncio aterrador crescer até sufocar. Fumaça do outro lado da rua. Mais tiros. Um pequeno foguete veio de encontro ao portão. Gritos. Alguns correram, mais por instinto, assim que a arma disparou. O pequeno míssil cruzou a avenida e explodiu contra a massa de rapazes.

Agnaldo sorriu. Os soldados corriam, abrindo caminho, dando passagem. Vitória! Estava satisfeito, empolgado. Acontecera exatamente o que previra. Em número reduzido o Exército os subestimaria. Era a chance para o massacre.

— Avançar! Avançar! — comandou Agnaldo.

Vampiros e mercenários saltaram para a avenida, disparando contra o que sobrara em frente ao quartel. A entrada da base militar era fumaça e destruição.

O lança-míssil disparou novamente. Outro foguete cruzou a avenida, silvando, e explodiu contra um galpão. A ordem era gastar os foguetes para causar medo, confusão e morte.

Mais gritos. Mais corpos mutilados. Agnaldo conseguira o que queria. Surpreender e avançar. Estava colocando seus homens dentro do quartel, como pedira Sétimo. Queriam matar o maior número de soldados possível. Tinham de deixar claro seu poder. Deixar claro que a partir dali quem mandava no mundo era o exército do vampiro Sétimo.

Duas *pick-ups*, com traficantes e mercenários na carroceria, avançaram pelo portão. Iriam procurar o arsenal e roubar mais armas. Era para isso que estavam ali.

As tropas que se imaginavam em vantagem, avançando pelas laterais, por fora dos muros, prontas para encurralar o grupo de vampiros, estava abobalhada. Não contavam com aquilo. Mesmo o sargento Santos estava perdido. Ordenou que os soldados abrissem fogo. Precisavam deter os malditos invasores.

Antes do eficaz ataque do general Agnaldo, Sétimo partira em busca de Aléxia. Deixara Paola com Danilo e os vampiros, para que ela ajudasse na invasão. Precisariam de cada vampiro apto a lutar, derrubando soldados, confundindo os humanos, criando problemas. Libertaria Aléxia, apanharia Paola e as colocaria fora dali.

Sétimo deixou o cutucar guiá-lo. Aléxia estava num galpão com abertura no telhado. Sem vacilar, desceu velozmente. Arrepiou-se ao vê-la descalça, vestindo a camiseta de um soldado, tão grande que batia nos joelhos. A mulher escondia-se atrás de um lobisomem, enquanto lobos digladiavam-se com os soldados que tentavam entrar. O corpo pesado da criatura alada bateu forte no chão. As asas, estendidas e agitadas, produziam uma ventania violenta.

— Aléxia! — bradou a voz de trovão.

A vampira correu e abraçou seu criador, seu mestre.

Explosões, gritos. Sétimo sorriu. Seus soldados estavam avançando.

Um silvo cortante e crescente ao galpão. Repentinamente, sem aviso prévio, a parede dos fundos explodiu, fazendo subir uma nuvem de poeira. Sétimo foi arremessado contra o chão, com Aléxia nos braços. Os lobos ganiram assustados; Hélio rolou pelo pavimento. Um vento gelado invadiu o galpão. Os lobos finalmente viam uma chance de fuga. O som dos disparos cessou, pois os soldados que tentavam entrar também foram pegos de surpresa. O único ruído era o interminável chover de destroços, pequenas pedras que tinham se soltado do chão e da parede extinta e que voltavam ao solo.

Sétimo levantou-se. A dor incomodava seu ombro. Estendeu a mão para Aléxia. A vampira tinha um pedaço de metal que entrava pelas costas e saía no ombro. O vampiro puxou o ferro, e a vampira grunhiu. Ambos sangravam.

Sétimo deu as primeiras passadas, puxando a mulher para fora. Ela olhou para trás. Hélio ainda estava caído.

— Espere, Sétimo. Aquele lobisomem... não posso deixá-lo. Ele me salvou.

Os olhos do vampiro alado acenderam-se como brasas sobrenaturais e queimaram tão intensos que o rubor chegou a refletir-se no rosto pálido da vampira. Sétimo resmungou e caminhou lentamente até alcançar o lobo. Olhou para Aléxia e voltou o rosto para o lobisomem. A mulher suplicara por outro vampiro! Sétimo bufou e inclinou-se. Ergueu o lobisomem pela garganta e desferiu um golpe no rosto da fera, que voou pelo galpão, chocando-se contra a porta corrediça. Os parceiros de Hélio rosnaram ferozes, mostrando as presas para Sétimo. O vampiro alado também urrou e mostrou os dentes. Os lobos recuaram, cercando o líder caído. Sétimo apanhou Aléxia nos braços e saiu. A vampira lançou um último olhar para trás, compadecida da situação, deixando o lobo que a ajudara à própria sorte. Abriu um sorriso para seu protetor definitivo, já esquecida de Hélio. Sétimo estendeu as asas e farfalhou. Segurou firme a mulher e decolou. Precisava encontrar Paola e colocá-las fora de perigo. Retornaria como um raio para dar fuga a seu exército. Primeiro, salvar as mulheres... depois, salvar seus homens.

Tiago e Fernando viram quando Sétimo passou voando sobre suas cabeças. Tiago sabia o que o vampiro queria: libertar a mulher. A vampira Aléxia. Não estava ali para matá-lo, mas para resgatar a garota. Montara um ataque ousado ao quartel para buscar a vampira. Estava ligado a ela. Estava se arriscando por ela. O ponto fraco confirmava-se. Se não pudesse dominá-lo, talvez pudesse capturar a mulher e desnortear o vampiro. Quando Sétimo adentrou o galpão, Tiago tinha uma boa oportunidade para atingi-lo. Sétimo não esperava sua intromissão.

Precisavam de armas. Dom Fernando prontificou-se. Transmutou as feições, assemelhando-se ao sargento Tavares. Abandonou o esconderijo e juntou-se à multidão de soldados. Apanharia os desprevenidos e tomaria suas armas. Contudo, não foi preciso tanto cuidado. Uma explosão fenomenal atingiu a entrada do quartel. Corpos mutilados, soldados choramingando, próximos da morte. Dom Fernando, despercebido na confusão, precisou apenas localizar os fuzis junto aos que jaziam no chão. Apanhou as armas que mais lhe chamavam a atenção e voltou. As explosões continuavam, fazendo parte do galpão onde estiveram cativos voar pelos ares. Dom Fernando alcançou Tiago e abaixou-se, protegendo-se de estilhaços. As explosões pareciam não ter fim.

Tiago sabia que Sétimo estava dentro do galpão. Seria muita sorte a explosão ter dado cabo do vampiro, mas logo que a nuvem de poeira baixou, visualizou a silhueta gigante do monstro alado. Às costas de Sétimo, uma dupla de lobos enfurecidos grunhia. O vampiro caminhou para a saída do galpão. Tiros começaram a chegar. Tiago olhou para a direita. Soldados vinham na direção do galpão. Alheio, Sétimo tomou a mulher nas mãos e estendeu as asas, farfalhou-as, aquecendo os membros, e subiu com a garota no colo. Tiago notou ferimentos no ombro de ambos os vampiros.

— É agora! — disse Tiago, saindo do esconderijo e desengatilhando o rifle.

O vampiro mirou as asas de Sétimo, puxou o gatilho... e nada! Que falta de sorte! A arma estava sem munição.

— Vamos, Fernando, não podemos deixar ele escapar! Ele está ferido no ombro, mas creio que não sente dor alguma. Precisamos de armas com munição especial. Balas de prata.

O vampiro, ainda com as feições do sargento Tavares, demonstrou grande capacidade de assimilar conhecimentos. Tinha visto aquilo uma vez durante a batalha do rio Pinheiros. Virou o fuzil compacto, destravou o municiador e retirou o cartucho de balas. Pontas de prata! Remontou a arma e estendeu ao rapaz.

— Aqui está!

Tiago pegou o rifle, impressionado. Abaixou-se. Tiros perdidos passavam de raspão.

— Vamos com cuidado. A coisa tá feia.

Olhou para o céu. Lá estava o vampiro alado. Um helicóptero se interpôs aos dois. Não poderia atirar. Os olhos cintilaram, vermelhos, enraivecidos.

— Ele não vai escapar.

Tiago abandonou o esconderijo, seguido por Fernando. Recostou-se a uma parede, evitando expor-se. Olhou na direção do cutucar. Sétimo, para sua sorte, estava pousando. Aguçou a visão privilegiada. Sétimo aproximava-se de outra vampira, a morena de cabelos longos e corpo sensual. Ele sabia escolher suas mulheres. Tomou-a nos braços e gritou aos soldados: queriam escapar da batalha. Isso ratificava sua teoria: Sétimo estivera ali apenas para resgatar a vampira de ombro ferido. Vagava em pensamento quando a parede à qual se apoiava voou pelos ares. Tiago caiu a cinqüenta metros. O ouvido zumbia. Olhou ao redor e não encontrou Fernando. A cabeça girava. Tinha um corte fundo na perna, provocado por um vergalhão. Se fosse humano, estaria morto, pois o lado direito do corpo estava doloridíssimo e amortecido. Lutando contra a inconsciência, rastejou até o rifle compacto, carregado com balas de prata. A cabeça doía, não conseguia concentrar-se no sentir. Estava escuro. Olhou para o céu. Procurava Sétimo. O vampiro não podia escapar. Não naquele momento. Um uivo o deteve. Girou a cabeça, tonto, largado no chão. Um lobo estava em cima do muro que separava o quartel da linha de trem e da avenida. Leonardo! Seus vampiros tinham chegado! Mais do que nunca, precisava retardar Sétimo e, finalmente, encerrar a guerra aos vampiros assassinos, que planejavam tomar a Terra e espalhar o mal. Os olhos buscaram o céu. Sétimo estava lá, com Aléxia e Paola nos braços, evadindo-se. Ergueu o rifle e mirou. Os olhos acenderam, a noite iluminou-se timidamente. Precisava de sangue, estava à beira da exaustão. O corpo ferido consumia velozmente a energia vampírica. Apertou o gatilho, e a arma cuspiu dezenas de projéteis. Soltou o rifle e bateu a cabeça no chão. Sangue. Precisava de sangue humano.

Sétimo grunhiu. Algo havia explodido contra a asa esquerda. Disparos transfixaram seu par de asas. Uma bala entrou queimando na perna. Maldita prata!!! Apertou as mulheres, temendo soltá-las num espasmo de dor. Tinha sido alvejado por muitas balas naquela noite, mas nenhuma de prata. Não conseguiu sustentar o vôo e despencou. Retomou o equilíbrio no meio da queda e evocou a magia vampírica, tocando o solo com suavidade, abaixando o corpo e soltando as vampiras no chão. O desvio da força vampírica custou-lhe muita dor, pois assim que tocou o chão, gritou e tombou. As asas estavam danificadas. Estendeu-as. Tiros! Protegeu as mulheres com o corpo parrudo. Por sorte, não eram balas de prata. Dor momentânea... prejuízo pequeno.

— Fujam!

Paola, puxada por Aléxia, correu para a estação de trem de Quitaúna em busca de abrigo. Paola notou que estavam cercadas por um bando de gente esquisita. Algumas pessoas tinham expressões cadavéricas. Pareciam zumbis!

— Está forte, Paola?

A vampira anuiu com a cabeça.

— Vamos precisar de toda a energia que conseguirmos.

— O que está querendo? — perguntou Paola, correndo ao lado da parceira.

— Vi quem atingiu nosso vampiro! É um folgado chamado Tiago.

— Aquele que esteve na mansão?

— Ele.

Paola, com a típica jaqueta de couro negro e o crucifixo rubro às costas, deixou os olhos acenderem e os dentes brotarem. Tiago tinha que deixar de existir. Naquela noite.

Sétimo fechou as asas e encarou os vampiros que chegavam.

— Irmãos malditos! Querem confronto? Darei a vocês combate... mas será o último!

O exército de acordados ainda marchava, rumando para o quartel. Pararam a um novo grito de Acordador. Manuel, o vampiro de baixa estatura, correu com velocidade vampírica, abalroando Sétimo. O vampiro rolou no chão recoberto de gelo. Os zumbis entenderam o recado. Aquele era o alvo. Os que já haviam passado, voltaram; os que vinham, corrigiram o curso da marcha assombrada para cima do monstro alado. Sétimo ajoelhou-se levando a mão à boca atingida pelo murro de Manuel.

— Judas! Este golpe foi recebido como um beijo que já foi dado, traidor!

— Ora, pois! E não foste tu quem tramou contra nosso grupo e nos entregou a Tobia?

— Cala-te, traidor!

Os olhos de Sétimo piscaram. Abriu a boca num rugido e, com velocidade descomunal, atingiu Manuel no estômago. O vampiro deslizou pela neve, indo bater contra um poste no canteiro central da avenida dos Autonomistas.

Do portão do quartel irromperam duas *pick-ups* com vampiros e traficantes a bordo. Disparos eram dirigidos contra a turba que se locomovia em direção a Sétimo.

O vampiro-monstro estava sendo rodeado pela legião de mortos-vivos. Mesmo tendo vivido uma eternidade ao lado de Acordador, nunca vira um exército de mortos-vivos tão volumoso. Era assustador.

César e Eliana, percebendo que muita fumaça subia do quartel, preocuparam-se com Tiago. Sétimo estava bem ali, na frente deles, envolto pelo exército de zumbis. Teria vindo para liquidar Tiago? Eliana ainda não sabia sentir... acendeu os olhos, clareando a noite. Tinha de ir até o quartel e saber do rapaz.

— Deixe-os brigar, César; vamos buscar Tiago.

César disparou. Seus olhos estavam sobre a figura de Sétimo, o monstro gigantesco trazido à vida por seu sangue mortal. Um calafrio deslizou pela coluna. Viu o vampiro desaparecer entre os zumbis. Procurou Eliana com os olhos e começou a caminhar ao largo da confusão, para perto de uma banca de jornais. À frente, viu a estação ferroviária de Quitaúna e, após, o muro do quartel, de onde saía muita fumaça. Um helicóptero barulhento começou a se aproximar.

Sétimo rugiu. Sua garra afiada cortou o ar e atingiu a cabeça de um zumbi. O morto-vivo, com o pescoço quebrado, rodopiou e caiu inerte. Cada um que se aproximava tinha um membro arrancado ou o corpo mordido. Sétimo defendia-se com agressividade, arremessando para o ar aqueles que o queriam deter. Muitos mortos-vivos começaram a tombar com a aproximação das *pick-ups* que traziam os seguidores do monstro alado. Mesmo assim, aumentavam cada vez mais.

Tempestade evocou seu dom, e em dois segundos gotas pesadas despencavam do céu. Trovões começaram a roncar, e relâmpagos surgiram no horizonte. Pesadas nuvens encobriram o céu de Osasco, desencandeando uma tempestade torrencial.

Manuel, recuperado do golpe, correu para cima de Sétimo, tinham de aproveitar o momento e lutar com afinco. Golpeou a fera com tamanha tenacidade que a criatura tombou no gelo e deslizou, atingindo a banca de jornais, fazendo revistas voarem para todos os lados.

Sétimo abriu o olho e chacoalhou a cabeça. Caído a seu lado, César.

— Pai! Vives!?!

Sétimo pegou César e abraçou-o.

Ele desvencilhou-se. Ia se afastar, mas ficou hipnotizado pelos olhos vermelhos e felinos da fera.

Sétimo inspirou profundamente.

— Não... está morto... morto-vivo. És cria do Acordador...

César recuou dois passos.

Manuel correu e, preparado, interceptou o golpe e arremessou Sétimo contra os zumbis que vinham em sua direção novamente.

— Ajuda-me, pai! Junta-te a mim.

— Nunca.

Sétimo rugiu.

César continuava hipnotizado, preso ao olhar penetrante de Sétimo. Queria atirar com a espingarda, mas algo o impedia.

— Nunca serei morto, pai. Vencerei no final. Se vencer sem ti ao meu lado... terei que te matar. Não consigo rastrear meus irmãos... o demônio me sacaneou. Não consigo encontrar Tiago... mas sempre poderei encontrar meu pai. Teu cheiro, pai... sei onde estás agora.

César não deixou transparecer, mas enervou-se.

O helicóptero, pairando sobre o imenso grupo de mortos-vivos e de vampiros, abriu fogo, tentando atingir as *pick-ups* estacionadas. Os traficantes revidaram, obrigando a aeronave a manobrar para nova investida.

Sétimo olhou para o helicóptero que jogava um facho de luz sobre o asfalto branco.

César aproveitou para se livrar do contato visual com o vampiro. Estava nervoso. Deu as costas e correu para o quartel. Tinha que ajudar Eliana.

Sétimo envolvia-se em nova briga. A legião evocada por Acordador era incontável. Os homens do monstro tinham chegado e atiravam sem parar, mas os malditos mortos-vivos iam ao chão, permaneciam mortos por alguns segundos e logo o corpo começava a estremecer. Eles se levantavam e continuavam a luta. As asas ainda doíam. Não conseguiria voar. Iria ignorar os zumbis e acabar com a raça dos vampiros traidores. A chuva pesada tamborilava em sua cabeça de morcego, e gotas mornas escorriam pelo rosto. Sétimo franziu o cenho e voltou para a briga.

Agnaldo, comandando vampiros e mercenários que lhe haviam confiado suas vidas, deparava-se com coisa nunca vista: mortos-vivos perambulando pelas ruas e vampiros com dentes enormes querendo tomar seu sangue.

Agnaldo gritava enérgico, regendo o ataque. Pediu que o lança-foguetes fosse recarregado. Sétimo o advertira sobre o perigo dos vampiros do rio D'Ouro. Aqueles malditos portugueses eram traiçoeiros e tão antigos quanto seu mestre. Tinha que ser certeiro e destrutivo. Não queria que os vampiros se tornassem uma ameaça constante.

Leonardo e seus seis lobos seguidores desferiam bocadas e lutavam. Os novatos, de igual para igual. Somente Leonardo destacava-se, assustando os inimigos. Aqueles malditos vampiros não fariam mais seguidores. Era o que interessava. Morreriam entre seus dentes afiados sem conseguir espalhar o mal vampírico pelo mundo.

Com a neve caindo nos capacetes, as motos de Tobia e Dimitri derraparam quando os dois se deram conta do que acontecia. Cerca de um quilômetro atrás, começaram a notar aquela gente estranha. Demorou até concluírem que eram cadáveres despertados por Acordador! Metros à frente, os vampiros digladiavam-se. Pedaços de gente voavam de um lado para o outro. Os mortos-vivos estavam sendo trucidados ora por Sétimo, ora por balas vindas de dois carros atravessados na avenida dos Autonomistas.

Tobia fixou os olhos em Sétimo. Soltou o estojo da coxa metalizada e retirou as lanças com roscas nas extremidades. Preparou-se para o confronto, tornando sua armadura letal à aproximação de qualquer vampiro.

Dimitri checou as armas. Granadas presas no colete à prova de balas. Pistolas com munição de prata, não muita, e duas submetralhadoras embaixo do sobretudo. O ferimento na costela doía muito, mas teria de ser ignorado. Olhou para Tobia.

— Vamos acabar com Sétimo. — sentenciou o caçador com a armadura argentina. — Se sobrevivermos... nos preocupamos com os outros.

— Tô gostando de ver, irmão! Quem te viu, quem te vê! De *yupie* metido a besta a assassino. Te arranjo um emprego com meu chefe quando essa zona acabar.

Os homens largaram as motos e tiraram os capacetes. A neve estava cada vez mais escorregadia devido à água que caía em abundância.

Aléxia e Paola adentraram o quartel. Corpos mutilados, homens gemendo espalhavam-se na entrada. Uma tropa passou marchando acelerado, ignorando as mulheres. Uma ambulância do Exército se aproximava com a sirene ligada. Aléxia seguia o cutucar. Tiago estava perto.

Fernando debruçou-se sobre Tiago. O vampiro estava bastante machucado e desde a explosão não conseguia se colocar de pé. Fernando tocou os lábios de Tiago com os seus. Fez o homem abrir os maxilares e despejou generosa quantidade de sangue na boca do rapaz. Fernando atacara um soldado e resguardara o precioso líquido.

Tiago, até então atordoado, recuperava a consciência. O sangue consumido por sua energia vampírica agora retornava ao corpo. Era como mágica. A dor foi desaparecendo rapidamente.

— Preciso de mais sangue.

Fernando ergueu Tiago.

— Vem. Vamos achar o que quer.

— Onde estão seus irmãos?

— Sentes a tempestade? Isso diz que meus irmãos estão por todos os lados. Estamos no meio da guerra.

Fernando olhou para trás. Olhos vampiros acompanhavam sua marcha.

— Tem gente atrás de nós. Mas isso não é nada, cara, precisa ter visto os apuros que passei na África ajudando os amigos.

Tiago olhou para os lados. Não viu nada.

— Sinto olhos... olhos em cima da gente.

Quando Tiago voltou-se para Fernando, ele tinha abandonado a forma do sargento e novamente era o vampiro de pele negra.

— Vamos, Tiago. Tens que beber mais sangue e tomar partido nessa briga. Tem vampiros atrás de nós. Estamos fracos. Tu, eu. Precisamos nos juntar aos outros.

Fernando estacou. Uma vampira surgiu num salto em cima do muro. Os olhos vermelhos cintilantes. Relaxou quando percebeu ser Eliana. Acenou para a vampira, caminhando e puxando Tiago para o muro. Aquela sensação penetrante de olhos espreitando incomodavam o vampiro. Fernando soltou Tiago, cambaleante, e inspirou fundo:

— Mulheres...

Precisava dar cobertura ao rapaz.

— Vai, Tiago. Vai.

Passavam em frente ao galpão com a parede traseira destruída, onde estiveram cativos. Os tiros explodiam do lado de fora. A chuva batia forte na grama fofa aos seus pés. Ora pisava em grama, ora pisava em lama.

Eliana aproximava-se de Tiago. Por mais que girasse os olhos, não conseguia descobrir de onde vinha aquela impressão desconfortante. Fernando estava de costas para Tiago. Atento. Protegendo-o.

Eliana, próxima a Tiago, abaixou-se. Um soldado jazia. O corpo ainda quente. Um rasgo no abdome. Uma trilha de sangue fresco. Algum objeto cortante fora arremessado em sua direção, provavelmente fruto de uma explosão. Nas costas, uma insígnia. Uma peça bordada: Operações Especiais.

Tiago alcançou-a. Estava com o rosto muito pálido e sulcado.

— Vem. Se alimenta. Nem eu tenho mais fobia a sangue... que dizer você. O sangue ainda está quente.

A vampira desvirou o corpo do soldado com o pé, e Tiago, sem nada dizer, debruçou-se sobre o cadáver.

De costas, aproximando-se da dupla, o vampiro negro apressou-os:

— Rápido, rápido. Come rápido, amigo.

Fernando finalmente detectou o que o incomodava. Olhos. No galpão, duas mulheres vampiras com três lobos.

Eliana abaixou-se e apanhou duas pistolas presas na cintura do cadáver.

— Problemas, Tiago.

César havia pulado o muro e vinha apressado.

— Que mais falta acontecer? — perguntou a mulher.

— Sétimo. Ele sabe sobre nosso covil.

Tiago levantou o rosto para o amigo. Tinha recuperado sua feição forte... parecia até mesmo ligeiramente corado.

— Como?

— Não sei, Tiago. Não sei. Ele leu em meus olhos. Isso é possível?

— Bá! Que temos aqui nesse chão molhado? Um morto-vivo perguntando a um vampiro se algo é possível! — exclamou Eliana, divertindo-se.

Tiago riu.

— Como podem rir? — incomodou-se César. — Estamos no meio de um inferno. Sétimo está enfurecido... se escapar dessa batalha, vamos todos morrer... não teremos uma nova chance, um novo encontro.

— Já estamos mortos. — retificou Tiago, colocando-se de pé.

— Ele vai acabar conosco. Vai acabar com o covil inteiro. Virá durante o dia.

— Como? — perguntou Eliana.

César apontou para o horizonte.

— Não falta muito para amanhecer, Eli. Não falta muito. Se ele escapar daqui... ele é o único que pode caminhar durante a luz do Sol. Eu poderia sobreviver à luz do dia, mas vocês não. Ele vai queimar todos os inimigos com a luz do Sol! Ele leu nos meus olhos onde está nosso covil.

— Vamos para outro lugar.

— Que lugar, Li? Vocês são sete vampiros! Onde vamos arranjar um lugar escondido da luz? O Sol não demora. Temos que liquidar a raça de Sétimo e correr para aquele porão escuro! Não vai dar tempo de procurar um covil novo.

Tiago limpou o sangue da boca com as costas das mãos.

— Vamos acabar com ele, César.

— Vocês não vão acabar com ninguém!

Os três voltaram-se ao mesmo tempo.

— Aléxia... — murmurou Tiago.

Sétimo via um vampiro tombar congelado à sua frente. Avançou para Inverno e quebrou-lhe o braço, fazendo o vampiro soltar um grito estridente. Jogou-o contra o chão, com violência, e pisou-lhe a cabeça. Isso o tiraria do jogo por algum tempo. Zumbis pulavam em suas costas, tentando sufocá-lo, prendê-lo. Lamentou o sangue dos zumbis ser podre e inútil; do contrário, poderia usá-lo para se alimentar. Rasgou um morto-vivo agarrando-o pelos braços e puxando. Órgãos fétidos infestaram o chão, espalhando-se por toda parte. O ataque era maciço, embora os irmãos evitassem aproximarem-se demais.

Tempestade ergueu o braço para o céu, e uma série de relâmpagos despencou. Um deles acertou a *pick-up* em cheio, esturricando dois vampiros e quatro seres humanos. Outro atingiu Sétimo, fazendo-o tombar, cercado por quase uma dúzia de mortos-vivos incendiados, que, mesmo consumindo-se em chamas, continuavam a atacá-lo.

Gentil, imóvel, viu passar um homem com armadura de prata. Arrepiou-se de medo.

— Tobia...

Empunhava uma espada prateada e parecia se deslocar em câmera lenta. Passos firmes, decididos. A lâmina varreu o ar e, lentamente, Miguel viu o braço de Baptista ser decepado e rodopiar. Viu Acordador, surpreso, receber um golpe no peito e tombar ferido. O vampiro estava paralisado, capturado pelo próprio poder. Os irmãos caíam. Também via o grande caçador de vampiros, caminhando decidido, aproximando-se de

Sétimo com sua lendária espada de prata pura. O vampiro indestrutível estava prestes a encontrar seu fim.

Tiago buscou Fernando com os olhos. Onde estava o vampiro? Por que não lhe dera proteção? Três lobos. Duas vampiras. Duas mulheres de Sétimo. Uma, a loira de olhos assustadoramente verdes e penetrantes. Outra, a vampira de corpo escultural e cabelos longos. Os lobos se dividiram e rodearam o trio inimigo.

— Você acertou nosso líder. Sempre se intrometendo onde não é chamado. — começou Aléxia.

— Sétimo nos contou a seu respeito. Essa deve ser a tal Eliana. Ah! Ah! Ah!

Os lobos rosnaram.

Eliana escondeu as armas nas costas. Queria acertar a testa daquela vampira que ria.

— Sétimo é indestrutível! Nem balas, nem vampiros conseguirão detê-lo. — continuou Aléxia. — Sétimo irá destruí-los. Um por um. Depois, tomará a Terra. Os vampiros voltarão a reinar e não mais serão caçados! Seremos soberanos!

Ficaram em silêncio por um instante, enquanto o som da chuva ganhava volume. Olhos nos olhos.

Paola viu Eliana esconder as armas. Assim que os lobos voltaram a rosnar e o primeiro deles atirou-se sobre o trio, Paola, usando velocidade vampírica, partiu para cima de Eliana ao mesmo tempo que Tiago era atacado por Hélio e Aléxia. Eliana fora desarmada; César conseguiu disparar, derrubando o lobisomem com um tiro certeiro. A outra fera desferiu-lhe uma mordida no ombro, levando parte da carne e a arma.

Os três foram subjugados em poucos segundos. Tiago ainda não estava recuperado, sem saber ao certo se conseguiria evocar o dom. Não temia o confronto, mas era difícil vencer o lobo.

Aléxia, com os olhos brilhantes, ordenou:

— Trucide-os.

Os lobos rosnaram enfurecidos, as bocarras salivantes escancaradas e os dentes afiados expostos.

— Pare! — retumbou a voz poderosa.

Aléxia e Paola espantaram-se. Sétimo, investido de sua forma humana, o tórax esguio e nu, aproximava-se na chuva.

Obedecendo à vampira, os lobos recuaram, rosnando.

— Sétimo!

O vampiro, sorrindo, estendeu os braços para as mulheres.

— Ah! Ah! Ah! Ora, ora... Tiago! Teu fim se aproxima.

Aléxia e Paola foram envolvidas num abraço.

No meio da batalha, Sétimo, o monstro, sentiu um calafrio percorrer o corpo.

— Paola!

Olhou para o quartel. Aproximou-se da *pick-up*, segurou um dos mercenários entre as mãos e abriu um ferimento no pescoço, sugando o sangue com sofreguidão.

— Aléxia! — urrou a fera, vertendo sangue pela boca.

Sétimo saltou sobre a *pick-up* e ensaiou um vôo desengonçado. Não susteve o corpo por muito tempo, voltando ao asfalto, repetindo a tentativa. Suas vampiras corriam perigo. A batalha durava muito mais do que o previsto. Tinha que tirá-las dali, tinha que salvá-las antes do nascer do Sol.

O vampiro de cabelos loiros e lisos, batendo no meio das costas, envolveu as mulheres nos braços, rindo alto.

Tiago, ajoelhado, encarava-o com raiva. O visitante lhe dera armas para combatê-lo; no entanto, tudo parecia desabar. Já afundava num prognóstico sombrio quando algo despertou-lhe a atenção. Vendo o ferimento no ombro de Aléxia um frio percorreu sua coluna. Uma idéia começava a se concretizar. A suspeita de um ponto fraco tornava-se realidade. O calcanhar-de-aquiles do maldito vampiro não residia em seu próprio corpo. Quando Aléxia apresentara o ferimento no ombro, Sétimo mostrara um igual no mesmo local do corpo. Tiago lembrava-se perfeitamente: quando a cela de Aléxia estava encoberta, vira em seu peito uma cicatriz, de ferimento recém-curado causado por bala de prata. Num *flash*, recuperou a cena de quando Sétimo o levava para o céu, em mais uma tentativa frustrada de tomar-lhe a vida. O vampiro gritara. Sangue brotava de seu peito. Um ferimento igual ao de Aléxia. Tiago sabia que Sétimo não havia recebido nenhum tiro naquele instante. Uma suspeita... Sétimo tirou as armas das mãos de Paola e arremessou-as para frente, entre eles e o trio dominado, e abraçou-a.

Tiago sorriu. Aquele não era Sétimo, era Dom Fernando! Ele estava com as mulheres nos braços. Só tinha a dupla de lobos a detê-los. O sangue fresco o havia reenergizado completamente. Sentia-se capaz de evocar seu dom. Os lobos já não eram problema.

— Eliana... — murmurou. — ... se matarmos as vampiras, enfraqueceremos Sétimo.

Ela concordou.

Um urro selvagem cresceu às costas do trio.

Sétimo surgiu imponente sobre o muro do quartel, estendendo as asas feridas e gritando enlouquecido.

Aléxia e Paola olharam para o lado. Estavam abraçadas a um homem negro, de corpo forte... Espelho!!!

Eliana aproveitou a distração momentânea e saltou adiante, alcançando as armas lançadas por Fernando.

Sétimo pulou para o gramado lamacento, batendo os pés pesados no chão.

Quando o primeiro lobo atacou Tiago, abocanhou o chão, enchendo a boca de barro e mato, sem entender como atravessara o corpo do vampiro como se este não existisse.

César atracou-se ao lobo restante e rolou na grama, evitando a boca mortífera da fera assassina.

Um homem de armadura prateada saltou o muro, correndo em direção à fera alada.

Sétimo não notou a aproximação do caçador de vampiros, pois seus olhos injetados estavam fixos no irmão.

— Fernando! Solta-as!

— Ora, pois! Que egoísmo é esse, Sétimo? São duas! Dividamos!

Sétimo urrou.

Fernando agarrava firmemente as vampiras pela nuca. Elas gritavam e xingavam ensandecidas.

Eliana ergueu as armas carregadas com bala de prata e disparou simultaneamente.

Os tiros atravessaram o peito das vampiras. Dom Fernando soltou-as, mas elas não saíram do lugar.

Eliana repetiu os disparos, acertando pernas, braços e cabeça. Finalmente, as vampiras tombaram sem vida.

Ao impacto do primeiro tiro atravessando o corpo das amadas, Sétimo perdeu as forças. Seu coração estava tão unido ao das vampiras, que sentia no próprio corpo o martírio impingido às crias. Caiu de joelhos.

Sangue e dor brotavam do peito, das pernas, da testa. As energias vampíricas estavam se esvaindo.

Como se estivessem em câmera lenta, viram Tobia rasgando a distância a passos decididos. Assim que a fera de asas gigantes ajoelhou-se, a espada de Tobia bailou, ceifando o ar num arco certeiro, atingindo o monstro na altura do pescoço.

— Tobia... — murmurou Sétimo, engasgado com o sangue.

— Tobia! — espantou-se Fernando, recuando cinco passos.

— Espelho! — gritou o caçador.

A cabeça de Sétimo se separou do corpo, rolando na grama molhada. O corpo pesado tombou sem vida. A criatura que nunca sucumbira às investidas do ódio, curvara-se naquela madrugada ao golpe do amor. A espada prateada separara definitivamente sua cabeça do corpo.

Os lobos paralisaram-se incrédulos ante o fim da criatura mais temida no meio vampírico.

A respiração de Tobia exalava extensas nuvens de vapor.

Os vampiros entreolharam-se. Tiago entendeu. Era hora de retirar-se. Um temor. O Sol logo estaria subindo no horizonte, ganhando força, tornando-se letal às criaturas da noite.

Velocidade vampírica. Tobia viu vultos desaparecendo rumo à batalha do lado de fora.

— Fernando... — murmurou, correndo atrás dos vampiros.

O caçador sentia a adrenalina queimar as veias! Tinha destruído Sétimo! O Sol se encarregaria do resto. Desejava ter tempo para demolir mais um dos malditos do rio D'Ouro. Espelho era seu novo alvo.

— Não vai escapar, Fernando! Se não perece na ponta da espada, perece sob a luz do Sol!

Fora do galpão, Tempestade, com o braço amputado, de joelhos, gritava de dor. Os zumbis misturavam-se aos soldados do tráfico, ocupando os atiradores. Contudo, a dor e a distração do vampiro fizeram a tempestade cessar, e, com isso, as nuvens começaram a se dissipar. Um pavor momentâneo despertou em todos os vampiros. Sem as nuvens negras encobrindo o céu, o horizonte vermelho se revelava e, com ele, a temida luz solar começava a chegar à Terra.

— Vamos rápido! Vamos rápido! — gritava Tiago. — O Sol está raiando!

Agnaldo gritava para seus homens. Não haveria tempo de chegar ao covil. As nuvens de Tempestade vinham funcionando como um embuste, uma armadilha mortal. Dissipando-se, poucos minutos restariam até que a luz queimasse todos.

Tiago e Fernando sustentavam nos ombros o pesado corpo de Inverno. Corriam todos pela avenida, evitando escorregar no gelo. Os olhos começavam a ganhar coloração vermelha devido ao ardor causado pela luz. A pele ardia. O fim parecia certo.

Tempestade, superando a dor, estendeu a mão para o céu. As nuvens pesadas voltaram, trazendo escuridão.

— Não vou agüentar muito tempo... — gemeu.

— Precisamos de um carro. — disse Fernando.

Miguel virou-se para o horizonte. Seus olhos já haviam voltado ao normal.

— Paaaare! — gritou Gentil.

As nuvens estancaram; os tiros cessaram.

Miguel sorriu. Finalmente, via seu poder aumentado também. Sétimo estava morto, não havia perigo em usar seu dom. Manteve livres do poder seus irmãos, Tiago, Eliana, César e o menino-lobo, Leonardo.

Sob o céu negro, caminharam até a *pick-up* dos vampiros e retiraram todos os corpos paralisados da caçamba. Miguel deu partida no motor e Tiago os conduziu para casa.

Tinham vencido Sétimo. Sétimo e seu bando.

CAPÍTULO 78

Miguel, o vampiro Gentil, foi o último a recostar-se no fundo do porão frio, ouvindo César fincar as escoras do lado de fora. Do lado de dentro, uma tábua grossa atravessava e travava a porta. Precaução nunca era demais. Tiago, exausto, cerrou os olhos, de mãos dadas com Eliana, ambos em pé. Inverno, desacordado durante quase todo o trajeto, também cedera ao sono vampírico. Tinha sangue escorrendo no canto dos lábios, obtido no caminho à toca. Miguel tocou as costas na parede fria. Leonardo, que trouxera também seus irmãos lobisomens num carro sobressalente, havia repousado os corpos na tumba escavada tempos atrás pelo vampiro Agnaldo, ali, naquele porão. Juntou-se aos lobos e encerrou-se em sono vampírico. Gentil sentia que o irmão Sétimo estava definitivamente morto. Era estranho que nada passasse em seu coração. Se fosse o velho Miguel, o encantador vampiro Gentil, talvez estivesse se consumindo em culpa. Sétimo nascera com a sina de ser traído. Mas Miguel não era o mesmo. Era apenas a imagem daquele vampiro de cabelos cacheados e olhos serenos. Ainda mantinha o rosto bonito e doce que hipnotizava as mulheres, o rosto sincero e a fala calma que demovia os brutos. O vampiro Gentil. Miguel fechou os olhos e recolheu as presas.

— Segue! — ordenou, antes de cair no sono vampírico.

De olhos fechados e adormecido, não percebeu uma tênue claridade invadindo o covil. O Sol reinava no céu.

✠ ✠ ✠ ✠ ✠ ✠

Em frente ao quartel de Quitaúna, o tempo ainda estava paralisado. Mortos-vivos estáticos, fagulhas congeladas escapando da descarga de metralhadoras. Os vampiros em pose de ataque. Gente rastejando. Gotas de chuva suspensas no ar. O céu encoberto por nuvens negras trazidas de volta num último esforço do vampiro Tempestade, buscando proteger o grupo na fuga.

Agnaldo, com o braço estendido, capturado pelo tempo, gritava mais uma ordem. Talvez tivesse saído vitorioso daquele campo de batalha, não fosse a intervenção do vampiro Gentil. O promissor general do exército de Sétimo tinha os músculos avantajados, de aparência rígida. Apontava para um grupo de mortos-vivos e, às costas, o lançador de mísseis estava pronto para disparar. Pareciam uma gigantesca obra de arte 3-D.

Tobia fora pego quando saltava o muro do quartel, procurando Espelho. Envergava a lindíssima armadura, que refletia as chamas ardentes. Na mão, o troféu fabuloso: a cabeça do vampiro Sétimo. Pretendia queimá-la na primeira oportunidade.

Dimitri estava caído, com um joelho no chão e a mão protegendo as costelas doloridas. O rosto maduro e de expressões firmes tinha traços cansados, de quem sofria e buscava superação.

Montes de gelo tinham se acumulado nos cantos da avenida, tornando-a intransitável. Num dia comum, as ruas da região estariam tomadas pelos carros e coletivos. Entretanto, ninguém se arriscava. Empresas de transporte coletivo recusavam-se a liberar os carros. O gelo impossibiltava a condução. A previsão era de mais caos.

Hélio e um lobo carregavam nas costas os corpos das vampiras terrivelmente feridas pela prata. Estavam deformadas e talvez jamais se recuperassem. Estavam igualmente estáticas, carregadas a galope na direção oposta à batalha, aproximando-se de um posto de gasolina em reforma.

O silêncio imperava, quebrado apenas por uma brisa rápida que fez com que revistas voassem da pequena banca de jornais destruída pelo corpo pesado de Sétimo.

A estação de Quitaúna estava deserta; o céu negro começava a limpar somente na região da avenida Paulista.

A brisa aumentou, as nuvens começaram a se mover, lentas, e, repentinamente, o som voltou ao mundo dos homens.

Na cena da batalha, tiros escapavam das armas. O lança-míssil explodiu; o foguete estraçalhou um amontoado de mortos-vivos. Alguns vampiros ficaram perdidos. Estavam mirando os inimigos que, repentinamente, tinham desaparecido.

Sem a presença de Tempestade e seu dom assombrado, as nuvens iam desaparecendo. Os vampiros notaram que o Sol subia perigosamente segundo a segundo. O desespero tomou conta do cenário.

Os soldados de Quitaúna, sedentos por vingança e determinados a acabar com aquelas criaturas, avançavam e disparavam contra o grupo de vampiros e de mortos-vivos.

O helicóptero de Brites descia no meio da avenida dos Autonomistas.

As nuvens pesadas foram se extinguindo, mágicas, silenciosas. Vez ou outra um relâmpago, ofuscado pelo Sol que se levantava, cruzava o céu.

Os vampiros mais fracos gritavam, correndo.

Agnaldo orientou que buscassem abrigo. Sentiu a pele arder e os olhos queimarem. Lágrimas vermelhas escorreram. Onde estaria Sétimo?

O corpo esquartejado do monstro alado começou a exalar grande quantidade de fumaça. Os músculos se gaseificavam até que o couro grosso aderiu aos ossos do vampiro. As asas transformaram-se num amontoado de gravetos secos, esturricados. O corpo de Sétimo era um esqueleto coberto por couro negro e ressecado.

Perto dali, Hélio e o parceiro lobo fugiam com as vampiras. A pele ardia e um filete de sangue escapava do canto dos olhos. Gritavam de dor. As vampiras sofriam também com a presença da luz solar, pois da pele escapava fumaça. Bolhas negras surgiram no rosto e nos braços. Sem um esconderijo seguro, teriam o destino selado em pouquíssimos segundos.

Tobia tocou o chão, vencendo o muro do quartel. As últimas gotas de chuva bateram no calçamento. Ganhou a plataforma da estação ferroviária e correu até uma parede de vidro de onde assistia o balé infernal dos vampiros agonizantes. Viu Dimitri encurvado. Os olhos não encontraram Fernando. A caçada ao vampiro do D'Ouro teria que aguardar outra data... caso a criatura sobrevivesse à luz.

Os mais fracos começaram a queimar. Agnaldo corria enlouquecido pela avenida. Precisava de abrigo. Não morreria ali, não morreria daquele jeito. Reuniu forças e disparou com velocidade vampírica, seguido pelos mais poderosos. Queimavam, um a um, a carne estourando e os olhos explodindo das órbitas. Agnaldo foi o único que alcançou refúgio. Escapando da avenida, passando por uma agência do Banco do Brasil e entrando à direita, encontrou uma igreja católica. Arrombou a porta da frente e atirou-se no corredor principal da igreja. Caiu de joelhos e rastejou até perto do altar, de costas, mantendo o crucifixo vermelho fixo no chão. Os olhos deformados focavam um campo restrito de visão. Olhou para a cruz, com o corpo de Cristo pendendo. Esticou o braço para a imagem...

— Perdão... — clamou Agnaldo, antes de desfalecer, com leve fumaça escapando pelas mangas da jaqueta negra.

O corpo murchou e os globos oculares afundaram. A pele colou aos ossos, dando à criatura um aspecto cadavérico.

Os vampiros de Sétimo estavam mortos.

CAPÍTULO 79

Madrugada. A Cherokee encostou no calçadão principal da cidade litorânea de Caraguá. Da ilha próxima, o som das ondas arrebentando vinha em bom volume. A maré estava brava, agitada, e a lua cheia brilhava mágica no alto do céu. Tiago foi o primeiro a colocar o solado das botas no asfalto. O cheiro da noite era bom, de alegria, sentimento que poucas vezes banhara sua alma desde a transformação em vampiro. Lembrava-se de Sétimo destruído. O corpo decapitado por aquele que os vampiros chamam Tobia. Tobia, o legendário caçador de vampiros. Tiago olhou para trás. Os vampiros desciam da Cherokee. Uma tristeza inesperada assaltou-lhe o peito. Sabia que era hora da despedida. Agora, o diabo os levaria de volta à beira do rio para cumprirem sua Aventura. Eliana aproximou-se e abraçou-o. Tiago, César e Eliana foram para a areia, seguidos pelos vampiros do rio D'Ouro. O doce Miguel à frente. Inverno, praticamente restabelecido, caminhava calado, algo incomodado. Acordador, silencioso como de costume, apenas apreciava o ar da noite e a lua. Baptista e Fernando eram os únicos que conversavam e riam. Todos sabiam que a aventura na Terra tinha chegado ao fim. A missão cumprira-se com a destruição de Sétimo. Calculavam que muitos outros vampiros também tivessem sido pegos pelo Sol e que seus corpos teriam explodido em chamas ou virado uma estátua grotesca composta por um amontoado de cinzas secas e mortas.

Próximo das águas rasteiras que iam e vinham, lambendo a praia, Tiago enfiou a mão no bolso e arremessou ao mar cinco moedas de prata. Os vampiros o cercaram, quietos, soldados obedientes. Tiago aproximou-se de Gentil e pousou as mãos nos ombros do vampiro.

— Gentil... amigo Gentil. Mais uma vez, te devo a vida. Mais uma vez, te vejo partir.

Ele não respondeu. Não era o mesmo vampiro sorridente e curioso que conhecera na primeira aventura.

— Meu criador, meu amigo. — murmurou Tiago, emocionado, abraçando o vampiro. — Queria tanto que isso fosse verdade, que você estivesse aqui na minha frente e que pudesse escolher entre ficar e partir.

Tiago soltou-o. Um vento forte começou a levantar a areia. Tiago recuou dois passos, encarando os vampiros.

— Nunca pensei que fosse dizer isto, mas obrigado, malditos. Façam boa viagem.

Relâmpagos acenderam o céu em disparos repetidos. No horizonte, subindo e descendo ao sabor da maré agitada, encantada, surgiu a caravela. Um ponto pequeno, que ia crescendo à medida que se aproximava. A caravela portuguesa, que singrava o mar dos mortos, chegava para levar seus passageiros de volta ao mundo oculto.

Eliana e César assistiam em silêncio, protegendo o rosto dos grãos movidos pela ventania.

Uma garoa fina começou a despencar. Fria e inoportuna.

— Um último encanto. — disse Baptista, cabisbaixo.

O braço do vampiro não estava completamente recuperado, mas já se encontrava fixo ao corpo. A energia vampírica haveria de reabilitá-lo por inteiro durante a viagem.

A caravela ancorou. Um nevoeiro pesado formou-se com rapidez, e, novamente, como no primeiro episódio, um corredor assombrado abriu-se no mar, permitindo a quem estava na areia enxergar a caravela e as águas escuras. No meio do corredor, uma pequena barca vinha rápido, empurrada por remos-fantasmas.

A certa distância, a barca tocou o fundo, raspando na areia.

Baptista, segurando o braço ferido, foi o primeiro a ir para a água. Olhou para o céu e gritou:

— Adeus, lua linda!

Caronte, o barqueiro, estendeu o braço.

— Vai, Caronte! Toca para o mar dos malditos! Não quero mais ficar nessa terra louca que os brasileiros construíram e que chamam de Brasil. Feiticeiros! — praguejou o vampiro, dando uma cusparada na água.

Eliana impressionou-se com a pele acinzentada e extremamente enrugada do barqueiro, arrepiou-se quando ouviu Baptista chamá-lo pelo nome. O velho parecia ter um milhão de anos.

Acordador foi o segundo e obrigou Caronte a debruçar-se no bordo, devido à sua diminuta estatura.

Vou-me embora. Deixa descansar os mortos... ninguém mais há de acordá-los... — de pé, na barca, que balançava um pouquinho quando as ondas batiam, o vampiro parecia triste. — ... que pena... que pena. Um dom tão bonito. Pensando bem, ó brasileiros, acordar os mortos sempre me foi uma diversão. Vai, Caronte, toca para o mar dos malditos. — murmurou, tomando seu lugar.

Inverno parou de frente para Tiago.

— Não gosto de ti, ó insolente. Queria ser eu mesmo e não este arremedo de Guilherme. Vim para te ajudar, mas quando chegar tua vez de cumprir a Aventura... reza para não cruzarmos o caminho na terra dos perdidos. Não gosto, mas reconheço... és um valoroso guerreiro. Se tivesses te aliado a Sétimo teriam dominado esta terra.

Inverno, o robusto vampiro de cabelos longos e castanhos, aproximou-se de Eliana. A vampira manteve-se firme; não mais temia o demônio. Levantou a mão e passou no rosto da mulher, suavemente.

— Mãe... a ti, sim, devo escusas.

Eliana arrepiou-se ao ouvir novamente o maldito chamando-a de mãe.

— Brindaste a mim com teu sangue doce. Lembras? Não fui um bom filho, me perdoa. Se fosse cá eu mesmo, te levaria comigo... não com Caronte, mas para o meu castelo no rio D'Ouro. Se sentires saudades... vai para lá, mãe. No castelo encontrarás nosso passado, nossa história... os vampiros do Rio D'Ouro ainda vivem lá. Ainda poderemos assombrar aquele castelo.

Inverno deu as costas e enfiou as botas n'água. Ignorou a mão do barqueiro, agarrou-se à borda da barca e saltou.

Espelho, o vampiro negro, caminhou pela água. Estendeu a mão para o barqueiro e subiu.

— Toca, barqueiro! Toca para o mar dos malditos.

Gentil parou em frente a Tiago.

— Se o apuro chegar, meu irmão, vai ao D'Ouro e encontra nosso castelo. Nossos criados lá ficaram. Darão armas e ensinamentos para lutar. Procura no castelo meu precioso tesouro. Sétimo está morto... podes não vê-lo, mas ele, junto de Dom Afonso, também vão nesta barca. Voltará a ser meu querido irmão. Vai precisar de mim para cumprir tua Aventura. Os Sete estarão juntos na caravela... irão juntos brigar no inferno para buscar suas almas. Hei de ajudá-los.

Gentil foi à água e agarrou a mão do barqueiro. Procurou seu lugar e sentou-se.

— Vai, barqueiro... toca para o mar dos malditos.

Com roupa pesada e antiga e capuz que escondia o rosto, Caronte parecia enegrecer ainda mais a noite ao erguer os braços. A barca começou a deslizar para trás.

César correu.

— Diz, barqueiro. Tem lugar para mais um desgraçado?

O barqueiro estendeu o braço e chamou-o com o dedo.

Eliana pediu ao amigo, entre lágrimas:

— Não vai, César.

Tiago abraçou-a, com os olhos marejados também.

— Deixa ele ir, Li. Deixa.

César sorriu, sem graça, desconcertado. Também tinha o coração partido. Mas até quando o dom de Acordador o manteria perambulando entre os vivos? Para que ser um zumbi?

— Guria, não chora. Para que adiar?

César correu até a água alcançar a cintura.

O barqueiro fez sinal com a mão, que continuava estendida, ordenando que parasse. Em seguida, deitou a palma, mostrando ao pretenso passageiro, exigindo a paga.

César vasculhou os bolsos. Uma moeda, pelo amor de Deus!

— Toma, tchê! — gritou Tiago, arremessando uma moeda prateada. — Vai com Deus, Cesão.

— Quisera eu... — murmurou o amigo.

O barqueiro estendeu a mão ao passageiro e trouxe-o a bordo.

— Vai, barqueiro. Toca pro mar dos malditos.

A barca deslizou dois metros, e os remos começaram seu trabalho.

Tiago teve a impressão de ver além dos cinco vampiros e do amigo Cesão, dois vultos no barco. Sétimo e Afonso...

Tiago e Eliana ficaram na areia, abraçados, assistindo à barca voltar ao mar aberto. Quando aproximou-se da caravela, a barca desapareceu. A caravela portuguesa desfraldou as velas-fantasmas e começou a arrastar-se para o horizonte. O corredor aberto pelo barqueiro sucumbiu, deixando a névoa tomar toda a praia. Tiago e Eliana ficaram abraçados em silêncio por cinco minutos que pareceram uma eternidade. Não sabiam o que o futuro reservava. Não conheciam o próximo passo. Estavam aliviados com a morte de Sétimo, aliviados ao ver a história dos vampiros do rio D'Ouro voltar para onde tudo começou, para dentro da caravela e para o fundo do mar. Só sabiam que não queriam mais cruzar o caminho daqueles vampiros. Procurariam um lugar para viver. Onde, ainda não sabiam. Não estavam preocupados com isso naquele momento. A névoa desapareceu. A caravela não existia. Apertaram-se um contra o outro e beijaram-se. Eram vampiros, tinham uma eternidade para se amar. Só isso de bom parecia ter acontecido: não se preocupar com a morte.

— Titi...

— Diz.

— Vamos casar?

— Casar?!

— É.

— Casar...

— Titi... se agora sobraram apenas eu e você... é melhor a gente casar. Que mulher mais no mundo vai querer um marido vampiro?

Riram e começaram a caminhar pela areia.

— É, quem sabe, Li? Não é má idéia. Você me deixa pensar?

— Deixo... mas quanto tempo?

— Uns trinta, quarenta anos.

Riram novamente.

— Vamos ficar juntos, Titi.

— Até que a morte nos separe, Eliana.

— Até que a morte nos separe.

Tiago evocou o sentir. Não localizava Agnaldo, o general de Sétimo. O maldito deveria ter queimado ao Sol. Não sentiu Aléxia nem Paola, as mulheres de Sétimo. Mais ninguém passou-lhe pela cabeça. Se os vampiros não estivessem mortos, era só esconder o rabo num canto e alimentar-se com discrição. Pedira que Leonardo fizesse o mesmo. Que mantivesse os amigos vampiros longe de confusão. Não tinham o menor desejo de se proliferar. Estariam entre os humanos sem sede assassina. Aprenderiam mais com seus dons na escuridão. Aprenderiam com o tempo a ser vampiros poderosos, mas nunca esqueceriam a humanidade. Vigiariam os homens, os hábitos; para continuar entre eles, tinham que agir como eles. Para misturar-se entre as pessoas, tinham que falar como as pessoas. Deveriam ser garças entre garças. Nunca suspeitariam que eram vampiros. Só assim o sangue sempre estaria à mão. Precisavam do líquido poderoso para caminhar sobre a Terra. O mal era irreversível. Eram e, até o fim dos dias, seriam vampiros.

✠ ✠ ✠ ✠ ✠ ✠

O Cesna fretado sofria com a turbulência. Eliana apertava a mão do parceiro. Desceram tão rápido que Tiago chegou a pensar que algo dera errado. A borracha dos pneus batendo na pista e o chacoalhar forte indicavam que tinham aterrissado. Eliana sentiu um alívio. O comandante parecia ter a mesma sensação. Só depois do avião parar é que soltou o manche.

— Gente, nunca mais faço isso! Voar à noite, com um tempo desses?! Só com malucos pagando esse dinheiro todo!

O comandante abriu a aeronave e ajudou a mulher descer. Tiago botou a cabeça para fora. O cheiro do mar e da vila era inconfundível. Estavam no alto de um morro. Um pouco distante, podia ver as luzes do povoado. Amarração.

— Que pista péssima! Não tem nem torre de controle! — reclamava o aviador.

Os vampiros deixaram o homem para trás. Ele já tinha o dinheiro. Que se virasse agora. Tiago havia ligado para o Neco e, como combinado, lá estava o jipe. Vasculhou na placa traseira e encontrou a chave no esconderijo. Olhou para trás. Os faróis do Cesna dançavam na pista, manobrando para decolar contra o vento forte. Tiago deu partida no veículo.

— Onde vamos ficar, Titi? Não demora a amanhecer.

— Tenho um lugar especial para a nossa primeira noite em Amarração.

O jipe rumou para o centro velho. Eliana estava vendada e curiosa. O carro parou e Tiago saltou, pedindo que não descobrisse os olhos. O vampiro demorou muito para voltar. Eliana estava quase quebrando a promessa quando sentiu Tiago pegando-a no colo.

— Já vou avisando. Estamos na rua do Maestro. Não espere ostentação e glamour. É o único lugar da cidade em que poderemos nos registrar e passar o dia protegidos do Sol. Amanhã, vamos adaptar meu suntuoso casebre. — brincou Tiago, tirando a venda dos olhos de Eliana.

Ela percebeu a tinta fresca na inscrição logo acima da marquise do velho estabelecimento abandonado.

— Não é nenhum Copacabana Palace, mas tudo bem, Titi, a gente vai fazer dele o lugar mais romântico de Amarração.

Os dois sorriram e se beijaram. Tiago, carregando a mulher no colo, adentrou pela porta dupla, desaparecendo na escuridão com sua amada. Um espectro vermelho escapava dos olhos do casal apaixonado, enfeitando as paredes emboloradas e decrépitas da antiga construção.

Do lado de fora, se alguém passasse, iria notar grossas gotas de tinta vermelha se desprendendo do letreiro, despencando como sangue estagnado. Uma coruja de penas pardacentas posou sobre a placa, batendo as asas de forma grácil e silenciosa. A cabeça girou, e os olhos vivazes inclinaram-se para as letras escarlates grafadas na placa de madeira. A inscrição emendada grosseiramente, de improviso, logo acima do nome do estabelecimento, feita com brocha e uma lata de tinta trazida no jipe, anunciava:

— BEM-VINDOS AO LUXOR HOTEL.

FIM

fale com André Vianco: andrevianco@gmail.com

Conheça outros livros do Autor...

Sete corpos cadavéricos são encontrados dentro de uma caixa de prata a bordo de uma caravela naufragada no litoral brasileiro há mais de 500 anos. Apesar das advertências grafadas no objeto de prata, a equipe do Departamento de História da Universidade Soares de Porto Alegre decide violar a caixa para estudar os cadáveres. Quando os pesquisadores abrem a caixa, acabam despertando Inverno, um dos mais temíveis vampiros que já existiu. O best-seller *Os Sete* encanta o leitor com sua originalidade e ritmo do começo ao fim. Um passeio empolgante e inesquecível pelo mundo dos vampiros do rio D'Ouro.

Um anjo tentando salvar a alma de um mortal acaba quebrando uma das mais importantes regras que rege o mundo dos anjos e dos demônios. Tal fato permite que as criaturas das trevas conclamem a "Batalha Negra", o que poderá desencadear a destruição de todos os anjos de luz da Terra. Agora, os dois exércitos estão furiosos, transformando as tranqüilas pastagens de Belo Verde em um funesto campo de batalha, onde as espadas se parecem chamas, e os olhos, brasa. Essa misteriosa aventura sobrenatural orquestrada pelo mestre da fantasia e do terror nacional, André Vianco, está repleta de batalhas do mundo dos anjos, dos vampiros e dos demônios, tendo como cenário uma pequena cidade do interior do Brasil.

Os protagonistas desse agradável e emocionante romance transitam pelo mundo do sofrimento, do remorso e da solidão. O que está em jogo é a vida de quatro pessoas. Caminham cadenciados para um desfecho sombrio, sem esperança e sem paixão. Contudo, deparam-se com um estranho que lhes traz um misterioso cartão de visitas. Aqueles que seguirem o coração e buscarem "A Casa" encontrarão uma porta aberta para o perdão e para uma segunda chance com aqueles que já partiram desse mundo. Esse é o primeiro livro de Vianco que segue a linha espiritualista, despertando a reflexão em torno do sentido máximo da vida.

Em *Sementes no Gelo* o autor volta a explorar o sobrenatural. Um detetive depara-se com o caso mais estranho de sua vida. Uma cliente surge queixando-se de estranhas aparições em seu apartamento. Quando começa a investigar o fenômeno bizarro, o detetive chama a atenção de espíritos furiosos, impedidos de reencarnar, que lançam sua fúria sobre todos os que lhe chamam a atenção e que interpõem seu caminho. Muitos sustos e situações sombrias conduzirão o leitor até o final mágico desse misterioso romance.

Uma noite começada como outra qualquer entra para a história da humanidade quando metade dos seres humanos adormece de forma inexplicável. O pesadelo parece não ter fim quando os humanos, livres do sono, descobrem que dividem a noite com os demônios da escuridão. Nessa atmosfera de horror e tensão, surgem criaturas que poderão lutar contra o mal e o terror: os Bentos. Seres abençoados que têm a missão de combater os vampiros a qualquer custo. Para tanto, precisarão se unir ao último *Bento*, que desperta de um sono de trinta anos... E ainda não imagina o que o espera fora daquela cama de hospital, onde tudo parece muito confuso. Vianco desafia o leitor a conhecer esta saga vigorosa, cheia de mistérios, e a apaixonar-se por suas passagens arrebatadoras e seus personagens poderosos.

Lúcio, o escravo de Cantarzo, carrega seu mestre vampiro encerrado numa caixa de madeira. Sua missão é levá-lo até Tereza, uma bruxa que vive ao norte do Brasil, que fará com que Cantarzo desperte e se torne o rei dos vampiros. Com poucas pistas sobre o real paradeiro da tal bruxa, o lacaio do vampiro começa uma jornada que trará resultados nefastos, caso alcance seu objetivo. Do lado dos humanos, bento Lucas faz crescer em seus semelhantes a chama da esperança, empurrando-os pelos trilhos da reconquista do país até então assolado pelos inimigos noturnos. O destino de Lucas e de Cantarzo está a ponto de se cruzar e nas páginas de *O Vampiro-Rei vol. 1* o leitor se encontrará com um mundo fantástico e assistirá de camarote a todo o desenrolar dessa saga inigualável, imaginada e conduzida por André Vianco, o talentoso contador de histórias que vem se destacando no campo da literatura fantástica brasileira.

Bento Lucas, o guerreiro de luz, e Cantarzo, o vampiro-rei, finalmente se encontram e protagonizam o grande combate. *O Vampiro-Rei vol. 2* é o tomo mais recheado de aventuras, combates e criaturas fantásticas de toda a saga iniciada em *Bento*. Bravura e determinação, medo e morte, paixões avassaladoras, criaturas assombrosas, personagens destemidos, situações de completo desespero e momentos de quietude e introspecção. Embarque em *O Vampiro-Rei* e conheça essa história. Conheça um mundo novo. Boa viagem!

INFORMAÇÕES SOBRE NOSSAS PUBLICAÇÕES E ÚLTIMOS LANÇAMENTOS

Visite nosso site:
www.novoseculo.com.br

NOVO SÉCULO EDITORA
Av. Aurora Soares Barbosa, 405
Vila Campesina - Osasco/SP
CEP 06023-010
Tel.: (11) 3699-7107
Fax: (11) 3699-7323

e-mail: atendimento@novoseculo.com.br

Ficha Técnica

Formato	16x23
Mancha	12 x 20cm
Tipologia:	ClassGarmnd BT
Corpo	11
Entrelinha	14
Total de páginas:	464